LES LITTÉRATURES FRANCOPHONES DEPUIS 1945

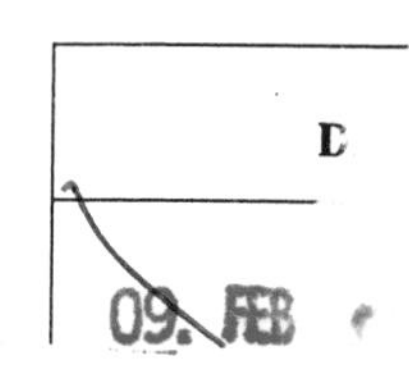

LES LITTÉRATURES FRANCOPHONES DEPUIS 1945

Jean-Louis Joubert maître de conférences à Paris XIII

Jacques Lecarme maître de conférences à Paris XIII

Éliane Tabone maître de conférences à Lille III

Bruno Vercier maître de conférences à Paris III

Bordas

Document de couverture : *La Kahena,* peinture de J.-M. Atlan (1958). Musée national d'Art moderne, C.G.P., Paris. Ph. © Edimedia © by A.D.A.G.P. 1986.
Maquette de couverture : Gilles Vuillemard.
Recherche iconographique : Marie-Hélène Reichlen et Christine Varin.

ISBN. 2-04-016678-5.

Avant-Propos

De 1945 à 1985, le paysage littéraire de langue française s'est considérablement transformé. En 1945, il existe **une littérature française** *(le singulier est de rigueur), éventuellement prolongée par des ramifications locales dans les pays voisins (Belgique, Suisse) ou par la fidélité de savoureux cousins d'outre-mer (Canada français). En 1985, la diversité est reconnue :* **des littératures** *(le pluriel s'impose), développées aux quatre coins du monde, utilisent le (ou les) français. Même si on est encore loin de l'autonomie dont jouissent, par rapport à leurs métropoles linguistiques, les littératures en anglais ou en espagnol, les Français commencent à accepter de remettre en jeu leur hégémonie littéraire. Ainsi le Salon du livre de Paris choisit-il, en 1985, comme thème central : « Écrire les langues françaises ». Autre exemple de l'intérêt manifesté au surgissement de nouveaux centres francophones : cette même année 1985, une curieuse entreprise médiatique fait composer par huit écrivains de langue française, dispersés à travers le monde (au Canada ou en France, en Côte d'Ivoire, au Congo ou en Tunisie) et communiquant grâce aux machines les plus modernes, un récit aux fils entrecroisés, aboutissant à un livre* (Marco Polo, le Nouveau Livre des Merveilles) *et à une bande dessinée adaptée à la télévision. Toujours en 1985, Gabriel Garran met en place le Théâtre international de langue française, avec le projet ambitieux de constituer un répertoire théâtral provenant de tous les lieux de la francophonie et de favoriser ainsi convergences, confrontations et échanges. Plus significatif encore de cet éclatement du domaine littéraire de langue française : l'édition francophone se diversifie hors de l'hexagone, au Québec comme en Suisse, en Afrique noire aussi bien qu'en Belgique ; partout, des collections de poche apparaissent et se spécialisent dans l'édition ou la réédition des littératures nationales à l'usage du public local. Les écrivains francophones peuvent désormais acquérir leur reconnaissance littéraire en dehors des institutions parisiennes.*

*Une étude systématique des instances qui jalonnent et légitiment les corpus littéraires de langue française (manuels scolaires, histoires littéraires, études critiques, anthologies, dictionnaires et encyclopédies) montrerait les complexités, les lenteurs ou les emballements de cette évolution. C'est vers la fin des années 60 qu'elle se dessine nettement. Auparavant, les textes « en français d'ailleurs » n'ont pas de statut bien clair. Pour prendre un exemple parmi beaucoup d'autres : l'*Histoire des littératures *de l'Encyclopédie de la Pléiade, publiée sous la direction de Raymond*

Queneau, consacre un volume (1958) aux « littératures françaises, connexes et marginales » : rangée parmi les « littératures connexes », traitée en un seul chapitre (dû d'ailleurs à la plume parfaitement informée du pionnier des études en ce domaine, Auguste Viatte), « la littérature d'expression française dans la France d'outre-mer et à l'étranger » reste prisonnière d'un schéma monolithique et centralisateur. Du côté des manuels scolaires, la première édition (1962) du XXe *Siècle de la collection Lagarde et Michard cite seulement le symbolisme belge (Verhaeren, Maeterlinck) ; en revanche, l'édition augmentée de 1973 introduit Senghor, Césaire et Saint-Denys Garneau.* La Littérature en France depuis 1945 *(1970) innove en présentant de façon détaillée, sous la rubrique « horizons élargis », « trois aspects des littératures francophones » (Québec ; Maghreb ; Afrique noire et Antilles). A la fin des années 70, le tournant est définitivement pris. En France, le* Guide culturel : civilisations et littératures d'expression française, *publié en 1977 et rédigé par un ensemble de spécialistes français et francophones, invite à l'intégration des littératures francophones dans les programmes scolaires (et l'on sait que l'école est un des filtres essentiels de l'institution littéraire : est classique ce qui s'enseigne dans les classes). A l'étranger, de la Suède au Brésil, des manuels et des méthodes d'apprentissage du français langue étrangère font de plus en plus de place aux réalités et aux littératures francophones. Les récents dictionnaires spécialisés enregistrent les changements de statut des littératures francophones. Ainsi le* Dictionnaire des littératures de langue française *(1984) de Bordas annonce-t-il dès son titre l'ambition de saisir les littératures d'expression française dans leur pluralité. Et s'il est vrai que les dictionnaires reflètent l'esprit général d'une époque, il ne fait plus de doute que l'existence des littératures francophones, se différenciant de la littérature française, est maintenant bien reconnue.*

Le projet du présent ouvrage est de dresser un **état des lieux,** *de manifester, textes en mains, la vitalité des littératures de langue française, de proposer un parcours à travers les œuvres significatives de la francophonie. Cet itinéraire (un parmi d'autres possibles) découle évidemment de la situation et des choix des auteurs. Puisqu'ils sont français, ils regardent les littératures francophones comme des littératures d'ailleurs, mais ils ont voulu éviter le double piège du francotropisme naïf et de l'exotisme : ni comparaisons insidieuses avec quelque « modèle » français posé en absolu, ni admiration systématique devant toute trace d'altérité.*

Il n'était pas possible d'entrer, pour chaque région francophone, dans une présentation parfaitement détaillée. Il existe au demeurant d'excellents travaux de spécialistes (dont on trouvera mention dans les orientations bibliographiques : anthologies nationales ou régionales, histoires littéraires, etc.). L'essentiel était de proposer une vue d'ensemble, une **mise en perspective** *soulignant originalités et convergences. Tout en maintenant un équilibre relatif, excluant tout jugement de valeur, il était tentant de donner un éclairage plus vif qu'à l'ordinaire à des littératures mal connues, parce que peu diffusées hors de leur lieu d'origine. Mais les auteurs ont tenu à conserver les mêmes critères tout au long de leur inventaire : leur* **plaisir de lecteurs** *à rencontrer dans les textes un authentique travail d'écriture ; le sentiment de percevoir, à travers le jeu littéraire sur une même langue, l'***affirmation des cultures** *les plus diverses. Étrange étrangeté de ces textes francophones, si proches par le partage de la langue, si attachés à dire l'irréductible d'une culture dont ils émanent (et que parfois ils construisent).*

J.-L.J., J.L., E.T., B.V.

N.B. Aucun des textes francophones déjà cités dans La Littérature en France depuis 1945 *et dans* La Littérature en France depuis 1968 *parus aux éditions Bordas n'est repris dans le présent ouvrage.*

Langue française francophonie et littérature

Le français n'est pas la langue des seuls Français. En Europe, il déborde les frontières de l'hexagone. Dans les autres continents, pour plusieurs dizaines de millions de personnes, il est langue maternelle ou langue nationale, langue officielle ou langue d'usage, langue seconde ou langue de plaisir. Phénomène ancien déjà, dont la prise de conscience est récente. Pour le désigner, à la fin du XIXe siècle, le géographe Onésime Reclus avait utilisé le terme « francophonie », qui recouvrait — sens socio-linguistique — « l'ensemble des populations parlant français », mais aussi — sens géopolitique — « l'ensemble des pays où l'on parle français ». Oublié pendant plus d'un demi-siècle, le mot « francophonie » a été employé à nouveau, en novembre 1962, dans un numéro spécial de la revue *Esprit* consacré au « français dans le monde ». Il s'est alors chargé, comme on le verra, de connotations marquées et de valeurs opposées.

Il est piquant de constater qu'on n'avait pas senti le besoin d'un mot spécifique pour désigner, dans le passé, les tentations universalistes du français : aux XIIe et XIIIe siècles, quand il était langue officielle de l'Angleterre, ou bien à l'époque où Rivarol composait son célèbre *Discours sur l'universalité de la langue française* (1784) et où Frédéric II de Prusse et le Prince de Ligne jugeaient « naturel » d'écrire en français. Aujourd'hui, le succès d'un mot comme « francophone » traduit sans doute la perception de changements multiples. D'une part, on cherche à exorciser le sentiment d'un déclin de la langue française dans le monde (déclin qu'il faut bien constater, mais qui est relatif et non absolu, puisque des statistiques publiées en 1985 font apparaître qu'il n'y a jamais eu autant d'élèves apprenant le français hors de France : plus de 70 millions, et 57 millions si l'on ne tient pas compte des élèves français).

D'autre part, on prend acte que des rapports nouveaux se sont établis entre les peuples : les tutelles coloniales s'effacent, les pays de langue française s'emploient, parfois avec vigueur, à échapper au contrôle culturel de la France. Si le terme « francophonie » s'est imposé, c'est que la langue française n'est ni une langue morte, ni la propriété exclusive des seuls Français.

Géographie de la langue française

Une typologie commode présente quatre grands ensembles de pays francophones :

— Les pays où le français est **langue maternelle** d'une communauté nombreuse, installée dans sa langue depuis des siècles : c'est l'Europe et le Canada francophones.

— Les pays créolophones, où le français est le plus souvent **langue officielle** ou langue d'usage, plus ou moins familière à l'ensemble de la population qui ne la ressent pas comme radicalement étrangère : ce sont les Antilles, Haïti, la Guyane, l'île Maurice, La Réunion, les Seychelles.

— Les pays où — conséquence de la colonisation — le français est **langue de communication** ou langue de circonstance, maîtrisée et pratiquée par une partie plus ou moins importante de la population : les pays d'Afrique noire francophone, Madagascar, le Maghreb, le Liban.

— Les **survivances francophones** dans les régions où une tradition de l'étude ou de l'usage de la langue française avait pu s'établir ; le français y est encore utilisé par des groupes limités ou dans des situations précises : c'est le cas au Proche-Orient, en Europe orientale, dans la péninsule indochinoise, etc.

Dans chacun de ces ensembles, le statut du français a été modelé par les évolutions historiques et les différences sociologiques. La francophonie est une mosaïque de cas d'espèce.

En Europe, l'extension des pays de langue française est restée remarquablement stable au cours des siècles : la frontière avec les régions de langues germaniques n'a pratiquement pas varié depuis deux millénaires ; elle coïncide avec la limite d'expansion de la langue latine ; dans le Val d'Aoste, jusqu'à l'arrivée récente d'une population ouvrière immigrée du Sud, qui ne parle que l'italien, le français s'était solidement maintenu. En Belgique, au Luxembourg, en Suisse, le français bénéficie de la proximité de la France et des contacts multiples qu'elle entraîne. Cependant, des situations conflictuelles se traduisent par des tensions linguistiques. En Suisse, où l'allemand est langue majoritaire et parfois dominante, les francophones du canton de Berne ont su obtenir la création d'un 23e canton de la Confédération helvétique : le Jura romand. En Belgique, la prédominance du français a longtemps réduit le flamand à des rôles subalternes. Malgré un arsenal législatif destiné à assurer l'égalité des langues et en dépit de la fixation, en 1963, d'une frontière rigide séparant les régions en fonction de leur appartenance linguistique, les querelles sur les langues menacent durablement l'unité et l'existence de l'État belge.

La continuité linguistique de la France aux pays francophones voisins ne doit pas masquer les importantes différences culturelles. Malgré l'épisode napoléonien qui les avait rattachées à l'ensemble français, Wallonie et Suisse romande ont su échapper au rassemblement centralisateur par lequel la France s'est constituée. Sur les marges de l'État national français, elles apparaissent comme des survivances de l'Europe des provinces et des principautés (en Wallonie, le souvenir de la principauté de Liège est encore vivant), ou bien comme les traces laissées par l'effacement de constructions politiques (de la Lotharingie aux États bourguignons) opposées à la logique nationale française, ou comme le refuge, autour de Genève, d'une France protestante expulsée de France.

En Amérique du Nord, le français est arrivé avec les découvreurs, coureurs de bois, missionnaires, paysans qui aux XVIIe et XVIIIe siècles se sont installés sur les immenses territoires de la Nouvelle-

France, du Saint-Laurent aux montagnes Rocheuses, des Grands Lacs, par le Mississipi, jusqu'à la mer des Caraïbes. Cette communauté francophone (60 000 personnes environ en 1765), coupée de la France après le traité de Paris (1763) qui cédait à l'Angleterre l'ensemble de la Nouvelle-France (sauf La Nouvelle-Orléans), a réussi, malgré la pression croissante de l'environnement anglo-saxon, à conserver une identité française, grâce à son étonnant dynamisme démographique et à l'attachement à son mode de vie, à sa religion (catholique) et surtout à sa langue maternelle. Aujourd'hui, les francophones constituent plus du quart de la population du Canada. Ils ont obtenu, en 1969, que la Fédération canadienne soit officiellement déclarée bilingue. En fait, selon les provinces, la situation du français varie considérablement. Dans l'Ouest, les îlots francophones résistent mal à la force d'attraction de la langue et de la civilisation américaine. Les minorités du Manitoba et surtout de l'Ontario préservent mieux leur spécificité culturelle. Le Québec et l'Acadie (surtout le Nouveau-Brünswick) ont affirmé avec éclat leur identité francophone. En adoptant en 1977 la « charte du français », le Québec a décidé de rompre avec un bilinguisme jugé illusoire et a donné au français le statut de seule langue officielle de la province. L'affirmation de la personnalité politique québécoise, la revendication de l'indépendance passent par cette reconnaissance du français comme langue dans laquelle, de plein droit, on travaille et on vit. L'isolement historique, l'adaptation aux réalités multiples de l'Amérique ont façonné une identité française du Québec qui, sur bien des points, marque son originalité par rapport aux modèles culturels de la France.

Aux États-Unis, le français était resté vivant en Louisiane jusqu'à la fin du XIXe siècle : la communauté francophone s'était grossie de l'apport des Acadiens déportés par les Anglais en 1755 et des créoles réfugiés de Saint-Domingue au moment de la révolution haïtienne. Aujourd'hui, le renouveau du français, soutenu par un effort d'enseignement, participe du grand mouvement de retour aux racines régionales et ethniques. Dans les États du Nord-Est vivent deux à trois millions de Franco-Américains : on appelle ainsi les immigrés du Québec et de l'Acadie et leurs descendants. Ils abandonnent l'usage du français avec leur intégration dans la société américaine.

Comme cette francophonie américaine, **les pays créolophones** sont les traces laissées par le démembrement du premier Empire colonial français. Dans des conditions sur lesquelles les spécialistes disputent abondamment (laminage du français pour produire un « pidgin », moyen de communication minimal entre les maîtres et les esclaves ; influence des langues d'origine de ceux-ci ; restructuration du pidgin en véritable langue), le français y a donné naissance à une langue nouvelle : le créole. Ces pays connaissent donc des situations de diglossie, parfois très complexes. Le créole (qui varie d'une île à l'autre) y apparaît comme la langue de communication quotidienne et privée de la majorité de la population. Son statut reste ambigu : longtemps méprisé, voire refusé pour ses origines vulgaires et serviles, il était en même temps chanté comme la langue de l'affectivité ; revendiqué aujourd'hui comme langue populaire, il est valorisé comme langue du combat politique ou comme langue naturelle d'une identité culturelle créole. Le français reste la langue des pouvoirs, de l'administration, de l'école, des moyens modernes d'information, de l'industrie et du commerce, de la communication avec l'extérieur. C'est aussi en français que se sont développées des traditions littéraires, dont la richesse surprend quand on la rapporte à l'exiguïté territoriale des îles. Dans les départements français d'outre-mer, le français est largement répandu dans l'ensemble de la population. En Haïti, sa connaissance est tout à fait minoritaire. A l'île Maurice, presque un habitant sur deux peut le pratiquer ; mais la situation linguistique y est particulièrement compliquée, du fait de l'usage répandu non seulement du créole, mais de l'anglais, de plusieurs langues indiennes, du chinois...

En Afrique, le français a été introduit par la colonisation au XIXe siècle. L'enseignement du français et l'enseignement en français, présentés comme instruments d'une conquête pacifique des cœurs et des esprits, ont constitué un des dispositifs efficaces de la domination coloniale. Galliéni, dans une circulaire sur l'enseignement à Madagascar, soulignait : « Vous ne devez jamais perdre de vue que la propagation de la langue française dans notre nouvelle colonie, par tous les moyens possibles, est l'un des plus puissants éléments d'assimilation que nous ayons à notre disposition et que tous nos efforts doivent être dirigés vers ce but. » Les décolonisations devaient entraîner d'inévitables revendications d'indépendance linguistique. Cependant, en Afrique noire, les solutions radicales ont été écartées : la multiplicité des langues africaines, la difficulté du passage à l'écrit pour des langues jusqu'alors uniquement parlées, les hésitations politiques, l'absurdité d'un abandon total du français ont conservé à celui-ci, dans les anciennes colonies belges et françaises, le statut de langue officielle, en même temps parfois qu'une langue africaine. L'exemple malgache (politique de malgachisation intensive suivie depuis 1972, mais réaffirmation par le chef de l'État en 1985 de la nécessité d'un enseignement du français de qualité et largement répandu) montre que la promotion des langues nationales n'exclut pas le développement du français.

Comme les pays créoles, l'Afrique noire vit en situation de diglossie : le français demeure la langue de la vie moderne, des pouvoirs politiques et économiques, de l'école, donc de la promotion sociale, des relations avec l'extérieur. Le français reste un moyen commode d'intercompréhension entre Africains de régions différentes. Il ne faut pourtant pas surestimer les effectifs de la francophonie africaine. Malgré les brassages de population dus à l'urbanisation et les progrès réels de la scolarisation, seule une petite partie (10 % peut-être) des Africains réputés francophones maîtrise réellement le français.

Après avoir retrouvé l'indépendance, **les trois pays du Maghreb** ont mené, avec un zèle et des succès divers, une politique d'arabisation. A l'école, le français a perdu la place dominante qui était la sienne à l'époque coloniale. En conséquence, les générations nouvelles ont moins d'aisance que certains de leurs aînés à manier le français. Cependant le français bénéficie d'un statut de langue étrangère privilégiée. Le maintien de liens multiples avec la France, l'importance des courants de migration consolident son implantation. Il est donc largement pratiqué dans la vie quotidienne des citadins. Si l'arabe représente la tradition, la religion, l'authenticité, si parfois le berbère révèle une identité profonde, le français symbolise l'accès à la modernité et il autorise un regard distancié, donc une conscience critique de sa propre culture. L'ambiguïté de la situation du français au Maghreb (et les polémiques qui en découlent) tient à ce paradoxe : langue étrangère, il incarne l'aliénation à la culture de l'Autre, mais en même temps il apporte les outils intellectuels de possibles libérations.

Au Liban, le français avait été répandu par l'intermédiaire des missions, dès le milieu du XIXe siècle, donc longtemps avant l'épisode colonial du mandat français. Pratiqué par environ la moitié de la population, langue d'usage et de culture, le français fonctionnait complémentairement à l'arabe, langue officielle. Ce bilinguisme franco-arabe semblait assez bien résister aux progrès rapides de l'anglo-américain. Mais les déchirements des guerres libanaises depuis 1975 interdisent de porter tout jugement raisonnable sur l'évolution de la situation du français.

Partout où l'expansion coloniale l'a diffusé, le français reste plus ou moins présent. Dans les actuels territoires d'outre-mer (Nouvelle-Calédonie, Polynésie), il est solidement répandu par l'école et il maintient les langues locales dans des usages limités (intimité de la vie familiale ou convivialité des tribus mélanésiennes). A Pondichéry, un gros effort d'enseignement offre à l'Inde une petite fenêtre sur la France. Dans la péninsule indochinoise, le français n'a plus qu'un statut de langue étrangère, mais dans certains domaines (en médecine notamment), la tradition d'un enseignement en langue française a gardé son prestige.

Les transformations du monde moderne ont retiré au français certains des rôles culturels qui ont été les siens jusqu'au début du XXe siècle. Les aristocrates russes apprenaient le français comme langue de la distinction sociale : ils ont émigré. Le prestige des écoles françaises en Égypte, en Turquie et ailleurs attirait les enfants des classes aisées, désireux d'une ouverture sur l'Occident : c'est aujourd'hui vers l'anglais qu'on se tourne, même si le français s'efforce de résister. Cependant, il existe encore des pays où le français maintient une situation enviable. En Pologne et en Roumanie, l'enseignement du français se porte bien : les publications en français n'y sont pas rares. En Amérique latine, le réseau des Alliances françaises vivifie la tradition d'un dialogue culturel que personnifient les amitiés françaises des plus grands écrivains : Asturias, Borges, Carpentier, Cortazar, et beaucoup d'autres...

Les langues françaises

La dispersion géographique du français suppose nécessairement de plus ou moins fortes variations linguistiques. En France même, l'unité du français est problématique. Ce qui n'est pas toujours perçu, car les variations régionales ont été refoulées ou occultées par le long travail de tous les pouvoirs, soucieux d'associer unification politique du pays et unification linguistique : l'Académie française a été fondée pour assurer le maintien de l'ordre linguistique (ce que devrait symboliquement rappeler à chaque nouvel académicien l'épée qu'on lui remet solennellement). Il y a donc en France une méfiance cultivée envers ce qui trouble l'ordre de la langue. Les « français d'ailleurs » se sont longtemps vus contester le droit d'exister.

Et pourtant ils existent. Les français autres se nourrissent d'abord de ces **régionalismes** et traits dialectaux qui divergent du français standard parisien : « accents » enracinés dans les terroirs, plus rarement expressions syntaxiques originales, multitude des termes régionaux (survivances d'archaïsmes, créations néologiques, transpositions de parlers voisins ou emprunts à des langues étrangères). On s'est employé à cataloguer les belgicismes, helvétismes, québécismes, haïtianismes, etc. Les écrivains ont su y puiser des matériaux pour leur travail littéraire. Cependant, en Belgique et en Suisse surtout, la pression des grands moyens de communication audiovisuelle tend à éliminer les particularismes, de vocabulaire ou de prononciation. La saveur des « accents » est-elle condamnée à disparaître sous le rouleau compresseur de la radio et de la télévision ?

Quand le français n'est pas langue maternelle des francophones, il se heurte aux habitudes langagières contractées dans l'usage de la langue première. D'où des difficultés de prononciation, des interférences syntaxiques, des glissements de vocabulaire. Un apprentissage réussi corrige la plupart de ces altérations. Mais certaines résistent et s'établissent en particularismes régionaux. La confusion phonétique, fréquente en Afrique, entre les voyelles i [i] et u [y] modifie le visage de certains mots : « piluler » (ou « pilluler ») est attesté, à l'oral et à l'écrit, au Bénin, en Côte d'Ivoire, au Mali, au Sénégal, au Togo, au Zaïre, à la place et au sens de « pulluler ». L'affaiblissement ou la disparition du r [R] dans le français des créoles sont aussi bien connus.

Plus remarquable, et souvent soulignée, la **créativité lexicale** des français d'ailleurs procède d'abord de la nécessité de nommer les réalités inconnues du français, parce qu'étrangères à l'environnement naturel et culturel de la France. Des vocables exotiques peuvent ainsi enrichir les dictionnaires classiques : le *Petit Robert* accepte par exemple le *balafon,* le *boubou,* le *filanzane,* le *raphia,* le *ravenala,* et aussi le *boy,* venu de l'anglais par le français colonial. D'autres créations verbales reflètent des relations difficiles avec la langue et le désir de se l'approprier : on lui fait produire des mots et des sens encore inconnus : *coléré* pour en colère ; *droiter* pour tourner à droite ; *grêver* pour faire grève ; *romper* pour finir la journée de travail (du français militaire : « rompez les rangs ! » [1]). Malgré leur allure bien française, ces mots affichent leur particularisme. Pour l'observateur étranger à leur région d'emploi, il y a dans leur troublante familiarité, plus peut-être que dans l'opacité massive des termes exotiques, le sentiment d'une dérive, d'un décentrement linguistique.

Cette impression s'accentue quand on découvre des textes qui emploient indistinctement les différents niveaux de langue que normalement le français standard affecte à des situations bien précises. La hiérarchie des registres s'estompe, le familier vaut pour le solennel, le sententieux pour le trivial. Tous les mots, toutes les tournures appartiennent à la norme du français, pourtant l'ensemble paraît flottant, flou, étrangement différent. Quelques écrivains du Québec ou d'Afrique (comme Sony Labou Tansi) ont tiré de beaux effets littéraires de tels jeux sur l'**indécision des codes sociaux de la langue.**

C'est d'ailleurs **au Québec et en Afrique** que l'on rencontre les variétés de français les mieux assurées dans leur différence. Au Québec, il existe un continuum linguistique, allant du français standard, que les médias audio-visuels tendent à répandre, jusqu'au **joual,** à peu près incompréhensible pour les étrangers, même francophones. Le joual (qui tire son nom de la prononciation déformée du mot « cheval ») est la langue parlée dans les quartiers populaires de Montréal : une prononciation très relâchée, des calques nombreux sur l'anglais, la luxuriance des « sacres » (vocabulaire du jurement) font son originalité. Certains linguistes y voient un français en procès de créolisation. C'est surtout une langue ébranlée et transformée par sa rencontre brutale avec l'anglais et la civilisation urbaine industrielle. Quelques écrivains, proclamant le joual langue de l'authenticité québécoise, l'ont érigé en langue littéraire du Québec. Une querelle du joual a occupé la scène culturelle pendant quelques années. En fait, la variété du français pratiquée par la majorité des Québécois se situe quelque part entre le français standard et le joual. Ce français québécois se distingue par un « accent » particulier (conservatisme vocalique, diphtongaisons, prosodie accentuant les syllabes pénultièmes), par une syntaxe écrasant à l'oral les pronoms personnels et certains proclitiques, par un lexique enrichi des archaïsmes conservés (*frette* pour « froid », *espérer* pour « attendre », *rapailler* pour « rassembler, remettre en état »), des emprunts aux langues indiennes (surtout des noms de lieu : *Canada* [village], *Québec* [détroit] ou des noms désignant la flore ou la faune *(caribou)* comme des emprunts à l'anglais (*une djobe* pour « un travail », *draveur,* du verbe *to drive,* pour désigner l'ouvrier qui conduit les convois de bois flottant), des créations imposées par l'environnement

1. Les exemples sont empruntés aux variétés de français pratiquées en Afrique noire.

canadien (*poudrerie* pour « tempête de neige », *tuque* pour « bonnet de laine, surmonté d'un pompon, porté l'hiver »), des changements de sens favorisant les quiproquos entre francophones (*chaussette* signifiant pantoufle, *abreuvoir* fontaine, *chansonnier* auteur-interprète de chansons). Des glossaires et des dictionnaires (Louis-Alexandre Bélisle, *Dictionnaire général de la langue française au Canada,* 1957), voire des publications officielles *(Canadianismes de bon aloi,* 1969*)* font l'inventaire de la richesse lexicale du québécois (et des autres variétés de français parlées au Canada). La langue littéraire forgée par certains des plus remarqués parmi les écrivains modernes québécois s'appuie sur les particularismes les plus suggestifs du français québécois.

En Afrique noire, la situation est toute différente, puisque le français n'est pas langue maternelle des populations. Les formes qu'il prend dépendent des interférences avec les langues africaines. On rencontre **tout un spectre de variations,** de l'hypercorrection puriste à des phrases surprenantes, où se mêlent de façon inextricable (et parfois incompréhensible) les sons, les mots, les tournures du français et des langues africaines d'usage. La situation la plus générale est celle que décrit le philosophe et romancier zaïrois V.Y. Mudimbé : « Prononciation approximative, syntaxe réprimée, vocabulaire boursouflé ou supplicié, intonation, rythme et accent englués à l'écoulement de la langue originelle du locuteur africain ; en tout cas des " africanismes " phonétiques, morphologiques, syntaxiques et lexicaux. » Selon un scénario linguistique assez généralement admis, le français est appelé à jouer en Afrique un rôle complémentaire des langues africaines qui seraient enfin valorisées et enseignées et pourraient être utilisées dans tous les actes, publics et privés, de la vie quotidienne : le français servirait de langue technique véhiculaire à l'intérieur des États et de langue de communication vers l'extérieur. Mais par là-même, il risque de connaître une double tension : d'une part le souci de maintenir les avantages d'une langue internationale, en ne s'écartant pas des normes du français standard, mais aussi le désir d'affirmer une personnalité africaine du français, en le pliant au mode de vie et à la manière de penser des Africains. D'ores et déjà, il existe en Côte-d'Ivoire un français populaire, proche parfois d'un pidgin, qui sert de langue humoristique à des chroniques régulières de la presse locale. L'originalité des variétés africaines du français a été prise en compte, surtout au plan du vocabulaire : un *Inventaire des particularités lexicales du français en Afrique noire* (1983), proposant plusieurs milliers d'entrées, esquisse la voie d'un compromis dialectique entre régulation normative et création lexicale, conformité au modèle français et dérive linguistique. Feuilleter ce savant volume, c'est prendre la mesure de la vitalité et des variations du français en Afrique. On y apprend que selon les pays, la locution *être là-dedans* signifie « être en état d'ébriété », « être amoureux », « être dans le coup », « être bien habillé » ou enfin « avoir de graves problèmes ». Celui qui *dort sur quelqu'un* a tout simplement pleine et entière confiance en lui et celui qui *fait le cœur* en Afrique ferait la tête dans d'autres pays francophones. *Manger le caillou* équivaut à « mordre la poussière », *manger l'argent* se dit du patron qui retient une partie du salaire de son employé. *Briser les pattes de l'antilope,* c'est, au Cameroun, vivre une lune de miel. Si une lycéenne de Côte-d'Ivoire est *ruinée,* c'est que sa moyenne de notes a dangereusement baissé ; si elle *attend sa soupe,* c'est la venue de son petit ami qu'elle espère. A moins qu'elle ne *sabote* les hommes, c'est-à-dire qu'elle ne les méprise. Les écrivains africains ont longtemps pratiqué une langue littéraire très classique, sauf à introduire quelques africanismes de vocabulaire. Mais les audaces d'une modernité littéraire africaine découvrent avec enchantement les possibilités stylistiques offertes par les mutations du français en Afrique.

La France et la francophonie

Fût-ce à travers ses variations, le partage d'une langue suppose ou crée des liens. L'idée s'est donc imposée de **rassembler les francophones** à travers différentes institutions coordonnant des actions communes, favorisant les échanges de pays à pays. Ainsi sont nées l'Association des universités partiellement ou entièrement de langue française (AUPELF), l'Agence de Coopération Culturelle et Technique (A.C.T.T.), les Communautés de radiodiffusion et de télévision, etc. En même temps que le Haut Comité de la langue française, créé en 1966 à l'initiative du gouvernement français, se transformait en 1984 en Commissariat général de la langue française, il a été constitué un Haut Conseil de la langue française, réunissant vingt-huit personnalités choisies dans l'ensemble du monde francophone. Une volonté s'affirme donc de donner corps à « cette chose un peu confuse qui s'appelle la francophonie » (la formule est d'un homme politique très attentif à ces problèmes, l'ancien Premier ministre québécois René Lévesque). Cependant personne ne semble souhaiter constituer un cadre institutionnel trop rigide. En effet, certaines ambiguïtés entourant la notion de francophonie peuvent susciter des malentendus ou réveiller des susceptibilités.

Comme la dispersion du français sur l'ensemble de la planète est une conséquence du passé colonial, certaines propagandes en faveur de l'emploi ou de l'enseignement du français ont pu apparaître comme des tentatives de reconquête culturelle néo-coloniale. Les velléités, au cours des années 60, d'un rassemblement politique d'États modérés sous la bannière de la francophonie ont éveillé la méfiance des progressistes. Le mot « francophonie » est donc piégé : il évoque pour certains des nostalgies impériales ou des projets dominateurs.

On n'entrera pas ici dans ces polémiques. On constatera cependant que le sens géographique de « francophonie » (« ensemble des lieux où l'on parle français ») secrète nécessairement une valeur géopolitique (« ensemble réuni par l'usage d'une même langue, le français »). A titre de preuve : la France, réduite par la Seconde Guerre mondiale au rôle de puissance secondaire, a su s'appuyer sur la « francophonie » pour se maintenir au premier plan ; ainsi, ce n'est que grâce à la voix d'Haïti que la France obtint, en 1945, la reconnaissance du français comme l'une des quatre langues officielles de l'O.N.U. Pour se faire entendre dans le concert des nations, il n'est donc pas inutile de parler la même langue à plusieurs. Au fil des années, les Français ont pu mesurer la nécessité du regroupement francophone pour résister à l'imprégnation de modèles culturels et linguistiques à prétention universelle.

Cet ensemble francophone reste pourtant déséquilibré. La France y est le pays le plus peuplé, le plus puissant économiquement, le plus assuré de son rayonnement culturel. Elle donne parfois l'impression de considérer avec une aimable condescendance ses parents et alliés de la famille francophone : « il n'est bon bec que de Paris » prétend le proverbe. Les cultures francophones ont eu à s'affirmer **contre l'hégémonie culturelle** d'une France trop sûre d'elle-même.

Pendant longtemps, jusqu'à aujourd'hui sans doute (mais le présent livre voudrait montrer comment les choses changent), un écrivain francophone dont le talent se voyait reconnu par la notoriété était pour ainsi dire naturalisé d'office écrivain français. Que Jean-Jacques Rousseau ait été Suisse et Georges Simenon Belge, cela passait pour simple péripétie biographique. La boulimie des Français, tellement désireux d'intégrer les écrivains étrangers à leur patrimoine (pourvu qu'ils écrivent leur langue), est à mettre en relation avec une constante de leur histoire, qui est peut-être à la racine de l'identité française : le besoin de construire, d'affirmer, de souligner l'unité nationale d'un pays constitué de tant de différences ethniques et culturelles. L'écrivain francophone n'était accepté que dans la mesure où il s'intégrait au paysage littéraire tel qu'il était dessiné depuis Paris. D'où les malentendus, les méconnaissances, les erreurs de perspective. Personne ne lit en France l'*Uylenspiegel* (1867) de Charles De Coster, sans doute trop flamand dans sa truculence et son goût de l'excès. On ne sait pas voir que le symbolisme ou le surréalisme en Belgique, au Canada français ou en d'autres lieux de la francophonie, sont bien autre chose que de pâles variantes du modèle français.

Pourtant, dans les années 70 et 80, la diffusion de quelques thèmes clefs de la modernité (décentrement, déplacement, ouverture, polyphonie, etc.) a favorisé la prise en compte par les Français des littératures et des cultures francophones : un mouvement s'est amorcé pour **accueillir leurs différences.** Le centralisme français a commencé à être mis en question.

Les littératures des langues françaises

Qu'est-ce qui fait qu'un écrivain, une œuvre littéraire de langue française acceptent ou non un adjectif pour définir leur **appartenance :** écrivain belge, poète haïtien, dramaturge québécois, roman algérien, anthologie mauricienne ? (En 1921, déjà, le prix Goncourt couronnait un « véritable roman nègre » : *Batouala* de René Maran.) On peut se douter que la preuve par le passeport ou la couleur de peau de l'auteur ne sera guère pertinente. On cite toujours l'exemple d'Alexandre Dumas, dont la grand-mère était antillaise : faut-il le considérer comme l'un des tout premiers écrivains caribéens d'expression française ? A ce compte, Pouchkine, arrière-petit-fils d'Hannibal, « le nègre de Pierre le Grand », aurait inauguré la littérature négro-africaine d'expression russe. Et pourtant, le cas d'Alexandre Dumas est plus ambigu qu'il ne semble. Dans un roman comme *Georges* (1843), dont le héros est un mulâtre de l'île Maurice s'insurgeant contre les préjugés de couleur, on a voulu lire la réponse du romancier à certaines insinuations racistes dont il était victime. Et une réédition récente (1974) en format de poche a connu un réel succès de librairie à Maurice : parce que Dumas, remarquablement informé de la vie mauricienne de l'époque, donne une image savoureuse de la vie coloniale, mais surtout parce que sa mythologie des races invite le lecteur mauricien à se situer par rapport à elle. Lu à Maurice, par un lecteur mauricien qui confronte sa propre **quête d'identité** à celle du héros de Dumas, *Georges* tend à sortir du corpus littéraire purement français pour se constituer en texte mauricien.

Ce que suggère cet exemple, c'est que l'appartenance littéraire d'une œuvre tient moins à son origine stricto sensu qu'à la « circulation littéraire » dans laquelle elle entre. Supposons un écrivain, Argentin de naissance, publiant en français un beau roman, qui obtient un des prix littéraires parisiens de fin d'année et un succès flatteur auprès de la critique et du public (c'est Hector Bianciotti en 1985 avec *Sous la miséricorde du Christ*). Impossible d'évoquer la naissance d'une littérature argentine d'expression française : écrit, édité, diffusé, lu, discuté, admiré, voire imité en France, ce roman participe de plein droit de la littérature française. Raisonnement analogue pour Julien Green, bien sûr, même si son origine américaine donne à son œuvre une couleur particulière, et pour les exilés de Roumanie (Tzara, Ionesco, Cioran et quelques autres), même si leur nombre fait groupe : il n'y a pas vraiment de littérature roumaine de langue française, mais des écrivains français d'origine roumaine.

En revanche, il arrive que des textes construisent un **espace littéraire francophone,** et non français, parce qu'ils sont écrits, édités, lus, reçus en dehors des circuits français. Ils ne prennent pleinement sens que pour la communauté qui y reconnaît ses valeurs, ses problèmes, son identité particulière. On dira donc qu'un texte est québécois (ou belge ou algérien ou de toute autre appartenance) si dans son écriture et par sa lecture il façonne la culture du Québec (ou de la Belgique ou de l'Algérie...).

Évidemment, l'opposition entre littérature française et littératures francophones est dans la réalité moins tranchée que ne le souhaiterait celui qui essaie de la théoriser. Certains textes jouent sur les deux tableaux : français si on les lit d'un point de vue français, francophones si on décentre le point de vue. D'autres glissent, avec le temps, d'une appartenance littéraire à une autre : certains ouvrages produits à l'époque de la littérature coloniale triomphante, et donc centrés sur la métropole française, sont « relus » d'un œil autre par les enfants des anciens colonisés et parfois acceptés dans leur corpus littéraire national.

Les littératures francophones sont, par la communauté de langue, tangentes à la littérature française. Elles s'en séparent quand elles procèdent d'une société, d'une histoire, d'une vision du monde qui ne sont pas celles de l'hexagone, quand elles inventent un univers littéraire où se définit une communauté, où se découvre une conscience nationale. En fait, les littératures francophones naissent toujours dans des situations de contacts et de déséquilibres culturels, souvent héritées des constructions coloniales. Leur français n'est pas nécessairement la langue maternelle des écrivains (ni de leurs lecteurs) : il exhibe les traces de tensions et de déchirements, la présence sous-jacente des autres langues utilisées par les communautés francophones ; divers et hétérogène, il doit manifester les différences et cet obscur noyau qui fait l'altérité de l'Autre. Quand il est la langue de l'ancien maître, il doit se plier, par glissements, subversions et métamorphoses, à dire l'identité retrouvée ou inventée de ceux qui se sont libérés de la domination coloniale. Du Malgache Jacques Rabemananjara à l'Algérienne Assia Djebar, l'écrivain francophone s'est souvent comparé à un « voleur de langue », emportant « le français comme butin ». D'autres métaphores disent la **nécessaire polyphonie** par le voyage et l'exil, l'errance et l'étrangeté (Nabile Farès constate : « C'est à un espace de l'étrangeté dans la langue et de la langue que la francophonie doit son développement. »)

Certains objecteraient que de telles expériences de l'écriture ne sont pas spécifiquement francophones : c'est le propre de tout écrivain (de tout être humain confronté à la langue ?) de découvrir que toute langue, même la plus maternelle, nous est étrangère ; est poète celui qui se révolte contre l'échec de la langue à dire l'intensité de l'être... Dans ces conditions, les littératures des langues françaises fonctionneraient comme des dispositifs d'amplification, rendant, par leur situation de déséquilibre, le phéno-

Les littératures francophones naissent toujours dans des situations de contact et de déséquilibre culturels.

presbytère. Ce sentier, en
comme font les
chutes nous avions

mène littéraire plus évident. Par sa position entre deux ou plusieurs cultures, l'écrivain francophone est encore plus nécessairement écrivain.

Du point de vue du lecteur, les textes francophones, par leur polyphonie, interdisent toute appropriation univoque. Écrits vers deux ou plusieurs publics, partagés par leur appartenance souvent conflictuelle à plusieurs cultures, ils se gonflent de sens en excès. Le lecteur français saura mal déchiffrer tout l'implicite culturel qui réfère à la civilisation dont vient l'écrivain. Mais faire l'expérience de cette difficulté de lecture, c'est voir enfin **la part opaque de la culture autre.** C'est accepter d'entrer dans ce que Victor Segalen appelle « une esthétique du divers » (et l'Antillais Édouard Glissant « une esthétique de la relation »). C'est acquérir « la connaissance que quelque chose n'est pas soi-même » et « le pouvoir de concevoir autre ».

Il n'est pas d'itinéraire obligatoire pour découvrir ces étranges littératures des langues françaises : on peut imaginer de mettre hors champ le centre littéraire et culturel français et de les considérer depuis la périphérie francophone. Le développement des rencontres, convergences et échanges entre francophones pourrait y inviter (on signalerait ainsi le dialogue entre le Québec et Haïti par l'effet de l'importante diaspora haïtienne en Amérique du Nord, la très symbolique participation du Québécois Gaston Miron à la revue de l'Antillais Édouard Glissant, *Acoma,* les rencontres d'intellectuels belges et québécois pour comparer leurs situations culturelles, l'intérêt que l'on commence à manifester en Afrique noire pour les littératures maghrébines, et l'inverse...). Dans un souci de clarté, on a préféré présenter les grands ensembles du monde francophone, définis à la fois par la géographie et une communauté de culture : le monde négro-africain (Afrique noire et Madagascar), les îles créoles (Antilles et Guyane, Haïti et Mascareignes), l'aire maghrébine et le Proche-Orient, l'Amérique du Nord et l'Europe francophones. Dans chaque cas, on veut montrer que, malgré le poids des relations culturelles avec la France, le français aide à définir des cultures originales.

Sans doute le panorama dressé n'est pas complet : n'y figurent pas quelques survivances ou quelques foyers lointains de la francophonie (les États qui constituaient autrefois l'Indochine, Pondichéry et les villes de l'Inde où le français est encore utilisé, Tahiti, les îles du Pacifique, la Nouvelle-Calédonie, la Louisianne). C'est vrai que dans ces lieux il y a eu et il y a encore des manifestations littéraires en français : elles restent cependant trop isolées pour constituer vraiment une circulation littéraire autonome. C'est pourquoi on se contente de signaler leur existence. Mais qui saurait dire si l'évolution de la situation calédonienne, si le dynamisme de la diaspora indochinoise en France ne vont pas susciter, autour de quelques œuvres fortes et belles, un besoin de lecture et un désir d'écrire manifestant la naissance de nouveaux foyers francophones ?

Choix bibliographique :

André Reboullet et Michel Têtu (éd.), *Guide culturel. Civilisations et littératures d'expression française,* Hachette, 1977.

Albert Valdman (éd.), *Le Français hors de France,* Champion, 1979.

Auguste Viatte, *La Francophonie,* Larousse, 1968.

Auguste Viatte, *Histoire comparée des littératures francophones,* Nathan, 1981.

I

L'AFRIQUE NOIRE ET MADAGASCAR

Chapitre 1

Afrique noire

Rien de plus trompeur que l'image complaisante, héritée des mythologies coloniales, d'une Afrique immobile, archaïque et rurale, gardienne des traditions, allergique au développement, réticente envers le changement. De 1945 à 1985, l'Afrique a beaucoup changé. Les décolonisations, l'exode rural et la croissance monstrueuse des villes, l'irruption de techniques nouvelles, l'adoption de nouveaux comportements, les progrès réels de la scolarisation et bien d'autres facteurs encore ont bouleversé la vie africaine en profondeur. Le paysage littéraire s'en est trouvé totalement transformé. La littérature a changé de mode d'expression, de forme, de fonction, de public...

Peu après la guerre, l'anthologie de Léopold Sédar Senghor (*Anthologie de la nouvelle poésie nègre et malgache de langue française,* 1948), qui suivait de quelques mois celle, plus générale, du Guyanais Léon Damas (*Poètes d'expression française,* 1947), marquait la naissance d'une littérature d'Afrique noire en langue française. Naissance bien modeste : aux deux auteurs cités par Damas (Senghor lui-même et Birago Diop), Senghor n'ajoutait qu'un seul nom (David Diop). Pourtant, le mouvement de la négritude était lancé. Plus tard, les premières grandes études critiques, notamment celle de l'Allemand Janheinz Jahn (*Muntu, l'homme africain et la culture néo-africaine,* 1958, traduction française, 1961) ou la thèse de Lilyan Kesteloot (*Les Écrivains noirs de langue française : naissance d'une littérature,* 1963), devaient en montrer l'importance.

En annonçant une « nouvelle poésie », l'anthologie de L. S. Senghor se démarquait des formes littéraires traditionnellement et majoritairement pratiquées en Afrique : celles de l'oralité, coulées dans les langues africaines, étroitement associées à la vie profonde des sociétés. En effet, pendant des siècles, l'Afrique noire s'est méfiée de l'écriture, l'ignorant ou la réservant à des usages limités et spécifiques (religieux ou magiques par exemple). La « nouvelle poésie nègre », s'écrivant en français, langue étrangère à la grande majorité des Africains, se destinait à un public bien défini : sans doute la petite couche des lettrés africains francophones, mais surtout le public européen à qui l'on voulait présenter une Afrique toute différente de celle vulgarisée par les littérateurs coloniaux. *Orphée noir,* la préface de Jean-Paul Sartre à l'ouvrage de Senghor, le soulignait dès les premières phrases :

« Qu'est-ce donc que vous espériez, quand vous ôtiez le bâillon qui fermait ces bouches noires ? Qu'elles allaient entonner vos louanges ? (...) Voici des hommes noirs debout qui nous regardent et je vous souhaite de ressentir comme moi le saisissement d'être vus. »

En quelques dizaines d'années, la situation semble s'être inversée. **L'oralité a perdu l'exclusivité de son rôle** dans la transmission, l'actualisation ou l'élaboration de la culture africaine. Car l'Afrique s'est prise de passion pour l'écriture, lui accordant le prestige et l'efficacité qu'elle lui avait longtemps refusés. Cette « révolution culturelle » a des conséquences considérables. On a pu craindre que l'Afrique perde son identité si la tradition orale s'effondrait dans l'oubli. La phrase mille fois citée d'Hampaté Bâ (« En Afrique, chaque vieillard qui meurt est une bibliothèque qui brûle ») a suscité ou légitimé un intérêt multiforme pour la tradition orale que l'on a entrepris de collecter, noter, transcrire, traduire... au risque peut-être d'en accélérer le processus de dépérissement. En effet, une fois transcrit et traduit, un texte oral a perdu les caractères vivants de l'oralité : il est aplati, folklorisé, fossilisé. Il reste qu'ont ainsi été constituées et sauvegardées de précieuses archives de l'Afrique orale... et que peut-être un nouveau genre littéraire écrit est né : la transcription ou la traduction de la parole traditionnelle.

Les premiers **textes africains écrits** ont ainsi changé de statut : popularisés par les collections de poche, inscrits aux programmes scolaires, ils sont devenus les classiques de la nouvelle culture africaine. Destinés à l'origine à un public plutôt européen, ils sont lus aujourd'hui par des lecteurs surtout africains.

Ce sont ces lecteurs (potentiellement en nombre immense : les millions de jeunes Africains scolarisés) que vise la production littéraire écrite récente. Et malgré les difficultés énormes de l'édition et de la diffusion du livre africain, elle frappe par sa relative abondance. Il n'est plus possible de faire en quelques lectures rapides, comme dans les années 60, le tour de la littérature africaine moderne. De plus cette littérature se particularise, cherchant une assise nationale. Il arrive, au Zaïre notamment, que certains ouvrages, édités localement, ne soient lus et connus qu'à l'intérieur du pays.

On a souvent contesté le caractère africain d'une littérature écrite en français (ou en anglais ou en portugais). L'objection a le mérite de rappeler le statut ambivalent du français en Afrique : langue officielle, mais étrangère, langue du pouvoir et de l'administration, langue de l'école et du monde moderne, mais vraiment maîtrisée seulement par une minorité (les sociolinguistes qui risquent un chiffre évaluent cette minorité à environ 10 % de la population). La littérature de langue française est donc nécessairement marginale.

En fait, l'Afrique d'aujourd'hui vit problématiquement la coexistence des langues et des cultures. En face du français, les langues africaines tendent de plus en plus à assumer des fonctions modernes (comme l'enseignement), donc à devenir langues littéraires écrites. Oralité et écriture se redistribuent le champ culturel. Loin d'être condamnée à mort par la modernité, l'oralité s'est adaptée, métamorphosée par sa transplantation dans les bidonvilles des grandes cités africaines (les histoires racontées, les rumeurs de « radio-trottoir » s'y croisent avec les légendes et les mythes anciens), renouvelée par sa rencontre avec les médias modernes (on voit s'élaborer, dans des lieux scéniques improvisés, à la radio, à la télévision, d'étonnantes formes dramaturgiques mêlant la musique, le chant, la danse, la parole rhapsodique ou dialoguée). De son côté, la littérature écrite en français se détache de ses premiers modèles, cherchant à intégrer dans l'écriture certains traits de l'oralité, n'hésitant plus à jouer sur les variétés africanisées du français. Ces mutations culturelles accompagnent la transformation en profondeur des sociétés africaines.

Senghor et les poètes de la négritude

La **négritude** a marqué la première grande rupture avec l'Afrique coloniale. Et c'est l'*Anthologie* de Senghor qui constitue l'acte de naissance d'une littérature de la négritude : le mot, forgé sans doute à la fin des années 30 dans les débats des intellectuels noirs de Paris, lancé alors par l'Antillais Aimé Césaire, y est repris et explicité par Senghor et Sartre, illustré par des poètes de l'ensemble du « monde noir ».

La négritude est d'abord un mot, — Senghor précise : un « **mot de passe** », c'est-à-dire un signe de reconnaissance, une formule ouvrant une voie libre aux « nègres nouveaux », un mot par lequel on revendique l'appartenance à une communauté en lutte. Élaborée à la fin de la période coloniale, la notion de négritude recouvre le sursaut d'intellectuels africains refusant de cautionner davantage l'assimilation dont ils se découvrent victimes et aspirant à retrouver leur authenticité raciale. Au départ, il s'agit de s'élever contre le déni des valeurs africaines par l'idéologie européenne : ce séculaire et spécifique racisme antinègre qu'il avait bien fallu développer pour justifier la traite et l'esclavage, puis la colonisation. La négritude se définit donc, dans son principe, comme une entreprise de réhabilitation de l'homme noir. Choisissant d'exprimer l'expérience et le vécu du nègre, elle met en forme un mythe qui soit l'inverse de la dénégation européenne : d'où par exemple la récurrence et l'exaltation du thème de l' « âme noire »..., car si le nègre a une âme, c'est bien le signe qu'il est un homme.

Comme la négritude a d'abord été l'affaire d'écrivains, c'est à travers leurs œuvres qu'il faut en découvrir l'esprit. Ce qui frappe, c'est la prédominance d'un genre : la poésie. Même s'il lui arrive de se manifester dans un roman ou un essai, la négritude est essentiellement un **mythe poétique.** Elle a imposé une image et un modèle du poète nègre et de sa poésie : victime de la colonisation, le poète élève contre elle la protestation de son chant, — et parce que le poète est nègre, son chant acquiert de ce fait toutes les vertus nègres. Ce chant se déploie en une thématique cohérente, à la fois déploration et célébration de l'être noir.

Tout commence par un cri, le plus violent qui soit, pure voix douloureuse prenant à témoin de l'immensité de la souffrance nègre. Ainsi David Diop :

Souffre, pauvre Nègre !...
Le fouet siffle
Siffle sur ton dos de sueur et de sang [...]
Souffre, pauvre Nègre !...
Nègre noir comme la Misère !

Coups de pilon, éd. Présence Africaine.

Le poète explore donc les espaces infinis du « pays de souffrance », de la cale des bateaux négriers aux champs de coton et de cannes de l'Amérique, du travail forcé sur les chantiers des grandes compagnies aux champs de batailles européens pour « tirailleurs sénégalais ». La négritude se vit comme une passion, le nègre est un nouveau Christ. « Le noir conscient de soi se présente à ses propres yeux comme l'homme qui a pris sur soi toute la douleur humaine et qui souffre pour tous, même pour le blanc » (Jean-Paul Sartre). Ce que dit un poème de Bernard Dadié, maintes fois cité et devenu emblématique :

Je vous remercie mon Dieu, de m'avoir créé Noir,
d'avoir fait de moi
la somme de toutes les douleurs,
mis sur ma tête,
le Monde.
J'ai la livrée du Centaure
Et je porte le Monde depuis le premier matin.

La Ronde des jours, éd. Seghers.

Mais on se lasse de toujours revivre le même calvaire. Quand la douleur devient intolérable, la négritude se fait révolte et violence, refus de l'Occident et de ses valeurs de raison. Ce sont surtout les poètes antillais, Aimé Césaire en tête, qui ont popularisé l'image du poète nègre broyant les mots, violentant la langue, prophétisant la fin d'un monde. Cependant Senghor lui-même, dans *Hosties noires,* célèbre la violence libératrice :

Mais je déchirerai les rires *banania* sur tous les murs de France.

La révolte entraîne à descendre en soi-même : plongée orphique à la recherche d'une identité volée. Le poète nègre redécouvre alors le paradis de la négritude originelle : succulence et sérénité d'un art de vivre, prestige d'un passé glorieux, harmonie de la tradition africaine. La poésie se fait l'écho nostalgique d'une Afrique ancienne et grandiose :

Afrique mon Afrique
Afrique des fiers guerriers dans les savanes
[ancestrales
Afrique que chante ma grand-mère
Au bord de son fleuve lointain [...]

David Diop, *Coups de pilon,* ibid.

Le romancier Camara Laye, ressuscitant dans *L'Enfant noir* (1953) son enfance heureuse dans un village de haute Guinée, révèle le grand secret de l'Afrique : le sens de l'harmonie cosmique, la communication maintenue entre les hommes et les dieux, les vivants et les morts. C'est la leçon aussi d'un poème de Birago Diop, déjà présent dans l'*Anthologie* de Senghor :

[...]
Ceux qui sont morts ne sont jamais partis,
ils sont dans le sein de la femme,
ils sont dans l'enfant qui vagit
et dans le tison qui s'enflamme.
Les morts ne sont pas sous la terre :
ils sont dans le feu qui s'éteint,
ils sont dans les herbes qui pleurent,
ils sont dans le rocher qui geint,
ils sont dans la forêt, ils sont dans la demeure :
les morts ne sont pas morts.

Écoute plus souvent
les choses que les êtres.
La voix du feu s'entend,
écoute la voix de l'eau,
écoute dans le vent
les buissons en sanglots.
C'est le souffle des ancêtres.

A force d'exalter les valeurs et l'unité de la civilisation africaine, on se laisse gagner par un enthousiasme messianique. Magnifiant la présence africaine dans la civilisation de l'universel, la négritude suggère sa vocation à apporter un « **supplément d'âme** » aux cultures techniciennes exténuées :

Que nous répondions présents à la renaissance du
[Monde
Ainsi le levain qui est nécessaire à la farine blanche.
Car qui apprendrait le rythme au monde défunt des machines et des canons ?

L. S. Senghor, *Chants d'ombre,*
éd. du Seuil.

Après la revendication de la dignité reconnue aux peuples noirs se révèle une ultime et triomphale mission : ériger le Nègre en héros civilisateur par excellence. Tel est l'arrière-plan idéologique sur lequel s'appuient les travaux des premières générations de chercheurs africains en sciences humaines. Toute une école historique s'est joyeusement employée à tenir sa partie dans la tâche de « libération nationale » d'abord, de « construction nationale » ensuite. C'est dans ce courant d'histoire militante qu'il faut replacer les thèses passionnées que Cheikh Anta Diop défend dans *Nations nègres et Culture* (1955, éd. Présence Africaine) : l'unité de la civilisation africaine se fonde sur son origine, la civilisation égyptienne pharaonique, qui était elle-même d'essence parfaitement nègre :

En disant que ce sont les ancêtres des Nègres, qui vivent aujourd'hui principalement en Afrique noire, qui ont inventé les premiers les mathématiques, l'astronomie, le calendrier, les sciences en général, les arts, la religion, l'agriculture, l'organisation sociale, la médecine, l'écriture, les techniques, l'architecture ; que ce sont eux qui ont, les premiers, élevé des édifices de 6 000 000 tonnes de pierre *(Grande Pyramide)* en tant qu'architectes et ingénieurs — et non seulement en tant qu'ouvriers ; que ce sont eux qui ont construit l'immense temple de Karnak, cette

Les Initiés, *Bakari Ouatarra.*

Les Initiés porteurs de masques dansent à la sortie du bois sacré.

forêt de colonnes, avec sa célèbre salle hypostyle où entrerait Notre-Dame avec ses tours ; que ce sont eux qui ont sculpté les premières statues colossales (*Colosses de Memnon,* etc.), en disant tout cela on ne dit que la modeste et stricte vérité, que personne, à l'heure actuelle, ne peut réfuter par des arguments dignes de ce nom.

S'il est relativement aisé de mettre ainsi la négritude en perspective dans le foisonnement de ses thèmes, il est plus difficile d'en construire une théorie unifiée. Senghor, son infatigable propagateur, la fait reposer sur une spécificité, voire une essence nègre : « Le Nègre est l'homme de la nature » ; pour lui qui est sensible au moindre souffle du cosmos, l'émotion est mode de connaissance intégrale : « l'émotion est nègre comme la raison hellène ». Sartre, plus dialecticien, voit en la négritude « le travail obscur de la Négativité qui ronge patiemment les concepts » : « Le noir n'est pas une couleur, c'est la destruction de cette clarté d'emprunt qui tombe du ciel blanc » ; parce qu'elle est réaction à une situation, la négritude sera perçue comme « tension de l'âme », « choix de soi-même et d'autrui », « projet » au sens plein ; bref, elle est « l'être-dans-le-monde-du Nègre ». Césaire, moins théoricien que poète, attend que la négritude se révèle dans le rayonnement de quelques images : ainsi, dans la poussée violente et viscérale des mots, le surgissement vertical de l'arbre [1].

Se dérobant à l'harmonieuse cohérence du concept, la négritude a suscité d'ardentes et longues polémiques. Du côté de l'Afrique anglophone, on a suspecté l'efficacité du mythe poétique : est-ce que le fait d'afficher sa négritude rend l'action de l'homme noir plus opérante ? Par ailleurs, l'obtention de l'indépendance politique dans les années 60 a émoussé la virulence protestataire du mouvement. Un courant critique, souvent d'inspiration marxiste, a mis en évidence contradictions et faiblesses de la théorie. Dans les années 70 s'ouvre **le grand procès de la négritude,** à travers des essais retentissants (de Marcien Towa, *Léopold Sédar Senghor : Négritude ou Servitude* en 1971, ou de Stanislas Adotevi, *Négritude et Négrologues* en 1972) ou au cours de colloques animés (« Négritude africaine, Négritude caraïbe » à Villetaneuse en 1973). C'est surtout la thèse senghorienne de l'émotivité comme trait caractéristique du nègre qui est dénoncée : Adotevi y voit une notion confuse et antiscientifique, qui suppose « une essence rigide du nègre que le temps n'atteint pas » ; c'est de la « physiologie qui s'abîme dans la métaphysique » ; le plus grave est qu'elle alimente une « négritude des discours », opium pour endormir le bon peuple nègre dans la torpeur néo-coloniale.

Si aujourd'hui la négritude ne paraît plus pouvoir rassembler les énergies intellectuelles africaines, son rôle historique demeure incontestable. D'abord parce qu'elle a accompli la mission qu'elle s'était fixée : marquer, dans la recomposition de la vie culturelle après la Seconde Guerre mondiale, une rayonnante présence africaine. Dès la fin de 1947, sous l'impulsion d'Alioune Diop, une revue, introduite par André Gide (et quelques autres : Sartre, Camus, Leiris, etc.), proclamait ce titre-programme : *Présence Africaine,* et cette déclaration d'intention : « Le noir qui brille par son absence dans l'élaboration de la cité moderne, pourra, peu à peu, signifier sa présence en contribuant à la recréation d'un humanisme à la vraie mesure de l'homme. » La revue devait durer et donner naissance, sous le même nom, à la première maison d'édition consacrée au monde négro-africain. C'est grâce à elle que purent se rassembler deux imposants congrès des écrivains et artistes noirs, à Paris, à la Sorbonne (lieu combien symbolique !), en 1956 et à Rome en 1959. Ces rencontres d'intellectuels venus d'Afrique, d'Amérique et de tous les lieux du « monde noir », véritables « états généraux » des hommes de

1. Voir au chapitre « Antilles et Guyane », p. 93.

culture noirs, marquèrent, avec le Premier Festival mondial des Arts Nègres de Dakar en 1966, l'apogée du mouvement suscité par la négritude.

Nulle œuvre n'a épousé plus intimement la cause de la négritude que celle de **Senghor** : pas une ligne d'un article théorique, pas un seul vers d'un poème qui n'en soient défense ou illustration. Rassemblés de 1964 à 1983 en quatre gros volumes, sous un même titre général, *Liberté,* articles et discours forment une somme impressionnante, alliant la linguistique ou la poétique à la politique ou l'économie. On en perçoit clairement l'unité d'inspiration : la négritude toujours, sa vocation humaniste, sa participation à la civilisation de l'universel. Un thème se fait insistant : celui de l'échange culturel. Car, « au carrefour du donner et du recevoir », chaque culture entre dans le jeu du « métissage culturel » où chacun offre aux autres ses valeurs propres :

> Notre vocation de colonisés est de surmonter les contradictions de la conjoncture, l'antinomie artificiellement dressée entre l'Afrique et l'Europe, notre hérédité et notre éducation. C'est de la greffe de celle-ci sur celle-là que doit naître notre liberté. Saveur du fruit de la greffe, qui n'est pas la somme des éléments composants. Supériorité, parce que liberté, du *Métis* qui choisit, où il veut, ce qu'il veut, pour faire, des éléments réconciliés, une œuvre exquise et forte. Mais n'est-ce pas, là, la vocation des élites et des grandes civilisations ?
> « De la liberté de l'âme ou éloge du métissage »,
> *Liberté I,* éd. du Seuil.

Déjà méfiants envers les présupposés de la négritude senghorienne et sa valorisation d'une essence nègre, certains lecteurs africains ont suspecté, derrière cet éloge du métissage, quelque secrète fascination pour la culture européenne. De ce point de vue, l'élection de Senghor à l'Académie française, en 1983, a pu apparaître comme un ultime acte d'allégeance à la littérature française.

Alors, faut-il lire Senghor comme un poète français d'origine sénégalaise ? Certains jeunes critiques africains tendraient à l'exiler de la littérature africaine : si son action est rappelée, aucun de ses poèmes n'est cité dans la récente (1984) et riche anthologie de Pius Ngandu : *Littératures africaines de 1930 à nos jours.* A l'inverse, bien des lecteurs européens l'érigent en modèle de la poésie nègre. On le lit à partir de la poétique qu'il a lui même théorisée, affirmant que le style nègre repose sur un emploi particulier de l'image et sur la toute-puissance du rythme. Le goût africain de l'image procède de la soumission au pouvoir du verbe (c'est le propre d'une civilisation fondée sur l'oralité) et de la reconnaissance du génie particulier des langues négro-africaines : « Le mot y est plus qu'image, il est image analogique sans même le secours de la métaphore ou de la comparaison. Il suffit de nommer la chose pour qu'apparaisse le *sens* sous le *signe.* Car tout est signe et sens en même temps pour les Négro-Africains... » Si en Afrique tout fait signe et fait sens, nommer une chose ou un être, c'est toujours dire plus que cet être ou cette chose. C'est en ce sens que Senghor parle de « surréalisme » pour qualifier la vision du monde du Négro-Africain : c'est le sentiment que toute réalité désigne autre chose, que le surnaturel est consubstantiellement lié à la nature. Quant au rythme, il est indispensable pour que se libèrent les pouvoirs de l' « image analogique ». Fondé, bien sûr, sur l'alternance et la répétition de certains traits langagiers, il est plus que l'organisation interne du discours poétique : c'est comme une pulsion de tout l'être, une musique intérieure et tyrannique d'où jaillit le poème (« Pour moi, c'est d'abord une expression, une phrase, un verset qui m'est soufflé à l'oreille, comme un leitmotiv, et quand je commence à écrire, je ne sais ce que sera le poème. » De la même façon, les traditionnels « poètes gymniques », au village de l'enfance, « ne composaient que dans la transe des tam-tams, soutenus, inspirés, nourris par le rythme des tam-tams ». Ce rythme inspirateur, Senghor le rend visible en adoptant une « ponctuation expressive » et il suggère qu'on le restitue dans la diction des poèmes, ou mieux par un accompagnement d'instruments africains : kôras, khalam, balafong, gorong... Est-ce suffisant pour garantir l'identité nègre du poème ? Il y a sans doute une bonne part d'autosuggestion dans le lieu commun critique qui perçoit le grondement du tam-tam dans les moindres vers de Senghor (et des autres poètes négro-africains).

Il reste que si la poétique de la négritude se reconnaît au goût pour la nomination et aux effets de rythme, les poèmes de Senghor en donnent une parfaite illustration : sens du rythme dans le jeu de somptueuses allitérations ; poésie majestueuse nommant et célébrant les réalités d'une Afrique profonde. C'est d'ailleurs cette volonté de dire (de nommer et donc de faire apparaître) l'Afrique qui assure l'unité d'une œuvre dont la production s'échelonne sur plus de quarante ans. Œuvre donc étroitement liée à la trajectoire d'une carrière très brillante : de l'agrégation de grammaire en 1935 à la députation à l'Assemblée nationale française en 1945, de l'élection à la Présidence de la République du Sénégal en 1960 à la consécration par d'innombrables instances internationales. Ce parcours des honneurs a peut-être encore accentué la prédilection pour une poési de la solennité...

Les poèmes de *Chants d'ombre,* écrit dès avant la guerre et publiés en 1945 naissent de l'exil en France de l'étudiant puis du professeur Senghor : poèmes d la mémoire et de la nostalgie, proféra tion du pays natal (« Joal ! / Je m rappelle. / Je me rappelle les signares l'ombre verte des vérandas / Les signare aux yeux surréels comme un clair de lun sur la grève. / Je me rappelle les faste du Couchant / Où Koumba N'Dofèn voulait faire tailler son mantea royal. »), pour conjurer l'Europe et « l mort blanche ». Senghor y met en plac la géographie et la mythologie de so « royaume d'enfance » : la ville de Joa et les paysages du Sine, les figures de proches — le père, la mère, l'oncl Tokô'Waly qui expliquait « les signe que disent les Ancêtres dans la sérénit marine des constellations »... —, la vi diffuse de la nature et la présence de esprits, la lumière de la nuit d'Afriqu « dans l'unité première de [sa] négri tude ». Toute l'œuvre ultérieure s'em ploiera à retrouver et préserver ce images heureuses d'une Afrique paci fique, accordée aux grandes respiration du cosmos.

Nuit de Sine [1]

Femme, pose sur mon front tes mains balsamiques, tes mains douces plus que fourrure.
Là-haut les palmes balancées qui bruissent dans la haute brise nocturne
A peine. Pas même la chanson de nourrice.
Qu'il nous berce, le silence rythmé.
Écoutons son chant, écoutons battre notre sang sombre, écoutons
Battre le pouls profond de l'Afrique dans la brume des villages perdus.

Voici que décline la lune lasse vers son lit de mer étale
Voici que s'assoupissent les éclats de rire, que les conteurs eux-mêmes
Dodelinent de la tête comme l'enfant sur le dos de sa mère
Voici que les pieds des danseurs s'alourdissent, que s'alourdit la langue des chœurs alternés.

1. Ancien royaume du Sénégal, en pays sérère, région natale de L. S. Senghor.

C'est l'heure des étoiles et de la Nuit qui songe
S'accoude à cette colline de nuages, drapée dans son long pagne de lait.
Les toits des cases luisent tendrement. Que disent-ils, si confidentiels, aux étoiles ?
Dedans, le foyer s'éteint dans l'intimité d'odeurs âcres et douces.

Femme, allume la lampe au beurre clair [1], que causent autour les ancêtres comme les parents,
[les enfants au lit.
Écoutons la voix des Anciens d'Élissa [2]. Comme nous exilés
Ils n'ont pas voulu mourir, que se perdît par les sables leur torrent séminal.
Que j'écoute, dans la case enfumée que visite un reflet d'âmes propices
Ma tête sur ton sein chaud comme un dang [3] au sortir du feu et fumant
Que je respire l'odeur de nos Morts, que je recueille et redise leur voix vivante, que j'apprenne à
Vivre avant de descendre, au-delà du plongeur, dans les hautes profondeurs du sommeil.

Léopold Sédar Senghor, *Chants d'ombre,* éd. du Seuil.

Après *Hosties noires* (1948), pieux hommage aux tirailleurs sénégalais et à toutes les victimes noires des boucheries organisées, *Éthiopiques* (1956) rassemble des poèmes d'amour et d'angoisse et des odes solennelles qui empruntent l'emphase orale du griot pour chanter le fleuve Congo ou New York, pour exalter une campagne électorale ou pour célébrer les héros, comme Chaka le Zoulou. Les recueils suivants (*Nocturnes,* 1961 ; *Lettres d'hivernage,* 1972 ; *Élégies majeures,* 1979) maintiennent l'alternance entre l'intime et le planétaire : confidences amoureuses, déploration des morts familiers ou illustres, émerveillement des voyages et dialogue des lieux (« Il pleut sur New York sur Ndyongolôr sur Ndyalakhâr / Il pleut sur Moscou et sur Pompidou, sur Paris et banlieue, sur Melbourne sur Messine sur Morzine »).

Tous ces recueils s'apparentent par leur unité de ton, par leur air de gravité. Le poème s'y déploie comme une cérémonie verbale : il n'épargne pas les majuscules ; le verset se gonfle hors de toute contrainte syllabique. Cette pompe peut sembler forcée : dans l' « Élégie pour Martin Luther King », le bronze verbal de l'oraison funèbre rend un son trop convenu. Mais dès que la distance se tend entre l'ampleur glorieuse du chant et l'humble réalité de l'objet chanté, la poétique de Senghor révèle toute sa force : comment ne pas accepter de voir la « surréalité » de la réalité ? Cet athlète de village, ce tirailleur sénégalais se révèlent fils de roi ; ce paysage sans grâce particulière se pare d'une splendeur sacrée. Pouvoir mythologique d'une poésie de l'hyperbole : on peut songer à un certain Hugo, celui en qui l'écolier Senghor avait reconnu un « maître du tam-tam ».

La critique a d'ailleurs cru repérer bien des parentés entre Senghor et les grands symphonistes de la célébration poétique : Claudel, Péguy, Saint-John Perse... Ces rapprochements sont plausibles : le texte poétique de Senghor se trame en conformité avec les principes de la poétique française d'époque. Sur un point cependant l'originalité de Senghor est indéniable : il écrit dans une langue qu'il a dû s'approprier. Volupté poétique de maîtriser une langue apprise : quand Senghor parle de la langue française, c'est toujours en termes de relation amoureuse. Sa pratique poétique procède de l'enthousiasme que lui inspire la langue conquise, du désir de la faire sienne, de l'euphorie de la posses-

1. Beurre de karité. — 2. Village de Haute Guinée d'où partirent les Malinkés qui vinrent s'établir au Sénégal. — 3. Bouchée de couscous.

sion. Sous la surface très française de sa poésie, une parole africaine maintient sa présence. Elle s'affiche dans le recours insistant à des mots empruntés aux langues africaines : au risque, en rendant l'Afrique trop visible, de se confondre avec les procédés anciens de l'exotisme littéraire. Il est des failles plus secrètes à la belle majesté française des poèmes : ruptures de ton, dérapages et dissonances, brouillage des symboles, effets de connivence pour lecteurs initiés, révélant dans le texte la place d'un implicite culturel africain, tache aveugle pour le lecteur étranger à cette culture. C'est là qu'est la part noire de l'Afrique dans la poésie de Senghor, et peut-être la source de ses plus émouvantes réussites.

Élégie des circoncis

Nuit d'enfance, Nuit bleue Nuit blonde ô Lune !
Combien de fois t'ai-je invoquée ô Nuit ! pleurant au bord des routes
Au bord des douleurs de mon âge d'homme ? Solitude ! et c'est les dunes alentour.
Or c'était nuit d'enfance extrême, dense comme la poix. La peur courbait les dos sous les rugissements des [lions
Courbait les hautes herbes le silence sournois de cette nuit.
Feu de branches toi feu d'espoir ! pâle mémoire du Soleil qui rassurait mon innocence
A peine — il me fallait mourir. Je portais la main à mon cou, comme la vierge qui frissonne à l'horreur de [la mort.
Il me fallait mourir à la beauté du chant — toutes choses dérivent au fil de la mort.
Voyez le crépuscule à la gorge de tourterelle, quand roucoulent bleues les palombes
Et volent les mouettes du rêve avec des cris plaintifs.

Mourons et dansons coude à coude en une guirlande tressée
Que la robe n'emprisonne nos pas, mais rutile le don de la promise, éclairs sous les nuages.
Le tam-tam laboure *woi !* le silence sacré. Dansons, le chant fouette le sang
Le rythme chasse cette angoisse qui nous tient à la gorge. La vie tient la mort à distance.
Dansons au refrain de l'angoisse, que se lève la nuit du sexe dessus notre ignorance dessus notre innocence.
Ah ! mourir à l'enfance, que meure le poème se désintègre la syntaxe, que s'abîment tous les mots qui ne [sont pas essentiels.
Le poids du rythme suffit, pas besoin de mots-ciment pour bâtir sur le roc la cité de demain.
Surgisse le Soleil de la mer des ténèbres
Sang ! Les flots sont couleur d'aurore.

Mais Dieu, tant de fois ai-je lamenté — combien de fois ? — les nuits d'enfance transparentes.

Midi-le -Mâle est l'heure des Esprits, où toute forme se dépouille de sa chair
Comme les arbres en Europe sous le soleil d'hiver.

Voilà, les os sont abstraits, ils ne se prêtent qu'aux calculs de la règle du compas du sextant.
La vie comme le sable s'échappe aux doigts de l'homme, les cristaux de neige emprisonnent la vie de l'eau

Le serpent de l'eau glisse aux mains vaines des roseaux.
Nuits chères Nuits amies, et Nuits d'enfance, parmi les tanns parmi les bois
Nuits palpitantes de présences, et de paupières, si peuplées d'ailes et de souffles
De silence vivant, dites combien de fois vous ai-je lamentées au mitan de mon âge ?
Le poème se fane au soleil de midi, il se nourrit de la rosée du soir
Et rythme le tam-tam le battement de la sève sous le parfum des fruits mûrs.
Maître des Initiés, j'ai besoin je le sais de ton savoir pour percer le chiffre des choses
Prendre connaissance de mes fonctions de père et de lamarque [1]
Mesurer exactement le champ de mes charges, répartir la moisson sans oublier un ouvrier ni orphelin.
Le chant n'est pas que charme, il nourrit les têtes laineuses de mon troupeau.
Le poème est oiseau-serpent, les noces de l'ombre et de la lumière à l'aube
Il monte Phénix ! il chante les ailes déployées, sur le carnage des paroles.

Léopold Sédar Senghor, *Nocturnes*, éd. du Seuil.

La poésie de la négritude déborde l'œuvre de Senghor. Mais la gloire du poète-président a laissé dans l'ombre des œuvres plus modestes. En outre, les anthologies, nombreuses, ont filtré toujours les mêmes œuvres, découpant un corpus limité aux poèmes toujours cités des deux Diop, David ou Birago, ou de Bernard Dadié. Il est d'autres poèmes, d'autres poètes aussi, un peu moins connus que les pères fondateurs de la négritude : Bognini *(Ce Dur Appel de l'espoir)*, Bolamba, Ousmane Socé, Elolongue Epanya Yondo *(Kamerun ! Kamerun !)* et, parmi les plus jeunes, Lamine Diakhaté, Malick Fall, Cheik Ndao... A lire leurs recueils (qui paraissent entre 1960 et 1970), on est frappé par un air de famille : une réticence marquée envers la métaphore, les images trop somptueuses (c'est conforme au canon de la poésie nègre selon Senghor, pour qui la nomination fait l'image). Beaucoup de sentimentalisme aussi : la négritude répugne moins qu'on ne l'a dit à l'épanchement personnel. De la morale bien sentie ; des thèmes militants véhémentement argumentés. Cette poésie, qui travaille sur des modèles scolaires, les seuls dont on pouvait disposer à l'époque pour écrire en français, assume honnêtement sa fonction édifiante.

A l'écart du mouvement, méconnu par la plupart des anthologies, FILY DABO SISSOKO a produit une œuvre originale, curieusement fascinée par une écriture sèche et « objective ». Cette œuvre reflète la riche expérience de son auteur, intellectuel exemplaire de l'époque coloniale : instituteur pendant la Première Guerre mondiale, chef de canton, député de la colonie du Soudan français (aujourd'hui République du Mali), il a été victime de règlements de comptes politiques après l'indépendance et est mort tragiquement en 1964. Les premières étapes de cette carrière sont racontées dans *La Savane rouge* (1962), récit autobiographique dont la linéarité et les ellipses retrouvent la densité du poème en prose. C'est d'ailleurs cette forme du poème en prose qui domine dans son œuvre poétique (*Poèmes de l'Afrique noire,* 1963 ; *Les Jeux du destin,* 1970) : le poème tire sa force de la ligne nette qui nomme l'objet ou l'action, de la sévérité plastique de la description. N'est-ce pas là la pureté du style nègre rêvée par la théorie poétique de la négritude ?

1. Mot-valise forgé par Senghor. Lam (préfixe sérère) et archos, le chef (désinence grecque) : maître de la terre.

[Poèmes de l'Afrique]

Les cyons ont rencontré une harde d'oryx. Ils ont écarté un gros mâle et l'ont suivi, lui arrachant la chair, lambeau par lambeau.

La pauvre bête est tombée sous nos yeux, au milieu du *bowal* de Bata. Nos cris ne faisaient qu'exciter ces fauves sanguinaires.

Deux cyons, le ventre lourd, nous fixaient insolemment. D'autres se bousculaient autour de la curée ; tandis que, d'autres encore, se pourléchaient la babine.

Bientôt, de l'oryx, il ne restait plus que les os.

Mariam tient entre les genoux une toute petite corne de biche où elle plonge, de temps en temps, une fine baguette de bois d'ébène. Elle passe avec précaution la pointe à l'intérieur — le long des cils — et suit l'opération dans un miroir métallique. Elle est vraiment belle dans ce négligé, avec ses gros anneaux d'or qui pendent aux oreilles et sa double guirlande de « *moro-moro* ». Et quelle peau ! Cet éclat, cette finesse, cette palpitation d'un foie récemment arraché !

Le soleil noir qu'amènent les orages de fin de saison, frappe au cœur les gros arbres, à travers les halliers.

Sans répit, il les accable de traits, qui lacèrent leur écorce, couverte de plaques grises, d'où s'exsude une sève brune, lente à sécher, que viennent, avec délices, siroter des cigales, happées elles-mêmes, au passage, par un varan en course.

Au même moment, les graminées jaunissent.

Les feuilles des « *wolos* » et celles des vênes blanchissent.

Le « *difolo* » s'installe avec ses brumes matinales ; et, les soirs, perceptibles au son, passent en vibrant, des vols d'abeilles.

C'est le prélude des feux de brousse ; du retrait des eaux, rendant les gués accessibles.

Fily Dabo Sissoko, *Poèmes de l'Afrique*, éd. Debresse.

Des romans de l'Afrique au roman africain

La négritude s'est félicitée, — et a tiré avantage —, de certaines **revalorisations du monde négro-africain** par la culture occidentale : découverte de l'art nègre par Apollinaire, Picasso et les grands inventeurs de la peinture moderne ; fascination du jazz dès la fin des années 20 ; et ce que Césaire appelle « la grande trahison des ethnologues », c'est-à-dire l'abandon par les anthropologues des postulats de l'inégalité des races et des cultures, et l'acceptation d'un relativisme culturel. Pourtant, les images anciennes de l'Afrique, paternalistes ou dépréciatives, celles par exemple du trop célèbre *Tintin au Congo*, ont continué à circuler, diffusées par une abondante « **littérature coloniale** ». Théorisée par Marius-Ary Leblond (*Le Roman colonial*, 1926) et Roland Lebel (*Histoire de la littérature coloniale en France*, 1931), bénéficiant pendant longtemps d'une rubrique régulière dans la revue du *Mercure de France,* cette « littérature coloniale » entend faire reconnaître sa spécificité littéraire en se distinguant de l'exotisme par la relation que l'écrivain entretient avec son sujet. L'exotisme relève d'un regard de passage et suppose une comparaison avec un lieu de référence : le voyageur éprouve le charme du pittoresque et du dépaysement. Tel est Paul Morand, touriste moderne, parcourant l'Afrique en automobile (*Paris-Tombouctou,* 1928). Au contraire, le « colonialisme littéraire » (l'expression est de Roland Lebel) suppose enracinement, regard en profondeur, découverte des aspects les plus secrets du pays et des hommes. Les romanciers coloniaux (les frères Tharaud, André Demaison, Jean d'Esme, etc.) ont l'ambition de faire connaître l'Afrique, en montrant les servitudes et grandeurs des tâches coloniales, mais aussi en révélant l'intimité des âmes indigènes. Ce qui ne va pas sans ambivalence et contradictions : leurs « romans de l'Afrique » postulent un regard plus autonome, mais ils ne se démarquent guère de l'habituel discours européen sur l'Afrique. Cette « littérature coloniale », par définition, ne remet pas en cause les principes de la colonisation.

Les premiers romanciers négro-africains n'ont pas brutalement rompu avec la logique du roman colonial. Ils ont simplement cherché à exploiter son goût pour la connaissance plus intime des réalités africaines. C'est sans doute ainsi qu'il faut interpréter le sous-titre donné par René Maran à son *Batouala :* « véritable roman nègre ». *Batouala* est un roman où le monde nègre se donne à voir dans sa vérité, sans les réfractions de l'exotisme. Fonctionnaire colonial d'origine antillaise, passionné par sa découverte de l'Afrique, René Maran y décrit, comme de l'intérieur, des scènes de la vie quotidienne dans un village des bords de l'Oubangui. Rien là qui s'oppose à l'orthodoxie du roman colonial. Pourtant, *Batouala* souleva une violente campagne de la presse coloniale, furieuse que le Prix Goncourt 1921 lui fût attribué : c'était, écrivait-on, couronner « une œuvre de haine », qui faisait le procès de la colonisation. René Maran se défendit d'avoir eu la moindre intention subversive. Il reste que la mise en œuvre romanesque et surtout la décision de rapprocher la narration des personnages et de leur parole font entendre des voix que certains ne désiraient pas entendre :

> Nous ne sommes que des chairs à impôt. Nous ne sommes que des bêtes de portage. Des bêtes ? Même pas. Un chien ? Ils le nourrissent, et soignent leur cheval. Nous ? Nous sommes moins que ces animaux, nous sommes plus bas que les plus bas. Ils nous tuent lentement.

Le scandale et le succès de *Batouala* furent un événement mémorable. Pourtant, avant les années 50, il y eut peu d'Africains pour publier des romans. C'est autour de l'œuvre de quelques poètes que la négritude s'est cristallisée. La forme romanesque semblait peut-être trop engluée dans l'idéologie qui portait la « littérature coloniale ». Très révélatrices à cet égard sont les attaques lancées, à sa sortie, contre *L'Enfant noir* de Camara Laye, l'un des premiers romans écrits par un Africain. Dans un numéro spécial de la revue *Présence Africaine* en 1954, consacré à la publication de trois courts romans d'auteurs noirs et donc destiné à marquer la naissance d'un roman africain, une note critique, signée A.B. (en fait Alexandre Biyidi), reprochait à Camara Laye de se complaire à un tableau d'une Afrique « paisible, belle, maternelle », sortie des plus stéréotypés « Contes de la brousse et de la forêt », parfaitement conforme à l'image attendue par « le petit bourgeois européen » : « Est-il possible que pas une seule fois, Laye n'ait été témoin d'une seule petite exaction de l'administration coloniale ? » Pour A.B., le roman africain ne saurait se développer qu'en rompant avec les images de l'Afrique construites par le discours colonial.

Alexandre Biyidi, sous les pseudonymes d'Eza Boto, puis de Mongo Beti,

Statue funéraire anyi.

mais aussi Bernard Dadié, Jean Malonga, Abdoulaye Sadji, David Ananou, Ferdinand Oyono, Sembène Ousmane, Benjamin Matip, Olympe Bhêly-Quenum, Aké Loba, Cheikh Hamidou Kane, Nazi Boni, Seydou Badian et quelques autres devaient en une dizaine d'années, de 1953 à 1963, imposer l'existence du roman africain. En 1963, les éditions Présence Africaine pouvaient publier une anthologie en deux volumes de Léonard Sainville : *Romanciers et Conteurs négro-africains.* Même étendu à l'ensemble du monde noir, ce premier bilan de la production romanesque témoignait d'une belle vitalité. Les efforts d'africanisation de l'enseignement et la volonté d'introduire des auteurs africains dans les programmes allaient encourager la publication de petits classiques, manuels, extraits commentés, etc., et inciter aussi à des rééditions en collections de poche. En quelques années, les premiers romanciers africains sont devenus des classiques. Un espace romanesque africain s'est constitué.

Avec le recul du temps, certains romans se détachent comme des œuvres-clés : on peut citer *Le Pauvre Christ de Bomba* (1956) de Mongo Beti, *Le Vieux Nègre et la Médaille* (1956) de Ferdinand Oyono, *Les Bouts de bois de Dieu* (1960) de Sembène Ousmane, *L'Aventure ambiguë* (1961) de Cheikh Hamidou Kane, sans oublier *L'Enfant noir* (1953) de Camara Laye, beaucoup moins conformiste que ne l'avaient cru ses détracteurs à la parution. Des lignes de convergence apparaissent : sobriété de l'écriture, préférence pour le réalisme, méfiance envers les expérimentations, engagement clairement assumé, volonté de se déprendre des images reçues d'une Afrique à l'usage européen, souci de dévoiler la dynamique à l'œuvre dans les sociétés africaines. Le roman africain privilégie les formes romanesques où peut se développer une enquête sur l'identité : roman historique ou roman autobiographique, roman de la société coloniale ou roman de la nouvelle Afrique en formation...

Toute communauté voulant affirmer sa personnalité nationale cherche dans l'Histoire la légitimation de son existence. Le roman peut être un moyen commode de conserver et magnifier la mémoire des temps anciens. **Le roman historique** est donc le genre nécessaire de tout nationalisme littéraire. L'Afrique en avait donné une curieuse confirmation au début du siècle. Thomas Mofolo, instituteur bantou dans une mission protestante d'Afrique du Sud, avait écrit en langue sotho l'histoire épique du grand chef zoulou Chaka, qui, entre 1818 et 1828, avait fondé par la terreur un vaste empire dans le Sud de l'Afrique, avant d'être assassiné par ses frères. L'intention de Mofolo était de composer une œuvre d'édification chrétienne, condamnant le paganisme en montrant que l'ascension et la chute de Chaka étaient dues à d'abominables pratiques de sorcellerie, allant jusqu'au meurtre de ses proches. Cependant le livre, écrit en 1908, ne fut publié qu'en 1925 : il effarouchait les missionnaires. En effet, malgré la sincérité de son adhésion au christianisme, Mofolo avait donné à son roman-épopée le souffle des anciennes légendes : il rendait fascinantes les forces magiques assurant la cohésion du monde ancien, et grandioses l'aventure politique et les conquêtes de Chaka. Au lieu du roman missionnaire attendu, Mofolo avait écrit le premier roman historique de la littérature africaine moderne.

Une traduction française du *Chaka* de Thomas Mofolo fut publiée en 1940. Par la suite, le chef zoulou a souvent inspiré les écrivains : « poème dramatique à plusieurs voix » de Léopold Senghor (dans *Éthiopiques*) ou pièces de théâtre (*La Mort de Chaka* de Seydou Badian, en 1962, ou *Le Zoulou* de Tchicaya U Tam'si, en 1977). Chaka est ainsi devenu (avec le Haïtien Toussaint Louverture et le Congolais Patrice Lumumba) un des héros fondateurs de l'imaginaire littéraire négro-africain. Son mythe incarne les rêves d'unification africaine et de construction nationale, mais aussi le vertige du pouvoir...

En racontant dans *Doguicimi* (1938) les débuts du règne de Guézo, roi d'Abomey vers 1820-1830, Paul Hazoumé obéit à des intentions assez proches de celles de Mofolo : il veut aussi opposer les cruautés du paganisme (avec ses sacrifices humains) aux bienfaits apportés par le christianisme et l'humanisme occidental. Mais en traçant un tableau mi-ethnographique, mi-épique de l'histoire du Dahomey (aujourd'hui République du Bénin) au XIXe siècle, Hazoumé est conduit à donner une image exaltante de l'Afrique ancienne : faste de la cour royale, subtilités des anciennes coutumes, désir du roi de maintenir l'intégrité et l'indépendance du royaume. Une fois de plus, le roman historique prépare l'éveil du sentiment national.

Le roman historique africain s'est nourri de la tradition historique orale. Ainsi est né un genre original : l'épopée transcrite, la légende historique notée de la bouche même des griots et autres dépositaires de la parole traditionnelle. Jean Malonga reprend dans *La Légende de M'Pfoumou Ma Mazono* (1959) l'histoire mythique de son propre groupe ethnique et réussit à rendre la connivence profonde qui unit les hommes de la forêt et la nature. En restant tout proche du récit oral dont il conserve la saveur du terroir et la naïveté épique, Djibril Tamsir Niane raconte dans *Soundjata ou l'Épopée mandingue* (1960) l'origine de la dynastie des Keita et du glorieux empire manding du Mali. Cette épopée, qui remonte au XIIIe siècle, est restée très populaire en Afrique de l'Ouest et conserve beaucoup de séduction dans la version française de Niane.

D'autres romanciers se rapprochent davantage du modèle occidental du roman historique comme reconstruction du passé à travers une fiction. Nazi Boni, dans *Crépuscule des temps anciens* (1962), se fait encore le chroniqueur de trois siècles d'histoire du Bwamu (en Haute-Volta, aujourd'hui Burkina Faso), même s'il insiste sur l'arrivée des premiers Européens. Jean Ikelle Matiba (*Cette Afrique-là,* 1963) évoque le passage, au Cameroun, de la colonisation allemande à la colonisation française. Mais il n'y a pas, en langue française, de roman historique aussi réussi que *Le monde s'effondre* (*Things fall apart,* 1958) du Nigérian anglophone Chinua Achebe, peinture mesurée de l'Afrique précoloniale et de la désagrégation de la vie tribale, quand arrivent les Européens et le christianisme.

On peut discerner un projet parallèle entre le roman historique, qui tend plus ou moins à raconter la « naissance d'une nation » (fût-ce dans les moments de crise et de métamorphose des sociétés), et **le roman d'apprentissage,** qui raconte la formation d'un individu à travers les aventures et les épreuves qu'il affronte. Or le roman d'éducation est une des formes préférées du roman africain. Il prend volontiers le ton de la confidence personnelle : récit d'apparence autobiographique à la première personne. Même quand le roman feint l'objectivité de la troisième personne, le personnage principal est le seul à posséder quelque épaisseur romanesque : il se détache parmi les silhouettes de comparses, sur le fond d'un milieu social rapidement brossé, victime d'une suite d'événements qui s'abattent sur lui comme au hasard. Le roman reflète le retentissement d'une aventure sur une conscience.

En toile de fond au roman de formation, l'affrontement de deux mondes : le village et la ville, la tradition et le modernisme, l'Afrique et l'Europe... Le monde traditionnel, incarné par le village ou le quartier natal du héros, se confond avec l'enfance, dont il garde le prestige. C'est le paradis du temps perdu, univers merveilleux et sans problèmes où le bonheur était à portée de main. En face, la grande ville africaine, déjà étrangère, ou la France, que le héros découvre pour y poursuivre ses études, figure un monde de la rupture et du discontinu (alors que la vie traditionnelle se développait dans un temps homogène et harmonieux), un monde du malheur, imprévisible, inéluctable, qui s'acharne sur le héros désarmé. Le roman d'apprentissage raconte le passage d'un monde à l'autre, l'arrachement dramatique au monde ancien, dans l'effondrement de toutes les valeurs, la naissance douloureuse au monde moderne. Quittant la vie collective pour un destin individuel, la solidarité pour la solitude, le sacré pour le rationnel, la sagesse et la sécurité pour l'inquiétude et l'angoisse, le héros connaît une nouvelle version de l'épreuve archétypique de la Chute. Expulsé du paradis africain, il doit apprendre à vivre dans le monde malheureux de la modernité.

Ces romans de formation apportent des témoignages précieux sur l'histoire morale et intellectuelle d'une Afrique en mutation. Ainsi *Climbié* (1953) de Bernard Dadié, fortement autobiographique évoquant l'itinéraire d'un de ces cadres africains passés par l'école française et entrés dans l'administration coloniale. Ou bien *Kocumbo l'étudiant noir* (1960) d'Aké Loba, racontant la découverte par « un jeune broussard transplanté à Paris » de la vie occidentale, de ses séductions et de ses turpitudes.

L'Enfant noir de CAMARA LAYE appartient à la même famille romanesque, même si l'accent est mis bien davantage sur le monde heureux de l'enfance que sur le départ pour Conakry, la grande ville, puis vers la France. Par la grâce d'un récit fluide, le lecteur est introduit à Kouroussa, village natal du narrateur, puis à Tindican, village de ses vacances au pays de sa mère. Ce sont des lieux ordonnés par les rites et les rythmes des hommes et des puissances naturelles : fabrication de bijoux en or par le père forgeron, sous la protection d'un petit serpent noir, fêtes de la moisson, rituel des repas, cérémonie de la circoncision... Camara Laye a raconté qu'il avait écrit *L'Enfant noir* alors qu'il était travailleur immigré dans une usine d'automobiles de la banlieue parisienne : dans le froid d'une modeste chambre d'hôtel, l'écriture ranimait les images aériennes et lumineuses de son enfance guinéenne. *L'Enfant noir* doit donc se lire comme un recours contre l'exil, contre l'arrachement d'un être à ses racines.

[Il n'y a point de travail qui dépasse celui de l'or]

Sur un signe de mon père, les apprentis mettaient en mouvement les deux soufflets en peau de mouton, posés à même le sol de part et d'autre de la forge et reliés à celle-ci par des conduits de terre. Ces apprentis se tenaient constamment assis, les jambes croisées, devant les soufflets ; le plus jeune des deux tout au moins, car l'aîné était parfois admis à partager le travail des ouvriers, mais le plus jeune — c'était Sidafa, en ce temps-là — ne faisait que souffler et qu'observer, en attendant d'être à son tour élevé à des travaux moins

L'Écriture, *Assane N'Doye, 1981.*

rudimentaires. Pour l'heure, l'un et l'autre pesaient avec force sur les branloires, et la flamme de la forge se dressait, devenait une chose vivante, un génie vif et impitoyable.

Mon père alors, avec ses pinces longues, saisissait la marmite et la posait sur la flamme.

Du coup, tout travail cessait quasiment dans l'atelier : on ne doit en effet, durant tout le temps que l'or fond, puis refroidit, travailler ni le cuivre ni l'aluminium à proximité, de crainte qu'il ne vînt à tomber dans le récipient quelque parcelle de ces métaux sans noblesse. Seul l'acier peut encore être travaillé. Mais les ouvriers qui avaient un ouvrage d'acier en train, ou se hâtaient de l'achever, ou l'abandonnaient carrément pour rejoindre les apprentis rassemblés autour de la forge. En vérité, ils étaient chaque fois si nombreux à se presser alors autour de mon père, que je devais, moi qui étais le plus petit, me lever et me rapprocher pour ne pas perdre la suite de l'opération.

Il arrivait aussi que, gêné dans ses mouvements, mon père fît reculer les apprentis. Il le faisait d'un simple geste de la main : jamais il ne disait mot à ce moment, et personne ne disait mot, personne ne devait dire mot, le griot même cessait d'élever la voix ; le silence n'était interrompu que par le halètement des soufflets et le léger sifflement de l'or. Mais si mon père ne prononçait pas de paroles, je sais bien qu'intérieurement il en formait ; je l'apercevais à ses lèvres qui remuaient tandis que, penché sur la marmite, il malaxait l'or et le charbon avec un bout de bois, d'ailleurs aussitôt enflammé et qu'il fallait sans cesse renouveler.

Quelles paroles mon père pouvait-il bien former ? Je ne sais pas ; je ne sais pas exactement : rien ne m'a été communiqué de ces paroles. Mais qu'eussent-elles été, sinon des incantations ? N'était-ce pas les génies du feu et de l'or, du feu et du vent, du vent soufflé par les tuyères, du feu né du vent, de l'or marié avec le feu, qu'il invoquait alors ; n'était-ce pas leur aide et leur amitié, et leurs épousailles qu'il appelait ? Oui, ces génies-là presque certainement, qui sont parmi les fondamentaux et qui étaient également nécessaires à la fusion.

L'opération qui se poursuivait sous mes yeux, n'était une simple fusion d'or qu'en apparence ; c'était une fusion d'or, assurément c'était cela, mais c'était bien autre chose encore : une opération magique que les génies pouvaient accorder ou refuser ; et c'est pourquoi, autour de mon père, il y avait ce silence absolu et cette attente anxieuse. Et parce qu'il y avait ce silence et cette attente, je comprenais, bien que je ne fusse qu'un enfant, qu'il n'y a point de travail qui dépasse celui de l'or.

Camara Laye, *L'Enfant noir,* éd. Plon.

Avec *L'Aventure ambiguë* de Cheikh Hamidou Kane, ce sont les problèmes de l'acculturation, du contact ou du conflit des civilisations, qui sont au cœur du roman. Le héros, Samba Diallo, musulman fervent, suit à l'école coranique les leçons brûlantes du Maître, qui lui enseigne l'absolue différence divine : « Dieu n'est pas un parent. » Mais la colonisation introduit une école nouvelle au pays des Diallobé. La famille de Samba Diallo, craignant que l'enfant, si pénétré de la tradition religieuse, ne se retrouve désarmé face au monde moderne, décide de l'envoyer à l'école européenne, pour qu'il y apprenne « l'art de vaincre sans avoir raison ». Étudiant à Paris la philosophie, Samba Diallo découvre le plaisir de l'esprit critique, l'efficacité des idées et des techniques. Peu à peu, il se sent intimement déchiré entre l'ardeur de sa foi musulmane et sa fascination pour la raison des philosophes :

Je ne suis pas un pays des Diallobé distinct, face à un Occident distinct, et appréciant d'une tête froide ce que je peux lui apprendre et ce qu'il faut que je lui laisse en contrepartie. Je suis devenu les deux. Il n'y a pas une tête lucide entre deux termes d'un choix. Il y a une nature étrange, en détresse de n'être pas deux.

Rentré au pays pour mettre un terme à son « aventure ambiguë », Samba Diallo constate que l'opposition entre l'Occident cartésien et technicien et l'Afrique religieuse est absolue. C'est pourquoi l'être hybride qu'il est devenu ne peut plus vivre. Il meurt donc, poignardé, sur un malentendu semble-t-il, par un étrange personnage, le Fou, ancien militaire de l'armée française et successeur du Maître à l'école coranique. Roman de la division d'une Afrique incertaine, hésitant entre la prière et l'action, la contemplation et l'efficacité, *L'Aventure ambiguë* réussit l'étrange alliance de la ferveur religieuse et de la rigueur analytique : par la vertu d'une écriture dépouillée et frémissante, dialogues d'idées et débats philosophiques sonnent en harmonie avec les élévations mystiques.

En fait, le roman de Cheikh Hamidou Kane s'inscrit dans un grand courant de mystique islamique. Son héros solitaire, chaste et distant, tenu à l'écart par son élection spirituelle, ne peut que choisir la mort pour s'anéantir dans l'Être. Vision pessimiste peut-être, qui a suscité les réticences de certains lecteurs africains. Mais le succès persistant du roman montre qu'il continue d'exercer sa séduction altière.

[La foi est avant tout humilité]

Après une bagarre avec un camarade, Samba Diallo revient au foyer de l'école coranique.

Tous les disciples étaient revenus. Chacun d'eux avait repris sa tablette et rejoint sa place en un grand cercle. La Parole, scandée par toutes ces voix juvéniles, montait, sonore et bienfaisante au cœur du maître, assis au centre. Il considéra Samba Diallo.

Le garçon lui donnait entière satisfaction, sauf sur un point. Le regard perçant du vieil homme avait décelé chez l'adolescent ce qui, à son sens, à moins d'être combattu de bonne heure, faisait le malheur de la noblesse du pays des Diallobé, et à travers elle du pays tout entier. Le maître croyait profondément que l'adoration de Dieu n'était compatible avec aucune exaltation de l'homme. Or, au fond de toute noblesse, il est un fond de paganisme. La noblesse est l'exaltation de l'homme, la foi est avant tout humilité, sinon humiliation. Le maître pensait que l'homme n'a aucune raison de s'exalter, sauf précisément dans l'adoration de Dieu. Encore qu'il s'en défendît, il aimait Samba Diallo comme jamais il n'avait aimé un disciple. Sa dureté pour le garçon était à la mesure de l'impatience où il était de le débarrasser enfin de toutes ses infirmités morales, et de faire de lui le chef-d'œuvre de sa longue carrière. Il avait formé de nombreuses générations d'adolescents et se savait maintenant près de la mort. Mais, en même temps que lui, il sentait que le pays des Diallobé se mourait sous l'assaut des étrangers venus d'au-delà des mers. Avant de partir, le maître essaierait de laisser aux Diallobé un homme comme le grand passé en avait produit.

Le maître se souvenait. Du temps de son adolescence les enfants des grandes familles — dont il était — vivaient encore tout leur jeune âge loin des milieux aristocratiques dont ils étaient issus, anonymes et pauvres parmi le peuple, et de l'aumône de ce peuple.

Au bout de ce compagnonnage, ils revenaient de leur longue pérégrination parmi les livres et les hommes, doctes et démocrates, aguerris et lucides.

Le maître médita longuement, réveillé au souvenir des temps évanouis où le pays vivait de Dieu et de la forte liqueur de ses traditions.

Cheikh Hamidou Kane, *L'Aventure ambiguë,* éd. Julliard.

Les critiques de *L'Enfant noir* et de *L'Aventure ambiguë* reprochaient à ces deux romans de se complaire dans la littérature rose ou la délectation morose : il y avait mieux à faire que détailler une aventure individuelle. Il y avait une situation intenable à dénoncer : la situation coloniale. Or le roman a vocation à se poser en miroir critique d'une société. C'est ce qui a assuré le succès du genre dans l'Europe des XVIIIe et XIXe siècles. Il fallait donc écrire des romans africains engagés, réalistes et critiques. C'est le choix qu'ont opéré **les romanciers de la situation coloniale,** comme les Camerounais Mongo Beti et Ferdinand Oyono ou le Sénégalais Sembène Ousmane.

Parfaitement conscient de la fonction de dévoilement qu'il attribue à ses romans, MONGO BETI avait d'abord publié sous le nom d'Eza Boto une longue nouvelle, *Ville cruelle* (1954), qui narrait les malheurs d'un paysan parti vendre son cacao à la ville et roulé par les fonctionnaires de l'administration coloniale. Puis il fait paraître trois romans en trois ans, *Le Pauvre Christ de Bomba* (1956), *Mission terminée* (1957), *Le Roi miraculé* (1958), qui tendent à s'organiser en trilogie : Mongo Beti rêve d'un roman cyclique qui puisse « donner une identité » au public africain. Ces romans s'opposent à la vision ethnologique, souvent globalisante et donc réductrice, du roman colonial, comme à l'euphorie des rêveries sur le paradis villageois. Ils montrent un monde dominé par le jeu des contradictions : entre colonisateurs et colonisés, mais aussi à l'intérieur de chacun de ces groupes ; et ces contradictions présagent les mutations qui déjà se font jour. Ainsi, dans *Mission terminée,* construit sur le thème du retour au village (d'un lycéen dont l'échec à l'oral du baccalauréat n'entame en rien le prestige !), l' « évolué » et les villageois constatent qu'une coupure les sépare : saugrenu de la formation scolaire d'un côté, oppression sourde de la tradition de l'autre.

« Ces gosses-là, c'était nous. »

[Ces gosses-là, c'était nous]

Vous rappelez-vous l'époque ? Les pères menaient leurs enfants à l'école, comme on pousse des troupeaux vers un abattoir. Des villages de brousse, éloignés de plus de cinquante kilomètres, arrivaient de tout jeunes enfants, conduits par leurs parents, pour s'inscrire à une école, n'importe laquelle. Population pitoyable, ces jeunes enfants ! Hébergés par de vagues parents autour de l'école ou de vagues relations de leur père, mal nourris, faméliques, rossés à longueur de journée par des moniteurs ignares, abrutis par des livres qui leur présentaient un univers sans ressemblance avec le leur, se battant sans cesse, ces gosses-là, c'était nous, vous rappelez-vous ? Et ce sont nos parents qui nous poussaient. Pourquoi cet acharnement ?

Catéchisés, confirmés, gavés de communions comme de petites oies du bon Dieu, confessés à Pâques et à Trinité, enrôlés sous les bannières des défilés de quatorze-juillet, militarisés, présentés à toutes les commissions nationales et internationales comme une fierté, ces gosses-là, c'était nous, vous souvient-il ?

Dépenaillés, querelleurs, vantards, teigneux, froussards, galeux, chapardeurs, les pieds rongés de chiques, ces gosses-là, c'était nous, n'est-ce pas ? Une faune minuscule et piaillante égarée dans le siècle comme des poussins dans l'Atlantique.

Mongo Beti, *Mission terminée,* éd. Buchet/Chastel.

Le Pauvre Christ de Bomba raconte les mésaventures du Révérend Père Drumont qui a passé sa vie à catéchiser la paroisse de Bomba, et qui s'aperçoit au retour d'une tournée que son message religieux n'a jamais été vraiment entendu. Son cuisinier lui explique pourquoi : « Les premiers d'entre nous qui sont accourus à la religion, à votre religion y sont venus comme à une école où ils acquerraient la révélation de votre secret — le secret de votre force, la force de vos avions, de vos chemins de fer, le secret de votre mystère... Au lieu de cela, vous vous êtes mis à parler de Dieu, de l'âme, de la vie éternelle, etc. Est-ce que vous vous imaginez qu'ils ne connaissaient pas tout cela avant, bien avant votre arrivée ? » L'échec du prêtre est rendu encore plus manifeste par l'ironie de la structure romanesque : son combat contre le paganisme est rapporté par le journal intime du cuisinier qui, tout dévoué à son maître, note avec une naïve « objectivité » les événements les plus ridicules et les violences les plus atroces.

[« Ex fornicatione ortus »]

En mission d'inspection en brousse, le Révérend Père Drumont et Denis, son boy-cuisinier, arrivent au village de Bitié, en pays tala.

Et d'ailleurs tout est curieux chez les Tala. Bitié, par exemple. Selon le catéchiste, c'est sans nul doute le village où les gens acceptent le plus volontiers l'idée d'un mariage religieux et, pour les femmes, d'un séjour de trois mois à la sixa [1]. Pourtant, et c'est ici que la chose devient étrange, ils prennent régulièrement une deuxième femme après le sacrement. Pour le catéchiste, ce qui est étonnant ce n'est pas qu'ils prennent une deuxième femme, car avec tout l'argent qu'ils tirent du cacao, la

1. Maison de retraite pour les jeunes filles fiancées, qui y reçoivent une éducation chrétienne avant le mariage.

chose est quasiment inévitable ; c'est plutôt qu'au moment du sacrement, au moment même où ils répondent en bons chrétiens aux questions rituelles, ils songent déjà à leur prochaine femme ; il arrive parfois qu'avant le sacrement du mariage, ils connaissent déjà leur prochaine femme, qu'ils se soient entendus avec les parents de celle-ci, qu'ils aient versé de l'argent, au moins une avance. C'est plutôt cela qui est déroutant, disait le catéchiste de Bitié en bégayant. Et le R.P.S. [1] lui a demandé :

— Tu ne crois pas qu'ils se marient à l'église plus simplement par goût de la fête ? Ici la coutume s'est installée de célébrer le mariage en consacrant sept jours successifs aux réjouissances. Tu ne crois pas qu'ils se marient simplement par goût de la fête ?...

— Mon père, a répondu le catéchiste, il y a peut-être de cela, oui, il y a certainement de cela. Mais il semble bien que ce n'est pas tout. Vois-tu, Père, je connais des gens qui n'aiment pas les fêtes, je connais des gens que les longues fêtes horripilent, je connais des gens à qui les tam-tams portent sur les nerfs, et pourtant ils se marient à l'église sans être de bons chrétiens.

Oh ! au fond, ce n'est déjà pas si mal, s'ils se marient à l'église avant de prendre une deuxième femme alors que personne ne les y contraint. En tout cas, la doctrine du Christ ne les aura pas laissés indifférents. De plus, ils font généralement baptiser leurs enfants, en payant plus cher que les bons chrétiens, et sur la carte de baptême de tels enfants, le R.P.S. écrit toujours : « Ex fornicatione ortus » [2] ; à mon avis, ça doit signifier que le père est polygame et que, pour cette raison, il a payé plus cher pour le baptême de son fils. « Ex fornicatione ortus », je n'ai jamais osé demander ce que cela signifiait au R.P.S. ; et peut-être qu'il ne serait pas content, surtout si le mot « fornicatione » en latin signifie la même chose qu'en français !...

Mongo Beti, *Le Pauvre Christ de Bomba,* éd. Robert Laffont.

1. Le Révérend Père Supérieur. — 2. Né du péché de chair.

L'ironie est le recours naturel du colonisé : « On se moquait volontiers du Blanc, dit Mongo Beti, d'abord parce qu'il ne comprenait pas la langue indigène et puis parce qu'on pouvait le parodier sans qu'il s'en rende compte. » Dans *Le Roi miraculé,* l'ironie tient au sujet lui-même : les ravages exercés dans un village camerounais par la conversion du chef au catholicisme. Gravement malade, le roi semble revenir à la vie dès qu'il a été baptisé. Pressé d'abjurer la religion ancienne et les coutumes païennes, comme la polygamie, il répudie ses femmes, mais provoque ainsi la désagrégation du vieux système d'alliances : l'émeute gronde dans le village. Le Père Le Guen, successeur du Révérend Père Drumont, qui avait obtenu cette belle conversion, est exilé du village sur l'ordre des autorités coloniales.

Mongo Beti prend grand soin d'écarter tout manichéisme démonstratif. Ses héros, jeunes gens par le regard desquels se dévoilent les contradictions et transformations sociales, n'ont rien de l'assurance édifiante des héros positifs dans les romans politiques bien pensants : hésitant dans leur itinéraire initiatique, adolescents dont la formation ne peut s'achever, explorant les voies de possibles libérations, comme l'Afrique au moment où se préparent les décolonisations.

Dans les romans de FERDINAND OYONO, *Une vie de boy* et *Le Vieux Nègre et la Médaille,* parus tous deux en 1956, et *Chemin d'Europe* (1960), l'ironie se fait plus âpre et caricaturale. La société coloniale y est montrée sous un jour ridicule ou sordide. C'est le boy du commandant qui, dans son journal intime, relate innocemment des scènes de la vie coloniale : intrigues minables de médiocres pantins *(Une vie de boy).* C'est Meka, le vieux nègre, qui a donné ses terres à la mission et ses deux fils à la France : le matin, il est décoré de la main du Gouverneur, le soir, il se retrouve en prison, parce que les policiers ne l'ont pas reconnu *(Le Vieux Nègre et la Médaille).*

L'Enfer, *fixé sous verre.*

« Seulement si tu voles, je n'attendrai pas que tu ailles en enfer... C'est trop loin... »

[Je suis chrétien, mon Commandant]

Enfin, ça y est ! Le commandant m'accepte définitivement à son service. Cela s'est passé à minuit. J'avais fini mon travail et m'apprêtais à partir au quartier indigène quand le commandant m'invita à le suivre dans son bureau. Ce fut un terrible moment à passer.

Après m'avoir longuement observé, mon nouveau maître me demanda à brûle-pourpoint si j'étais un voleur.

— Non, commandant, répondis-je.

— Pourquoi n'es-tu pas un voleur ?

— Parce que je ne veux pas aller en enfer.

Le commandant sembla sidéré par ma réponse. Il hocha la tête, incrédule.

— Où as-tu appris ça ?

— Je suis chrétien, mon Commandant, répondis-je en exhibant fièrement la médaille de saint Christophe que je porte à mon cou.

— Alors, tu n'es pas un voleur parce que tu ne veux pas aller en enfer ?

— Oui, mon Commandant.

— Comment est-ce, l'enfer ?

— Ben, c'est les flammes, les serpents et Satan avec des cornes... J'ai une image de l'enfer dans mon livre de prières... Je... je peux vous la montrer.

J'allais sortir le petit livre de prières de la poche arrière de mon short quand le commandant arrêta mon geste d'un signe. Il me regarda un moment à travers les volutes de fumée qu'il me soufflait au visage. Il s'assit. Je baissai la tête. Je sentais son regard sur mon front. Il croisa et décroisa ses jambes. Il me désigna un siège en face de lui. Il se pencha vers moi et releva mon menton. Il plongea ses yeux dans les miens et reprit :

— Bien, bien, Joseph, nous serons de bons amis.

— Oui, mon Commandant, merci, mon Commandant.

— Seulement si tu voles, je n'attendrai pas que tu ailles en enfer... C'est trop loin...

— Oui, mon Commandant... C'est... c'est où, mon Commandant ?

Je ne m'étais jamais posé cette question. Mon maître s'amusait beaucoup de ma perplexité. Il haussa les épaules et se rejeta sur le dossier de son fauteuil.

— Alors, tu ne connais même pas l'endroit où se trouve l'enfer où tu crains de brûler ?

— C'est à côté du purgatoire, mon Commandant... C'est... c'est... au ciel.

Mon maître étouffa un rire, puis, redevenant sérieux il me pénétra de son regard de panthère.

— A la bonne heure, nous y voilà. J'espère que tu as compris pourquoi je ne pourrais attendre que « petit Joseph pati rôti en enfer ».

Ferdinand Oyono, *Une Vie de boy,* éd. Julliard.

Oyono se plaît à présenter des personnages vaguement picaresques, qui naissent dans les chocs culturels que subit l'Afrique : le vagabond, petit porteur au marché, le perpétuel apprenti-chauffeur, l'élève en rupture de collège et en quête de bonnes fortunes, le séminariste déchu, comme Barnabas, le héros de *Chemin d'Europe*. Dans ce roman, le monologue intérieur, le télescopage des temps, la présentation diffuse des personnages et du milieu social, la cruauté de certains traits comiques, laissent l'impression d'un brouillard dans lequel le héros se débat à l'aveuglette.

Peu d'incertitude au contraire dans les premiers romans de SEMBÈNE OUSMANE. Cet ancien docker et responsable syndical, qui fut « tirailleur sénégalais » pendant la Seconde Guerre mondiale, écrit avec l'assurance du militant pour dénoncer tous les obstacles à la libération africaine. *O pays, mon beau peuple !* (1959) est le récit d'un combat contre la mainmise des commerçants européens et les routines de la société traditionnelle, pour apporter une modernité bienfaisante dans un village de Casamance. *Les Bouts de bois de Dieu* (1960), qui emprunte son titre à une image traditionnelle pour désigner les hommes, prend son sujet dans un événement historique : la grande grève des cheminots du Dakar-Niger en 1947-1948. Par une technique de montage parallèle, le roman traduit la vie « unanime » de la grève : personnages nombreux, actions croisées, se développant en des lieux différents : Dakar, Thiès, Bamako. Les grévistes triomphent et le lecteur partage le bonheur de marcher dans le sens de l'Histoire. L'efficacité de la narration ne s'est pas atténuée avec le temps : on est emporté par l'ampleur épique, le souffle optimiste. Dans *Les Bouts de bois de Dieu,* l'Afrique noire est bien partie.

[Ce grand fleuve qui roulait vers la mer]

Pour soutenir la grève des cheminots, pour montrer qu'elles pouvaient participer au même combat que les hommes, les femmes ont décidé d'organiser une grande marche pacifique, depuis le centre ferroviaire de Thiès jusqu'à Dakar.

Et le long cortège reprit la route. Les pagnes, les camisoles, les mouchoirs avaient été lavés. C'était une multitude colorée qui défilait maintenant sous un ciel clair que les coups de vent de la veille avaient nettoyé du moindre petit nuage. Entre Rufisque [1], la dernière halte, et Dakar, l'air marin venu de l'Atlantique apporta sa fraîcheur. La colonne avait engraissé, des femmes des villages, des Rufisquaises s'étaient jointes à celles de Thiès, des hommes aussi qui avaient grossi l'escorte et marchaient en arrière-garde ou sur les bas-côtés de la route. Les femmes chantaient, riaient, plaisantaient.

— A Dakar, nous verrons de belles maisons !

— Elles ne sont pas pour nous, elles sont pour les toubabs [2].

— Après la grève, nous en aurons aussi.

— Moi, après la grève, je ferai comme les toubabesses, je prendrai la paye de mon mari !

— Et si vous êtes deux ?

— On prendra chacune la moitié, comme ça il n'aura plus de quoi faire le galant auprès des autres femmes ! Nous avons aussi gagné la grève.

— Les hommes ont été gentils. Tu as vu comme le forgeron suait en portant Awa.

— Bah ! pour une fois qu'il en avait une sur le dos. Nous les avons bien sur le ventre toutes les nuits, eux !

Ainsi défilèrent les derniers kilomètres. On passa devant l'île de Gorée, petit point noir au milieu de l'étendue verte de l'océan, on vit les vastes usines des cimenteries Lafarge, des restes d'un camp américain. Comme on entrait dans le premier faubourg, un cycliste arriva à la rencontre du groupe de tête. Essoufflé, il sauta à bas de sa machine.

1. A une vingtaine de kilomètres de Dakar. — 2. Européens.

— Il y a des soldats sur la route à l'entrée de la ville ! On dit que les femmes de Thiès ne passeront pas.

Il y eut un grand silence, plus de chants, plus de rires. Quelques femmes quittèrent la route et se réfugièrent derrière des murs, mais la colonne garda sa cohésion. Penda grimpa sur un talus.

— Les soldats ne nous mangeront pas. Ils ne peuvent même pas nous tuer, nous sommes trop nombreuses, n'ayez pas peur, nous sommes attendues à Dakar, avancez !

La longue masse colorée reprit sa marche. [...]

A cinq cents mètres de l'hippodrome on se trouva face à face avec les chéchias rouges des tirailleurs. Un sous-officier noir qui se trouvait près du capitaine commandant le petit détachement, cria :

— Retournez à Thiès, les femmes, nous ne devons pas vous laisser passer !

— On passera sur le corps de ta mère s'il le faut, dit Penda.

Et déjà la poussée de la masse humaine faisait reculer les soldats. De partout maintenant des renforts arrivaient mais ce n'était pas des uniformes. Des crosses se levèrent auxquelles répondirent des bâtons et des pierres. Les tirailleurs s'affolèrent, des coups de feu claquèrent, deux corps tombèrent : Samba N'Doulougou et Penda.

Mais que pouvaient quelques chéchias devant ce grand fleuve qui roulait vers la mer ?

Sembène Ousmane, *Les Bouts de bois de Dieu,* éd. des Presses de la Cité.

Quand il se propose de décrire la réalité des mœurs africaines, le roman se fait laboratoire de la morale sociale, en examinant sous tous ses aspects le conflit entre tradition et modernisme. Ce genre du **roman de mœurs** est déjà ancien : dès 1935, dans *Karim, roman sénégalais,* Ousmane Socé opposait les valeurs de générosité et la belle prodigalité du code d'honneur traditionnel aux rapports d'argent et à la rationalité économique du monde moderne. Abdoulaye Sadji décrit avec précision la vie des mulâtresses de Saint-Louis du Sénégal (*Nini,* 1947) ou les désillusions d'une jeune villageoise attirée à Dakar par le prestige de la grande ville (*Maïmouna,* 1958). Le Malien Seydou Badian pose dans *Sous l'orage* (1957) le problème du conflit des générations et de l'attitude des jeunes face aux mariages imposés. Même thème, mais sur le mode d'un humour bienveillant, dans *Le Fils d'Agatha Moudio* (1967) de Francis Bebey : le narrateur, partagé entre la belle Agatha Moudio, aux mœurs assez libres, et Fanny, l'épouse que la tradition lui a imposée, se laisse berner par ses deux femmes. Dans la ligne du roman de mœurs s'est développé tout un courant de littérature populaire : romans édifiants et sentimentaux, publiés par des éditions souvent liées aux missions, mettant en scène valeurs modernes et attitudes nouvelles.

Beaucoup plus ambitieux sont les romans qui veulent rendre compte de la connivence de l'Afrique et du surnaturel (mais ils sont davantage tournés vers des lecteurs européens). Dans son second roman, *Le Regard du roi* (1954), Camara Laye développe, en se souvenant de Kafka, le thème de la quête de la grâce : l'odyssée d'un petit Blanc, Clarence, qui s'enfonce dans la déchéance, à travers une Afrique onirique, pour être finalement sauvé par le « regard du roi », peut se lire comme une allégorie du mythe de la négritude. Olympe Bhêly-Quenum, dans *Un piège sans fin* (1960), fait entrevoir les mystères de l'Afrique : opacité des êtres, malédictions sourdes, influence des forces occultes.

Ainsi, dans son âge classique, le roman africain est fondamentalement réaliste : roman fonctionnel, accordé à la naissance des nations. Mais il laisse parfois percer l'angoisse d'une interrogation existentielle. Il joue le jeu des formes héritées de l'Europe. Mais il lui arrive de se laisser emporter par le souffle épique et le plaisir de conter qui viennent du style oral.

L'oralité transcrite

Écriture et oralité savent parfois conjuguer leur pouvoir : comment les écrivains auraient-ils ignoré les richesses innombrables que réserve la tradition orale ? Le roman historique, on l'a vu, se nourrit de la mémoire des légendes et des épopées. Quant à ceux qui écrivent pour le plaisir de raconter, ils peuvent trouver dans le trésor des contes une inspiration toujours renouvelée. C'est tout naturellement que **le conte** est devenu **genre majeur** dans la littérature africaine écrite.

Ce qui frappe, en effet, c'est la boulimie de contes des écrivains africains. On ne saurait énumérer toutes les publications, toutes les collections. Romanciers et poètes ont publié aussi des recueils de contes : *Le Pagne noir* (1955) de Bernard Dadié, *A la belle étoile* (1962) de Benjamin Matip, *Les Indiscrétions du vagabond* (1974) de Guy Menga... Tchicaya U Tam'si a rassemblé une anthologie de *Légendes africaines* (1967). Léopold Senghor lui-même, en collaboration avec Abdoulaye Sadji, a conté *La Belle Histoire de Leuk-le-Lièvre* (1953), à l'usage du « cours élémentaire des écoles d'Afrique noire ».

L'intérêt pour le conte africain remonte aux travaux des africanistes du XIXe siècle. Bien que leurs transcriptions et traductions ne soient pas toujours heureuses, Blaise Cendrars s'est laissé séduire et son *Anthologie nègre* (1921) constitue le premier grand monument littéraire élevé à la gloire du conte africain.

Dans la vie traditionnelle africaine, le conte jouait (joue encore) un rôle essentiel. Prononcé selon des rituels plus ou moins fixés, à la veillée, toujours après le coucher du soleil, le conte réalise autour du conteur l'union d'une communauté. Il est à la fois l'instrument de la formation intellectuelle et morale des enfants et le moyen d'une régulation sociale, car le déguisement de la fiction permet de laisser affleurer certaines tensions ou d'orienter des attitudes sociales. Le conte est protéiforme : il sert à transmettre des mythes (par des récits cosmogoniques ou des légendes historiques), comme il raconte des histoires romanesques à intention moralisatrice. Les très nombreux contes d'animaux se répartissent en grands cycles selon leur aire d'origine. Le cycle du lièvre et de l'hyène est populaire dans les pays de savane, du Sénégal au Tchad et à l'Afrique de l'Est. Le cycle de l'araignée se raconte dans les pays de la forêt côtière, celui de la tortue surtout au Cameroun. Plus au sud, en pays bantou, on préfère le cycle de la grenouille-rainette et de la mante religieuse. Les contes d'animaux aiment se conclure par une moralité nettement dessinée et se prêtent facilement à une transparente satire sociale.

Le conte raconté suppose une permanente interaction entre le conteur et l'auditoire. Ce que l'écrit ne saurait maintenir. Il reste à l'écrivain de chercher des équivalents pas trop infidèles à la mise en scène, aux mimiques, aux effets de voix et de chant par lesquels le griot étoffe le récit. Il va donc jouer sur l'économie des moyens (puisque le conte n'aime pas s'attarder à définir en profondeur une psychologie, à détailler un décor), sur la force des symbolismes, et surtout sur le rythme et la musicalité : en insérant dans le courant du récit des couplets à chanter, des devinettes, des proverbes ; en modulant la répétition de formules joliment poétiques (« Et le premier qui en respirera le parfum ira au paradis. »)

BIRAGO DIOP a su réussir cette délicate **transmutation de l'oral dans l'écrit.** Il a emprunté la matière de ses contes à Amadou Koumba, griot de sa famille maternelle, comme à beaucoup d'autres informateurs rencontrés au cours de ses innombrables tournées en brousse comme vétérinaire. Il a ainsi rassemblé, en 1947, *Les Contes d'Amadou Koumba,* prolongés en 1958 par *Les Nouveaux Contes d'Amadou Koumba,* puis en 1963 par les *Contes et Lavanes* (les lavanes sont des contes très satiriques que disent pour se délasser les griots islamisés habitués à réciter le Coran tout entier d'une seule traite). Les contes de Birago Diop ont un charme particulier. Ils sont restés proches de la parole des vieux griots, dans la mise en scène de la narration, à travers commentaires et apartés, comme dans l'alliance du réalisme et de l'humour. Réalisme de l'observation attentive de la vie paysanne : c'est le propre de la fable, par la netteté du trait, de donner un reflet aigu de la comédie humaine. Humour qui est sagesse, regard lucide et poétique : oui, les hommes sont bien semblables aux animaux des contes, Leuk-le-Lièvre, « le petit-aux-longues-oreilles », malin et malicieux, ou Bouki-l'Hyène, lâche et cupide, « la gueule puante et les fesses fléchies », Sègue-la-Panthère, « l'agile et sournoise à la peau sale et trouble comme son cœur » ou Khatje-le-Chien, qui sait tant de choses, mais « qui ne rapporte que ce qui lui plaît ».

« Quand la mémoire va ramasser du bois mort, elle rapporte le fagot qui lui plaît. » La mémoire des contes de Birago Diop plonge dans le vieil animisme africain. Elle est à l'écoute de toutes les voix de la nature ; elle sait que toute parole engage et qu'il faut faire confiance aux mots, à leur charge émotive, à leur retentissement rythmique, au pouvoir de la nomination. Car malheur à celui qui mésuse de la parole, comme dans le conte de Mor Lame le cupide, qui mourut de s'être dit mort.

[Où est l'os ?]

Après des années de sécheresse et de famine, la récolte s'annonce bonne. Pour la première fois depuis bien longtemps, le village s'apprête à manger de la viande. Mor Lame s'est choisi son morceau préféré : l'os de jarret, bien en chair et en moelle. Il surveille la marmite où l'os doit cuire « doucement, lentement, longuement ». Survient Moussa, son frère de case, son « plus-que-frère ». Pour faire fuir l'importun, Mor Lame contrefait le mort.

Awa se pencha sur l'oreille de son mari et murmura :

— Mor, la chose devient trop sérieuse. Voici, dans la maison, tout le village venu pour te laver, t'ensevelir et t'enterrer.

— Où est Moussa ? demanda, dans un souffle, le cadavre de Mor Lame.

— Moussa est là.

— Où est l'os ?

— Il est là-bas.

— S'est-il amolli ?

— Il s'est amolli.

— Que l'on me lave ! décréta Mor Lame.

Selon les rites et récitant des sourates, on lava le cadavre de Mor Lame.

Au moment où Serigne-le-Marabout allait l'ensevelir dans le linceul blanc, long de sept coudées, Awa s'avança :

— Serigne, dit-elle, mon mari m'avait recommandé de réciter sur son cadavre une sourate qu'il m'avait apprise pour que Dieu ait pitié de lui.

Le Marabout et sa suite se retirèrent. Alors Awa, se penchant sur l'oreille de son époux :

— Mor ! Lève-toi ! On va t'ensevelir et t'enterrer si tu continues à faire le mort.

— Où est l'os ? s'enquit le cadavre de Mor Lame.

— Il est là-bas.

— S'est-il amolli ?

— Il s'est amolli.

— Et Moussa, où est-il ?

— Il est toujours là.

— Que l'on m'ensevelisse ! décida Mor Lame.

Ainsi fut fait.

Et, son corps posé sur la planche et recouvert du cercueil qui servait pour tous les morts, on dit les paroles sacrées et on le porta au cimetière.

Pas plus qu'à la Mosquée, les femmes ne vont au cimetière les jours d'enterrement.

Mais Awa s'était souvenue, soudain, qu'elle avait encore une sourate à dire sur le corps de son époux au bord de la tombe. Elle accourut donc. Et tout le monde s'étant écarté, à genoux près de la tête du cadavre, elle supplia :

— Mor Lame, lève-toi ! Tu dépasses les bornes. On va t'enterrer maintenant.

— Où est l'os ? interrogea Mor Lame à travers son linceul.

— L'os est là-bas.

— S'est-il amolli ? S'est-il bien amolli ?

— Il s'est bien amolli.

— Et Moussa ?

— Moussa est toujours là.

— Laisse que l'on m'enterre. J'espère qu'il s'en ira enfin.

On dit les dernières prières et l'on descendit au fond de la tombe le corps de Mor Lame, couché sur le côté droit.

Les premières mottes de terre couvraient déjà la moitié du défunt quand Awa demanda encore à dire une dernière prière, une dernière sourate.

— Mor Lame, souffla-t-elle dans la tombe ; Mor, lève-toi, on comble la tombe !

— Où est l'os ? s'informa Mor Lame à travers son linceul et le sable.

— Il est là-bas, répondit Awa dans ses larmes.

— S'est-il amolli ?

— Il s'est amolli.

— Où est Moussa ?

— Il est toujours là.

— Laisse combler ma tombe !

Et on combla la tombe.

Et Mor Lame, le gourmand, Mor-le-Cupide n'avait pas fini de s'expliquer avec l'Ange de la Mort venu le quérir et à qui il voulait faire comprendre :

— Eh ! je ne suis pas mort, hein ! C'est un os qui m'a emmené ici !

Que Serigne-le-Marabout, approuvé par tous les vieux du village, toujours de bon conseil, décidait :

— Moussa, tu fus le frère-de-case [1], le plus-que-frère de feu Mor Lame. Awa ne peut passer en de meilleures mains que les tiennes. Son veuvage terminé, tu la prendras pour femme. Elle sera pour toi une bonne épouse.

1. Celui qui a vécu la circoncision en même temps que soi.

Et tout le monde s'en fut après force *inch Allah !*

Alors Moussa, régnant déjà en maître dans la maison de feu Mor Lame, demanda à Awa :

— Où est l'os ?

— Il est là, fit la veuve docile.

— Apporte-le et qu'on en finisse.

Birago Diop, *Les Nouveaux Contes d'Amadou Koumba,* éd. Présence Africaine.

Bien des œuvres romanesques africaines avouent leur filiation avec le conte : ainsi la nouvelle de Lomami Tchibamba, *Ngando,* première œuvre littéraire en prose publiée par un auteur zaïrois, primée au concours littéraire de la Foire coloniale de Bruxelles en 1948 et donc saluée à l'époque comme la belle réussite d'un « évolué ». Mêlant roman et conte merveilleux, *Ngando* raconte l'aventure d'un jeune garçon de Kinshasa, happé par un crocodile qui l'entraîne au fond du fleuve, vers le pays des esprits. Une réédition récente (1982), sortant l'œuvre de l'oubli, en a sans doute déplacé l'intérêt : on se laisse surtout séduire par la découverte d'un univers mental où réel quotidien et surnaturel s'interpénètrent si étroitement.

Le Malien AMADOU HAMPATÉ BÂ a consacré sa vie et une œuvre imposante (la publication des inédits demandera encore de nombreuses années !) à collecter, éditer, expliciter les trésors de la tradition orale. Il a publié des récits et des contes des pasteurs peuls, dont plusieurs dans la grande collection bilingue des « Classiques africains » (*Kaidara, récit initiatique peul,* 1969 ; *L'Éclat de la grande étoile, conte initiatique peul,* 1976). Il s'est fait l'historien de *L'Empire peul du Macina* (1955). Il a fait connaître la haute figure de Tierno Bokar, « le sage de Bandiagara », mystique musulman dont il avait été le disciple (un premier ouvrage paru en 1957 a été repris et remanié en 1980). Il a composé aussi des poèmes (des milliers de vers) en peul. Mais l'œuvre la plus étonnante d'Hampaté Bâ reste sans doute *L'Étrange Destin de Wangrin* (1973). Le sous-titre (« Les Roueries d'un interprète africain ») semble inviter à la lecture d'un roman ou d'un récit humoristique. En fait, il s'agit d'un « récit de vie », dont Hampaté Bâ se présente comme l'humble rapporteur, par fidélité à une promesse faite à un vieil ami de sa famille, Wangrin, personnage haut en couleurs, ancien interprète devenu riche commerçant. La relation d'Hampaté Bâ transcrit un récit de Wangrin lui-même, complété par des informations obtenues de son griot ou de témoins directs de la tumultueuse carrière de l'interprète. Par ses mille et une ruses, profitant de son statut d'interprète, au carrefour des multiples langues parlées dans l'Afrique de l'Ouest (et le texte joue de la rencontre de différents niveaux langagiers : français noble de l'administration coloniale, « couleur vin de Bordeaux », que la langue surveillée de la narration se plaît à rappeler, et « forofifon naspa » ou « français des tirailleurs », qui laisse tomber toutes les marques de genre, de nombre, de temps ou de mode, mais aussi l'arabe des prières et diverses langues africaines, comme le bambara ou le peul, en version originale ou en traduction...), contrôlant un complexe réseau d'informations, médiateur entre l'ensemble des « indigènes » et les administrateurs coloniaux considérés comme des « dieux de la brousse », Wangrin avait su parvenir au sommet de la puissance et de la richesse. Parce qu'il aimait jouer des tours aux puissants et qu'il était généreux envers les pauvres, il s'était acquis l'image d'un chevalier redresseur de torts. Mais à partir du moment où il oublia ses devoirs envers ses dieux protecteurs, ce fut la

Féticheurs de Dan.

chute. Circulant en torpédo sur les pistes de brousse, devenu l'amant d'une Européenne, la belle « Madame Blanche-Blanche », sombrant dans l'alcool, il rompait avec la pure tradition africaine. Réduit au rôle d'écrivain public, puis de conteur et de parasite sur les marchés, Wangrin conserve cependant dans sa déchéance la noblesse de celui qui sait accepter son destin. Ce qui fait la force et la séduction du livre, c'est qu'il échappe aux classifications : roman de mœurs coloniales sans doute, mais aussi récit tout imprégné de causalité magique, et surtout conte rebondissant de péripéties : on reconnaît la sobriété et l'allégresse de la narration, la netteté de la psychologie empruntée aux contes d'animaux (Wangrin a « la ruse du lièvre » et « l'agilité de la panthère des bosquets gris »), le schéma des épreuves qu'affronte le héros. Tout se passe comme si l'(auto)biographie de Wangrin ne pouvait se dire que dans des modèles de récit empruntés au conte et à la tradition orale.

[Tuer son « animal interdit »]

La route, rouge comme si elle avait été teinte du sang de ceux qui l'avaient préparée, se déroulait tel un ruban sous la torpédo qui semblait l'avaler.

Les phares éclairaient assez pour empêcher Wangrin d'aller dans les décors, mais la vitesse était trop grande pour lui permettre, le cas échéant, de freiner à temps. Il se sentait pourtant tranquille. Par une nuit aussi avancée, il n'avait aucune chance de trouver âme qui vive, homme ou animal, sur son chemin. On pouvait d'ailleurs voir ses phares de très loin et se garer à temps pour ne pas être heurté.

L'esprit complètement absorbé par les courants d'idées émanant de ses deux « doubles », il ne discerna pas à temps une ligne sombre qui barrait à moitié la route. Croyant qu'il s'agissait d'une ombre projetée et n'ayant plus le temps de réfléchir, il ne ralentit pas sa course. Au moment où il s'aperçut que c'était un python, sa voiture était déjà passée sur le corps du reptile et avait brisé plusieurs de ses anneaux. Sous la réaction de l'animal, la voiture dérapa et alla renverser dans le fossé Wangrin et ses valises.

Le visage ensanglanté et le corps couvert d'écorchures, Wangrin, tout ankylosé sous la brutalité du choc, se releva très péniblement. Il revint jusqu'au lieu où, gisant à terre, le python avait cessé de vivre.

Involontairement, Wangrin venait de tuer son « animal interdit », celui qui tout à la fois était l'interdit de son clan et le dieu protecteur du pays qu'il traversait. Désormais, il pouvait être considéré comme un « suicidé involontaire ». Le double de la personne, en effet, est censé habiter son « Tana », ou animal sacré, et c'est pourquoi il lui est interdit de le tuer. Par voie de conséquences occultes, les pires choses doivent lui advenir s'il lui arrive de le tuer volontairement ou involontairement.

Wangrin passa la nuit sur place. Le lendemain, des paysans le trouvèrent au bord de la route. Il se fit conduire par eux au village le plus proche et demanda à voir le « maître du couteau » [1] du village. Il lui expliqua sa triste aventure.

Le maître du couteau et huit hommes, tous maîtres-chasseurs et par conséquent grands connaisseurs de la brousse environnante, identifièrent le python. C'était précisément le « dassiri » [2] d'une grande mare sacrée où venaient se désaltérer tous les animaux sauvages de cette région. Ce python s'appelait N'tomikoro-saaba [3].

Le maître du couteau demanda à Wangrin d'offrir un taureau, un bouc, un coq et un chat, tous noirs, pour être sacrifiés à la mare et investir un autre dassiri que le génie, maître de toute la brousse du pays, indiquerait.

Amadou Hampaté Bâ, *L'Étrange Destin de Wangrin,* éd. U.G.E. 10/18.

La tentation est grande de rester au plus près de la parole traditionnelle. L'écrivain se présente alors comme l'humble traducteur de récits et de légendes recueillis de la bouche même de savants vieillards. **Récits historiques et épopées** attirent particulièrement l'intérêt. Ainsi, à la suite de Djibril Tamsir Niane, la légende mandingue de Soundiata a été recueillie à des sources multiples (*L'Aigle et l'Épervier ou la Geste de Sunjata,* récit enregistré en 1966 et publié en 1975 par Massa Makan Diabaté ; *Le Maître de la parole. Kouma Lafôlô Kouma,* noté en 1963 et édité en 1978 par Camara Laye). Ces textes, même traduits, conservent un haut pouvoir de fascination, par la longue mémoire dont ils sont les témoins, par l'alliance de l'histoire et de la légende, par la saveur des images épiques. Mais le lecteur étranger à leur aire culturelle d'origine risque de se perdre dans le dédale des généalogies, dans les méandres d'intrigues et de guerres enchevêtrées, et de rester extérieur à la subtilité des codes symboliques.

La poésie en revanche se trouve bien de quelque opacité ou incertitude de lecture. La traduction de **chansons** ou de **poésies orales,** par son effet de distance, peut mettre en valeur la robuste simpli-

1. Prêtre et sacrificateur dans les religions animistes. — 2. Animal consacré, protecteur d'un lieu déterminé, qu'il ne faut jamais tuer sous peine de détruire l'alliance conclue entre l'ancêtre fondateur du village et l'animal protecteur. — 3. Littéralement : « le grand python du vieux tamarinier ».

cité des images, la force des ellipses, voire les belles aspérités ou les flexibilités du style oral. Léopold Senghor, dans une écriture tout à fait différente de ses propres poèmes, a superbement traduit quelques poèmes de l'Afrique ancienne. Les conteurs, comme Birago Diop ou Bernard Dadié, savent ajouter le sel d'un refrain ou d'une comptine à la saveur de leurs récits. De jeunes poètes, comme Patrice Kayo ou Pacéré Titinga, ont trouvé leur inspiration personnelle à force d'interroger les textes oraux qu'ils ont recueillis et traduits.

[L'animal court]

L'animal court, il passe, il meurt. Et c'est le grand froid.
C'est le grand froid de la nuit, c'est le noir.
L'oiseau vole, il passe, il meurt. Et c'est le grand froid.
C'est le grand froid de la nuit, c'est le noir.
Le poisson fuit, il passe, il meurt. Et c'est le grand froid.
C'est le grand froid de la nuit, c'est le noir.
L'homme mange et dort, il meurt. Et c'est le grand froid.
C'est le grand froid de la nuit, c'est le noir.
Et le ciel s'est éclairé, les yeux se sont éteints, l'étoile resplendit.
Le froid est en bas, la lumière en haut.
L'homme a passé, l'ombre a disparu, le prisonnier est libre.

Khmvum ! Vers toi notre appel !

Traduction du R.P. Trilles, cité dans
Trésor de la poésie universelle, éd. N.R.F.

Chant du feu

Feu que les hommes regardent dans la nuit, dans la nuit profonde,
Feu qui brûles et ne chauffes pas, qui brilles et ne brûles pas,
Feu qui voles sans corps, sans cœur, qui ne connais case ni foyer,
Feu transparent des palmes, un homme sans peur t'invoque.
Feu des sorciers, ton père est où ? Ta mère est où ? Qui t'a nourri ?
Tu es ton père, tu es ta mère, tu passes et ne laisses traces.
Le bois sec ne t'engendre, tu n'as pas les cendres pour filles, tu meurs et ne meurs pas.
L'âme errante se transforme en toi, et nul ne le sait.
Feu des sorciers, Esprit des eaux inférieures, Esprit des airs supérieurs,
Fulgore qui brilles, luciole qui illumines le marais,
Oiseau sans ailes, chose sans corps, Esprit de la Force du Feu,
Écoute ma voix : un homme sans peur t'invoque.

Traduction de Léopold Sédar Senghor, *Poèmes,* éd. du Seuil.

L'Afrique et le théâtre

Toute manifestation de l'oralité suppose une plus ou moins grande théâtralisation : la parole est mise en scène par les gestes, les mimiques, les intonations du conteur, par la présence et la participation d'un public... Les cérémonies rituelles et même les palabres obéissent à une ordonnance théâtrale : ainsi, dans les demandes en mariage chez les Douala, dans les funérailles en pays bamiléké, chaque participant joue son rôle, prononce les paroles attendues, en fonction d'un canevas strictement réglé par la tradition. Les transes religieuses ou thérapeutiques se font représentation d'un drame : le possédé incarne un dieu, un esprit ou un double de lui-même et met en scène ses rêves ou ses conflits intimes. Les danses rituelles empruntent au mime leur force d'expression narrative. Mais c'est surtout **l'art du conteur** qui évoque irrésistiblement le théâtre : espace scénique de la veillée, performance d'acteur du conteur pour représenter chaque personnage, chaque épisode de son récit. Certaines régions connaissent des formes très élaborées de spectacles dramatisés. C'est le *mvet,* au Cameroun et au Gabon, où un conteur, qui a été rituellement initié et qui est devenu un professionnel, se fait musicien, chanteur, danseur, mime pour évoquer les affrontements tragiques des mortels Majona aux immortels Ékang. C'est le *kotéba,* au Mali, où les jeunes des villages, au moment des moissons, mettent en sketches improvisés la vie de leur communauté, à travers des personnages stéréotypés (« le marabout charlatan », « le collecteur d'impôts », « le mari trompé », « la femme volage », « la coépouse tyrannique », « le lépreux », « l'aveugle », etc.), pour le plus grand divertissement des spectateurs, qui apprécient aussi la mise en cause critique du fonctionnement social ou la satire de certains comportements individuels dont chacun reconnaît les modèles réels. Comme le suggère le témoignage de certains observateurs du début du siècle, un théâtre tout proche de ses origines, se détachant peu à peu du rituel social, s'inventait dans l'Afrique précoloniale.

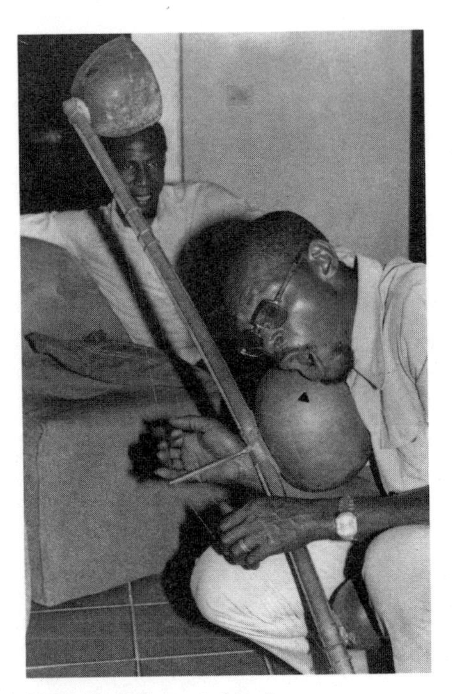

Mvet : Jean-François Mendou, dit Mba, 1978.

En important le modèle de la dramaturgie occidentale, la colonisation a provoqué un grand bouleversement esthétique. Dans une Afrique qui se plaît à une constante théâtralisation de la vie, elle a valorisé une forme de **théâtre** nettement **séparé de la vie quotidienne,** comme le manifestent l'espace clos de la scène « à l'italienne », le prix de la place qu'il faut payer pour avoir le droit d'être spectateur, les décors qui visent à construire l'illusion d'un autre monde. Ce théâtre européen, introduit par les tournées africaines de troupes souvent besogneuses, parfois prestigieuses, a été utilisé comme outil pédagogique par les missionnaires, puis par l'école William Ponty qui formait à Dakar les cadres auxiliaires africains de l'administration coloniale. Les élèves étaient invités à représenter les épisodes amusants ou significatifs de la vie indigène : occasion d'encourager les critiques contre les contraintes de la vie traditionnelle ! Ainsi s'est constitué un théâtre africain en langue française, dont la tradition a été continuée à partir de 1954 par la politique de création dramatique des centres culturels créés dans les principales villes d'Afrique noire, et plus récemment (depuis 1966) par le concours théâtral interafricain de Radio France Internationale (qui reçoit chaque année les manuscrits de plusieurs centaines de pièces, dont les meilleures sont enregistrées et diffusées par l'ensemble des radios africaines).

Il existe donc **un répertoire théâtral africain en français.** Sans doute révèle-t-il une inévitable dépendance envers ses modèles européens (particulièrement ceux du théâtre classique popularisés par l'école). Ce répertoire se prête aussi avec quelque complaisance aux facilités du théâtre d'amateurs. Il n'est pourtant pas négligeable. L'enthousiasme et l'imagination des metteurs en scène et des acteurs peuvent suppléer les handicaps techniques et la réceptivité du public est telle qu'il arrive qu'elle suscite la méfiance des censures gouvernementales.

Ce théâtre a trouvé un écho valorisant en Europe quand il a été monté par de grands metteurs en scène, comme Jean-Marie Serreau (qui a révélé à Paris les œuvres de l'Antillais Aimé Césaire et de l'Algérien Kateb Yacine) ou Peter Brook (avec sa superbe version de *L'Os,* tirée du conte du même nom de Birago Diop).

L'auteur le plus joué en Afrique est probablement Aimé Césaire. Sa conception du théâtre comme pédagogie de la prise de conscience politique s'accorde avec les attentes d'un public jeune, toujours passionné de l'idée de révolution, et familiarisé par l'école avec cette œuvre difficile [1]. Les auteurs africains ont comme Césaire cherché dans l'histoire les événements problématiques et les héros exemplaires dont l'évocation puisse éclairer les problèmes du présent. Chaka, le guerrier zoulou (dans des œuvres de Seydou Badian, Djibril Tamsir Niane, Charles Nokan, Tchicaya U Tam'si, Senouvo Agbota Zinsou, etc.), Lat Dior, farouche résistant à l'occupation du Sénégal par les Français (*Les derniers Jours de Lat Dior,* 1965, d'Amadou Cissé Dia), Béhanzin, dernier roi du Dahomey (*Kondo le requin,* 1966, de Jean Pliya), Simon Kimbangu, prophète d'une religion nouvelle qui déstabilisait l'ordre colonial (*Simon Kimbangu ou le Messie noir,* 1972, d'Elébé Lisembé) sont ainsi devenus les premières grandes figures théâtrales africaines, porteuses d'une interrogation sur la violence, le pouvoir, la résistance, la défaite, la révolte. Même tonalité anticolonialiste dans des pièces comme *L'Exil d'Albouri* (1967) de Cheik A. Ndao ou *Béatrice du Congo* (1970) de Bernard Dadié qui recourent aussi à la suggestion des évocations historiques. Certaines pièces choisissent l'abstraction de l'allégorie : *L'Europe inculpée* (1970) d'Antoine Letembet-Ambily met en scène le procès de l'Europe colonialiste. D'autres se risquent à représenter les convulsions qui déchirent l'Afrique contemporaine : satires virulentes des dictateurs, comme la « comédie-farce-sinistre » de Tchicaya U Tam'si, *Le destin glorieux du Maréchal Nnikon Nniku Prince qu'on sort* (1979) ; glorification des héros qui se soulèvent contre les tyrannies (*Le Commandant Chaka,* 1983, de Baba Moustapha, qui emprunte le nom emblé-

. Voir au chapitre « Antilles et Guyane » p. 93.

matique du guerrier zoulou) ou évocation de l'enchaînement de violences et d'absurdités, énorme « parenthèse de sang » dans laquelle l'Afrique s'est enfermée (*La Parenthèse de sang* et *Je soussigné cardiaque,* 1981, de Sony Labou Tansi) ; déclaration de guerre au régime d'apartheid de l'Afrique du Sud (*L'Étudiant de Soweto,* 1981, de Maoundoé Naïndouba), mais la récurrence de ce thème, particulièrement au Zaïre (en 1978, on peut relever au moins trois pièces sur ce sujet parmi les nouveautés : *Les Flammes de Soweto, On crie à Soweto, Pitié pour ces mineurs...*), peut indiquer qu'au-delà de la situation en Afrique australe, les dramaturges visent les violences, les révoltes latentes, la répression multiforme dans leur propre pays. Moins véhéments, des auteurs choisissent le ton de la comédie pour critiquer les injustices du fonctionnement social (*La Marmite de Kola M'Bala,* 1966, de Guy Menga). La verve comique des pièces qui dénoncent les corruptions et les escroqueries des parvenus et des profiteurs du pouvoir (*Monsieur Thôgô-Gnini,* 1970, de Bernard Dadié) ou les coutumes désuètes du mariage (*Trois prétendants, un mari,* 1962, de Guillaume Oyono-Mbia) leur procure un succès assuré.

Pour abondant et diversifié qu'il soit, ce répertoire théâtral africain, parce qu'il est en français, risque de ne s'adresser qu'à un public limité. Or, comme le constatait Aimé Césaire, « il y a un besoin, une faim de théâtre en Afrique noire ». La préoccupation essentielle des hommes de théâtre africains est donc de trouver les moyens de répondre à une immense demande latente. Le problème de la compréhension linguistique peut trouver assez aisément des solutions : déjà, dans plusieurs pays, on écrit et joue des pièces dans les langues nationales, qui atteignent un public plus large. On cherche aussi à détacher le spectacle théâtral du texte écrit en inventant des formes de **« théâtre total »** ou d'« opéra » africain, qui mêlent les ressources de la danse, du chant, de la récitation traditionnelle et qui mettent par exemple sur la scène de vastes légendes mythologiques.

Ce nouveau théâtre africain n'est pas le fait des seuls lettrés. Au Togo, par exemple, on a vu récemment apparaître des formes théâtrales étonnamment populaires : la « cantate » qui représente, par la récitation dramatique en langue ewe, la danse et la musique de

Spectacle Myene, peinture de l'école Remgouwa.

›elles légendes orientales *(Ali Baba et les ·uarante voleurs)* ou bibliques *(Isaac et Rebecca)* ; le « concert » ou « concert-·arty », venu du Ghana voisin, qui est ıne pièce improvisée, en ewe et acces-oirement en français ou en anglais, sur n canevas bien rôdé : en général les ventures picaresques d'un parvenu beau arleur, comme *Francis le Parisien,* créa-on du Happy Star Concert Band de Lomé, dont une version a été recueillie et présentée par Noble Akam et Alain Ricard (1981). Ce qui est frappant dans le « concert », c'est la fusion d'éléments modernes (l'indispensable orchestre qui accompagne la troupe joue sur des instruments électrifiés ; les acteurs parlent devant un micro placé au centre de la « scène » ; la représentation est payante et a lieu dans des lieux spécifiques) et d'éléments traditionnels (le « concert », comme la récitation des contes, appartient à un temps « sacré » et ne peut avoir lieu que la nuit ; la dramaturgie est subordonnée à la narration : il s'agit moins de dramatiser, par le resserrement de l'action et le jeu des ellipses, que de représenter une histoire qui peut durer à la manière d'un conte que le griot ne souhaiterait pas conclure).

Le théâtre africain connaît actuellement un développement bourgeonnant que traduit la multiplication des troupes et leur recherche d'un répertoire nouveau, d'un style plus personnel, de rapports plus riches avec un public plus vaste. Parmi beaucoup d'autres, deux expériences semblent particulièrement prometteuses. Au Congo, avec le Rocado Zulu Théâtre, Sony Labou Tansi mène de front un travail d'auteur dramatique et de metteur en scène : dans la violence du langage, en mettant sur la scène rêves et cauchemars, il invente un théâtre de la « peur », qui dise « notre époque (...) dominée de manière honteuse par l'esclavage, la peur et le sommeil ». En Côte-d'Ivoire, le Théâtre rituel de Werewere Liking et Marie-José Hourantier oriente son travail de création dramatique à partir des rituels traditionnels, utilisant les techniques de l'initiation pour la formation de l'acteur et comme instrument d'éveil du spectateur : paradoxal recours au rituel pour créer le nouveau, pour inventer des mythes qui soient en accord avec les désirs et les angoisses de l'homme moderne.

Le manque de moyens est compensé par ce génie du bricolage dont l'Afrique a le secret. Dans la rencontre d'éléments hétéroclites, dans la tension entre la cérémonie et le spectacle, se façonne une **modernité théâtrale africaine.**

Je soussigné cardiaque *de Sony Labou Tansi. Palais de Chaillot, 1985.*

[Quel pays !]

Dans le pays imaginaire du Lebango, Mallot, instituteur qui « a le malheur d'avoir une conception personnelle de la liberté et du respect de soi-même », attend dans un bureau du Ministère pour être reçu par Monsieur le Directeur. Hortense, la secrétaire, essaie de l'aider.

HORTENSE. Quel pays ! Avant l'indépendance ça sentait le Blanc. Aujourd'hui, ça sent encore. Le Noir. Dans tous les bureaux. Les autres nous jouaient avec la peau seulement. Aujourd'hui, les « nôtres » nous jouent avec le cœur. Ils nous maltraitent comme avec notre permission. C'est plus dur. *(Un temps.)*

Vous avez vu le directeur ? Un véritable poids lourd. Mais pour avoir le boulot et la voiture fallait bien en passer par là. *(Un temps.)*

Je le déteste. Mais surtout, je me déteste. Je suis devenue très amère à moi-même. Oh, si vous saviez combien. Tous ces baisers puants qui vous éparpillent la peau ! Tous ces gestes louches ! Cette odeur de salive ! Ces mouvements crasseux ! Quand je sors de ses mains, je me lave fortement — je frotte, je rince, je gratte. Mais les nerfs. C'est têtu les nerfs. Je n'arrive pas à remonter ma chair jusqu'à moi. Refaire surface jusqu'à moi. Par degrés, lentement, je sombre dans l'odeur du vin et du tabac. Et quand je fais la somme de ma viande — toujours — même résultat : manquant. Déficit. J'essaie de tout combler avec mes villas, mes voitures, mes affaires et le cigare. Mais toujours « manquant ». Et le drame : toujours personne en face. Vous apprenez à laisser la vie. Personne en face. Même pas son ombre. *(Un temps.)*

Mais vous, c'est différent. Vous êtes l'envers du Lebango. Vous êtes là, seul peut-être, mais présent, conservé sans doute, mais plein. Et le bruit que vous faites, ça colle. Ça reste longtemps dans les oreilles. Le bruit de vos pas rime avec celui de vos poumons. A moi, ça me dit : « Putain, putain, putain ! » Où que j'aille. Quoi que je fasse. C'est têtu, voyez-vous ? *(Un temps.)*

Oh, je n'ai pas besoin de vertu, moi. C'est enfantin la vertu. Mais j'ai besoin de moi. Je suis crasseusement orgueilleuse. Si bien que ça m'embête de passer par les autres pour arriver à moi.

Sony Labou Tansi, *Je soussigné cardiaque,* coll. Monde Noir Poche, éd. Hatier.

L'Afrique des écrivains

Les années 60, première décennie des indépendances, ont consacré l'existence autonome d'une littérature africaine en français. Cette institutionnalisation se reconnaît à divers signes concordants : intégration aux programmes scolaires, rééditions, publication d'ouvrages critiques et d'anthologies récapitulatives, etc. Les œuvres africaines ont trouvé davantage de lecteurs africains. L'Europe a peu à peu cessé d'en être un destinataire nécessaire. Ces changements, et surtout le fait que les nouveaux écrivains commencent à écrire en fonction d'un (éventuel) public africain, peuvent expliquer l'impression souvent ressentie et formulée d'un « tarissement » de la littérature africaine dans les années 70. On assiste en fait à une métamorphose : changement de front des écrivains et glissement des publics, modification des circuits de production et de diffusion du livre, transformation conjointe des formes et des thèmes...

L'éventail des possibilités d'édition s'est considérablement ouvert. Dans les années 50, on n'a le choix qu'entre un éditeur français (rarement un des plus grands), la maison spécialisée de *Présence Africaine* (qui a d'ailleurs constitué un fonds remarquable) ou, bien sûr, le compte d'auteur, souvent pratiqué. L'édition africaine se développe en Afrique même avec, en 1963, les éditions *CLÉ,* créées avec l'appui des missions protestantes allemandes et néerlandaises, puis les *Nouvelles Éditions Africaines (N.E.A.),* fondées à Dakar en 1972 à la demande du président Senghor, suivies par le *CEDA* à Abidjan en 1974, et toute une série de maisons modestes qui ne sortent guère de leur cadre national. Depuis 1975, plusieurs éditions ou collections spécialisées sont apparues à Paris : *L'Harmattan, Karthala, Silex,* « Monde noir Poche » chez *Hatier...* C'est à coup sûr le signe d'une vitalité de la littérature africaine.

S'il y a un accroissement notable du nombre de livres africains publiés, le livre en Afrique reste, par son prix élevé, un objet de luxe. De plus les circuits de distribution sont fragiles, quand ils ne sont pas inexistants ou bloqués par les censures officielles ou larvées. Par sa rareté et parce qu'il est d'introduction récente dans des pays longtemps voués à l'oralité, le livre exerce un réel pouvoir de fascination.

Rien ne rend mieux compte de ce désir de lecture que l'apparition récente dans l'Afrique francophone d'une **littérature populaire,** au sens le plus plein du mot : écrite par des auteurs plus ou moins scolarisés, éditée tant bien que mal par leurs soins, vendue dans les rues et sur les marchés. Le modèle a pu être fourni par la célèbre « littérature du marché d'Onitsha », au Nigéria anglophone : des fascicules d'un prix très modique, écrits dans un mélange d'anglais et de pidgin, racontant des histoires mélodramatiques et moralisatrices ou vulgarisant une culture d'almanach (c'est à un genre voisin qu'appartient un roman qui ne pouvait pas ne pas séduire Raymond Queneau et que celui-ci a traduit en français en 1953 : *L'Ivrogne dans la brousse,* d'Amos Tutuola, planton autodidacte de Lagos, qui raconte dans un anglais très personnel un voyage imaginaire et initiatique, inspiré des mythologies yoruba). Au Cameroun, Désiré Naha, fondateur des *Éditions du Demi-Lettré,* a publié en français plusieurs romans, plutôt mal ficelés, pas trop bien écrits, dominés par l'obsession de la mort, accueillis avec faveur par un public populaire qui y retrouve l'expression de son désarroi, de ses frustrations, de ses attentes. Phénomène comparable au Zaïre avec le succès de Zamenga Batukezanga, qui s'inscrit dans la mouvance de la littérature missionnaire (donc dans une forme plus surveillée et scolaire) et qui a fait paraître presque chaque année depuis 1971 un bref roman (autour d'une centaine de pages), de facture très naïve, mettant l'accent sur l'un de ces grands thèmes qui travaillent en profondeur la société zaïroise : le conflit des générations, la mise en question des rites initiatiques, la crise du mariage traditionnel, l'affleurement des forces occultes... Zamenga Batukezanga est devenu le romancier zaïrois le plus lu dans son propre pays.

Toutes ces évolutions doivent s'interpréter comme autant de signes que la **littérature africaine** devient de plus en plus **autonome.** Joue dans le même sens un glissement du regard critique. On est passé d'une vision singulière totalisante à une vision plurielle éclatée, de l'affirmation d'*une* littérature négro-africaine à la reconnaissance *des* littératures nationales africaines. Certes, il serait prématuré de poser qu'existe dans le cadre de chaque État africain une vie littéraire indépendante. Mais partout s'affichent des particularismes ; des réseaux spécifiques de circulation littéraire se mettent en place. Plusieurs histoires littéraires nationales ont montré, sur l'exemple du Congo, du Zaïre, du Bénin, l'importance déterminante des conditions locales (existence de journaux et de revues, cercles culturels, éditions même confidentielles, etc.) sur l'éveil d'une pratiqu ittéraire moderne. L'image n'est plus ecevable d'une littérature africaine pro- édant uniformément de la parole fon- latrice des « Pères de la Négritude ».

L'**émergence d'identités littéraires ationales** constitue un fait dominant de a vie culturelle actuelle en Afrique. En nême temps, les écrivains africains se réoccupent de s'affirmer d'abord écri- ains : c'est un thème constant de leurs léclarations, professions de foi, entre- iens journalistiques, etc. Il y a de ce oint de vue une très nette évolution lepuis l'époque de la négritude combat- ante. L'écrivain se concevait alors omme un « homme de culture », chargé l'une responsabilité historique envers son euple. Il réclamait la mission exaltante le donner « l'expression vraie de la réa- ité de son peuple », d'apporter sa contribution à l'avancée et au progrès les peuples noirs » et à « la lutte en aveur de leur indépendance » (ce sont es termes des résolutions finales du euxième Congrès des écrivains et rtistes noirs, tenu à Rome en 1959). 'écrivain d'aujourd'hui est loin de enier de tels engagements. Mais il vou- rait ne plus confondre les rôles d'écri- ain et de tribun. L'idée se répand que 'est en faisant de la bonne littérature ue l'on témoignera de ses bons senti- ents révolutionnaires.

Dans les années 80, l'intellectuel afri- ain souligne volontiers sa méfiance nvers les idéologies trop naïvement pro- clamées. Il a tiré les leçons des dérapages de l'histoire récente, de l'usure de cer- tains thèmes... La pensée africaine moderne se construit sur un double refus : refus des discours africanistes occidentaux que l'on soumet à une exi- geante critique épistémologique (ainsi V. Y. Mudimbé, dans *L'Autre Face du royaume,* 1973, et *L'Odeur du Père,* 1982, montre-t-il comment « l'Occident a créé " le sauvage " afin de le " civili- ser ", le " sous-développement " afin de " développer ", " le primitif " pour pouvoir faire de l' " ethnologie " ») ; refus de la sacralisation d'une Afrique mythique, qui serait étrangère à toute modernité (c'est l'un des points essentiels du long débat sur « la philosophie afri- caine », lancé par Marcien Towa et Pau- lin J. Hountondji ; ces deux auteurs critiquent les postulats de l'ethnophilo- sophie qui élève au rang de « philosophie spontanée » la vision du monde collec- tive sous-tendant les diverses manifesta- tions de la vie traditionnelle).

Si le premier âge de la renaissance afri- caine après 1945 a été marqué par une volonté de renversement dialectique des valeurs imposées par l'Occident (et c'était peut-être encore dépendre de cet Occi- dent refusé), la période récente se carac- térise par la manifestation d'un **puissant désir d'autochtonie.** On invente patiem- ment les voies d'une pensée, d'une science, d'une littérature procédant du sol même de la culture africaine.

Les écrivains de l'Afrique : les poètes

L'augmentation considérable du ombre de titres publiés produit comme n brouillage du paysage littéraire afri- ain. Effet de masse, de répétition ou e contradiction, d'effacement des onstantes et des contrastes. Impression 'un immense chantier où s'élabore la ouveauté. Attente de l'œuvre d'excep- tion où s'accompliront les promesses. Piétinement aussi des redites et des imi- tations.

Du côté de la poésie, l'effet d'accu- mulation est saisissant. Des anthologies compactes (de la « Nouvelle somme de poésie du monde noir », numéro spécial de *Présence Africaine* en 1966, à *Poésie d'un continent,* rassemblée par Martine Bauer et Paul Dakeyo en 1982) donnent l'image d'un immense fleuve de poésie irriguant le continent africain. Moutonnement d'une parole abondante, rhapsodique, combative, assurée des vérités qu'elle proclame. Et même si, en Afrique comme ailleurs, l'édition de la poésie reste problématique, la parole des poètes touche un assez vaste public grâce au succès des récitals et soirées poétiques. Un détour par l'oral fait vivre la poésie écrite.

Conséquence importante : les poètes veulent être clairs ; ils choisissent la fulgurance des formules, l'élan rhétorique qui entraîne l'adhésion du peuple des lecteurs. Il s'agit d'aller directement au but : proclamer la vérité de l'Afrique, en dénonçant les mensonges coloniaux et les trahisons des nouveaux maîtres. Telle est la mission que le manifeste de Paul Dakeyo assigne au poète : « Le Poète d'Afrique apparaît comme celui qui projette le monde de l'absolu, qui abolit la distance de soi à soi, qui détruit les apparences, qui transcende les dogmes et les doctrines, dans l'éblouissement de l'unité originelle. (...) Voici venus les temps des Poètes en Afrique. Car seuls, ils savent inventer le futur. »

La générosité militante et l'innocence d'un langage efficace s'imposent sans détour comme chez Paul Dakeyo :

J'ai porté durement
Le long des nuits
La naissance du jour
Et la faim
Et les pleurs
La césarienne nécessaire
Et l'herbe bordant ces maisons
Le vent humide, les cris d'oiseaux
Me parviennent comme autant
D'inquiétudes
Dans la nuit essentielle
Le feu, l'enfant, l'école, l'homme.

Le Cri pluriel, éd. Saint-Germain-des-Prés.

Le public de la jeunesse scolarisée, en attente de changements et de justice sociale, apprécie l'ampleur et l'éloquence de poèmes comme le *980 000* de Maxim[e] Ndebeka, devenu un classique de la poé[sie] congolaise :

[...]
Nous venons des usines
Nous venons des forêts
des campagnes
des rues
Nous ne levons plus nos yeux
Vers les étoiles du ciel
Nous avons brûlé nos prie-dieu
Pour éclairer les couloirs
Sombres de la terre

Nous venons à 980 000
Nous entrons sans frapper
[...]

Maxime Ndebeka, *L'Oseille. Les Citrons,* 197[.]
éd. P. I. Oswal[d]

Cette poésie engagée est vouée à [se] consumer dans l'urgence de l'événemen[t.] Pourtant se prolonge, d'un poète [à] l'autre, comme un seul et profond cha[nt] de colère et de deuil : célébration d[es] héros du Tiers monde et des guerres [de] libération, déploration des malheurs d[u] Sahel, condamnation de l'Afrique du Su[d] et de ses inhumanités... La forme e[st] souvent délaissée : durcissement pr[o]saïque de la poésie-tract. Mais on culti[ve] aussi l'abondance oratoire : torrent ve[r]bal de Jean-Marie Adiaffi (*D'éclairs [et] de foudres,* 1980), ampleur de la pério[de] héritée de Saint-John Perse avec Josep[h] Miézan Bognini (*Herbe féconde,* 197[.]) ou de Léopold Senghor avec Sirima[n] Cissoko (*Ressac de nous-mêmes,* 1967[)] qui transfigure à son tour l'hymne [à] l'Afrique en chant amoureux :

Ô tulipe, tulipe que j'ai choisie d'entre les fleurs [de]
[nos grandes races d'homme[s]
Je chante ton corps noir élancé, je dis ton corps
[de jeune fille, et tes yeux d'éclairs souda[ins]
Et je crie la palme bleue de tes cils
Les lattes de tes tresses, virgules fulgurantes [qui]
[poignardent le c[...]
Et je hurle tes charmes, et tes lèvres de dattes
[charnues, a[...]

Le goût de jouer sur la langue est ma[ni]feste chez les poètes du Zaïre (s[...]

›ut Kadima Nzuji Mukala et Pius Ngandu kashama). Avec V. Y. Mudimbé,qui ›se en principe que « les impératifs de écriture rencontrent ceux de la révolu-on », la poésie s'accomplit par la libé-.tion des images (« L'écriture poétique e réconcilie avec le rêve comme sensa-on brutale ») et s'accommode d'un her-.étisme tranquillement assumé :

La savane est une suppuration offerte au soleil. ıe s'y perpétuent les délices des bébés enterrés ›ants, l'extase des vers suçant le pus des mères entrées, les mamelles offertes aux chiens gavés de air humaine. Un songe : la joie de l'écoulement sang dans des bouches peuplées de mouches au ir de cette centième journée de cadavres vivants.
Déchirures, éd. du Mont-Noir.

s fuseaux parfois
lames bleues ou seuils donnés
ıses d'occasion et objets usés
dès le parvis des cris de feuilles
entaillent, violentes caresses d'un autre monde.
Les Fuseaux parfois..., éd. du Mont-Noir.

Le Congolais Théophile Obenga, his-›rien, disciple de Cheikh Anta Diop ans sa quête des racines égyptiennes de Afrique noire, pratique dans *Stèles pour avenir* (1977) une poésie volontiers hié-tique, portée à la contemplation cos-ique ou mimant respectueusement la ›ésie liturgique de l'Égypte ancienne :

Gloire à toi / Dame de la danse et de l'amour / ame noire aux cheveux tressés / Dame toujours uvelle d'encens nouveau / Toi Dame de Denderah les amulettes de ta couche / fortifient le sang du sir / Salut à toi / Femme d'Afrique / Femme ire née de la lune / parmi les fêtes de Haute-ypte / Les filles du pays de Pount / riches de vie rayonnent autour de toi / sistres en mains / Quel au jour ouvert / sur la Joie invulnérable !

Peut-être plus nettement au Congo 'ailleurs, un courant s'est affirmé pour vendiquer la vocation du poète à dire rapports de l'homme et du monde ou crier son mal de vivre. Chez Jean-ptiste Tati-Loutard, les images de la er, du soleil, de l'arbre font découvrir *Les Racines congolaises* (c'est le titre d'un recueil publié en 1968) :

Baobab ! je suis venu replanter mon être près de toi
Et mêler mes racines à tes racines d'ancêtre.

Pour TCHICAYA U TAM'SI, la fonction du poète est « le questionnement de l'être ». Comprenons que la seule question qui doive le préoccuper est celle formulée dès le premier vers de son premier poème publié : « Comment vivre ? ». Loin d'être à la remorque du militant, c'est le poète qui ouvre les perspectives (« Ma poésie est une politique »). Il ne prêche pas les mots d'ordre d'une idéologie (et surtout pas de la négritude), il allume les feux de brousse spontanés de la révolte (« Je prêche la révolte. Hommes de la savane et de la forêt, nous recourrons toujours aux feux de brousse — sans discernement. Voilà une vertu nègre à sauvegarder. »)

L'œuvre poétique de Tchicaya U Tam'si, régulièrement enrichie (*Le Mauvais sang,* 1955 ; *Feu de brousse* et *A triche cœur,* 1957 ; *Épitomé,* 1962 ; *Le Ventre,* 1964 ; *Arc musical,* 1970 ; *Le Pain ou la Cendre* et *La Veste d'intérieur,* 1978), domine la production poétique d'après la négritude. Plus que la violence, c'est le goût de la brisure qui la caractérise : rupture des tons, collage bariolé d'emprunts composites, entrechoc de paroles croisées... Un baroque hétéroclite (« Ma poésie est comme le fleuve Congo qui charrie autant de cadavres que de jacinthes d'eau ») naît de la luxuriance des images, de l'âpreté des sentiments, de la brisure d'un rire parfois morbide (« Je veux mourir ris veux-tu / la lune trousse les chiens / vie brève mort éternelle / Je veux mourir ris veux-tu / la lune trousse les chiens / mes jambes sont deux crécelles », *Épitomé*). Une conscience douloureuse, toujours cheminant vers un rêve d'harmonie cosmique ou amoureuse, prend acte des déchirures dans le tissu de l'être : fractures quotidiennes dans la trame de notre vie ou sombres apocalypses mûries par l'Histoire.

Vive la mariée

Ce soir on marie sainte anne [1]
aux piroguiers congolais

la croix du sud est témoin
avec l'escargot

il y a des goyaves
pour ceux qui ont la nausée
des hosties noires

le fleuve retourne à la boue
au jour le jour
le héraut clame le regard lubrique
laissez-vous faire
quoi
les aubes et les ongles
trop tard
oncle nathanaël [2] m'écrit son étonnement
d'entendre le tam-tam
à radio-brazzaville

sainte anne du congo-la-pruderie
priez pour l'oncle nathanaël
prenez les nénuphars et les libellules
exsangue la parure nuptiale de notre dame

prends la peine
notre journée déborde l'aurore
migrations massives des piroguiers
tendance ferme luxure servile à la bourse coloniale
on n'a plus de totems
alcool à gogo

ce ne sont plus les sèves
ni les rythmiques
le christ sauvera le reste
luxure à qui mieux y gagne

mon catafalque est prêt
et je suis mort assassiné sur l'autel du christ
comment voudrait-on voir mon cadavre
un cadavre utile vert
non ce sont les floraisons mortes
soyons lucides vive la mariée

elle a sa robe faite et de boue et de limaces
[et de sang
ses encens puent la cervelle gratuite

ô liesse-tam-tam-et-cloches-mes-piroguiers

va pour les sabbats

mais la luxure au nom du christ
halte-là
credo

le fleuve passe
et ça sent la rosée vomie
une résine rance qui ne chassera plus
les papillons de nuit
de la plaie béante — coule
il pleut doucement dans poto-poto
le ciel immobile m'attend

Tchicaya U Tam'si, *Feu de brousse,* éd. P. J. Oswal

Si une évolution doit marquer la poésie africaine dans les années 80, elle est peut-être amorcée par un recueil paru en 1983 et signé d'un poète alors inconnu : Noël X. Ebony (malheureusement décédé en 1986). Un titre malicieux *(Déjà vu)* souligne une apparente continuité thématique : portrait de l'Africain e opprimé exemplaire, voyage initiatique « retour au pays natal », bref une ver sion modernisée du modèle poétiqu négro-africain tel que Césaire l'a imposé La nouveauté tient au ton : allégress d'une culture cosmopolite aussi à l'ais

1. La cathédrale de Brazzaville est dédiée à Sainte Anne. — 2. Allusion à André Gide qui a séjourné a Congo en 1927 et en a rapporté un récit de voyage *(Voyage au Congo).*

dans la familiarité de l'imaginaire africain (« en amont et en aval de la rivière des neuf rivières / l'eau chante la légendaire complainte / de l'homme qui noua le fromager et des trente-six générations / inspirées ») que parmi les signes de la modernité et les souvenirs de voyage d'un citoyen du monde (« les rues de stockholm étaient mouillées / nous avons bu une carlsberg à un comptoir » ; « me prenant par la main t'en souviens-tu / tu me traînas dans un glacier de la via cavour / où l'on servait des pêches melba sans chantilly »), désinvolture d'une langue débridant les confidences, humour des collages et des ruptures, lyrisme sans emphase, retour paisible de la mémoire aux souvenirs de l'enfance africaine.

[Les hommes chuchotaient [1]]

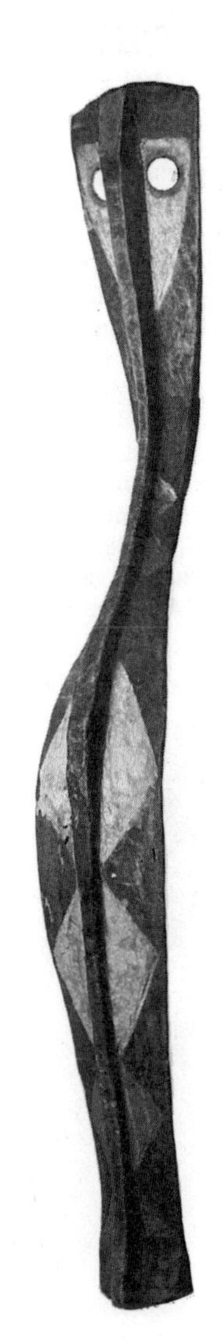

puis s'estompait le jour avec lui les hommes lourds au milieu d'eux
songeait le père le front né les yeux clos
la peau glaise
les hommes chuchotaient et l'on aurait pris leur bourdonnement pour un colloque d'abeilles nous les garçons luttions
dans la terre dérisoires guerriers sans guerre et nous
guettions les paroles des hommes mûrs pour apprendre de leur
bouche le sel de la terre et nous courions pour échapper
à leur fessée et nous engrangions les dits de vérité
les faits d'histoire et nous mûrissions au midi de leur soleil
l'un rappelait que l'on n'enterre au flanc des tertres que les
rats pour déplorer le sort d'un notable mal célébré et
l'autre proclamait que la menace de fessée n'est pas écartée
tant que la main reste levée et nous luttions encor l'oreille tendue
les voyageurs venaient le baluchon pendu au bâton sur l'é-
paule ils venaient et s'agenouillaient au pied de père
il les relevait d'un simple regard et ceux fiers comme des
guerriers sans armes prenaient place à sa gauche buvaient le
vin à l'écume blanche apprêtaient leur langue et dévidaient
des paroles fabuleuses
ils parlaient longuement adroitement de pirouettes en circon-
locutions puis s'étant ainsi nommés par la hauteur de leur dire
se rasseyaient en paix

N. X. Ebony, *Déjà vu,* éd. Ouskokata.

1. Le texte a son unité propre, mais il est détaché d'un recueil qui est comme un seul et vaste poème.

Les écrivains de l'Afrique : les romanciers

Le surgissement de **tendances nouvelles** dans le roman africain a été souligné dès 1968 par la publication de deux œuvres appelées à un grand succès auprès de la critique et du public.

Le Devoir de violence de Yambo Ouologuem — prix Renaudot 1968 — surprit par sa verve iconoclaste. Le roman déployait une vaste chronique de l'empire imaginaire du Nakem dominé par la dynastie des Saïfs : c'était pendant des siècles un déferlement d'horreurs et de cruautés, le despotisme des notables africains, puis la colonisation européenne condamnant les peuples à toutes les formes d'esclavage. Ce roman provocateur, qui souleva bien des polémiques, faisait un pied-de-nez à l'aimable mythologie de l'Afrique heureuse avant la colonisation ; et en accumulant violence, érotisme et sadisme, il s'amusait à mystifier les lecteurs européens toujours enclins à gober les stéréotypes sur l'Afrique sauvage. Le récit se laissait emporter par une écriture violente elle aussi, brassant un style mi-parlé, mi-liturgique, accumulant les formules rituelles, citant et parodiant les griots, glissant quelques emprunts à des romanciers français... *Le Devoir de violence* inaugurait la **littérature de démystification.**

Édité d'abord au Québec par les soins de l'université de Montréal, *Les Soleils des Indépendances* d'AHMADOU KOUROUMA fut repris en France en 1970. L'attaque des premières lignes du roman devint vite célèbre : « Il y avait une semaine qu'avait fini dans la capitale Koné Ibrahima, de race malinké, ou disons-le en malinké : il n'avait pas soutenu un petit rhume... » En adoptant le point de vue du héros malinké, en donnant l'impression que la langue du roman se calquait sur sa phraséologie et donc se nourrissait de l'imaginaire malinké, *Les Soleils des Indépendances* rompait avec la tradition du romanesque ethnographique qui suppose l'extériorité du

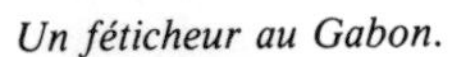
Un féticheur au Gabon.

regard. Mais l'invention langagière, la contamination du français du narrateur par le malinké du héros, n'est pas séparable de l'intention autocritique. L'histoire de Fama (ou la déchéance de l'héritier d'une vieille dynastie malinké, réduit dans la capitale au rôle de parasite, ballotté par les événements politiques et jeté en prison, mourant avant d'atteindre, dans un ultime retour, le pays des ancêtres) invite à la réflexion sur les nouveaux pouvoirs mis en place après les indépendances africaines. La force du roman est de dire dans une langue en mutation les mutations de tous ordres que l'Afrique connaît (ce que Fama, rejeté par l'Histoire, appelle « la bâtardise »).

[Les Indépendances tombèrent sur l'Afrique]

Les soleils des Indépendances s'étaient annoncés comme un orage lointain et dès les premiers vents Fama s'était débarrassé de tout : négoce, amitiés, femmes pour user les nuits, les jours, l'argent et la colère à injurier la France, le père, la mère de la France. Il avait à venger cinquante ans de domination et une spoliation. Cette période d'agitation a été appelée les soleils de la politique. Comme une nuée de sauterelles les Indépendances tombèrent sur l'Afrique à la suite des soleils de la politique. Fama avait comme le petit rat de marigot creusé le trou pour le serpent avaleur de rats, ses efforts étaient devenus la cause de sa perte car comme la feuille avec laquelle on a fini de se torcher, les Indépendances une fois acquises, Fama fut oublié et jeté aux mouches. Passaient encore les postes de ministres, de députés, d'ambassadeurs, pour lesquels lire et écrire n'est pas aussi futile que des bagues pour un lépreux. On avait pour ceux-là des prétextes de l'écarter, Fama demeurant analphabète comme la queue d'un âne. Mais quand l'Afrique découvrit d'abord le parti unique (le parti unique, le savez-vous ?, ressemble à une société de sorcières, les grandes initiées dévorent les enfants des autres), puis les coopératives qui cassèrent le commerce, il y avait quatre-vingts occasions de contenter et de dédommager Fama qui voulait être secrétaire général d'une sous-section du parti ou directeur d'une coopérative. Que n'a-t-il pas fait pour être coopté ! Prier Allah nuit et jour, tuer des sacrifices de toutes sortes, même un chat noir dans un puits ; et ça se justifiait ! Les deux plus viandés et gras morceaux des Indépendances sont sûrement le secrétariat général et la direction d'une coopérative... Le secrétaire général et le directeur, tant qu'ils savent dire les louanges du président, du chef unique et de son parti, le parti unique, peuvent bien engouffrer tout l'argent du monde sans qu'un seul œil ose ciller dans toute l'Afrique.

Mais alors, qu'apportèrent les Indépendances à Fama ? Rien que la carte d'identité nationale et celle du parti unique. Elles sont les morceaux du pauvre dans le partage et ont la sécheresse et la dureté de la chair du taureau. Il peut tirer dessus avec les canines d'un molosse affamé, rien à en tirer, rien à sucer, c'est du nerf, ça ne se mâche pas. Alors comme il ne peut pas repartir à la terre parce que trop âgé (le sol du Horodougou [1] est dur et ne se laisse tourner que par des bras solides et des reins souples), il ne lui reste qu'à attendre la poignée de riz de la providence d'Allah en priant le Bienfaiteur miséricordieux, parce que tant qu'Allah résidera dans le firmament, même tous conjurés, tous les fils d'esclaves, le parti unique, le chef unique, jamais ils ne réussiront à faire crever Fama de faim.

Ahmadou Kourouma, *Les Soleils des Indépendances,* éd. du Seuil.

1. Pays natal de Fama.

Il est caractéristique de suivre l'évolution, après la consolidation des indépendances, des romanciers africains de la « première génération ». Certains (Cheikh Hamidou Kane, Ferdinand Oyono) se sont tus. Quelques-uns continuent à confronter la modernité et la tradition (Seydou Badian, *Le Sang des masques,* 1976) ou à en montrer les interférences (Olympe Bhêly-Quenum, *L'Initié,* 1979), nuançant ainsi l'image romanesque de l'Afrique. D'autres poursuivent leur œuvre, mais en renouvelant thématique et écriture. C'est le cas de Mongo Beti : n'ayant rien publié depuis 1958, il revient à l'écriture d'abord avec un pamphlet, en 1972, *Main basse sur le Cameroun,* qui jette une lumière crue sur la décolonisation et les premières années de l'indépendance dans ce pays, puis avec une trilogie romanesque : *Remember Ruben* (1974), *Perpétue ou l'Habitude du malheur* (1974), *La Ruine presque cocasse d'un polichinelle* (1979). Cette trilogie est en fait l'exploitation romanesque de la documentation réunie pour le pamphlet : *Perpétue* utilise d'ailleurs la forme romanesque de l'enquête pour mettre au jour les circonstances de la mort d'une jeune femme, mais c'est bien le destin récent du Cameroun qu'il s'agit de démasquer ou plutôt de mettre en perspective. Un nouveau cycle romanesque, récemment entrepris (*Les Deux Mères de Guillaume Ismaël Dzwatama futur camionneur,* 1982 ; *La Revanche de Guillaume Ismaël Dzwatama,* 1984) met l'accent sur la difficile rencontre de l'Europe et de l'Afrique. Mongo Beti reste fidèle à sa conception du roman comme révélateur du dynamisme social : l'Histoire a tourné et c'est l'entrée de l'Afrique dans une modernité cahoteuse qu'il met en scène.

Sembène Ousmane a continué à publier des nouvelles et des romans dénonçant toutes les formes de l'oppression sociale en Afrique : dans *L'Harmattan* (1965), les manipulations liées au référendum de 1958 ; dans *Le Mandat* (1966), les tribulations d'un homme vieillissant, chômeur et illettré dans le monde de la ville et de l'administration ; avec *Xala* (1973), l'affairisme parasite (et l' « impuissance ») des nouvelles bourgeoisies profiteuses de l'indépendance ; dans *Le Dernier de l'Empire* (1981), sous les déguisements transparents d'un scénario de politique-fiction, l'incapacité de la classe politique à proposer pour l'Afrique un projet pour l'avenir. Portant lui-même ses œuvres à l'écran *(Le Mandat, Xala),* Sembène Ousmane veut atteindre le vaste public, non alphabétisé, que le roman ne peut toucher. Ses films, d'une écriture cinématographique subtilement efficace, ont une grande audience..., quand ils ne sont pas interdits ou étouffés par les diverses censures.

L'attention portée par Mongo Beti et Sembène Ousmane aux changements sociaux dans l'Afrique des États indépendants se retrouve comme trait dominant du second âge du roman africain. Après les romans suscités par la situation coloniale, porteurs de l'immense espoir de la libération d'un continent, vient le temps des **romans problématiques,** posant, jusqu'au désespoir parfois, la douloureuse question : mais qu'a-t-on fait de l'Afrique ? Un Emmanuel Dongala garde la nostalgie d'une Afrique révolutionnaire et combattante, même s'il montre la mainmise des partis uniques et la montée des dictatures (*Un fusil dans la main, un poème dans la poche,* 1973). D'autres romans donnent des images plus sombres, conduisant le lecteur jusqu'aux derniers cercles du despotisme tropical : *Le Cercle des Tropiques* (1972) d'Alioum Fantouré, *Les Crapauds-brousse* (1979) de Tierno Monénembo ou, au-delà de leur force comique, *La Vie et demie* (1979) de Sony Labou Tansi, *Le Pleurer-rire* (1982) d'Henri Lopès. Tous ces romans s'organisent autour d'une figure terrible, incarnation de l'ogre du pouvoir : « Guide Providentiel » ou « Père de la Nation », c'est le président Sâ Matrak ou le Messie-koï, sauveur du peuple, l'ancien adjudant (devenu Général-Président) Tonton Hannibal-Ideloy Bwakamabé Na Sakkadé ou la dynastie bouffonne de *La Vie et demie* (de Jean-Cœur-de-Pierre à Félix-le-Tropical). Ces dictateurs, gonflés dans leur baudruche de mots, hérissés de majuscules et d'épithètes, gouvernent par la violence et l'absurde. Les romans qui les transforment en pantins de jeu de massacre sont parfois interdits de séjour dans les librairies africaines.

Il arrive que la victime d'un despote africain prenne la plume pour raconter les épreuves subies : ainsi le Tchadien Antoine Bangui avec *Prisonnier de Tombalbaye* (1980). Ce témoignage, très émouvant dans sa sobriété, donne toute leur force aux romans instruisant le procès des nouveaux maîtres ou dénonçant les souffrances infligées à l'Afrique. C'est l'univers de la prison qu'explore Ibrahima Ly dans *Toiles d'araignées* (1982). Dans *Sahel, sanglante sécheresse* (1981) de Mandé-Alpha Diarra, la sécheresse, la misère et la violence du pouvoir se liguent contre une communauté villageoise. Après *Entre les eaux* (1973), histoire d'un prêtre africain rejoignant un maquis révolutionnaire, V. Y. Mudimbé invite à une subtile réflexion sur les nouveaux pouvoirs dans le Zaïre de 1965, à partir des intrigues d'un ministre corrompu et d'une jeune femme de mœurs légères (*Le Bel Immonde,* 1976). Dans les nouvelles de *Tribaliques* (1971), Henri Lopès fustige les tares des gouvernants mis en place par la colonisation finissante. Modibo Sounkalo Keita trouve dans le roman policier (*L'Archer bassari,* 1984) la forme vengeresse qui fait justice des profiteurs et corrompus. Boris Boubacar Diop recourt à la politique-fiction pour dresser un bilan de l'évolution de l'Afrique dans les années 70 (*Le Temps de Tamango,* 1981). Bien d'autres encore (Guy Menga, Sylvain Bemba, Jean-Pierre Makouta-Mboukou, etc.) transcrivent dans leurs romans leurs questions inquiètes sur le devenir de l'Afrique. Saïdou Bokoum, dans un roman véhément, *Chaîne* (1974), donne à l'expérience de l'immigration africaine en France la dimension mythique d'une « descente aux enfers ».

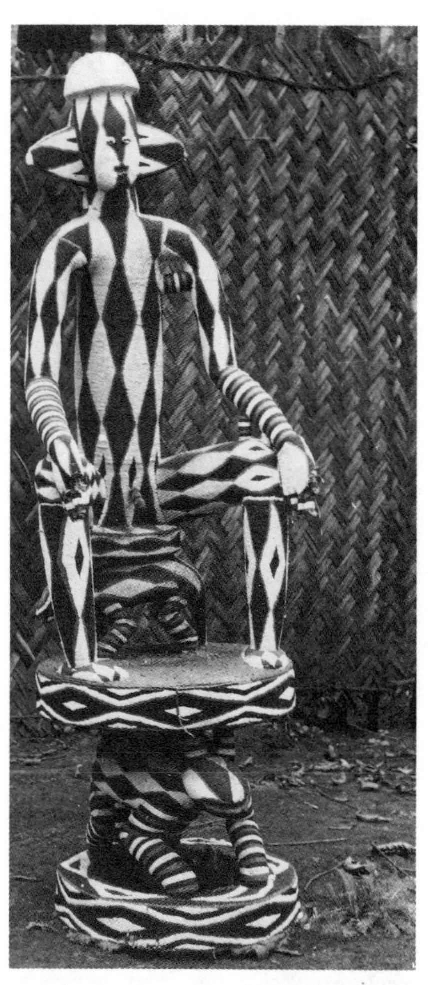

Fauteuil de chef. Art bamiléké.

Le malaise, l'incertitude, l'errance tendent à caractériser les héros des nouveaux romans africains. Personnages en rupture, dans un monde désaccordé, incertains de leur identité, décentrés dans un cadre romanesque flottant. Tel est Oumarou, personnage principal du roman de Williams Sassine, *Le Jeune Homme de sable* (1979) : révolté contre la trahison des pères et la violence des privilégiés, condamné à disparaître dans la nudité du désert, il y reçoit la révélation de son peu d'existence : « Tu ne sais même pas qui tu es ; tu es un jeune homme de sable : à chaque coup de vent, tu t'effrites un peu et tu te découvres autre. Un jour, il ne restera rien de toi. Pour vivre, il faut un noyau, et toi tu n'en as pas. » Le personnage de Nara, l'intellectuel africain dont *L'Écart* (1979) de V. Y. Mudimbé recueille l'auto-analyse, est lui aussi victime d'une perte d'existence : il meurt de son incapacité à adhérer à son être, piégé par sa science et par son langage. Le désarroi existentiel des personnages s'accompagne de la déstabilisation de la forme : abandon du réalisme, épurement de la ligne romanesque ou au contraire foisonnement baroque du récit, rupture ou affolement de la chronologie, symbolisme des espaces, glissement au fantastique, emprunts aux mythologies...

Le thème de la quête d'identité est renouvelé par l'Ivoirien Jean-Marie Adiaffi dans un roman ambitieux (*La Carte d'identité,* 1980), mêlant poétiquement les genres, tirant sa symbolique de la tradition agni : le héros reconstruit son identité dans un itinéraire initiatique échelonné sur les sept jours de la semaine sainte agni. L'interrogation sur l'identité conduit nécessairement le romancier à un **travail sur les formes romanesques.**

C'est précisément sur ce travail (et sur les tâches de l'intellectuel africain moderne) que Mbwill a Mpaang Ngal invite à réfléchir dans deux romans en diptyque, *Giambatista Viko* (1975) et *L'Errance* (1979). Giambatista Viko « rêve d'un roman sur le modèle du conte ». Il cherche à « apprivoiser le discours africain pour libérer le discours occidental paralysé ». « Toutes mes recherches, dit-il, tendent à fonder cette science nouvelle de l'écriture. L'écriture gestuelle, matrice de liberté et d'initiative tant pour l'écrivain que pour le lecteur. Plénitude de sens. Flux et reflux de la pensée souterraine. L'écrivain enfin sorti de sa solitude. Le lecteur restitué à sa vraie personnalité : délivré de la passivité. » Mais il est traduit devant un tribunal de vieux sages, accusé de « viol du discours africain », pour avoir choisi l'univers du livre et tenté la fusion hybride et sacrilège de l'écrit et de l'oral : « La gravité de votre impiété réside dans la tentative de désacralisation de l'oralité. » Condamné à l'errance, à la fin du premier volume, il trouve dans le second la voie d'une reconstruction de son imaginaire : il faut entreprendre de se « reterritorialiser », car c'est dans « un sol à soi » qu'on trouve « les images et les symboles essentiels qui constituent le fonds culturel des peuples ; c'est lui également qui gouverne la temporalité profonde des peuples, modulant sur des épopées, des légendes, des contes, des mythes et des œuvres d'art, leur rythme, leur musicalité, articulés sur des conceptions du monde particulières ». Les deux romans philosophiques de Mbwill a Mpaang Ngal, développant le débat sur l'identité culturelle, invitent l'Afrique à sortir enfin du tourniquet idéologique « aliénation/authenticité », en acceptant de prendre en compte sereinement toutes les composantes qui ont fait et font son histoire et sa civilisation.

Tel est le projet qui sous-tend la littérature vivante de l'Afrique d'aujourd'hui : abandon des visions manichéennes, regard sans a priori porté sur l'Afrique et le monde ; on veut « se dépayser dans ses propres origines ». C'est ce qui met au premier rang les œuvres de Massa Makan Diabaté, Tchicaya U Tam'si ou Sony Labou Tansi. C'est ce qui ouvre au roman africain des pistes inédites : de l'onirisme et du fantastique retrouvés dans l'imaginaire traditionnel (Yodi Karone, *Nègre de paille,* 1982) aux chroniques attentives à la vie quotidienne (Jean-Baptiste Tati-Loutard, *Chroniques congolaises,* 1974 ; Guillaume Oyono-Mbia, *Chroniques de Mvoutessi,* 1971).

Parole nouvelle aussi, celle **des Africaines.** Un essai d'Awa Thiam, *La Parole aux négresses* (1978), réalisé à partir d'enquêtes sociologiques et d'entretiens au magnétophone, a fait entendre les

La préparation du repas.
Peinture anonyme.

revendications d'un mouvement féminin, sinon féministe. Des romancières se sont révélées : Aminata Sow Fall (*La Grève des Bàttu,* 1979 : ce qui arrive quand les mendiants de la grande ville se mettent en grève) ; Nafissatou Diallo (*Le Fort maudit,* 1980 : d'après une légende historique contant la rivalité des royaumes et des religions dans le Sénégal ancien) ; Werewere Liking, connue aussi comme dramaturge (*Elle sera de jaspe et de corail,* 1983 : composition polyphonique, méditation sur l'amour et sur la condition masculine)... MARIAMA BÂ (trop tôt disparue en 1981) brosse un tableau très sensible de la société sénégalaise, dans *Un chant écarlate* (1981) — les conséquences d'un mariage mixte —, et surtout dans son premier roman, *Une si longue lettre* (1979), un des succès de l'édition africaine : la narratrice y dresse le bilan de sa vie (un mariage longtemps heureux, puis la polygamie subie, la mort du mari, les responsabilités à assumer envers les enfants). La simplicité de l'écriture, l'absence apparente de recherche, la présentation en forme de lettre, comme s'il s'agissait d'un témoignage autobiographique, peuvent rendre compte des résonances suscitées par le roman auprès des lecteurs (et surtout des lectrices) africain(e)s.

[Je t'épouse]

J'ai célébré hier, comme il se doit, le quarantième jour de la mort de Modou [1]. Je lui ai pardonné. Que Dieu exauce les prières que je formule quotidiennement pour lui. J'ai célébré le quarantième jour dans le recueillement. Des initiés ont lu le Coran. Leurs voix ferventes sont montées vers le ciel. Il faut que Dieu t'accueille parmi ses élus, Modou Fall !

Après les actes de piété, Tamsir [2] est venu s'asseoir dans ma chambre dans le fauteuil bleu où tu te plaisais. En penchant sa tête au dehors, il a fait signe à Mawdo ; il a aussi fait signe à l'imam de la mosquée de son quartier. L'Imam et Mawdo l'ont rejoint. Tamsir parle cette fois. Ressemblance saisissante entre Modou et Tamsir, mêmes tics de l'inexplicable loi de l'hérédité. Tamsir parle, plein d'assurance ; il invoque (encore) mes années de mariage, puis conclut : « Après ta " sortie " (sous-entendu : du deuil), je t'épouse. Tu me conviens comme femme et puis, tu continueras à habiter ici, comme si Modou n'était pas mort. En général, c'est le petit frère qui hérite de l'épouse laissée par son aîné. Ici, c'est le contraire. Tu es ma chance. Je t'épouse. Je te préfère à l'autre, trop légère, trop jeune. J'avais déconseillé ce mariage à Modou. »

Quelle déclaration d'amour pleine de fatuité dans une maison que le deuil n'a pas encore quittée. Quelle assurance et quel aplomb tranquilles ! Je regarde Tamsir droit dans les yeux. Je regarde Mawdo. Je regarde l'Imam. Je serre mon châle noir. J'égrène mon chapelet. Cette fois, je parlerai.

Ma voix connaît trente années de silence, trente années de brimades. Elle éclate, violente, tantôt sarcastique, tantôt méprisante.

— As-tu jamais eu de l'affection pour ton frère ? Tu veux déjà construire un foyer neuf sur un cadavre chaud. Alors que l'on prie pour Modou, tu penses à de futures noces.

« Ah ! oui : ton calcul, c'est devancer tout prétendant possible, devancer Mawdo, l'ami fidèle qui a plus d'atouts que toi et qui, également, selon la coutume, peut hériter de la femme. Tu oublies que j'ai un cœur, une raison, que je ne suis pas un objet que l'on se passe de main en main. Tu ignores ce que se marier signifie pour moi : c'est un acte de foi et d'amour, un don total de soi à l'être que l'on a choisi et qui vous a choisi. (J'insistais sur le mot choisi.)

« Et tes femmes, Tamsir ? Ton revenu ne couvre ni leurs besoins ni ceux de tes dizaines d'enfants. Pour te suppléer dans tes devoirs financiers, l'une de tes épouses fait des travaux de teinture, l'autre vend des fruits, la troisième inlassablement tourne la manivelle de sa machine à coudre. Toi, tu te prélasses en seigneur vénéré, obéi au doigt et à l'œil. Je ne serai jamais le complément de ta collection... »

Mariama Bâ, *Une si longue lettre,* éd. N.E.A.

La venue à l'écriture de romancières et de femmes poètes continue le projet explicité dès ses origines par la littérature négro-africaine en français : faire entendre la parole de ceux qui n'ont pas la parole (Aimé Césaire dans le *Cahier* « Ma bouche sera la bouche des malheurs qui n'ont point de bouche, ma voix, la liberté de celles qui s'affaissent au cachot du désespoir. ») Longtemps retenue, proprement inouïe, la « parole des négresses » pourrait apporter de surprenantes nouveautés.

S'il faut trouver un trait commun aux romans les plus marquants parus depuis les années 70, ce pourrait être leur esprit de liberté. Liberté toujours à réclamer pour une Afrique mal guérie de la colo-

1. Le mari de la narratrice. – 2. Frère aîné de Modou.

nisation ; mais encore plus liberté d'une écriture en recherche.

La réussite d'Henri Lopès dans *Le Pleurer-Rire* (1982), portrait polyphonique d'un despote à l'africaine, tient d'abord à la maîtrise de la construction romanesque. Il est d'ailleurs piquant de constater que le romancier, lui-même ancien Premier ministre de la République populaire du Congo, connaissant donc bien des coulisses de la vie politique récente en Afrique, choisit d'adopter un point de vue populaire, celui du maître d'hôtel du président, et un ton, « celui qu'emploie le peuple lorsqu'il parle de sa vie quotidienne ». Esthétique du grotesque, comme on l'a dit : français créolisé, bouffonneries d'écriture, irréalisme de certaines situations, énonciation indécise... ; autant de ruses pour communiquer au lecteur le sentiment de l'inacceptable.

En un sens, la trilogie romanesque du Malien MASSA MAKAN DIABATÉ (*Le Lieutenant de Kouta,* 1979 ; *Le Coiffeur de Kouta,* 1980 ; *Le Boucher de Kouta,* 1982) paraît relever de la même esthétique : le lecteur s'amuse de ces trois épisodes comiques de la vie d'un village du Sahel, des personnages caricaturés, de l'outrance des situations, des répliques peu châtiées. Mais Diabaté, qui est le descendant d'une des grandes familles de griots manding et qui a lui-même transcrit d'importants textes traditionnels, demande qu'on ne s'arrête pas à l'humour de surface : « Ce sont des livres d'inspiration religieuse », dit-il. Il faut sans doute aussi faire la part de l'humour dans cette déclaration, mais elle rappelle clairement que les romans de Diabaté ne sont pas une déclaration de guerre à la société rurale malienne : plutôt une déclaration d'amour pudiquement masquée sous le sel des plaisanteries. Une lecture attentive décèle dans le fil des récits la texture de l'univers verbal manding. Une fois de plus, le roman initie à l'intimité d'une culture. Au demeurant, c'est le projet déclaré du quatrième roman de Diabaté : *Comme une piqûre de guêpe* (1980). Ce récit d'une circoncision se présente dans l'avertissement comme « un simple témoignage » ; c'est aussi une œuvre superbement littéraire (on peut reconnaître au passage des allusions qui sont autant d'hommages à *L'Enfant noir* ou à *L'Aventure ambiguë*). La rigueur de l'écriture, la tension dramatique qui prépare la cérémonie (violence et pureté d'un rituel où tant de peurs s'exorcisent !), la découverte, à travers l'initiation du héros, de l'ordonnance profonde de la société, tout se conjugue pour célébrer la dignité et la grandeur d'une civilisation fondée sur « le respect envers les autres et envers soi-même » : on n'y devient un homme que si l'on sait se hausser jusqu'à « la gravité des étoiles ».

[La circoncision, c'est très douloureux]

Le « maître de maison » vient un soir auprès de son fils, quelques jours avant la cérémonie de la circoncision.

Il s'arrêta de parler, s'éclaircit la voix et se drapa dans sa couverture. Très solennel :

— La circoncision est une alliance avec Dieu. Mais aussi une épreuve qu'on doit supporter avec courage : nos coutumes le veulent ainsi.

Sa voix fêlée trahissait une certaine inquiétude. Ses yeux brillaient d'émotion contenue et de tendresse. Il ne s'en défendit pas. Le geste large, il prit l'enfant sur ses genoux, comme pour le bercer. En présence d'un témoin il n'eût pas cédé à cette faiblesse :

— Garçon, murmura-t-il, en lui caressant les joues, la circoncision, c'est très douloureux, et si tu pleurais, toute notre lignée serait souillée. Et il me faudra t'abattre d'un coup de fusil en plein cœur. C'est dur d'ôter la vie quand on l'a donnée.

Il recoucha l'enfant, le borda avec des gestes maternels et se rassit près de lui, sur le tara [1] de bambou. Ils se regardèrent, longuement, l'enfant étonné par cette marque soudaine d'affection et le père gêné d'avoir donné libre cours à son émotion. Il remonta la mèche de la lampe-tempête, et Faganda vit qu'il pleurait :

— A l'idée d'avoir à te tuer d'une balle en plein cœur, je ne peux dominer ma peine, dit-il. Mais si je devais le faire pour l'honneur de la famille, je m'exécuterais sans sourciller et sans regret.

Il lui montra une boule de plomb et la glissa sous son oreiller avant de se mettre debout pour prendre congé.

— Et c'est avec ça que tu me tuerais ? demanda Faganda.

— Oui ! dit le père avec gravité. Quand le purificateur viendra à toi, au moindre cillement de ta part, j'appuierai sur la gâchette, car au village je ne pourrais plus regarder personne en face si tu ne triomphais de cette douleur volontairement infligée à l'enfant pour tester ses qualités d'endurance. J'appuierai sur la gâchette et tout le monde me donnera raison.

— Et l'on dira par tout le village, pour te disculper, que je suis mort de peur, répliqua Faganda en souriant

— Comment le sais-tu ? s'étonna le père.

— Depuis ton entretien avec ma mère, je m'informe, lui révéla l'enfant, comme pour le narguer.

— C'est bien, approuva le maître de maison. Et pour mieux te préparer, après-demain, tu partiras pour Bèrèninba séjourner auprès de Fadiala, le doyen de notre clan.

Le jeune garçon lutta pour se rendormir. Il entendit le muezzin crier la prière. Aux lueurs de l'aube, son corps et son esprit cédèrent enfin à la fatigue. A son réveil, alors que les oiseaux gazouillaient et que les ménagères s'affairaient autour des chaudrons, il crut avoir un cauchemar. Il souleva son oreiller et vit une boule de plomb que seuls quatre doigts de poudre pouvaient propulser. Il raconta l'événement aux garçons de son âge, et chacun affirma avoir reçu, cette même nuit, la visite de son père.

Massa Makan Diabaté, *Comme une piqûre de guêpe,* éd. Présence Africaine.

Le poète TCHICAYA U TAM'SI est devenu nouvelliste (*La Main sèche,* 1980) et romancier (*Les Cancrelats,* 1980 ; *Les Méduses ou les Orties de mer,* 1982 ; *Les Phalènes,* 1984). La corrélation des trois titres des romans suggère un effet de trilogie (de fait, l'auteur avait songé à les réunir par un surtitre : « D'un monde à l'autre ») ; la variation sur un thème entomologique paraît annoncer un univers romanesque grouillant, nocturne, irritant ou vaguement inquiétant... *Les Cancrelats* et *Les Phalènes* déploient sur plus d'un demi-siècle, des années 1900 à la veille de l'indépendance, une chronique de la colonie du Moyen Congo : au centre, l'histoire de Thom'Ndundu et de ses enfants, Sophie et Prosper, et autour d'eux les temps qui changent, de l' « indigénat » à la loi-cadre et aux premières lueurs de l'indépendance, les hommes qui évoluent, et les « évolués » qui apprennent à « habiter en étranger leur propre peau ». *Les Méduses,* comme une parenthèse reliée aux deux autres romans par un jeu discret d'allusions plonge dans les mystères d'un fait divers : à Pointe-Noire, en juin 1944 deux morts violentes, un coma qui se prolonge, des rumeurs de sorcellerie... e

1. Lit fait de tiges végétales assemblées.

les craquements du système colonial. Les trois romans soulignent leur unité par un choix d'écriture ; tout se passe comme si la narration était prise en charge par une voix collective, au plus proche d'une conscience populaire : le récit n'impose pas de perspective unifiante, il colle à la pâte des événements, la chronologie parfois s'embrouille par le jeu des décrochements et des projections, les paroles rapportées et les monologues intérieurs, par l'effet du non-dit, des ellipses, des connivences qui échappent au lecteur, entourent les personnages de vastes zones d'ombre. Lourds d'implicite, ces romans rendent compte d'un monde où le surnaturel affleure à chaque instant. Quand chaque événement s'interprète à la lumière d'innombrables présages, le fantastique est quotidien. Plus que tout, la mort, obsédante, inacceptable, ne peut être supportée que si elle est rapportée à un responsable, que désignent les ordalies, le travail des devins ou la rumeur populaire. Attentifs à cette part nocturne de l'imaginaire africain, les romans de Tchicaya U Tam'si révèlent la profondeur des changements culturels dans une société sommée de réinterpréter le sens qu'elle donnait à la vie et au monde.

[C'était sa mère, qui était revenue]

Malila a rencontré chez Funzi sa voisine une vieille femme inconnue qui ressemblait à « une apparition de mauvais augure ». Elle rentre chez elle, croyant y retrouver son mari, Prosper qui s'était rendu à un « retrait de deuil ».

La lampe était posée sur la table. On avait remonté la mèche. La lampe brûlait. Malila demanda : « Tu es là ? Tu es là ? » Elle prit la lampe pour aller voir dans la chambre : « Tu es là ? » Un bruit de pas derrière elle la fit se retourner. Elle se retourna si brusquement qu'elle réveilla la douleur en elle. Mais au lieu d'être aiguë, elle lui ramollit tout d'un coup le corps. Sa vue se troubla. Elle vit dans le cadre de la porte, la vieille. La vieille qui était venue demander chez Funzi une braise, pour sa pipe. La vieille lui fit signe de poser la lampe et de la suivre. Malila obéit, posa la lampe sur la table. Puis elle fit deux pas pour suivre la vieille. Son corps lui parut très lourd à traîner, elle laissa son souffle suivre la vieille. Elle laissa tomber son corps ; elle laissa partir son souffle. C'est ainsi que Malila suivit la vieille. C'était sa mère, qui était revenue pour consoler sa fille ; au lieu de la consoler seulement, elle lui avait demandé de la suivre. C'est ce que le devin apprit plus tard à Prosper qui voulut savoir : pourquoi ? pourquoi ?

Le tonnerre grondait avec tant de hargne que Prosper pensa qu'il ferait mieux de rentrer, surtout qu'avec ça, Malila n'était pas venue le rejoindre. La pire des raisons qui pouvaient expliquer ce manquement de Malila effleura un moment Prosper qui enragea. Il s'aperçut que c'était peut-être à tort parce qu'il ne voyait pas qui pouvait tourner autour de Malila. Tout ce qu'il y avait d'hommes dans Diosso et qui pouvaient le salir auprès de sa femme, étaient là à ce retrait de deuil... Il hâta le pas, parce que le vent était de plus en plus frais et lourd. Il poussa la porte brusquement. La lampe brûlait sur un coin de la table. Prosper vit tout de suite le corps de Malila par terre. Un cri s'étouffa dans sa gorge. Une chauve-souris attirée par l'obscurité du dehors vint buter contre le visage de Prosper. Déséquilibré, Prosper s'effondra sur le cadavre de sa femme. Malila avait le ventre prodigieusement enflé. Un sang noir moussait autour de sa bouche ouverte. Ses yeux étaient retournés. Prosper, à quatre pattes, regardait, stupide, buté, morne.

Tchicaya U Tam'si, *Les Cancrelats,* éd. Albin Michel.

Baobab avec les Pangols, *Chérif Thiam*, 1974.

Dès l' « avertissement » de *La Vie et demie,* 1979, Sony Labou Tansi s'imposait par l'originalité et la souveraineté de son ton d'écrivain : « *La Vie et demie,* ça s'appelle écrire par étourderie. Oui. Moi qui vous parle de l'absurdité de l'absurde, moi qui inaugure l'absurdité du désespoir — d'où voulez-vous que je parle sinon du dehors ? A une époque où l'homme est plus que jamais résolu à tuer la vie, comment voulez-vous que je parle sinon en chair-mots-de-passe ? [...] j'écris pour qu'il fasse peur en moi. »

La critique a tout de suite souligné (et parfois réprouvé) l'exubérance du style et les références appuyées au roman latino-américain, particulièrement au Colombien Gabriel Garcia Marquez. Plus qu'une quelconque allégeance littéraire, il faut y voir le signe d'une insolente liberté d'écrivain. Sony Labou Tansi est décidé à prendre son bien partout où il le rencontre. Et son appétit est insatiable, comme le montrent sa boulimie d'écriture (déjà trois romans après *La Vie et demie : L'État honteux,* 1981 ; *L'Anté-peuple,* 1983 ; *Les Sept Solitudes de Lorsa Lopez,* 1985 ; des pièces de théâtre nombreuses ; des poèmes...), son goût pour une narration foisonnante, digressive, qui se perd dans des enchaînements à l'infini (héritage de l'oralité ?), sa voracité langagière (celle d'un collectionneur des mots des dictionnaires, mais aussi celle d'un fabricant de belles tropicalités verbales qui veut faire éclater le français « en essayant de lui prêter la luxuriance et le pétillement de notre tempérament tropical, les respirations haletantes de nos langues »).

On rit beaucoup en lisant les romans de Sony Labou Tansi : bonheur terrible de conjurer par le rire les délires d'une

Afrique livrée aux dictatures. Dans *La Vie et demie,* les générations de « Guides Providentiels » se heurtent à la résistance toujours renaissante de Chaïdana, la fille de celui qui n'a pas voulu « mourir cette mort » que lui infligeait la main même du dictateur. *L'État honteux* est ainsi résumé par le romancier lui-même : « Voici la vraie histoire de mon ex-colonel Martillimi Lopez, fils de Maman Nationale, commandant de sa hernie, la vraie histoire telle que se la racontent les gens de chez moi avec leur salive et leur goût du mythe, feu Lopez qui maintenant endort sa hernie historique au musée national pour l'éternité des éternités. » *L'Anté-peuple* conduit son héros, Dadou, « citoyen » zaïrois exemplaire, directeur d'École normale, séduit par une de ses belles élèves, d'abord dans les prisons de son pays, puis de l'autre côté du fleuve, dans les maquis contre-révolutionnaires du pays voisin : dans les deux États, malgré l'opposition radicale de leurs régimes, Dadou découvre la même « mocherie ». La fable contée dans *Les Sept Solitudes de Lorsa Lopez* (la rivalité de deux villes, Valancia, sur la côte, l'ancienne capitale, « décapitalisée » au profit de la moderne Nsanga-Norda) doit se lire à la lumière d'un amer constat placé en exergue au roman : « On a toujours pensé que l'Afrique était la civilisation de la parole. Je constate tout le contraire : nous sommes vraiment la civilisation du silence. Un silence métissé. »

En application d'un principe cher à Raymond Queneau (« Y a pas que la rigolade »), les romans de Sony Labou Tansi suscitent aussi la réflexion. Par exemple, avec Dadou, végétant dans sa prison, on s'accroche aux plus humbles vérités : « Tant qu'on respire, on est vivant. » Là-dessus, la pensée s'emballe, s'enhardissant jusqu'au vertige de la lucidité : « On est en prison parce que d'autres, là-bas, boivent et dorment les femmes, parce que, là-bas, chantent les plats et les chansons. On est en prison, simplement parce que, là-bas, des gens parlent de foot-ball. Et il faut bien qu'ils parlent. Sinon le monde s'arrêterait. Pour qu'ils parlent en paix, d'autres gens doivent être sur la natte, en prison, écrasés. Mais il n'y a pas d'écrasants. Il n'y a pas d'écraseurs. »

Seul le rire permet de regarder en face les vérités découvertes sur l'Afrique (sur la vie). Faut-il conclure au pessimisme, parce qu'on affiche ce fort sentiment de l'absurde ? Sony Labou Tansi le récuse : « J'écris pour être vivant, pour le demeurer. » La liberté du rire et le plaisir d'une écriture baroque lui donnent l'assurance de défier l'universelle « mocherie » : « Je sais que je mourrai vivant. »

[Une fille pleine de vitamines]

Le dictateur de Nsanga-Norda a interdit de célébrer le centenaire de la ville de Valancia.

Puis il ne se passa rien à Valancia pendant onze mois, ni grande joie, ni grand deuil, ni visite, ni départ, ni rien du tout, jusqu'à ce matin de malheur, la veille du jeudi où Lorsa Lopez devait la tuer. Pendant que l'irréductible Estina Bronzario et les femmes, par pure et simple tête dure, s'activaient à organiser le centenaire interdit par les autorités, la terre avait crié.

« Presque chanté », disaient les gens.

— Comme si elle avait eu des douleurs d'enfantement, expliqua Fartamio Andra aux femmes qui s'activaient à cuisiner les plats du centenaire défendu.

— Et je crois que Baltayonsa criait plus fort que l'île de Jésus.

— Que fais-tu Estina Bronzario ? était venu s'indigner le maire.

— Il n'y a plus d'hommes dans ce pays, je fais fonctionner les femmes, lui avait répondu Estina Bronzario.

Elles avaient barricadé la route du bayou et celle qui longeait le bosquet du côté du lac. Elles avaient stocké force liqueurs dans le hangar construit lors du dernier centenaire par la grand-mère d'Estina Bronzario. Elles avaient apporté les grosses marmites qui depuis deux jours n'avaient cessé de mijoter en dégageant leurs haleines domestiques et qui faisaient voir de temps à autre leurs revêtements d'oignons, d'ails et d'herbes de Nsanga-Norda... Chapelets de saucisses, buissons de méchouis, collines de grillades, cuvettes de soupes, sauces fleuries, sauces mandella, sauces piquet, sauces lantanni, sauces azanio, noix d'Hélène, lois de la Côte, sablons de macaque, ruptures de foie, laits de bronze, gâteaux gigantesques de la taille d'une hutte de pêcheur, misalas aux herbes... Tout le quartier du Bayou respirait la cuisson et les vins. De longues files de marmots promenaient leur famine par là en répétant ce qu'on a toujours répété chez nous dans ce cas : « Le nez veut manger mais le nez n'a pas de mains. » Les gorges attendaient. Les estomacs étaient prêts. Là-bas, au quartier du Tourniquet, d'autres femmes s'activaient à coudre les crinolines de danse et les costumes de carnaval. Un autre groupe de femmes s'entraînait au chahut et à la rumba du côté de la gare. Estina Bronzario allait des cuisines aux ateliers de couture, arborant son sourire de nacre et son auguste stature de bronze, princesse vieillissante, mais belle encore, belle de cette beauté dure à cuire qui soulève le couvercle de l'âge, belle du geste et de la voix, avec, dans le chancellement des traits, le prétexte ultime de cette parfaite harmonie cuite dans la force du cœur et l'entêtement de l'âme. Et, au coin de chaque partie du corps, la tendre mémoire de l'âge où elle dansait le chahut de Nsanga-Norda et enfermait les hommes dans la virtuosité de sa chair. « Une fille pleine de vitamines cette Estina Bronzario », disaient les gens.

Sony Labou Tansi, *Les Sept Solitudes de Lorsa Lopez,* éd. du Seuil.

L'allégresse d'écriture et la maîtrise d'une langue bricolée à plaisir témoignent que les écrivains africains des années 80 abandonnent la rhétorique appliquée et les thèmes obligatoires où se plaisaient beaucoup de leurs aînés. Les temps arrivent d'une **liberté** (de sujet, de regard, de ton) **revendiquée et assumée.** Ce mouvement est encore plus sensible dans des textes au statut indécis, échappant aux genres littéraires canoniques.

Ainsi l'essai subtil de Catherine N'Diaye (*Gens de sable,* 1984) qui, à la manière du Roland Barthes de *Mythologies,* se propose de regarder la vie sénégalaise « sous l'angle esthétique ».

Choix bibliographique :

Jacques Chevrier, *Littérature nègre* (seconde édition), Armand Colin, 1984.

Robert Cornevin, *Le Théâtre en Afrique noire,* Le Livre africain, 1970.

Robert Cornevin, *Littératures d'Afrique noire d'expression française,* P.U.F., 1976.

Michel Hausser, *Essai sur la poétique de la négritude,* Atel. Reprod. Thèses, Lille, 1982.

Mohammadou Kane, *Roman africain et Tradition,* N.E.A., 1982.

Lilyan Kesteloot, *Les Écrivains noirs de langue française : naissance d'une littérature,* Université libre de Bruxelles, 1975.

Bernard Mouralis, *Littérature et Développement,* Karthala.

Pius Ngandu-Nkashama, *La Littérature africaine écrite,* éd. Saint-Paul, 1979.

Chapitre 2

Madagascar

En 1948, l'*Anthologie de la nouvelle poésie nègre et malgache de langue française* de Léopold Sédar Senghor accorde à Madagascar une place importante (aussi importante qu'à toute l'Afrique noire). La grande île, qui est encore sous le choc du soulèvement de 1947, de la terrible répression et des dizaines de milliers de morts qui en résultèrent, apparaît alors comme une figure exemplaire du refus du système colonial. Jacques Rabemananjara, l'un des trois poètes cités, est d'ailleurs en prison, sous l'accusation d'avoir été l'un des initiateurs de l'insurrection. La triade poétique présentée par Senghor (Jean-Joseph Rabearivelo et Flavien Ranaivo accompagnent Rabemananjara) va donc être considérée comme représentative du mouvement de la négritude.

Pourtant l'auteur de l'*Anthologie* est conscient de l'ambiguïté d'une telle classification. Certes l'inspiration militante transparaît dans les poèmes de Jacques Rabemananjara (il a d'ailleurs été associé de très près, dans l'immédiat après-guerre, au projet de la revue *Présence Africaine*). Mais les textes de Rabearivelo et de Ranaivo (et les notices de Senghor y insistent) donnent l'impression de traductions, comme s'ils étaient la transcription en français de formes empruntées à la tradition orale malgache. Il reste que ces poèmes malgaches visent en priorité un lecteur français. S'ils interviennent dans l'urgence de la situation coloniale, ils interpellent, prennent à témoin, mettent en accusation. S'ils prolongent les formes poétiques traditionnelles, ils cherchent à séduire en mettant en valeur la culture malgache ancienne.

En dehors des trois poètes révélés par Senghor, il n'y a guère d'auteurs malgaches qui aient obtenu, ni même cherché une consécration littéraire par des œuvres écrites en français. Ce n'est pas faute de talent, ni par ostracisme de la pratique littéraire. Mais le français n'est pas apparu comme le véhicule obligé de l'activité littéraire moderne. Ce qui tient aux particularités de la situation culturelle malgache.

En effet, malgré la diversité de ses types humains, malgré aussi d'importantes variations dialectales, Madagascar présente une très forte unité linguistique. Le malgache, qui est une langue classée dans la famille malayo-polynésienne, est écrit depuis plusieurs siècles, d'abord avec un alphabet d'origine arabe, supplanté au début du XIXe siècle par un alphabet

Anciens tombeaux vézo près de Morondava.

latin. L'orthographe a été unifiée par un décret du roi Radama Ier en 1823. Grâce à la traduction de la Bible, à la diffusion de textes par l'imprimerie, aux progrès de la scolarisation tout au long du XIXe siècle et à la création d'une presse malgache (dès 1866 avec le *Teny Soa*), un malgache classique s'est fixé. A la fin du siècle dernier, il existe un corpus abondant de textes écrits en malgache : mémoires, ouvrages d'érudition, textes religieux, traditions orales que l'on veut sauver de l'oubli... et aussi quelques essais littéraires modernes (des poèmes notamment, qui introduisent en malgache, à l'imitation des cantiques chantés au temple, le principe poétique de la rime). La colonisation française (1895-1960) s'est efforcée d'imposer le français comme grande langue de culture et de réduire la place du malgache dans son propre pays. L'activité littéraire en malgache est donc facilement devenue une forme de résistance nationale. C'est ce qui explique le succès auprès d'un large public de Ny Avana Ramanantoanina (exilé en 1916 par la répression du « complot » de la V.V.S. [1]) ou, plus récemment, de Dox, deux poètes dont le lyrisme élégiaque, discrètement allusif, se prête à de multiples interprétations. Des genres très populaires (le roman édifiant, le vaudeville...) ont contribué à façonner les réponses de la société malgache à la colonisation et à l'occidentalisation des mœurs.

Cependant, entre les deux guerres, des cercles littéraires se forment autour de quelques coloniaux épris de belles-lettres : Pierre Camo, magistrat et poète « fantaisiste » et, plus tard, Octave Mannoni, le futur psychanalyste. On publie des revues en français : *18° Latitude Sud, Capricorne, Du côté de chez Rakoto,* sans oublier l'officielle *Revue de Madagascar,* qui ouvre parfois ses colonnes à des textes littéraires. Si la plupart de ces publications se contentent de porter sur Madagascar un regard étranger, exotique, colonial, il faut noter des tentatives pour nouer des contacts intellectuels avec les îles voisines (en particulier avec le poète mauricien Robert-Edward Hart) et pour donner la parole à de jeunes Malgaches s'essayant à écrire en français (ainsi Jean-Joseph Rabearivelo). Les textes français d'auteurs malgaches sont presque tous des traductions de formes littéraires traditionnelles. Le jeune écrivain malgache de langue française ne saurait se concevoir alors que comme un « passeur ».

Le hain teny

Or il existe dans la tradition malgache un genre littéraire, le *hain teny,* qui a depuis longtemps suscité l'intérêt fasciné des étrangers. D'abord des missionnaires, effarouchés d'y découvrir l'omniprésence d'une sexualité tranquille : ils s'empressèrent de le censurer, voire de l'interdire. Puis de JEAN PAULHAN, lors de son séjour à Madagascar entre 1908 et 1910. Professeur au collège de Tananarive, celui-ci se vit reprocher par ses supérieurs administratifs « de négliger par trop ses devoirs professionnels pour ne plus s'occuper que d'études malgaches ». Jean Paulhan en effet apprit le malgache, recueillit documents et traditions destinés à nourrir une thèse sur les proverbes malgaches (il y travailla jusqu'en 1936), devint capable d'improviser en *hain teny.* Il publia en 1913, à l'in-

1. Une des premières tentatives malgaches pour se soulever contre la colonisation.

tention du public savant des malgachisants, *Les Hain teny merina : Poésies populaires malgaches recueillies et traduites par Jean Paulhan,* puis en 1939, pour un plus large public, une version remaniée de son étude, sans le texte malgache des poèmes, et sous un titre francisé par le s du pluriel : *Les Hain tenys.* Des lecteurs pressés suspectèrent Paulhan d'avoir inventé le *hain teny* et d'avoir forgé ces poèmes énigmatiques. Mais d'autres lecteurs (les poètes Apollinaire, Max Jacob et surtout Paul Éluard) furent plus attentifs.

Le nom même de *hain teny* fait problème. On pourrait le traduire par « science du langage » ou mieux par « science et pouvoir des mots ». En fait, le *hain teny* appartient à cette forme élémentaire, universelle, peut-être fondatrice de la poésie, qu'est le **chant alterné :** poème qui se développe par les parallélismes, les oppositions, les renversements de deux voix s'affrontant. Les *hain teny* sont improvisés par deux récitants rivaux, à tour de rôle, au cours d'une joute poétique. Ce sont des poèmes d'amour, ou, plus exactement, de querelle amoureuse : ils mettent en scène les avances du désir, les esquives de la coquetterie, les désenchantements, les tromperies, les ruptures... Jean Paulhan a montré que l'obscurité de ces poèmes tenait à la subtilité de leur organisation : ils sont comme une marqueterie d'éléments préexistants (proverbes, simili-proverbes, images frappantes) que chaque improvisateur réagence pour les opposer à son adversaire poétique. C'est la teneur en proverbes d'un *hain teny* qui fait sa force et permet à l'un des rivaux de l'emporter. Autrefois, les joutes de *hain teny* pouvaient servir à régler de véritables conflits d'intérêt. Un créancier avec un débiteur récalcitrant, un malade mécontent de son guérisseur, deux paysans en discussion sur les limites d'un champ mimaient leur propre débat en prenant, par *hain teny* interposés, les rôles d'une querelle amoureuse. Le litige était tranché en faveur du meilleur poète.

Les travaux de Jean Paulhan ont redonné dignité et audience au *hain teny,* un peu méprisé par les lettrés malgaches du début du siècle. Collectes et traductions se sont multipliées. Des poètes comme Jean-Joseph Rabearivelo ou Flavien Ranaivo ont constitué leur propre art poétique dans une réflexion sur le *hain teny,* Ranaivo en jouant sur la transposition des images du malgache au français, Rabearivelo en exploitant la polysémie d'un genre où le sens est flottant, en attente des situations où il sera actualisé.

Le *hain teny* est revenu au premier plan de la réflexion littéraire malgache avec la découverte et la publication par Bakoly Domenichini-Ramiaramanana, en 1968, de précieux manuscrits datant du milieu du XIXe siècle et contenant des *hain teny* soigneusement notés par des familiers de la reine Ranavalona Ière ; et surtout avec la parution, en 1983, de la thèse universitaire de la même chercheuse : *Du ohabolana au hain teny : langue, littérature et politique à Madagascar.* En fait, ce gros livre n'a rien de la raideur ni de la pesanteur des thèses encyclopédiques. C'est davantage une autobiographie intellectuelle empruntant au *hain teny* son art des glissements, des retournements, des déplacements de perspective. Guidée d'abord par Jean Paulhan, l'auteur y conte sa découverte du *hain teny :* elle le dégage des falsifications qui l'ont altéré ; elle met en valeur ses métamorphoses et sa polysémie. « Archéologue du langage » elle montre comment l'infinie prolifération du *hain teny* a empilé dans les plis des mots les souvenirs des temps très anciens : traditions royales, grands rituels des premiers temps, religion solaire, culte des arbres... L'analyse du *hain teny* devient quête initiatique des origines. Elle révèle la liaison intime, originelle, du *hain teny* et du sacré... La thèse de Bakoly Domenichini-Ramiaramanana ne s'adresse pas aux seuls malgachisants érudits. C'est une œuvre de piété et d'émotion, digne des *Immémoriaux* de Victor Segalen, dont elle prolonge la volonté de faire revivre les temps oubliés

[Un hain teny]

La version malgache de ce *hain teny* est celle recueillie et établie par Bakoly Domenichini-Ramiaramanana sur le manuscrit de l'époque de Ranavalona Ière (1828-1861). Le texte malgache est suivi de quatre transpositions en français.

Midona ny any Ankaratra
Vaky tsipelana ny any Anjafy
Mitomany Zanaboromanga
Mitokaka Ratsimatahotody
Raha todim-paty koa aza manody
Fa raha todim-pitia manodiava

Hainteny d'autrefois, éd. Librairie Mixte, Tananarive.

La pluie tonne en Ankaratra
L'orchidée fleurit à Anjafy
Il est dur d'oublier tout d'un coup,
Il est aisé d'oublier peu à peu.
Elle pleure, La-fille-de-l'oiseau-bleu
Il rit, Celui-qui-ne-craint-pas-le-retour.
Retour de mort, ne retournez pas
Mais retour d'amour, retournez.

Jean Paulhan, *Les Hain-tenys,* éd. Gallimard.

— Un seul coup de tonnerre dans l'Ankaratra, et les orchidées d'Anjafy fleurissent, et pleure et pleure la Fille-de-l'Oiseau-bleu, et ricane et ricane Celui-qui-ne-craint-pas-le-Châtiment-du-mal !
— Châtiment de meurtre ? qu'il y soit sursis ! Châtiment d'amour ? qu'il soit appliqué !
— Si c'est un voile de tête qui ne sache faire ressortir la beauté, si c'est une façon de se draper qu'on ne puisse porter publiquement, allez donc rentrer chez vous : la nuit tombera avant l'heure !

Jean-Joseph Rabearivelo, *Vieilles Chansons des pays d'Imerina,* Revue de Madagascar.

Il tonne,
il tonne dans les monts d'Ankaratra.
Et fleurissent,
fleurissent les orangers d'Anjafy.
Elle pleure,
elle pleure la-fille-de-l'oiseau-bleu,
et ricane,
ricane celui-qui-ne-craint-pas-le-châtiment-en-retour.
Si châtiment de mort,
qu'il y soit sursis ;
si châtiment d'amour,
qu'il soit appliqué.

Flavien Ranaivo, *Hain-teny,* éd. Publications Orientalistes de France.

Que gronde l'orage au Mont-des-Immortels
Au Pays-des-Enfants fleurit l'orchidée

Éclatent les pleurs de Jeune-Tourterelle
Éclatent les rires de Ne-craint-le-retour

Ne soit pour le deuil aucun juste retour
Mais soit pour l'amour la justice accordée

Bakoly Domenichini-Ramiaramanana, *Colloque sur la traduction poétique,* éd. Gallimard.

On aura constaté que la traduction de Jean-Joseph Rabearivelo se fonde sur un texte malgache présentant une variante notable.

En suivant une analyse de Bakoly Domenichini-Ramiaramanana (« Les Traductions poétiques des *hain teny* », dans *Colloque sur la traduction poétique,* Gallimard, 1978), on peut repérer comment le *hain teny* empile les strates de signification. Le coup de tonnerre dans l'Ankaratra évoque un paysage géographique très précis : les montagnes qui barrent l'horizon au sud de Tananarive et que la brume recouvre souvent d'un voile bleuté. Mais c'est aussi un paysage mythologique : on tient l'Ankaratra pour le séjour des esprits, des dieux et des princes de légende. S'ajoute une référence à un rite de la vie traditionnelle : le *famoizana* (ou renoncement), célébré à la veille de l'année nouvelle, quand une dernière fois l'on pleurait les morts de l'année, dont le coup de tonnerre solitaire de l'Ankaratra faisait, croyait-on, résonner un dernier appel. Ce jour du changement de l'année était aussi le moment où les époux séparés pouvaient se retrouver... pour un ultime « retour d'amour ». On peut encore deviner une allusion d'ordre politico-historique : l'Ankaratra figure métonymiquement les populations qui habitent ses abords — le groupe des Merina et des Vakinankaratra —, et l'Anjafy représente les Sihanaka, population dissidente d'origine merina. Le poème rappelle ainsi un moment essentiel de l'histoire malgache (le *hain teny* est mémoire collective...). L'interprétation, la citation de ce poème dans une situation donnée permet d'actualiser telle ou telle de ces valeurs..., ce que fait pour son compte chacune des traductions.

De Jean-Joseph Rabearivelo à Flavien Ranaivo

Sa mort volontaire, en 1937, a fixé Jean-Joseph Rabearivelo dans son destin de suicidé de la société coloniale. Il est devenu l'archétype de l'écrivain empêché.

Cette mort avait été préparée dès longtemps ; elle a été mise en scène amoureusement. La famille éloignée, Rabearivelo est resté seul avec les livres de ses poètes préférés. Il a voulu, par la littérature, savourer les derniers instants, l'effet du poison, le lent glissement dans la mort. Il compose un ultime poème (« Le Bruit, le Bruit humain — vaines rumeurs de coquillages/pour les marins endormis du sommeil de la terre ! »). Jusqu'au dernier moment, il tient le journal de sa mort...

Cette mort tranche le nœud des difficultés et des contradictions où se débattait le poète depuis plusieurs années : maladie, pauvreté matérielle, déboires sentimentaux, mort jamais surmontée de Voahangy, sa fille bien-aimée, impossibilité de s'insérer dans la société coloniale (il se voit refuser les modestes emplois administratifs auxquels il postulait), affronts infligés par l'administration coloniale, difficultés psychologiques à vivre sa double personnalité, malgache et française... Préparé par une morbidité précieusement cultivée, le suicide accomplit et unifie la personnalité éclatée du poète. Rabearivelo meurt pour devenir un poète maudit et pour devenir un ancêtre. Il rejoint dans la mort Baudelaire, dont il a disposé le portrait face à son lit de mort, et tous les poètes maudits qu'évoque son dernier poème. Si les poètes maudits attendent de la postérité la consécration refusée de leur vivant Rabearivelo, en devenant l'un d'eux prend une revanche contre la société coloniale : il prend place, malgré elle, au panthéon des glorieux réprouvés. Mais i meurt aussi pour rejoindre Voahangy (les derniers mots sur la dernière page du *Journal :* « Fermer les yeux pour voir Voahangy »). Il meurt pour trouver sa place dans la lignée des ancêtres.

Les premiers recueils de Rabearivelo *(La Coupe de cendres,* 1924 ; *Sylves,* 1927 ; *Volumes,* 1928*),* fortement dépendants d'une esthétique symboliste, disaient jusqu'à l'obsession le désir de mort. Le poète restait prisonnier de sentiments de dépossession, de déracinement, d'exil à soi-même. Des métaphores filées de poème en poème (le « roi découronné », les « arbres exilés ») exprimaient la perte de l'identité, la nostalgie d'une origine incertaine, le déchirement d'un être hybride, à la fois malgache et français, mais n'ayant nulle part sa place vraie.

A partir des années 30, Rabearivelo s'emploie à retrouver l'**identité malgache,** en renouant la communication avec les morts : il façonne sa propre voix sur la grande voix des ancêtres, et présente ses nouveaux recueils *(Presque Songes,* 1934 ; *Traduit de la nuit,* 1935*)* comme « traduits du hova par l'auteur ». Sa nouvelle poétique transfère en français les modes de fonctionnement de la poésie malgache (énigme, chanson, *hain teny*). Du *hain teny,* il retient surtout l'enchâssement et le miroitement des métaphores, le goût des retournements, la polysémie généralisée, le principe de variation sur un thème (il choisit celui de la nuit et de la naissance du jour, qu'il traite par des superpositions de métaphores : fleur de sang, éclosion de glaïeuls, ombre parturiante, vitrier nègre, lapidaire moribonde..., cette prolifération métaphorique ouvrant sur toutes les valeurs symboliques qu'on voudra leur prêter).

Déplacement des images et images de mobilité (le glissement de la nuit au jour, les moments crépusculaires...) désignent un malaise et une dualité. Malaise d'un être double, pour qui les choses et les mots s'échangent d'une langue à l'autre. Vertige des métaphores gouvernées par une poétique de la traduction.

[La peau de la vache noire]

La peau de la vache noire est tendue,
Tendue sans être mise à sécher,
Tendue dans l'ombre septuple.

Mais qui a abattu la vache noire,
Morte sans avoir mugi, morte sans avoir beuglé,
Morte sans avoir été poursuivie
Sur cette prairie fleurie d'étoiles ?
La voici qui gît dans la moitié du ciel.

Tendue est la peau
Sur la boîte de résonance du vent
Que sculptent les esprits du sommeil.

Et le tambour est prêt
Lorsque se couronnent de glaïeuls
Les cornes du veau délivré
Qui bondit
Et broute les herbes des collines.

Il y résonnera,
Et ses incantations deviendront rêves
Jusqu'au moment où la vache noire ressuscitera,
Blanche et rose,
Devant un fleuve de lumière.

Jean-Joseph Rabearivelo, *Traduit de la nuit,*
Imprimerie officielle, Tananarive.

C'est l'*Anthologie* de Senghor, en 1948, qui a fait connaître assez largement le nom et l'œuvre de Rabearivelo. La réédition des recueils majeurs, à Tananarive, en 1960, a imposé à Madagascar son image de poète national. Cependant cette œuvre reste très dispersée, difficilement accessible, en partie inédite. Le *Journal* que le poète a tenu de 1933 à sa mort et qui constitue un étonnant document littéraire et humain n'a pas été publié, sauf quelques extraits dans le *Mercure de France* du 15 septembre 1938. Rabearivelo reste encore une légende.

Condensée en quelques brèves plaquettes *(L'Ombre et le Vent,* 1947 ; *Mes chansons de toujours,* 1955 ; *Le Retour au bercail,* 1962 ; *Hain-teny,* 1975*),* l'œuvre de FLAVIEN RANAIVO continue l'entreprise poétique de Jean-Joseph Rabearivelo : pour lui aussi, il s'agit de transposer en français le génie poétique de la tradition malgache. De là sa préférence pour le poème-traduction ou pour le poème qui travaille des éléments fournis par la tradition. Il lui emprunte des procédés (accumulation d'images, parallélismes, ellipses, concrétions de mots à l'imitation des mots agglutinés de la langue malgache...) et une thématique (l'amour, bien sûr, et cette nostalgie sans raison, cette tristesse vague et lancinante qui s'accorde aux paysages de l'Imerina). Le charme de la poésie de Flavien Ranaivo tient peut-être à ce miroir qu'elle offre d'un peuple et de son paysage : retenue, pudeur, douceur laissant affleurer une secrète violence. Rien ne s'y dit directement. Au lecteur de savoir déchiffrer le subtil enchevêtrement des codes.

Six routes
partent du pied de l'arbre-voyageur :
la première conduit au village-de-l'oubli,
la seconde est un cul-de-sac,
la troisième n'est pas la bonne,
la quatrième a vu passer la chère-aimée
mais n'a pas gardé la trace de ses pas,
la cinquième
est pour celui que mord le regret,
et la dernière...
je ne sais si praticable.

Mes Chansons de toujours.

Tombeau Mahafaly, dans le sud de Madagascar.

Jacques Rabemananjara

La poésie de Jacques Rabemananjara est née de l'urgence des événements. Elle proclame l'innocence d'un homme et d'un peuple soulevés contre la dépendance coloniale. Elle a été la réponse à l'oppression, à la torture, à la prison. Il a lui-même raconté comment il avait écrit le long poème *Antsa* comme un testament, après qu'on lui eut annoncé qu'il serait exécuté dans les deux jours. Caché sous un matelas dans la cellule du poète, découvert par un gardien, le poème put finalement être transmis à des amis et publié en France en 1948. Ont été aussi écrits en prison un autre long poème, *Lamba* (publié en 1956) et le recueil *Antidote* (1961). Ces poèmes crient la souffrance et la révolte, exaltent la liberté à venir : poésie militante, dont l'énergie et la violence verbale peuvent rappeler Aimé Césaire... *Antsa* emprunte son titre à un mot malgache signifiant « hymne » : c'est une invocation à Madagascar ; mais l'invocation glisse à l'évocation, au sens magique du mot, et le rituel poétique vise à susciter dans la cellule du poète-prisonnier la présence sensible de l'île natale et l'expérience de la liberté retrouvée. *Lamba* (le titre désigne le vêtement national, sorte de toge, dont le port est fortement valorisé comme signe d'appartenance à la communauté malgache) est un poème d'amour, d'autant plus ardent qu'écrit dans la solitude carcérale : une même figure mythique y unifie l'image érotisée de l'île et celle de la femme malgache. Tous ces poèmes de prison recherchent une équivalence entre la vibration forcenée des mots dans l'écriture poétique et les rituels éprouvés de la vieille civilisation malgache (sacrifices, danses et transes...).

Libéré en 1956, mais astreint à résidence en France, Jacques Rabemananjara est devenu dans ses essais et ses conférences le porte-parole des idées nationalistes malgaches *(Nationalisme et Problèmes malgaches,* 1959*)*. En 1960, il rentre à Madagascar, quand l'île retrouve son indépendance. Il y fait carrière politique : député, ministre, puis vice-président de la République. Mais il quitte son pays en 1972 après la chute du régime du président Tsiranana. Depuis lors, il consacre une grande partie de son activité aux éditions Présence Africaine.

La publication de ses *Œuvres complètes (Poésie)* en 1978 a permis de prendre la mesure de son œuvre et a rendu sensible une remarquable constance thématique. D'une œuvre à l'autre, on retrouve la nostalgie de l'origine, le désir de revenir à l'innocence primordiale : une expérience privilégiée y conduit, à la fois étreinte amoureuse, épreuve rituelle ou ordalie, naissance initiatique... Dans *Antsa,* le poème culmine avec la « délivrance » de l'île, libération et accouchement : « Les survivants de l'Histoire, / les témoins des âges bleus / renaissent dans leur jeunesse : / Liberté ! » Dans *Lamba,* tout le poème conduit au surgissement d'un continent fabuleux, la Lémurie, enfantée par le rêve du poète : « Voici, voici rompant l'opacité des eaux, / rompant du blanc chaos l'accablement d'apocalypse et de granit / resurgir, ô prodige, avec ton port de tête et l'anse de tes hanches, / belle suprêmement de ta beauté impaire, / la fabuleuse Lémurie ! / La Lémurie où gît tout l'os de notre énigme ! / La Lémurie des dieux rieurs et des talismans forts de fuchsines fulminatoires ! »

L'interrogation sur les origines s'amplifie avec la tentative théâtrale des *Boutriers de l'aurore* (1957), qui dramatise les états d'âme des premiers Malgaches débarquant sur la côte Est, dans la baie d'Antongil : malaise spirituel et physique d'un groupe d'hommes dépaysés et fascinés par une terre inconnue et déserte, submergés et possédés par les mystères de l'île neuve. Les poèmes hiératiques et secrets de *Rites millénaires* (1955), où se dessine l'influence du romantisme allemand, se proposent de retrouver, par l'épreuve de l'amour, l'harmonie des origines. Recherche analogue, aussi bien en 1948 dans *Lyre à sept cordes* (ample poème paru dans l'*Anthologie* de Senghor) qu'en 1972 dans *Les Ordalies* (le désir de sacraliser la forme poétique a imposé au recueil le choix malheureux et désuet du sonnet en alexandrins). Dans ces deux textes, le poète présente le pays natal à la femme qu'il aime et qui est étrangère. Il l'introduit au royaume secret des ancêtres. Subissant l'épreuve des rites, le couple franchit l'interdit et triomphe des épreuves imposées, revivant alors « ces instants proches de la naissance du monde ». Cette rêverie des origines donne de Madagascar l'image d'un lieu sacré, où le moindre paysage s'illumine d'une présence divine : il n'est pas de pays où l'on soit plus proche du paradis.

[Là-bas, tout est légende]

Le poète, exilé en France, présente son pays à la femme qu'il aime.

Là-bas, tout est légende et tout est féerie. Et l'azur
s'anime d'un cristal au ton mythologique.
Douce, la vie est douce à l'ombre du vieux mur
qui vit nos grands Aïeux, Conducteurs de tribus, Fondateurs de royaumes
parés de leur jeunesse épique,
parés de pagnes bigarrés,
parés de gloire et de clarté comme les astres du Tropique.

Là-bas, c'est le soleil ! C'est le bel été, caressant et tragique !
C'est l'homme au cœur plus vrai que l'acier le plus pur !
Et c'est la race enfant, chantante et pacifique,
pour avoir vu le jour aux bords harmonieux du Pacifique.
Et sur la natte neuve, au milieu des encens et de rares parfums,
ma mère t'apprendra le saint culte des Morts, la prière aux défunts.
Et t'apprendront mes sœurs, après le bain du soir et les rondes mystiques,
mes sœurs, Vierges d'Assoumboule [1] et Filles de devins,
t'apprendront le secret des paroles magiques
pour envoûter les cœurs des princes nostalgiques.

Et tu l'aimeras, mon pays,
mon pays où le moindre bois s'illumine de prestiges divins !
Et les montagnes et les lacs et les remparts et les ravins.
Un fût de pierre sur la route, un fût de pierre, tout est sacré,
  tout porte l'empreinte
encore vive des pèlerins captifs du Paradis.

1. Forme francisée du malgache *asombolo,* sixième mois de l'année malgache, correspondant au signe de la Vierge, symbole de beauté et de liberté.

Rite du « retournement des morts ».

Là-bas, rien n'est stérile et le tombeau lui-même, à l'angle de l'Enceinte,
engendre des bonheurs chaque jour inédits,
nouveaux comme l'aurore et, comme le désir, sans cesse renaissants et toujours agrandis !

Et puis, quand on a bu l'eau du Manangarèze [1],
qu'était-ce du Léthé le sortilège vain ?
Montparnasse et Paris, l'Europe et ses tourments sans fin
nous hanteront parfois comme des souvenirs ou comme des malaises.
Aux derniers cris des Continents,
insensibles nos cœurs renés à la ferveur des hautes solitudes,
ivres de songes seuls, double offrande lyrique au vent des Altitudes
et gardiens de la source où rutile la paix des Astres éminents.

Jacques Rabemananjara, *Lyre à sept cordes*,
« Anthologie de la nouvelle poésie nègre et malgache de langue française », L.S. Senghor, éd. P.U.F.

La période d'intense malgachisation qui a suivi le changement de régime en 1973 n'a pas été favorable à une pratique littéraire en français. Pourtant le français n'a pas été totalement rejeté, comme on l'a dit parfois un peu vite. De jeunes auteurs ont continué à l'utiliser pour une activité littéraire plus ou moins confidentielle. En tout cas, la participation d'auteurs malgaches aux concours interafricains de théâtre radiophonique et de nouvelles est restée régulière et abondante. La publication d'un recueil de nouvelles de Michèle Rakotoson *(Dadabé,* 1984*)*, qui a retenu l'attention des lecteurs à Madagascar, pourrait annoncer le réveil d'une littérature malgache en français.

1. Fleuve de la côte Est de Madagascar. Un proverbe prétend que celui qui a bu de son eau revient toujours en boire à nouveau.

Choix bibliographique :

Bakoly Domenichini-Ramiaramanana, « Littérature malgache », in *Encyclopaedia Universalis,* vol. 10.

Cahiers Jean Paulhan, n° 2 (1982) : « Jean Paulhan et Madagascar ».

Robert Boudry, *Jean-Joseph Rabearivelo et la mort,* Présence Africaine, 1958.

Mukala Kadima-Nzuji, *Jacques Rabemananjara,* Présence Africaine, 1981.

Eau-forte de Picasso pour Corps perdu *de A. Césaire.* ▶

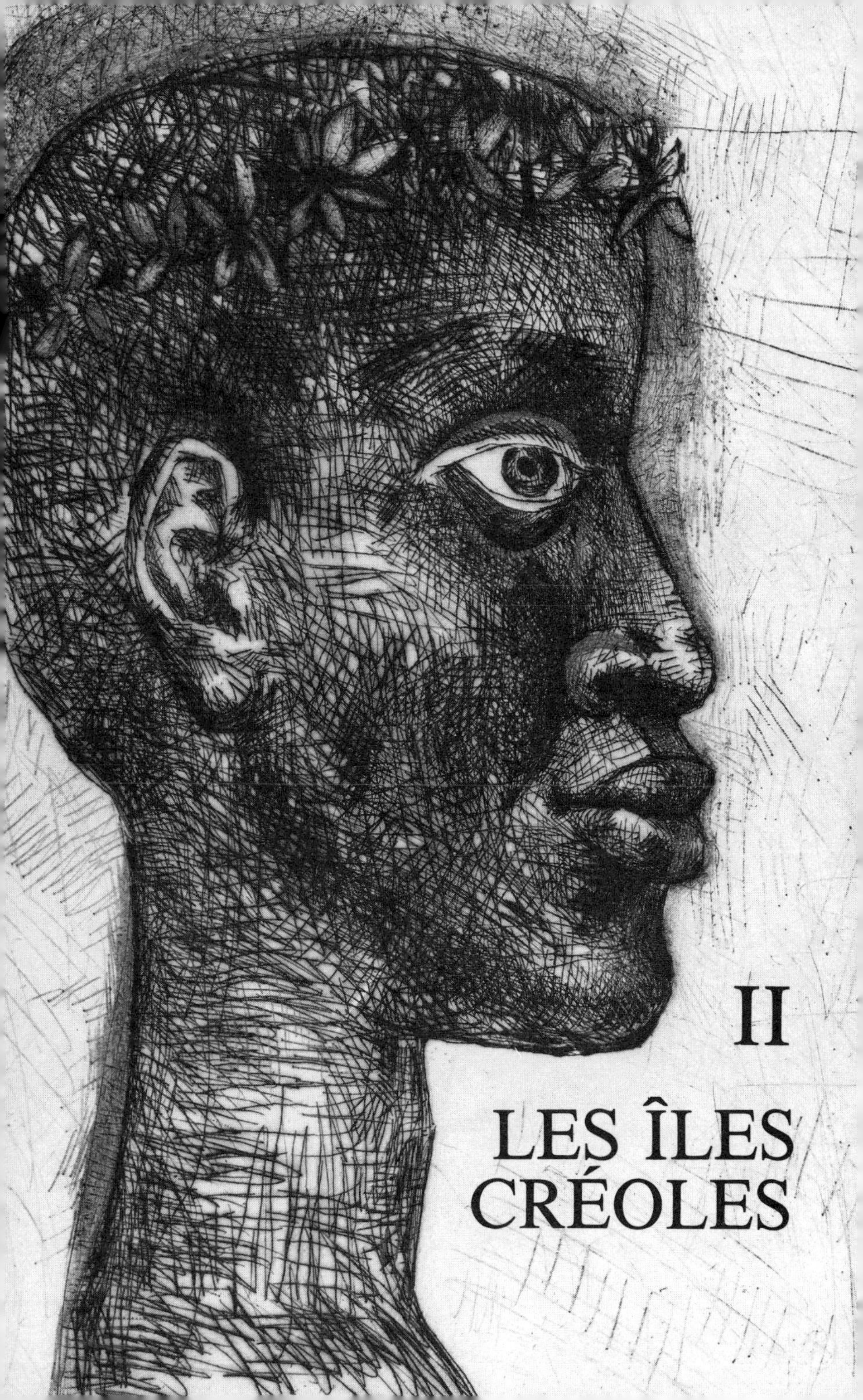
II
LES ÎLES
CRÉOLES

Chapitre 3

Antilles et Guyane

‌imé Césaire et la négritude antillaise

A la fin et au lendemain de la Seconde ;uerre mondiale, les Antilles françaises nt vécu une profonde mutation psycho- ɔgique, que Frantz Fanon analysait dès 955 : «... l'Antillais, après 1945, a hangé ses valeurs. Alors qu'avant 1939 avait les yeux fixés sur l'Europe lanche, alors que pour lui le bien était 'évasion hors de sa couleur, il se écouvre en 1945 non seulement un noir, ıais un nègre... » Ce bouleversement du aysage mental en Guadeloupe et Mar- inique, précipité par les circonstances de guerre, doit beaucoup à l'influence xercée sur la jeunesse antillaise par la ersonnalité et les idées d'Aimé Césaire.)e retour au pays natal en 1939 pour tre nommé professeur — un professeur couté et admiré — au lycée Schœlcher e Fort-de-France, fondateur avec sa emme et quelques amis d'une revue, *'ropiques,* où, de 1941 à 1945, se mani- este un esprit de liberté et de résistance ulturelle (la présentation de la revue nnonçait : « Nous sommes de ceux qui isent *non* à l'ombre »), Césaire a peu à peu diffusé et imposé les thèmes rassemblés sous la notion de **négritude,** et d'abord ce mot d'ordre joyeusement provocateur dans une société coloniale : « Il est beau et bon et légitime d'être nègre. » Son élection, en 1945, à la mairie de Fort-de-France ainsi qu'à la députation à l'Assemblée nationale témoigne du rayonnement de ces idées neuves aux Antilles. Dans les années suivantes, les premières publications en volumes de ses textes littéraires consacrent son audience de poète : le *Cahier d'un retour au pays natal,* paru sans grand retentissement en 1939 dans la revue parisienne *Volontés,* est repris en 1947 à New York, avec une traduction anglaise et une préface d'André Breton, puis à Paris aux éditions Bordas, tandis qu'en 1946 Gallimard avait recueilli *Les Armes miraculeuses,* c'est-à-dire les poèmes « surréalistes » antérieurement parus dans *Tropiques.*

Avec le recul du temps, l'entrée d'Aimé Césaire dans la vie littéraire apparaît bien comme une **rupture fon-**

datrice : il inaugure une littérature proprement antillaise. « Avant Césaire, la littérature antillaise est une littérature d'Européens » (Frantz Fanon). De fait, les premiers littérateurs antillais ont été des colons blancs (des *békés,* comme on dit à la Martinique), dont les poèmes et romans exaltent ou regrettent l'art de vivre de la vieille société esclavagiste : Saintleger Leger (Saint-John Perse) donne avec *Éloges* en 1911 le chef-d'œuvre de la poésie coloniale. Ils ont été suivis par des hommes de couleur qui adoptent avec une avide docilité les normes les plus académiques de la littérature métropolitaine : **littérature d'assimilation** et de décalcomanie que stigmatise l'unique numéro d'une revue, *Légitime Défense,* lancée en 1932 comme un brûlot par quelques jeunes Martiniquais en colère (Étienne Léro, René Ménil, Jules Monnerot). « L'Antillais, bourré à craquer de morale blanche, de culture blanche, de préjugés blancs, étale dans ses plaquettes l'image boursouflée de lui-même. D'être un bon décalque d'homme pâle lui tient lieu de raison sociale aussi bien que de raison poétique » (Étienne Léro).

Sans doute cette virulente lucidité annonce-t-elle les futures prises de conscience. Plus timidement, le mouvement littéraire *Lucioles* fondé en 1927 par Gilbert Gratiant, quelques romans des années 30, mettant en scène les difficiles relations interraciales (Oruno Lara, Suzanne Lacascade), invitent à regarder sans complaisance la situation antillaise. Mais le premier qui « [pousse] d'une telle raideur le grand cri nègre que les assises du monde en seront ébranlées », c'est bien Aimé Césaire.

Son audience littéraire s'est très vite étendue bien au-delà des îles. Le *Cahier d'un retour au pays natal,* repris et souvent réimprimé par *Présence Africaine* à partir de 1956, a été lu comme le livre-phare du **mouvement de la négritude,** référence obligée de plusieurs générations d'étudiants négro-africains : c'est aujourd'hui un classique de l'enseignement littéraire africain, régulièrement recommandé par les programmes off
ciels. Même si les recueils poétiques ult
rieurs n'ont pas connu le même succ
de diffusion, les anthologies ont pop
larisé la figure de Césaire comme poèt
combattant. Pamphlétaire cinglant dar
le *Discours sur le colonialisme* (1955)
la *Lettre à Maurice Thorez,* qui marqu
avec éclat, en 1956, sa rupture avec
Parti communiste français, il est deven
aux yeux de toute une jeunesse africain
le héraut des peuples noirs en rébellio
contre une Europe « indéfendable ». So
théâtre, que les Antilles tardèrent
représenter, a trouvé un public chale
reux en Europe et surtout en Afrique (*L*
Tragédie du roi Christophe fut mie
accueillie au Festival des Arts Nègres d
Dakar de 1966 par le public populai
que par le parterre officiel des che
d'État africains). Dans son propre pay
au fil des années, l'image de l'écrivai
Césaire a été peu à peu brouillée par cel
de Césaire homme politique (il est res
sans interruption, depuis 1945, maire
Fort-de-France et député de la Mart
nique au Parlement français). On lit so
œuvre, pour la glorifier ou pour la vi
pender, à travers son action politiqu
Mais ces turbulences passionnelles
sauraient occulter son rôle historique
tous les écrivains antillais depuis 19
ont eu à se situer par rapport à lui.

Le *Cahier d'un retour au pays natal*
été écrit en son principe pour combatt
le déracinement de l'étudiant Césair
transplanté à Paris, élève de l'École no
male supérieure, passionné de cultu
classique et grand dévoreur de poés
moderne. Les premiers lecteurs (And
Breton, Jean-Paul Sartre) y ont recon
le cheminement d'une quête orphique
plongée au fond de soi-même po
dépouiller les masques blancs de la ma
vaise foi, descente aux enfers de l'o
pression raciale pour y conquérir la fier
d'être nègre. Orphée vainqueur, le poè
noir ramène au jour son Eurydice :
négritude. Le *Cahier* est en effet le pr
mier texte imprimé où soit attesté ce m
nouveau. C'est aussi le seul lieu (av
quelques articles de circonstance

Coupeurs de cannes.

uelques entretiens journalistiques) où ésaire développe sa propre conception e la négritude : non pas en idéologue héorisant, mais à travers une cascade 'images.

a négritude n'est pas une pierre, sa surdité ruée
[contre la clameur du jour
a négritude n'est pas une taie d'eau morte sur l'œil
[mort de la terre
a négritude n'est ni une tour ni une cathédrale

e plonge dans la chair rouge du sol
e plonge dans la chair ardente du ciel
e troue l'accablement opaque de sa droite patience

a pour le Kaïlcédrat royal !

Images rayonnantes dans leur opacité, ui narguent l'assurance interprétative et ductrice de la plupart des exégètes... Si n se contente de lire attentivement le *ahier* (et ce titre invite à le feuilleter en us sens), on constate qu'il se construit sur une série de retours et de retournements. Retours successivement manqués par le narrateur-poète, qui se leurrait en imaginant de revenir à l'île natale dans le triomphe d'un héros salvateur ou la passion glorieuse d'un Christ noir — jusqu'au moment où, enfin, il s'accepte tel qu'il est, dans la nudité de son néant — un de « ceux qui n'ont jamais rien inventé ». Retournement des images et des thèmes, de l'horizontalité soumise (« Au bout du petit matin, cette ville plate — étalée ») à la verticalité rebelle (« et nous sommes debout maintenant, mon pays et moi »), de la perte du langage (« cette foule criarde si étonnamment passée à côté de son cri ») à la prise de parole libératrice (« au bout de ce petit matin, ma prière virile »)... Ces renversements supposent un centre de symétrie, un point d'équilibre et d'appui sur lequel s'opère la métamorphose miraculeuse. Le foyer où convergent toutes les perspectives du *Cahier,* c'est la découverte de la négritude, le surgissement, à travers les métaphores solaires et l'image d'un accouchement cosmique, de ce mot inouï. Le retour au pays natal s'accomplit dans la naissance d'un mot par lequel, dans la prise de conscience et l'acceptation de soi, un peuple coïncide avec sa parole.

Ce mythe est inséparable de la conception de la poésie développée par Aimé Césaire. La négritude est fille de ce que le poète martiniquais appelle « rythme » et dont il fait une « donnée essentielle de l'homme noir » : il s'agit moins d'un agencement de la durée que de « l'émo tion première », du « tempo de la vie » de « la plus profonde vibration inté rieure ». **Le rythme** est une pulsion venu de tout l'être, un halètement, une énergi verbale à l'état naissant, préparant l venue au jour des mots du poème, qu viennent « chevaucher » le poète comm les dieux du vaudou le corps des dan seurs possédés. « Je n'ai jamais écri qu'un seul poème, où quelques émotion premières se révèlent indéfiniment » déclarait Césaire dans un entretien *L'Express* de 1960. Ce poème toujour recommencé, c'est celui qui dit et qu accomplit la naissance du mot poétique

Mot

Parmi moi
de moi-même
à moi-même
hors toute constellation
en mes mains serré seulement
le rare hoquet d'un ultime spasme délirant
vibre mot
j'aurai chance hors du labyrinthe
plus long plus large vibre
en ondes de plus en plus serrées
en lasso où me prendre
en corde où me pendre
et que me clouent toutes les flèches
et leur curare le plus amer
au beau poteau-mitan [1] des très fraîches étoiles

vibre
vibre essence même de l'ombre
en aile en gosier c'est à force de périr
le mot nègre
sorti tout armé du hurlement
d'une fleur vénéneuse
le mot nègre
tout pouacre de parasites
le mot nègre
tout plein de brigands qui rôdent
des mères qui crient
d'enfants qui pleurent
le mot nègre
un grésillement de chairs qui brûlent
âcre et de corne
le mot nègre
comme le soleil qui saigne de la griffe
sur le trottoir des nuages
le mot nègre
comme le dernier rire vêlé de l'innocence
entre les crocs du tigre
et comme le mot soleil est un claquement de balles
et comme le mot nuit un taffetas qu'on déchire
le mot nègre
dru savez-vous
du tonnerre d'un été
que s'arrogent
des libertés incrédules

Aimé Césaire, *Cadastre,* éd. du Seu

1. Créolisme : poteau du milieu (dans une case, par exemple).

Certains ont reproché à la poésie de Césaire d'être hermétique. Mais si le *Cahier d'un retour au pays natal* a trouvé tant de lecteurs, c'est qu'il s'est imposé à eux par la force de son texte : assurance d'un ton qui n'a d'équivalent que dans l'insolence de certains pamphlets surréalistes, violence désespérée à détailler toutes les plaies et les hideurs des Antilles (« ce petit rien ellipsoïdal qui tremble à quatre doigts au-dessus de la ligne »), éclat de la révolte débouchant sur « la seule chose au monde qu'il vaille la peine de commencer : la Fin du monde parbleu », allégresse lyrique pour fêter l'identité nègre enfin acceptée.

On a dit que, pour tromper la censure des autorités coloniales, Césaire avait volontairement donné aux poèmes publiés dans *Tropiques* une forme « surréaliste », camouflant le sens sous la profusion verbale : la véhémence des images fournissait au poète ses *armes miraculeuses.* Il est cependant douteux que la force d'entraînement de ces textes ait pu demeurer inaperçue. D'autre part, le surréalisme de Césaire n'est pas un masque d'emprunt, il est consubstantiel à sa conception du rythme : il y a convergence profonde entre l'automatisme, définissant le surréalisme selon Breton, et le rythme perçu comme montée vibratoire des mots dans l'intimité de l'être.

Au fil de la publication de ses recueils, Césaire a su retrancher de ses poèmes les dévergondages d'images tirant au poncif surréaliste. C'est ainsi que *Soleil cou coupé* (1948) et *Corps perdu* (1950) ont été rassemblés, après modification et suppression de nombreux poèmes, pour former en 1961 le recueil *Cadastre,* qui constitue avec *Ferrements* (1960) l'œuvre de la maturité du poète. La fascination que n'ont pas cessé d'exercer ces œuvres doit beaucoup à la cohérence du projet poétique : reprise obsessionnelle de poème en poème d'un même schéma dramatique (chaque poème nous fait assister à la destruction du monde ancien et à l'avènement d'un monde nouveau) ; construction d'un univers imaginaire autour de quelques images clefs : images solaires, catastrophes en tous genres, flore et bestiaire enracinés dans le contexte antillais ; énonciation privilégiant l'impératif et le futur, comme pour réaliser par le poème lui-même les révolutions à venir. Ainsi chaque poème annonce, organise, magnifie un désastre souhaité, naufrage où, dans l'éclaboussement des mots, s'engloutit l'ordre (colonial) détesté, cataclysme libérant les promesses de l'avenir. L'image du jaillissement volcanique s'associe souvent à celle de l'élan fondateur de l'arbre (qui, dans le *Cahier,* déjà, disait le surgissement de la négritude) :

mais à mon tour dans l'air
je me lèverai un cri et si violent
que tout entier j'éclabousserai le ciel
et par mes branches déchiquetées
et par le jet insolent de mon fût blessé et solennel
je commanderai aux îles d'exister

« Corps perdu », *Cadastre,* éd. du Seuil.

A ces apocalypses jubilantes répondent des textes moins triomphants, où se devine le cheminement du doute et de la désillusion, quand demain n'est pas au rendez-vous (« à quand demain mon peuple », demande avec insistance un de ces poèmes). On pressent que des douleurs plus intimes projettent leur ombre portée sur l'assurance de l'homme public. Contrepoint poignant de ces blessures et de ces bouffées d'inquiétude face à l'orgueilleuse certitude du poète militant.

Défaite Défaite désert grand
où plus sévère que le Kamsin d'Égypte
siffle le vent d'Asshume
[...]
gémir se tordre
crier jusqu'à une nuit hagarde à faire tomber
la vigilance armée
qu'installa en pleine nuit de nous-mêmes
l'impureté insidieuse du vent

« Grand sang sans merci » *Ferrements,* éd. du Seuil.

Moi, laminaire... donne en 1982 un beau prolongement à l'œuvre poétique. Le titre, superbement énigmatique (comme tous les titres de Césaire, choisis pour leur résonance subtile), joue sur la prolifération infinie des rapprochements sémantiques (laminaire, luminaire, liminaire...). Quelques poèmes, saluant les grands amis morts (le Guyanais Léon Damas, le Guatémaltèque Miguel Angel Asturias, le peintre cubain Wifredo Lam), dessinent l'horizon américain et caraïbe du recueil. Mais le thème qui lui donne son unité reste celui de l'amour des mots, du désir inlassable d'explorer leurs attractions réciproques (« il y a aussi les capteurs solaires du désir / de nuit je les braque : ce sont mots / que j'entasse dans mes réserves / et dont l'énergie est à dispenser / aux temps froids des peuples »). Et malgré dérives et déceptions (« vers un retard d'îles éteintes et d'assoupis volcans »), demeure entière et inentamable « la force de regarder demain ».

Chanson de l'hippocampe

petit cheval hors du temps enfui
bravant les lès du vent et la vague et le sable turbulent
petit cheval
dos cambré que salpêtre le vent
tête basse vers le cri des juments
petit cheval sans nageoire
sans mémoire
débris de fin de course et sédition de continents
fier petit cheval têtu d'amours supputées
mal arrachés au sifflement des mares
un jour rétif
nous t'enfourcherons

et tu galoperas petit cheval
sans peur
vrai dans le vent le sel et le varech

Aimé Césaire, *Moi laminaire*, éd. du Seuil.

Attiré par le théâtre dès ses premières œuvres, Aimé Césaire a inséré dans *Les Armes miraculeuses* un long poème, *Et les chiens se taisaient,* se distinguant de l'ensemble par sa forme dialoguée et par son sous-titre (« tragédie »). Il devait en publier, en 1956, une version remaniée, découpée en trois actes et arrangée pour la scène. Cet oratorio lyrique — sans doute un des sommets de l'œuvre — met en scène le héros césairien par excellence, le Rebelle (« Mon nom : offensé ; mon prénom : humilié ; mon état : révolté ; mon âge : l'âge de la pierre »). Au moment de mourir, celui-ci revit les moments dramatiques qui ont fait sa vie : son face à face avec les différentes figures de l'oppression (l'Administrateur, le Grand Expropriateur, le Grand Bénisseur...), son dévorant amour de la liberté (« liberté ô ma grande bringue les jambes poisseuses du sang neuf »), sa solitude aussi quand son grand refus n'est guère compris ni suivi par ses proches et son peuple. Cette allégorie de l'action révolutionnaire, annonçant les enthousiasmes militants et les désillusions futures, a été écrite (on l'oublie parfois) avant même l'entrée de Césaire dans le combat politique.

Le théâtre permet d'atteindre la masse de ceux qui ne lisent pas. Par la médiation des représentations, il met en contact l'écrivain et son public ; il peut, par exemple, dire le divorce entre l'intellectuel révolutionnaire et la masse populaire et, en même temps, travailler à combler cette distance. D'où l'enthousiasme pédagogique qui anime *La Tragédie du roi Christophe* (1963), *Une saison au Congo* (1966) et *Une tempête* (1968), trois volets d'une trilogie négro-africaine

La Tragédie du roi Christophe *d'Aimé Césaire.*
Mise en scène J.-M. Serreau. Odéon-Théâtre de France, 1965.

conduisant successivement dans la Caraïbe, en Afrique et dans un lieu imaginaire rappelant plus ou moins la situation américaine. *La Tragédie du roi Christophe* prend son sujet dans l'histoire de l'indépendance haïtienne (que Césaire avait longuement étudiée pour son essai historique sur *Toussaint Louverture* en 1960) : Christophe, « ancien esclave, ancien cuisinier, ancien général, roi d'Haïti », entend faire sortir son peuple de l'abjection, le mettre sur la route du progrès, le faire travailler à rattraper l'Europe ; mais Christophe échoue, trahi, trompé, abandonné. La raison fondamentale de cet échec : Christophe n'a pas su, voulu ou pu proposer un autre modèle à son indépendance que celui des anciens maîtres. *Une saison au Congo* s'inspire des événements dramatiques qui ont accompagné l'indépendance de l'ancien Congo belge et principalement de l'assassinat de Patrice Lumumba. Faisant de celui-ci le héros mythique de la libération africaine, en lutte autant contre les colonisateurs étrangers que contre les complicités et les passivités à l'intérieur de son propre peuple, la pièce invite à méditer sur les décolonisations manquées. Enfin, *Une tempête,* variation sur un thème de Shakespeare, se propose de représenter symboliquement la situation des noirs américains dans une société de domination blanche, à travers les conflits opposant Caliban (l'esclave noir), Prospero (le colon blanc) et l'ondoyant Ariel (le mulâtre). Cette *Tempête* ne fut pas très bien accueillie par la critique européenne, qui n'y vit qu'un exercice d'école, alors que les publics du Tiers monde, heureux de déchiffrer la figure de leurs destins dans la fable shakespearienne, lui firent souvent un triomphe.

Certains ne retiennent du théâtre de Césaire que ses vertus pédagogiques : une interprétation négro-africaine des théories brechtiennes. C'est peut-être faire trop bon marché de la puissance verbale, du sens de la fresque dramatique et de la bouffonnerie amère qui s'imposent dans *La Tragédie du roi Christophe* et qui en font d'ores et déjà la base d'un répertoire théâtral noir. De ce point de vue, ce théâtre marque l'accomplissement de la négritude comme mouvement de prise de conscience des communautés nègres.

[Je demande trop aux hommes !]

Dans sa villa, le roi Christophe et ses familiers sont réunis pour fêter l'anniversaire du couronnement.

MADAME CHRISTOPHE

Assez de bavardage
Je ne suis qu'une pauvre femme, moi
j'ai été servante
moi la Reine, à l'Auberge de la Couronne !
Une couronne sur ma tête ne me fera pas devenir
autre que la simple femme,
la bonne négresse qui dit à son mari
attention !
Christophe, à vouloir poser la toiture d'une case
sur une autre case
elle tombe dedans ou se trouve grande !
Christophe, ne demande pas trop aux hommes
et à toi-même, pas trop !
Et puis je suis une mère
et quand parfois je te vois emporté sur le cheval
de ton cœur fougueux
le mien à moi
trébuche et je me dis :
pourvu qu'un jour on ne mesure pas au malheur
des enfants la démesure du père.
Nos enfants, Christophe, songe à nos enfants.
Mon Dieu ! Comment tout cela finira-t-il ?

CHRISTOPHE

Je demande trop aux hommes ! Mais pas assez aux nègres, Madame ! S'il y a une chose qui, autant que les propos des esclavagistes, m'irrite, c'est d'entendre nos philanthropes clamer, dans le meilleur esprit sans doute, que tous les hommes sont des hommes et qu'il n'y a ni blancs ni noirs. C'est penser à son aise, et hors du monde, Madame. Tous les hommes ont mêmes droits. J'y souscris. Mais du commun lot, il en est qui ont plus de devoirs que d'autres. Là est l'inégalité. Une inégalité de sommations, comprenez-vous ? A qui fera-t-on croire que tous les hommes, je dis tous, sans privilège, sans particulière exonération, ont connu la déportation, la traite, l'esclavage, le collectif ravalement à la bête, le total outrage, la vaste insulte, que tous, ils ont reçu, plaqué sur le corps, au visage, l'omni-niant crachat ! Nous seuls, Madame, vous m'entendez, nous seuls, les nègres ! Alors au fond de la fosse ! C'est bien ainsi que je l'entends. Au plus bas de la fosse. C'est là que nous crions ; de là que nous aspirons à l'air, à la lumière, au soleil. Et si nous voulons remonter, voyez comme s'imposent à nous, le pied qui s'arcboute, le muscle qui se tend, les dents qui se serrent, la tête, oh ! la tête, large et froide ! Et voilà pourquoi il faut en demander aux nègres plus qu'aux autres : plus de travail, plus de foi, plus d'enthousiasme, un pas, un autre pas, encore un autre pas et tenir gagné chaque pas ! C'est d'une remontée jamais vue que je parle, Messieurs, et malheur à celui dont le pied flanche !

Aimé Césaire, *La Tragédie du roi Christophe,* éd. Présence Africaine.

Léon Damas et les développements de la négritude

L'ampleur et le retentissement de l'œuvre d'Aimé Césaire ont fait oublier que, parmi les poètes rassemblés par le « mot de passe » de la négritude, le premier à publier un recueil de poèmes fut le Guyanais Léon Gontran Damas, en 1937, avec *Pigments.* Outre ce titre sans équivoque, la préface de Robert Desnos, sans d'ailleurs prononcer le mot, soulignait la « négritude » de l'œuvre : « Damas est nègre et tient à sa qualité et à son état de nègre. » De fait, la poésie de Léon Gontran Damas naît d'un douloureux sentiment racial, obsessionnel comme une névralgie que rien ne peut apaiser : « Si souvent mon sentiment de race m'effraie / autant qu'un chien aboyant la nuit / une mort prochaine / quelconque / je me sens prêt à écumer toujours de rage / contre ce qui m'entoure / contre ce qui m'empêche / à jamais d'être / un homme. » Toutes les humiliations accumulées du simple fait d'être nègre nourrissent la violence sèche du recueil (qui devait, en retour, subir les foudres des censures coloniales). Ce que le poète de *Pigments* refuse en premier lieu, c'est la politique d'assimilation et contre elle il revendique fièrement, lui, le petit-bourgeois mulâtre, son ascendance noire africaine : « Se peut-il donc qu'ils osent / me traiter de blanchi / alors que tout en moi / aspire à n'être que nègre / autant que mon Afrique / qu'ils ont cambriolée. »

Les recueils ultérieurs, *Graffiti* (1952) et *Névralgies* (1966), comme le long poème *Black-Label* (1956), développent les mêmes sentiments élémentaires, le même lyrisme direct. S'y ajoutent les plaintes d'un mal de vivre et d'un mal d'aimer tout personnels : de santé fragile, Damas connut une existence longtemps hasardeuse, parfois misérable, au gré des petits métiers qu'il exerçait dans son exil parisien. Sa poésie s'apparente volontiers aux formes populaires du graffiti : tantôt bouffée de colère, explosant en violences de langage ; le plus souvent pudique, recherchant une ligne rythmique épurée, obtenue après un long travail de dépouillement que l'on peut suivre à travers les variantes des différentes rééditions de *Pigments.* Son idéal : la simplicité de la mélodie et la subtilité d'un rythme procédant de la seule répétition d'un mot ou d'un son, du découpage du poème en vers souvent très brefs.

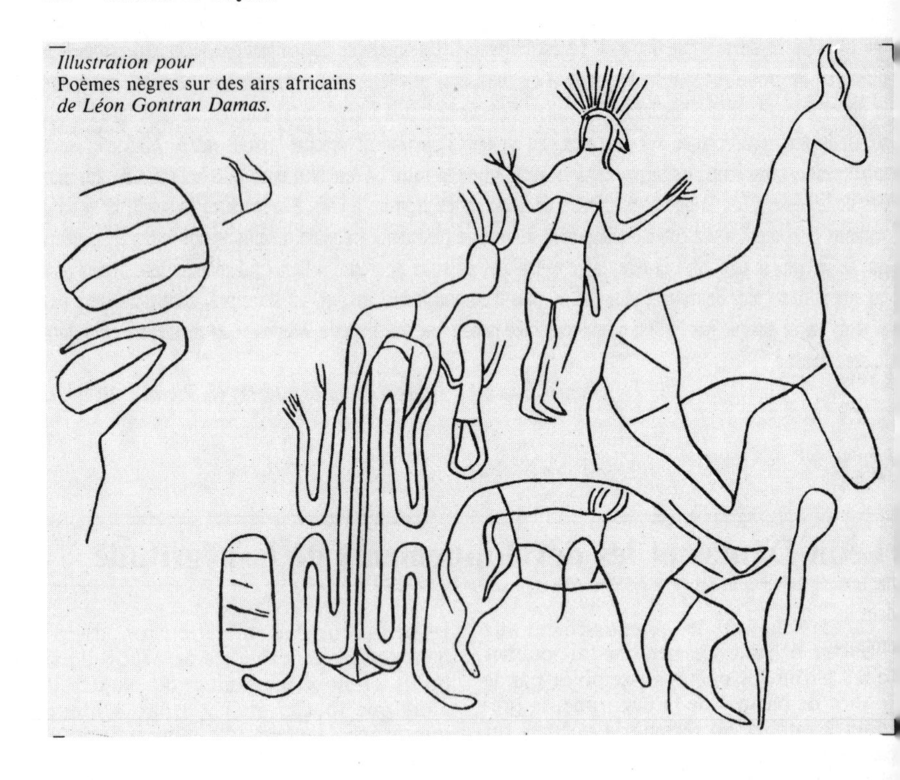
Illustration pour
Poèmes nègres sur des airs africains
de Léon Gontran Damas.

Bientôt
Bientôt
je n'aurai pas que dansé
bientôt
je n'aurai pas que chanté
bientôt
je n'aurai pas que frotté
bientôt
je n'aurai pas que trempé
bientôt
je n'aurai pas que dansé
chanté
frotté
trempé
frotté
chanté
dansé
Bientôt

éd. Présence Africaine.

Art de délicatesse, tout en nuances derrière la familiarité et la facilité du ton. Damas disait en avoir trouvé le modèle dans la poésie populaire africaine, qui s'improvise, avec les mots de tous les jours, dans les circonstances plus ou moins marquantes de la vie. En 1948, ses *Poèmes nègres sur des airs africains* se présentaient comme les traductions de chants d'amour, de guerre, de deuil ou de satire, recueillis dans des sociétés africaines traditionnelles. Ainsi cet allègre chant de pillard : « Donne-moi de la poudre et des fusils / Je partirai demain / J'entends leur couper la tête / Je partirai demain / Ils ont de jolies femmes / Je partirai demain / Ils ont aussi de l'or / Je partirai demain [...] »

L'Afrique, Damas souhaitait la retrouver au fond de lui-même, au cœur de son propre pays. Tout jeune, il était parti en mission ethnologique à la recherche des descendants des nègres marrons qui forment depuis deux siècles des sortes de principautés indépendantes dans la forêt guyanaise (il évoque la figure mythique de ces nègres Bosh dans son reportage de 1938, *Retour de Guyane*). Dans la saveur créole des contes guyanais (transcrits dans *Veillées noires,* en 1943), il devinait la présence de la palabre africaine.

La permanence du désir d'affirmer une **filiation africaine,** l'intérêt pour l'étude des contacts culturels afro-américains, comme aussi la violence écorchée de cette négritude dont il s'était fait l'ardent propagandiste : toutes ces raisons peuvent expliquer l'audience que Damas a su trouver à la fin de sa vie aux États-Unis. Il y est mort en 1978, professeur dans une université noire de Washington et certainement beaucoup plus célèbre que dans les pays de langue française.

Hoquet

Pour Vashti et Mercer Cook

Et j'ai beau avaler sept gorgées d'eau
trois à quatre fois par vingt-quatre heures
me revient mon enfance
dans un hoquet secouant
mon instinct
tel le flic le voyou

Désastre
parlez-moi du désastre
parlez-m'en

Ma mère voulant d'un fils très bonnes manières
à table
Les mains sur la table
le pain ne se coupe pas
le pain se rompt
le pain ne se gaspille pas
le pain de Dieu
le pain de la sueur du front de votre Père
le pain du pain

Un os se mange avec mesure et discrétion
un estomac doit être sociable
et tout estomac sociable
se passe de rots
une fourchette n'est pas un cure-dents
défense de se moucher
au su
au vu de tout le monde
et puis tenez-vous droit
un nez bien élevé
ne balaye pas l'assiette

Et puis et puis
et puis au nom du Père
du Fils
du Saint-Esprit
à la fin de chaque repas

Et puis et puis
et puis désastre
parlez-moi du désastre
parlez-m'en

Ma mère voulant d'un fils mémorandum

Si votre leçon d'histoire n'est pas sue
vous n'irez pas à la messe
dimanche
avec vos effets des dimanches

Cet enfant sera la honte de notre nom
cet enfant sera notre nom de Dieu
Taisez-vous
Vous ai-je ou non dit qu'il vous fallait parler français
le français de France
le français du français
le français français

Désastre
parlez-moi du désastre
parlez-m'en

Ma Mère voulant d'un fils
fils de sa mère

Vous n'avez pas salué voisine
encore vos chaussures de sales
et que je vous y reprenne dans la rue
sur l'herbe ou la Savane [1]
à l'ombre du Monument aux Morts
à jouer
à vous ébattre avec Untel
avec Untel qui n'a pas reçu le baptême

Désastre
parlez-moi du désastre
parlez-m'en

Ma Mère voulant d'un fils très do
très ré
très mi
très fa
très sol
très la
très si
très do
ré-mi-fa
sol-la-si
do

Il m'est revenu que vous n'étiez encore pas
à votre leçon de vi-o-lon
Un banjo
vous dîtes un banjo
comment dîtes-vous
un banjo
vous dîtes bien
un banjo
Non monsieur
vous saurez qu'on ne souffre chez nous
ni ban
ni jo
ni gui
ni tare
les *mulâtres* ne font pas ça
laissez donc ça aux *nègres*

Léon Gontran Damas, *Pigments*,
éd. Présence Africaine.

Aux Antilles comme en Afrique, la négritude s'est manifestée par l'éclosion de multiples vocations poétiques. On a beaucoup écrit pour chanter les souffrances nègres, pour crier les humiliations raciales, pour exalter la fierté retrouvée d'être Noir, pour appeler aux combats politiques de libération. Poésie-cri, poésie-tract, poésie-discours : poésie fonctionnelle, souvent plus fonctionnelle que poésie. Ce qui est sûr, c'est qu'elle a trouvé un public antillais, qu'elle s'est accordée à de grands mouvements de foules, qu'elle répondait aux aspirations de jeunesses militantes. Avec Guy Tirolien *(Balles d'or,* 1961*)* et Paul Niger (pseudonyme emblématique d'Albert Béville), qui furent tous deux fonctionnaires en Afrique, la poésie de la négritude élargit sa thématique aux retrouvailles avec l'Afrique-mère. Avec Georges Desportes *(Les Marches souveraines,* 1956 ; *Cette île qui est la nôtre,* 1973*)*, elle s'installe dans l'éloquence protestataire. Les anthologies (celles de Senghor et de Damas les premières) et les manuels scolaires ont fait la gloire de quelques poèmes désormais fixés dans la mémoire culturelle négro-africaine : de Guy Tirolien, la *Prière d'un petit enfant nègre* (« Seigneur, je ne veux plus aller à leur école [...] Et puis elle est vraiment trop triste leur école, / Triste comme / Ces messieurs de la ville, / Ces messieurs comme il faut / Qui ne savent plus danser le soir au clair de lune / Qui ne savent

1. Place de Fort-de-France, rendez-vous de la population pour les promenades du soir, les fêtes et les cérémonies.

plus marcher sur la chair de leurs pieds / Qui ne savent plus conter les contes aux veillées. / Seigneur, je ne veux plus aller à leur école ») ; de Paul Niger, *Je n'aime pas l'Afrique* (« Moi, je n'aime pas cette Afrique-là. [...] L'Afrique des yesmen et des béni-oui-oui. / L'Afrique des hommes couchés attendant comme une grâce le réveil de la botte. [...] L'Afrique des négresses servant l'alcool d'oubli sur le plateau de leurs lèvres. [...] L'Afrique des Paul Morand et des André Demaison. / Je n'aime pas cette Afrique-là »).

C'est aussi de la négritude que procède l'œuvre de **Frantz Fanon,** même s'il a souvent exprimé ses réserves sur la validité de la notion. Médecin psychiatre, Fanon trace dans *Peau noire, masques blancs* (1952) un portrait clinique de l'homme noir antillais, victime des préjugés de couleur et des complexes d'infériorité qu'il a intériorisés. Son analyse s'appuie sur la lecture critique de quelques œuvres littéraires antillaises. Le roman de Mayotte Capécia, *Je suis Martiniquaise* (1948), lui fournit le modèle de la relation entre la femme de couleur et l'homme blanc : toute à la haine de sa propre couleur et à son « complexe de lactification », celle-ci n'aime en l'homme blanc que celui qui va lui permettre d'« éclaircir la race ». *Un homme pareil aux autres* (1947) de René Maran propose l'exemple symétrique : l'homme de couleur recherche l'amour d'une blanche pour ainsi se faire reconnaître comme Blanc (si une femme blanche l'aime, c'est qu'il est blanc !). Contre ces inauthenticités, Fanon découvre chez les poètes de la négritude (et au premier rang chez Césaire) la valorisation de l'« expérience vécue du nègre ». Attitude séduisante, mais qui risque d'enfermer dans la glorification systématique de la suprématie de l'être nègre. En fin de compte, Fanon conclut qu'il n'y a ni mission nègre, ni fardeau blanc : « Je me découvre un jour dans le monde et je me reconnais un seul droit : celui d'exiger de l'autre un comportement humain. »

L'écriture haletante, les répétitions rythmant la lente progression de la pensée, les tentations lyriques, le sens des belles formules violentes, tout cela a popularisé cette œuvre auprès d'un public de jeunes gens en colère, en rupture de colonisation. L'itinéraire personnel de Fanon a encore contribué à façonner sa figure mythique : médecin-chef de l'hôpital psychiatrique français de Blida en Algérie, il démissionne en 1956 pour rejoindre les combattants du F.L.N. et jusqu'à sa mort (en 1961) il se dévoue à la révolution algérienne. Sa mort même, comme l'a remarqué Francis Jeanson, prend une résonance tragiquement ironique : ce militant de la conscience *noire* a été emporté par la leucémie, dérèglement cancéreux des globules *blancs* dans le sang.

Les Damnés de la terre (1961), essai composé dans la fièvre des derniers mois, introduit par une préface frénétique de Jean-Paul Sartre, reste le manifeste le plus radical de la décolonisation par la violence. Fanon y dénonce la violence première des colonisateurs, attaque non moins vivement les bourgeoisies nationales prêtes à prendre la relève en douceur de la colonisation et propose d'ériger en modèles les classes paysannes révolutionnaires. Sa **théorisation de la violence** comme unique moyen de rompre la domination coloniale et de régénérer moralement et socialement les peuples colonisés est devenue la référence privilégiée des révolutionnaires du Tiers monde et des intellectuels radicaux dans les ghettos noirs américains. De fait, qui resterait impavide devant cette véhémence si sûre d'elle-même ?

Il nous faut quitter nos rêves, abandonner nos vieilles croyances et nos amitiés d'avant la vie. Ne perdons pas de temps en stériles litanies ou en mimétismes nauséabonds. Quittons cette Europe qui n'en finit pas de parler de l'homme tout en le massacrant partout où elle le rencontre, à tous les coins de ses propres rues, à tous les coins du monde.

Soucieux d'intégrer les intellectuels et artistes dans le combat révolutionnaire, Fanon distinguait trois périodes dans l'évolution des littératures des peuples colonisés. Dans un premier temps, il s'agit de prouver que l'on est d'excellents élèves des maîtres européens : littérature d'assimilation, littérature « doudouiste » aux Antilles. Ensuite vient une période où le colonisé tente de se reprendre, de rassembler ses souvenirs, d'interroger les profondeurs de son être : littérature de la négritude, qui reste trop extérieure au peuple, qui n'est pas encore capable de saisir l'homme noir dans l'histoire. Enfin, la troisième étape est celle de la **littérature de combat,** de la littérature nationale, qui suscite le réveil révolutionnaire du peuple. C'est celle dont Frantz Fanon attend la naissance tumultueuse.

Ces thèses ont renforcé les partisans antillais d'une littérature directement militante. Daniel Boukman (qui, en 1961, avait choisi de déserter plutôt que de participer à la guerre d'Algérie dans les rangs de l'armée française) propose un théâtre de dénonciation ; il a réuni plusieurs pièces sous un titre déclarant la guerre aux chantres de la négritude : *Chants pour hâter la mort du temps des Orphée* (1967). Sonny Rupaire, lui aussi un temps réfugié en Algérie, a d'abord diffusé ses poèmes, polycopiés, de la main à la main, avant de les réunir en volume : ... *Cette igname brisée qu'est ma terre natale* (1970). D'autres encore pratiquent la poésie de combat : Willy Atlante-Lima *(Plaquette de défoliants,* 1976*)*, Henri Corbin, Joseph Polius *(Martinique debout,* 1977*)*, Soucougnan (auteur mystérieux de *La Troisième Ile,* 1973, dissimulé sous un pseudonyme désignant dans la mythologie antillaise une sorte de revenant diabolique)...

Édouard Glissant et la parole antillaise

En 1958, *La Lézarde* d'Édouard Glissant se présente, dans la continuité de la littérature militante, comme le roman des grandes espérances politiques de l'après-guerre. Ce que suggérait le résumé du prière d'insérer de l'époque : « Dans un pays de climat tropical (en l'occurrence une île des Antilles), de jeunes révolutionnaires décident de supprimer l'homme chargé de réprimer les soulèvements populaires. » Ce groupe de jeunes rebelles, persuadés d'annoncer et de hâter l'émancipation de leur île, emprunte beaucoup aux aspirations et aux expériences de Glissant et de sa génération, formés par les leçons des inspirateurs de la négritude, Aimé Césaire et René Ménil. Par la recherche de sa construction, que l'on rapprocha du Nouveau Roman, par l'éclat abrupt de sa langue, le roman plut et il obtint le prix Renaudot.

En fait, l'« **intention poétique** », le projet politique et philosophique de Glissant ne devaient se révéler pleinement que dans la lente édification d'une œuvre de haute ambition, plurivoque, voire contradictoire dans la riche explosion de sa recherche multiple. Souvent contestée aux Antilles (quand ce ne sont pas ses choix politiques pour l'indépendance des îles, on lui reproche son « intellectualité », son goût « élitiste » de la beauté formelle, son « illisibilité »), cette œuvre s'est pourtant imposée comme la référence nécessaire, comme le lieu de passage obligé pour toute pensée antillaise moderne, comme le miroir et la promesse d'une **culture caraïbe en genèse.**

La simple énumération bibliographique montre la volonté d'explorer parallèlement la diversité des formes : poésie *(Un champ d'îles,* 1953 ; *La Terre inquiète,* 1954 ; *Les Indes,* 1956 ; *Le Se noir,* 1960 ; *Le Sang rivé,* 1961 ; *Boises,* 1979) ; roman (après *La Lézarde, Le Quatrième Siècle,* 1964 ; *Malemort,* 1975 ; *La Case du commandeur,* 1981) ; essais (*Soleil de la conscience,* 1955 ; *L'Intention poétique,* 1969 ; *Le Discours antillais,* 1981). Ce *Discours antillais,* reprenant des textes élaborés depuis une dizaine d'années, multiplie les procédures d'inventaire du réel antillais : linguistique et poétique, histoire et sociologie, psychanalyse et économie politique... Pluralité et disparate volontaires, faisant d'autant mieux ressortir les grandes traverses qui raccordent les éléments divers de l'œuvre.

Celle-ci se construit ainsi en archipel, chaque livre-île étant mis en relation avec tous les autres. Les romans, bien que chacun se différencie par son écriture romanesque originale, se constituent en cycle grâce à la réapparition des personnages ou de leurs descendants ou ascendants. Ces personnages sortent des romans (tel le « Marron primordial » du *Quatrième Siècle*) pour s'inscrire à la première page de *L'Intention poétique* ou dans les poèmes de *Boises.* Les essais associent théorisation et écriture poétique. Les formes, échangeant figures et motifs, métissent les genres et les langues littéraires.

Les mots qui s'imposent pour décrire l'œuvre de Glissant (diversité, relation, métissage...) sont précisément ceux qui articulent sa réflexion. Au cœur de cette pensée, un thème récurrent : **l'opposition de l'Un et du Divers.** *L'Un* suppose et impose l'identité du monde et de soi-même ; il assujettit l'être à un principe de transcendance, à la répétition du même (Dieu a créé l'homme à son image et l'Occident a façonné les peuples du monde à son modèle). *Le Divers* « signifie l'effort de l'esprit humain vers une relation transversale, sans transcendance universaliste ». Il affirme l'éclosion du multiple, la fécondité de l'errance, l'égalité reconnue, le consentement à la différence (et non la différence sublimée dans l'universalité). *Le Divers* s'épanouit dans la mise en relation. Or nous vivons

un grand changement de civilisation, qui est passage : « De l'univers transcendantal du *Même,* imposé de manière féconde par l'Occident, à l'ensemble diffracté du *Divers,* conquis de manière non moins féconde par les peuples qui ont arraché aujourd'hui leur droit à la présence au monde. »

Le projet de Glissant vise à favoriser la manifestation du *Divers* et son bourgeonnement en relations multiples et croisées. Et son premier devoir est d'assurer sa propre présence au monde et celle de son pays. « Tout homme est créé pour dire la vérité de sa terre. » Glissant a donné un nom à cette volonté d'affirmer son paysage, d'assumer l'insertion de sa communauté dans l'espace et le temps : c'est **l'antillanité.** Mais lorsque la pensée de l'Un est encore dominante, l'antillanité ne trouve pas ses mots : ainsi les Antillais, originaires des pays de la saison unique (là où carême et hivernage distinguent si peu les deux versants de l'année), écrivent-ils et rêvent-ils de l'*été,* comme si leur imaginaire s'accordait aux pays des quatre saisons, là où le temps impose sa mesure et son espérance cyclique. Et Glissant constate lui-même que ses premiers poèmes écrivent « été » pour dire le feu, la chaleur, l'ardeur, « signe non vague d'une perdition ».

Notion plurielle, comme il se doit dans une pensée du *Divers,* l'antillanité unit l'inventaire d'une réalité (celle des îles dans leur particularité) et l'expression d'un vœu (celui de mettre en relation les îles dans le projet politique d'une Fédération de la Caraïbe). La réalité, c'est le fait d'une culture née du système de la plantation sucrière, caractérisée par l'insularité, le cloisonnement social par la couleur de peau, la créolisation (de la langue et du mode de vie), la persistance d'un héritage africain, la dominance de l'oralité, la vocation à combiner, synthétiser, métisser... Le vœu, dérisoire ou prématuré au plan politique (l'idée de Fédération caraïbe n'est pas encore ressentie comme nécessaire par les peuples des îles), tente de s'accomplir dans l'action culturelle. Tel est d'ailleurs le sens de l'engagement d'Édouard Glissant. En 1959, il participe activement à la fondation du Front antillo-guyanais, qui réclame l'indépendance pour les départements d'outre-mer : il est alors expulsé des Antilles et assigné à résidence en France. De retour en Martinique en 1965, il y fonde un établissement d'enseignement (l'Institut martiniquais d'études) et une revue, *Acoma,* qui paraît de 1971 à 1973 : l'école et la revue visent à donner au peuple antillais les clefs de sa culture.

L'antillanité ne connaît pas l'assurance triomphante de la négritude. En un sens, elle est virtuelle : « Dense (inscrite dans les faits) mais menacée (non inscrite dans les consciences). » Parce que le peuple antillais est traumatisé par une histoire qu'il ne maîtrise pas, non ancré dans un pays qu'il ne possède pas, réfugié dans l'asile d'une « colonisation réussie ». L'écrivain Glissant écrit contre le vide des consciences et les dérives de la folie, contre les trous de la mémoire et les déchirures du tissu social. Il écrit pour réaccorder : soi-même à soi-même, les hommes à leur histoire et à leur paysage. « Je me lève et j'explore et j'étreins l'innommé pays » *(Le Sel noir).*

Découvrant dans la poésie le mode premier de la reprise de soi, Glissant rencontre un poète, Saint-John Perse (« le plus essentiel poète vivant », écrit *L'Intention poétique* en 1969), né en Guadeloupe, participant d'une « fragile antillanité », mais devenu le chantre de l'Occident universaliste. Au demeurant, l'œuvre de Perse est nécessaire, « elle suit le cours du monde » : « Quelle parole [...] a plus densément figuré le drame où l'Occident solitaire s'est soudain stupéfait face aux argiles bougées du monde, et voilé devant elles sa face altière, émue et menacée ? » L'ambition de Glissant a été de donner à Saint-John Perse une réponse (émulation mieux que rivalité), lui empruntant la splendeur de son chant pour dire non la passion du « total », mais l'humble particulier : la présence antillaise. Ainsi les deux poètes ont-ils écrit l'épopée de la venue en Ouest, vers le Nouveau Monde, Saint-John Perse dans *Vents,* magnifiant l'errance des grands conquérants, Glissant dans *Les Indes,* pour qu'on n'oublie pas ceux qui furent massacrés, déportés, vendus, ni ceux qui résistèrent. Même parallèle entre *Amers,* qui glorifie la mer comme figure du mouvement de l'homme, « insatiable migrateur », toujours en marche au-delà de lui-même, et *Le Sel noir,* qui redonne leur part à la terre, aux îles, « au secret du sel qu'une île porte » (« Le sel du poème à la fin dépose dans la terre, qui s'alentit »).

Le poème *Les Indes* prend tout son sens de l'évocation de « ce qu'on n'effacera jamais de la face de la mer » : la traite. « On a cloué un peuple aux bateaux de haut bord, on a vendu, loué, troqué la chair. [...] Il n'est plus de mystère ni d'audace : les Indes sont marché de mort ; le vent le clame maintenant, droit sur la proue ! »

[Cela se nomme d'un nom savant]

Un d'eux, qui profitant d'une mégarde des chiourmes, tourne son âme vers la mer, il s'engloutit. Un autre abâtardi dont le corps est sans prairie, sans rivière, sans feu. Un qui meurt dans sa fiente consommée à la fétidité commune. Un ici qui sait sa femme enchaînée près de lui : il ne la voit, mais il l'entend faiblir. Et Un qui sait sa femme nouée au bois là-bas d'un négrier : il ne la voit mais il l'entend partir. Un encore dont le gourdin a cassé quelque côte, mais on punit le marin peu économe du butin. Et Un qu'on mène sur le pont, une fois la semaine, que ses jambes ne pourrissent. Un qui ne veut marcher, immobile en sa mort déjà, qu'on fait danser sur la tôle de feu. Un qui attend l'inanition, il se refuse à avaler le pain mouillé de salaison ; mais on lui offre de ce pain ou du fer rouge sur la flamme, qu'il choisisse. Un enfin qui à la fin avale sa langue, s'étouffe, immobile dans sa bave rouge. Cela se nomme d'un nom savant dont je ne puis me souvenir, mais dont les fonds marins depuis ce temps ont connaissance, sans nul doute.

Édouard Glissant, *Les Indes,* éd. du Seuil.

Refus de s'enfermer dans le dialogue avec Saint-John Perse et surtout volonté de briser avec les automatismes d'un imaginaire importé (qui se trahissait par l'emploi de mots, d'images sans répondant dans l'antillanité), Glissant évolue dans ses poèmes récents, ceux de *Boises,* qu'il définit lui-même comme « martiniquais », vers une écriture plus dense, plus minérale dans son choix d'images, laissant secrètement affleurer la trace de l'oralité et du créole (non dans la luxuriance du vocabulaire, mais dans l'éclat brisé, dans le lapidaire de formules apparentées au jeu rituel des devinettes). Le dernier poème du recueil, empruntant peut-être son image matricielle à la Lézarde, la rivière qui prêtait son nom au premier roman et ouvrait à ses héros le chemin de la mer et du monde, rassemble en son noyau dur toute la poétique/politique de Glissant :

Demains

Il n'est pas d'arrière-pays. Tu ne saurais te retirer derrière ta face.

C'est pourquoi dérouler ce tarir et descendre dans tant d'absences, pour sinuer jusqu'à renaître, noir dans le roc.

Creusant les mêmes mots (leitmotiv du « tarir » !), convoquant les personnages des fictions romanesques de Glissant ou ceux de légendes problématiques, confrontant le pays d'avant (l'Afrique) et l'île née du volcan, de la rivière et de la mer, *Pays rêvé, pays réel* (éd. du Seuil, 1985) enracine la dérive insulaire dans le plaisir de nommer et la précision terrienne des images :

Je t'ai nommée Terre blessée, dont la fêlure n'est gouvernable, et t'ai vêtue de mélopées dessouchées des recoins d'hier

Pilant poussière et dévalant mes mots jusqu'aux enclos et poussant aux lisières les gris taureaux muets

Je t'ai voué peuple de vent où tu chavires par silence afin que terre tu me crées

Quand tu lèves dans ta couleur, où c'est cratère à jamais enfeuillé, visible dans l'avenir.

Des poèmes aux romans, on retrouve le même projet d'écrivain, commun à toute une littérature américaine, de Faulkner à Asturias, de Carpentier à Garcia Marquez : il s'agit de fonder la légitimité du rapport de l'habitant à son propre sol, en débrouillant les confusions d'un « temps éperdu », les chronologies désaccordées ou oblitérées par la colonisation, en redécouvrant la correspondance d'une durée et d'un paysage. De là, par exemple, la construction, en relations et en ruptures, du cycle romanesque de Glissant. Les personnages peuvent réapparaître d'un ouvrage à l'autre (*La Case du commandeur* s'achève sur un tableau généalogique des principaux protagonistes du cycle, « essai de classification, sur les relations entre les familles Béluse, Targin, Longoué, Celat »). Mais il ne faudrait pas se croire chez un Balzac ou un Zola tropical. Le décalage de la technique romanesque d'un volume sur l'autre interdit l'illusion d'une « comédie antillaise ». Ces décrochages invitent à une patiente anamnèse, à une remontée dans l'imaginaire antillais, pour mettre à l'épreuve ses mythes fondateurs (ou mettre en évidence leur absence).

A une question de la revue antillaise *Caré* sur la cohérence de sa réflexion, Glissant répondait en 1983 : « Il me semble que notre projet littéraire se noue au ventre de la bête : dans l'antre du bateau négrier. C'est de si loin qu'il faut venir. » Tel est le point de départ du *Quatrième Siècle,* chef-d'œuvre du roman antillais. Parcourant en tous sens (hors toute linéarité chronologique) les presque quatre siècles de présence aux Antilles depuis le débarquement des premiers ancêtres, le roman s'interroge (« Dis-moi le passé, papa Longoué ! Qu'est-ce que c'est, le passé ? ») sur l'histoire antillaise. Histoire triangulaire où s'affrontent le Maître, l'Esclave et le Marron [1]. Or le roman en déplace le centre de gravité, de la dialectique du Maître et de l'Esclave à l'opposition de l'Esclave et du Marron. Deux lignées incarnent au long des siècles le double visage des noirs antillais : les Béluse et les Longoué, ceux qui sont restés sur la plantation et ont subi l'esclavage, et ceux qui ont marronné sur les mornes et vécu la liberté des bois. Mais les personnages répudient la fresque historique pour prendre une dimension mythique. Figure de l'origine désirée : le premier Longoué, le « Marron primordial », le « Négateur ». A peine débarqué du navire négrier, rejetant toute compromission avec le monde de la plantation, il s'est échappé vers le morne aux acacias et s'est enraciné dans une terre dès le début étrangement familière. Mais tous n'ont pas fui et les Béluse ont eu beaucoup d'enfants. Même si le premier Marron a obligé le Maître à lui reconnaître sa virile liberté, il lui faut se préparer à la réconciliation avec la lignée laborieuse des Béluse. Tel est le sens de l'histoire antillaise que balise le roman, au fil de scènes presque mythologiques : le rapt par le premier Longoué d'une esclave qu'il arrache à la plantation pour en faire sa femme ; le face à face et l'échange, chacun dans sa langue, française et africaine, du béké [2] La Roche et du rebelle Longoué, « son coutelas en travers des cuisses », comme un déni à la castration de l'esclavage ; l'abolition en 1848 et la nomination des nouveaux citoyens (et ces noms sont donnés et imposés par l'administration coloniale, bloquant symboliquement l'accès au libre choix de soi-même et de sa propre histoire)...

A l'optimisme du *Quatrième Siècle,* où, malgré retards et blocages, se dessine la possibilité d'une histoire antillaise, succède la déréliction de *Malemort :* narration fracturée, personnages qui se défont, mort lente et acceptée. « Ce livre en grande ambition tâchait de surprendre quelques aspects de notre usure collective [...]. Il semble que de jour en jour le tour de l'effacement pour nous Martiniquais s'accélère. Nous n'en finissons pas de disparaître, victimes d'un frottement de mondes. Tassés sur la ligne d'émergence des volcans. Exemple banal de liquidation par l'absurde, dans l'horrible sans horreurs d'une colonisation réussie » *(Le Discours antillais).* L'écriture alors se dispose comme l'ultime et fragile lieu où refuser l'usure et le renoncement. Et d'abord par son invention, par son façonnement : *Malemort* joue d'une langue au contact du français et du créole (« Mon langage tente de se construire à la limite de l'écrire et du parler »). L'opacité (ou si l'on préfère, la saveur) de cette langue-synthèse témoigne malgré tout pour la survie de l'antillanité. Comme aussi l'humour dans la mise en scène des mœurs antillaises (ainsi le

1. Esclave qui s'est enfui pour vivre en liberté. — 2. Grand propriétaire blanc.

démontage de manœuvres électorales). On n'est pas complètement mort quand on conserve le goût de rire et d'écrire à neuf.

Dans *La Case du commandeur,* cette écriture est encore plus assurée dans son abondance, plus maîtrisée dans sa dérive entre deux langues. La forme choisie (l'accumulation verbale de longs chapitres d'un seul souffle, sans alinéas) s'accorde à la puissante construction du roman : un double cheminement à partir du personnage central de Marie Celat (ou Mycéa), déjà rencontrée dans *La Lézarde.* Vers le passé, le roman remonte, de génération en génération, vers l'ancêtre premier, venu du « pays d'avant » : Odono, dont le nom s'est réduit à n'être plus qu'un cri échappant à tel de ses descendants en démence, cri insensé et seule « trace du temps d'avant ». L'autre cheminement se brise sur l'impossible futur de Marie Celat : ses enfants meurent, elle plonge dans la folie.

Si la folie imprègne ainsi tout le roman, c'est qu'elle est pour Glissant une marque essentielle de la société antillaise : le fou y questionne désespérément son invivable situation de colonisé et substitue son délire verbal à toute forme d'action. D'où un glissement par lequel la figure du fou et celle de l'écrivain tendent à se confondre :

« Combien dénombrons-nous de ces errants, qui aux carrefours moulinent ainsi le tragique de nos déracinements. Leurs bras taillent l'air, leurs cris plantent dans le chaud du temps. Ils sont saouls de leur propre vitesse.

Nous faisons semblant de les ignorer : nous ne savons pas que nous parlons le même langage qu'eux : le même impossible lancinement d'une production vraie » *(Le Discours antillais).*

« A la croisée cet homme, frappé d'un songe de vent, se souvient. Il saute sur un pied, il casse la tête en arrière, il crie : *Odono ! Odono !* Les voitures klaxonnent, les passants rient sans s'arrêter. [...] Nous disons que c'est folie [...] Or cet homme à la croisée s'entête. Il voit par saccades, ça fourmille à sa gorge. » *(La Case du commandeur)* Comme le fou du carrefour, le romancier entreprend d'épeler les mots dont le sens est perdu, pour réentendre l'histoire oubliée et retrouver « l'espace violé du pays d'avant » avec ses odeurs rêches de savane.

[Au suivant]

Quand l'esclavage fut aboli, en 1848, il fallut donner aux anciens esclaves un état civil, pour en faire des citoyens.

Parce que ces deux commis, malgré leur stupeur et leur indignation, furent obligés de mener leur tâche jusqu'à sa fin (puisqu'ils étaient appointés pour cela et puisque toute amorce de sabotage dans ce travail aurait pu leur valoir de sérieux ennuis avec les nouveaux employeurs) ; qu'ainsi la légalité triompha partout. La légalité, c'est-à-dire ce postulat que l'esclavage était aboli, que chacun serait pris en compte par les bureaux de l'État-Civil, du moins en ce qui concernerait son identité ou les documents qu'il y aurait lieu de certifier à son sujet. Les deux commis avaient donc dressé sur la plus grande place une table derrière laquelle ils s'étaient barricadés, pour se garder de la marée qui battait la place. Embastillés dans leur donjon de registres et de formulaires, sanglés dans leurs redingotes, les oreilles rouge-feu et le corps en rivière, ils dévisageaient la houle indistincte de faces noires devant eux. Très officiels, ils ne laissaient rien paraître de leurs sentiments, du moins pas dans le ton de leur voix quand ils criaient : « Au suivant » ou : « Famille Boisseau » ; mais par moments ils se penchaient l'un vers l'autre, s'encourageaient à la farce, ou, terrés derrière leurs papiers, s'excitaient à la colère.

— Ce n'est pas possible, ce n'est pas possible, disait rapidement le premier commis.

Puis se redressant aussitôt, il criait : « Au suivant ! » — Il était chargé de l'interrogatoire des postulants.

— Habitation Lapalun.

— Combien ?

— Un homme, une femme, trois enfants.

— Famille Détroi, annonçait le premier commis. Un homme, une femme, trois enfants. Au suivant !

— Famille Détroi, deux plus trois, répétait le second commis, chargé des écritures. Et il remettait à chaque main tendue devant lui, au-dessus de la même indistincte face, un papier dont il gardait lui-même copie.

— Quartier Plaisance.

— Combien ?

— Moi, Eufrasie, les enfants...

— Combien d'enfants ?

— Cinq.

— Famille Euphrasie, un homme, une femme, cinq enfants. Au suivant !

— Famille Euphrasie, deux plus cinq, répétait le second commis.

— Moi tout seul, disait le suivant.

— Ni père ni mère ?

— Non.

— Pas de femme ?

Le « suivant » ricanait.

— Famille Tousseul, un. Au suivant !

— Famille Tousseul, un, répétait le second commis. Il tendait le certificat d'existence, sinon d'identité.

C'était l'épilogue du grand combat : la délivrance de papiers qui consacreraient l'entrée dans l'univers des hommes libres. A l'entour de la table une certaine réserve, et presque une gravité, s'imposaient. Mais à mesure qu'on s'en éloignait, l'agitation grandissait dans la foule. Aux confins, c'était la franche exubérance. A travers le bourg, sous les fenêtres fermées, les persiennes cadenassées, les baies aveugles : la liesse et le bruit. Les anciens esclaves des Plantations étaient là, y compris les femmes. Mais aussi, majestueux dans leurs haillons, traînant comme une parure de dignité leur boue et leur dénuement, et les seuls d'ailleurs à être armés de coutelas, les marrons. Dans le contexte de loques et de hardes, ils trouvaient moyen d'être à la fois les plus démunis et les plus superbes. Ils s'en venaient par petits groupes, comme autant d'îles fermes dans la mer bouillonnante. Ils ne parlaient pas, ne gesticulaient pas, et on pouvait respirer dans leur sillage comme un relent de crainte, vite balayé par l'excitation de la journée. Les marrons étaient partagés entre la satisfaction de celui qui voit légitimer son existence ou ratifier son passé, la curiosité d'aller-et-venir sans souci dans le dédale des ruelles qu'ils avaient naguère parcourues à la dérobée, et le vague regret des jours révolus, quand le danger de vivre les élisait au plus haut de l'ordre de vie. Ces sentiments mêlés les contraignaient dans leur attitude et jusque dans leur silence. Il leur en venait une apparence outrée de modestie qui les distinguait plus encore. Leur particularité (en plus du coutelas) était qu'une fois arrivés près de la table, ils annonçaient d'eux-mêmes leur nom et celui de leurs proches, au contraire de la masse qui eût été généralement bien en peine de proclamer des noms ou d'exciper d'une vie familiale. Les deux commis ne pouvaient s'y tromper ; cette marque d'indépendance leur semblait une injure : leur indignation s'y renforçait.

Édouard Glissant, *Le Quatrième Siècle,* éd. du Seuil.

[Le Marron primordial]

Chaque séquence de *Malemort* est mise en relation avec une ou plusieurs dates (de 1798 à 1974). Ce fragment s'inscrit sous la date 1974.

Dernièrement donc, sous trois plants de bois sans feuilles, dans deux filets d'eau en boue et détritus, sur l'unique rase pelée terrasse qui est l'île, l'envasement de la trace par où le Négateur, le Marron primordial, non pas le premier peut-être mais à coup sûr le plus raide et rêche, descendit pour connaître le pays et enlever sa compagne.

Pour quoi faire, disent-ils — désassemblés — le passé quel passé, Négateur quel négateur, qui vient qui est né c'est le même, qu'est-ce que c'est un pays de quoi, de blancs de mulâtres d'indiens, c'est un pays d'hommes tout court.

Oui, dit — passant — Pétronise (qui habite Lutèce) je ne vois certes pas comment vivre dans ce trou. Sans avenir sans théâtre sans la culture sans la connaissance sans carrière.

Oui, dit un Bellem, moderne Bellem, il faut regarder devant, hein tu parles des problèmes d'aujourd'hui, non ?

La trace ainsi envasée dans ni le limon ni la grasse rouge ni l'eau libre distribuée mais dans la grisaille le tuf où planter arcades bungalows grandes surfaces points fixes d'hélicoptères. Tous questionnant : « Mais alors, qu'est-ce qu'il faut faire ? » Sans compter ces trois, Médellus Silacier Dlan [1], qui bientôt peut-être vont se perdre, nous avec eux, dans la jaune clarté de terre diffuse où s'enfouissent les antans mais où demain jamais ne lève. Tous criant : « Mais qu'est-ce que ça veut dire ? Soyez clair, parlez clair et net, parlez pour tous », dans ce balan de tourments dont pas un ne saurait clarifier le fond ni arrêter le mouvement.

La trace perdue retrouvée perdue.

Édouard Glissant, *Malemort,* éd. du Seuil.

Le roman antillais

La richesse et la réussite littéraires de l'œuvre de Glissant ne sont pas encore vraiment reconnues : beaucoup de ses compatriotes antillais préfèrent l'ignorer ; il reste volontairement marginal dans la littérature française. Mais c'est le lot commun de tous les écrivains antillais, tous plus ou moins en attente de leur vrai public. La littérature antillaise demeure virtuelle. Plus exactement, elle est actuellement en train de se donner les moyens d'une existence autonome. Pendant longtemps, l'auteur antillais écrivait pour la petite frange lettrée de ses compatriotes, mais surtout pour le public tant convoité de la métropole. Les œuvres ne trouvaient pas de résonance dans leur espace culturel propre. Les choses changent : création de maisons d'édition spécifiquement antillaises (Désormeaux, Éditions caribéennes) ; amélioration des circuits de diffusion ; naissance de revues de critique *(Espace créole ; Caré) ;* parution de travaux universitaires... Un public littéraire tend à se constituer ; les œuvres se rapprochent des lecteurs pour qui elles sont originellement écrites. Mais cette évolution est contrariée par le maintien de dépendances coloniales, par la soumission aux

1. Trois personnages, incarnation du « petit peuple » antillais, autour desquels s'organise la fiction.

modèles transnationaux de la culture. D'où des jugements contrastés sur l'état actuel de la littérature antillaise : essor ou marasme, suivant que l'on est sensible à la progression du nombre et de la qualité des œuvres publiées, ou à la lenteur des transformations mentales du public, aux survivances de l'extroversion chez des écrivains qui attendent de la métropole leur vraie consécration.

Le roman est bien sûr le genre dominant. Malgré les divergences idéologiques et esthétiques, un air de famille réunit l'ensemble des romans antillais : un commun désir de montrer la réalité antillaise, de démonter l'agencement de la société. En réaction contre certains points de vue exotiques, les romanciers affirment orgueilleusement ou voluptueusement une identité : « C'est ainsi que nous sommes. » L'inspiration peut être plus ou moins militante (le roman, tourné vers le public antillais, travaille à une prise de conscience nationale) ou plus ou moins régionaliste (il énumère dans l'émerveillement les délectables particularités du pays natal). Un courant plus récent laisse percevoir des voix plus angoissées, presque désespérées (on craint que l'identité ne se perde, que le pays ne se désagrège).

Dans leur majorité, ces romans peuvent se définir comme **« romans des mœurs antillaises »** : d'où leur inévitable dimension critique. Très symboliquement, l'un des premiers, *Diab'là,* écrit par Joseph Zobel en 1942, fut interdit à l'époque par la censure vichyste de la Martinique : à travers l'histoire d'un solide gaillard venant s'installer comme paysan dans un village de pêcheurs pour y offrir ses légumes aux habitants, Zobel posait discrètement le problème de la propriété du sol et suggérait que la terre revînt à celui qui la travaille. Dans l'immédiat après-guerre, les nouvelles de Joseph Zobel *(Laghia de la mort,* 1946*)* disent sobrement le vécu violemment physique des gens du peuple, tandis que les récits martiniquais de Raphaël Tardon *(Bleu des îles,* 1946*),* dans une écriture plus heurtée, racontent des faits divers drolatiques. Le même Raphaël Tardon, dans son roman *La Caldeira* (1949), prenant pour cadre l'éruption de la montagne Pelée en 1902, se fait le porte-parole des mulâtres. Même s'ils ne s'inscrivent pas dans la tradition réaliste de Zobel ou Tardon, tous les romanciers antillais, de Simone Schwarz-Bart à Édouard Glissant, de Michèle Lacrosil à Vincent Placoly, ont apporté leur contribution (scène de genre, « chose vue », portrait typé) au déploiement d'un vaste « tableau général de la vie antillaise ». Le genre romanesque fonctionne comme conservatoire d'une culture dont on sait qu'elle est condamnée à se transformer ou à disparaître. Même un roman poétique comme *Martinique des cendres* (1978) de Roland Brival mêle intimement la chronique de la vie d'un village à la célébration lyrique de l'alliance des humains et de la nature.

La Rue Cases-Nègres (1955) de JOSPH ZOBEL reste le chef-d'œuvre du roman réaliste antillais. Le film qu'en a tiré Euzhan Palcy en 1983 lui a gagné de nouveaux lecteurs et a donné l'occasion aux anciens de vérifier par une seconde lecture qu'il s'était bonifié avec l'âge. Le récit obéit au schéma classique du roman de formation. Le narrateur, José Hassam, soutenu par l'ambition d'une grand-mère héroïque, échappe au sort qui l'attendait rue Cases-Nègres : les « petites bandes » (les enfants chargés des travaux subalternes sur la plantation), puis le travail épuisant des ouvriers de la canne. Il affronte victorieusement l'épreuve de l'école primaire au bourg voisin, puis le concours des bourses et le lycée de Fort-de-France, la grande ville. La force du roman tient moins à sa fidélité autobiographique qu'à sa configuration mythique : c'est le roman du *passage,* du village à la ville, du mythe à l'histoire de l'oralité à l'écriture. La facture classique, héritée des modèles de la narration scolaire, s'accorde subtilement au projet du narrateur parvenu au terme de son initiation : se servir de l'art de raconter appris à l'école pour écrire l'histoire de ceux qui viennent de la rue Cases-Nègres

[Médouze est mort]

M. Médouze, le vieux nègre qui fait l'éducation du narrateur, en l'initiant au monde traditionnel des contes, comptines et devinettes, n'est pas rentré, ce soir-là, à la rue Cases-Nègres. Les recherches organisées le découvrent, mort d'épuisement, près du lieu de son travail, dans les champs de cannes.

Il se passa beaucoup de choses ce soir-là.

Des femmes apportèrent du rhum dont se désaltérèrent les hommes qui avaient ramené le corps.

M'man Tine revint avec un petit pot rempli d'une eau dans laquelle trempait un petit rameau vert, la déposa près de la tête de M. Médouze. Mam'zelle Valérine entra avec une bougie qu'elle alluma à côté du petit pot. Puis arrivèrent d'autres personnes de la rue Cases qui ne s'étaient pas encore montrées.

— Eh bé ! maît'Médouze voulait nous fuir comme ça, alors !

— Ah ! oui, c'est parce que son lit est trop étroit, il pouvait pas mourir dessus.

— Que voulez-vous ? Ce sont les cannes qui l'ont tué, c'est dans les cannes qu'il voulait laisser sa peau et ses os.

Un gros silence pesait alors, que venait chasser ensuite un murmure de compassion ou une boutade soudaine. Un petit rire discret passait, puis un gros soupir.

Peu à peu, une rumeur nouvelle s'éleva dehors, et je fus très amusé de trouver, installés par terre, dans l'obscurité, devant la case, quelques hommes que je distinguais à peine et dont je ne reconnaissais que la voix.

D'un coup, un chant lourd et traînant monta de terre, de l'endroit où étaient assis ces gens invisibles, et m'emplit aussitôt avec la violence d'une peur.

Le chant continua de monter de son jet lent et envahissant, apaisa mon trouble, m'emportant pour ainsi dire de sa poussée dans la nuit, vers le sommet des ténèbres. Sans se rompre, il s'infléchissait, ployait et continuait sa lugubre ascension.

Puis s'étant longuement, mystérieusement promené par toute la nuit, il redescendit lentement, jusqu'à terre, et entra au fond des poitrines.

Aussitôt, une voix vive attaqua une autre mélopée à sonorités heurtées, au rythme baroque ; et toutes les autres y répondaient par une plainte brève, et les corps se balançaient lourdement dans l'ombre.

Quand ce fut terminé, une autre voix d'homme cria :

— Hé cric !...

Et toute la foule répliqua à pleine voix :

— Hé et de !...

Je me retrouvais dans le même préambule des contes que M. Médouze me disait.

On en raconta ce soir-là !

Il y avait un homme — c'était lui, le maître conteur — qui les disait debout, tenant une baguette à l'aide de quoi il mimait les allures de toutes les bêtes, les démarches de toutes sortes de gens : vieilles femmes, bossus, culs-de-jatte. Et ses récits roulaient sur des chansons, qu'à grands signes de baguette il faisait reprendre, jusqu'à ce qu'on en fût essoufflé.

De temps en temps, entre deux contes, quelqu'un se levait et disait au sujet de Médouze des paroles qui jetaient tout le monde dans des rires interminables.

— Médouze est mort, disait-il d'un ton de circonstance. C'est la douloureuse nouvelle que j'ai le chagrin de vous annoncer, messieurs-dames. Ainsi que je le constate, ce qui nous peine le plus, c'est que Médouze est mort et n'a pas voulu que nous assistions à son agonie. Mais plaignez pas Médouze, messieurs-dames ; Médouze est allé se cacher pour mourir parce que... Devinez donc le mauvais dessein de Médouze ! Parce que Médouze voulait pas que nous, ses frères dans le boire et les déboires, nous héritions son champ de cannes du Grand-Étang !

— Son vieux canari [1] fêlé, ajoutait une voix.

— Son vieux pantalon défoncé, une autre voix.

— Sa vieille pipe et son coui [2] cassé.

— Et sa planche à coucher rabotée par ses os.

— Et l'or et l'argent que le béké [3] lui donnait le samedi soir...

Et tout le monde de reprendre en riant :

— Et tout l'or et l'argent que le béké lui donnait le samedi soir !...

Joseph Zobel, *La Rue Cases-Nègres,* éd. Présence Africaine.

Plusieurs romans, écrits par des femmes, prennent comme sujet le destin d'héroïnes aux mœurs contrariées par les clivages et les interdits raciaux. Les deux romans de Mayotte Capécia *(Je suis Martiniquaise,* 1948 ; *La Négresse blanche,* 1950), contant tous deux l'amour d'une femme de couleur pour un Blanc, suscitèrent des réactions vives : on lui reprocha comme une incongruité de parler d'un sujet tabou, — le préjugé de couleur —, tandis que Frantz Fanon dénonçait l'aliénation de ses héroïnes. Les personnages de Michèle Lacrosil *(Sapotille et le Serin d'argile,* 1960*)* et de Jacqueline Manicom *(Mon examen de Blanc,* 1972*)* se heurtent aussi au compartimentage social fondé sur les plus infimes nuances de la couleur de peau : il est interdit de transgresser par le mariage les frontières fixées par la hiérarchie raciale. L'inspiration ouvertement autobiographique ajoute à l'amertume de ces romans-confessions.

Pour mieux comprendre les mécanismes et les blocages de la société antillo-guyanaise actuelle (pour permettre éventuellement d'agir sur eux), le roman se tourne vers le passé qui les conditionne ; il cherche à restituer une histoire longtemps occultée par l'historiographie officielle, écrite du point de vue des colons blancs et de la métropole. C'est précisément la tâche qu'Édouard Glissant assigne à l'intellectuel antillais : lutter contre l'oubli, travailler à **recouvrer une mémoire collective.** La veine historique du roman accompagne l'essor des « études créoles » (développement d'une jeune école historique caraïbe ; inventaire de la culture matérielle, comme dans les travaux de Jack Berthelot sur l'habitat créole traditionnel ; épanouissement d'une linguistique créole).

Simone Scharz-Bart a donné comme le modèle (reconnu par un réel succès de librairie) du roman historique antillais avec *Pluie et Vent sur Télumée Miracle* (1972). Chronique de la vie guadeloupéenne pendant presque un siècle, le roman suit, depuis l'abolition de l'esclavage, une lignée de femmes, les Lougandor, qui apparaissent comme les seuls éléments de stabilité et de durée dans leur société. Ballottée par ce qu'elle appelle « la folie antillaise » (à la fois errance sur une terre que l'on maîtrise mal et dérive, qui peut être meurtrière, hors de rationnel), la narratrice et héroïne principale, Télumée, parvient au bout de sa quête : élucidation de son statut dans le monde, prise de possession de son royaume insulaire (« je mourrai là comme je suis, debout, dans mon peti

1. Vase en terre cuite, pour contenir l'eau ou tout liquide. — 2. Moitié de calebasse, servant de récipient — 3. Grand propriétaire blanc.

jardin, quelle joie... »). Le plus remarquable peut-être dans ce roman qui vise à sauver la culture populaire d'un naufrage menaçant, c'est la langue prêtée à Télumée, la narratrice : un français qui « enchâsse » les expressions et tournures créoles ; peu de citations directes, mais comme une imprégnation profonde — le créole, l'esprit du créole, transparaissant sous la surface du français.

[Vous connaissez cuisiner ?]

Télumée, la narratrice, élevée par sa grand-mère, Reine Sans-Nom, au hameau perdu de Fond-Zombi, est obligée de « se placer » chez les Blancs.

Et tandis que j'allais ainsi, d'un pas retenu malgré moi, contrôlé, soudain surgit une vaste demeure à colonnades et bougainvillées, perron surélevé, toit surmonté de deux flèches métalliques, et ces étonnantes fenêtres à vitres et rideaux de dentelle dont nous avions parlé, Reine Sans-Nom et moi. Sur toute la façade, les fleurs tapissaient la maison d'un mauve écarlate, éblouissant. Venant à moi, depuis le perron où elle se tenait, la descendante du Blanc des blancs m'apparut, dame frêle, un peu vieille demoiselle, avec de longs cheveux jaunes et gris et les orteils fardés dans des sandales, qu'elle traînait avec légèreté, comme de petits bateaux de papier tirés à la ficelle, sur une pièce d'eau dormante. Deux yeux d'un bleu intense m'examinèrent, et le regard me parut froid, angoissant, désinvolte tandis que Mme Desaragne m'interrogeait avec insistance, tout comme si elle n'avait jamais rencontré grand-mère.

— C'est une place que vous cherchez ?

— Je cherche à me louer.

— Qu'est-ce que vous savez faire, par exemple ?

— Je sais tout faire.

— Vous connaissez cuisiner ?

— Oui.

— Je veux dire cuisiner, pas lâcher un morceau de fruit à pain dans une chaudière d'eau salée.

— Oui, je sais.

— Bon, c'est bien, mais qui vous a appris ?

— La mère de ma grand-mère s'était louée, dans le temps, chez les Labardine.

— C'est bien, savez-vous repasser ?

— Oui.

— Je veux dire repasser, c'est pas bourrer de coups de carreaux [1] des drill [2] sans couleur.

— Je sais, c'est glacer des chemises en popeline avec des cols cassés.

— C'est bien. Mais ici, c'est une maison respectable, c'est une chose qu'il faut bien comprendre. Avez-vous un mari ? quelqu'un ?

— Non, je vis seule avec ma grand-mère, seule.

— C'est bien, car vous savez, l'inconduite ne mène à rien. Si vous respectez les gens comme il faut, si vous vous occupez de vos affaires, de vos propres chancres au lieu de bâiller la bouche grande ouverte, alors vous pouvez rester, elle est libre, la place. Seulement je vous avertis bien, vous êtes à l'essai.

1. Fer à repasser. — 2. Tissu grossier.

J'ai déposé mon balluchon dans un réduit à l'écart de la maison, du côté de l'écurie, ma chambre désormais, et je me suis mise à laver une pile de linge sale que Mme Desaragne me désigna, dans un petit bassin à robinet de cuivre.

Alors Fond-Zombi fut devant mes yeux et se mit à flotter par-dessus son bourbier, morne après morne [1], vert après vert, en ondulant sous la brise tiède jusqu'à la montagne Balata Bel Bois, qui se fondait au loin parmi les nuages. Et j'ai compris qu'un grand vent pourrait venir, souffler, balayer ce trou perdu case par case, arbre par arbre, jusqu'au dernier grain de terre et cependant, il renaîtrait toujours dans ma mémoire, intact.

Simone Schwarz-Bart, *Pluie et Vent sur Télumée Miracle,* éd. du Seuil.

L'histoire des îles fournit une matière romanesque toujours renouvelée. Le Guyanais Serge Patient pastiche l'érotisme tropical et fin de siècle à la Hugues Rebell *(Le Nègre du Gouverneur,* 1972*).* Marie-Louise Audiberti, fille de Jacques, dédie à sa mère martiniquaise une chronique allègre et documentée des années précédant l'abolition de l'esclavage *(La Peau et le Sucre,* 1983*).* Roland Brival, évoquant les révoltes d'esclaves avant 1848, cherche à retrouver la force mythologique du roman-feuilleton *(La Montagne d'ébène,* 1984*).*

Plus ambitieuse, l'entreprise de Daniel Maximin *(L'Isolé Soleil,* 1981*)* — même si la réalisation n'accomplit pas totalement le désir exprimé d'« écrire d'une manière impure, parodique, mythique et documentaire tout à la fois ». La construction complexe, faisant dialoguer les paroles croisées de plusieurs narrateurs (échanges de lettres, manuscrits anciens retrouvés), opère une récupération de l'histoire guadeloupéenne, de l'épopée de Delgrès, dernier défenseur de la liberté des Noirs contre les soldats de Bonaparte venus rétablir l'esclavage, jusqu'aux luttes politiques de l'époque contemporaine, et en même temps déploie une réflexion sur la volonté de rester fidèle au passé de la communauté, tout en n'abdiquant rien de sa propre individualité : « A la clarté des lucioles commence la nuit une éruption de cris de misère et de joie, de chants et de poèmes d'amour et de révolte, détenus dans la gorge d'hommes et de femmes qui s'écrivent d'île en île, déshabillés d'angoisse, une histoire d'archipel, attentive à nos quatre races, nos sept langues et nos douzaines de sangs. »

Michèle Lacrosil utilise dans *Demain Jab Herma* (1967), qu'elle place sous le patronnage de Simone de Beauvoir et Jean-Paul Sartre, une technique de brèves séquences juxtaposées et heurtées, pour présenter un tableau dénonciateur de la Guadeloupe en 1952 : le chauffeur (et réputé sorcier) noir Jab Herma prendra-t-il la relève des colons blancs déclinants ?

Vincent Placoly *(La Vie et la Mort de Marcel Gontran,* 1971 ; *L'Eau-de-mort guildive,* 1973*)* renonce à donner cohérence à un devenir historique magnifié. Souvenirs, scènes vécues ou imaginées s'entrechoquent, la langue s'effiloche en phrases nominales, cris, borborygmes, onomatopées (comme une parole entravée). Il ne reste que l'intensité des sensations martiniquaises avivées par la prolifération des créolismes.

A l'inverse, XAVIER ORVILLE transmue de plus en plus les éléments empruntés à l'histoire ou à la situation antillaise en contes merveilleux. Il développe une méditation lyrique pour raconter les mémoires d'un arbre pluricentenaire : le fromager. Sa Martinique surréelle est la province caraïbe du romanesque fantastique et poétique latino-américain *(Délice et le fromager,* 1977 ; *L'Homme aux sept noms et des poussières,* 1981 ; *Le Marchand de larmes,* 1985*).*

1. Colline.

[Mon homme poteau-mitan]

Le narrateur est un mort qui quitte le cimetière pour « aller voir ce qui se passe » chez les vivants.

J'ai accroché ma musette à l'épaule et je suis remonté dans le clapotement doux des racines — le cimetière était une barque qui faisait l'aller-retour de la mort à la vie. J'ai pris lumière près d'un flamboyant [1] à fleurs jaunes. C'était le petit jour. Alsace secouait par la fenêtre les miettes du temps accrochées au drap, souvenirs des jours de goyave avec le lait du ciel dans la gorge des mornes, quand Marie-Triangle trempait son doigt dans les pots de gelée, dans les bassines et les casseroles où restait un fond de crème. Mais la petite fille que j'avais connue était maintenant cette femme que je voyais là, assise dans un fond de silence. Elle regardait sans rien voir. Ses doigts caressaient la rondeur de son ventre, d'un mouvement liquide et lent, et je voyais sur son visage des vagues de bien-être. Je n'entendais pas les paroles qu'elle prononçait. Je me suis approché. Elle chantait :

Mon homme poteau-mitan [2] planté en moi tu
m'as couverte de tuiles sucrées la pluie
d'hivernage [3] glisse au creux de mes aisselles sur
mon ventre rond un grand bruit de ciel
m'habite qui me vient de toi mon chiendent
doux il me suffit de te sentir là mon cœur se
délove et part à tâtons dans le vert des plantes
dans les cheveux de mes poupées d'enfant ou
encore au croisement des nuits je suis sous ta
main tu m'enveloppes de soleils liquides un
jour je te proposerai de sortir nue dans la rue
simplement pour te dire que je t'aime aussi à
midi je te prends dans mes bras oiseau
vainqueur et étiré de plumes tu m'arrives
immense et tournoyant par les chemins du ciel
tes ailes découpent mon visage tu ressembles à
mon souvenir le plus beau c'est pourquoi je
t'aime et d'allumer aussi des lucioles en plein
jour et de faire remonter mes rivières à leur
source et d'accrocher des miroirs aux
flamboyants pour m'ensemencer de rouge et de
me lisser de corossol [4] doux et de me prendre par
la main pour la danse des vagues sur l'étincelle
de ton regard.

Xavier Orville, *Le Marchand de larmes,* éd. Grasset.

L'Afrique (le « pays d'avant ») n'a jamais disparu de l'imaginaire antillais. Très symboliquement, le premier « véritable roman nègre », *Batouala* (1921), est écrit sur la vie dans un village de la forêt africaine par un Martiniquais, René Maran, fonctionnaire en Oubangui-Chari. L'Afrique a continué d'attirer, de fasciner et parfois de décevoir. Plusieurs générations d'Antillais, fonctionnaires, assistants techniques ou exilés politiques, ont longuement vécu sur le continent noir. En portent témoignage les romans de Paul Niger, partisan d'une décolonisation radicale *(Les Grenouilles du Mont Kimbo,* 1964*)*, ou de Bertène Juminer, observateur ironique de la décolonisation réelle *(Les Héritiers de la presqu'île,* 1981*)*. MARYSE CONDÉ aborde plus directement le thème des retrouvailles des Antillais avec l'Afrique. Ses héroïnes d'*Hérémakhonon* (1976) et d'*Une saison à Rihata* (1981) font l'expérience de l'étrangeté du monde africain : tyrannie des structures sociales traditionnelles, despotisme terrifiant d'autocrates « modernes ». Avec *Ségou* (1984), la perspective change : le roman se situe au

1. Grand arbre tropical (aux fleurs généralement rouges). — 2. Poteau central (d'une case, par exemple). — 3. L'une des deux saisons du climat antillais. — 4. Fruit tropical.

début du XIXe siècle, dans l'Afrique sahélienne que bouleversent le développement conquérant de l'Islam, la naissance d'un puissant État peul, le début de la pénétration européenne ; s'abandonnant au long cours du roman-fleuve (l'ouvrage comprend deux volumes), il entend profiter d'une vogue pour les reconstitutions historiques ; mais le bonheur de conter, s'il est soutenu par la maîtrise d'une riche documentation, témoigne surtout de l'enthousiasme de la romancière à ressusciter le temps de ses mythiques aïeux bambaras.

[Quand Sira pensait à sa vie d'autrefois]

> Sira, jeune fille peule du Macina, a été capturée par les guerriers du roi bambara de Ségou. Celui-ci l'a donnée comme concubine à Dousika, l'un de ses nobles.

Quand Sira pensait à sa vie d'autrefois, elle croyait rêver. Dans le Macina, la vie était rythmée par les saisons, les troupeaux allant et venant des pâturages de Dia à ceux de Mourdia. Les femmes trayaient les vaches, fabriquaient du beurre que les esclaves allaient troquer contre du mil sur les marchés des environs. Les hommes étaient amoureux de leurs bêtes plus que de leurs épouses et en chantaient la beauté le soir devant les feux de bois.
Aussi les autres peuples se moquaient :

Ton père est mort, tu n'as pas pleuré.
Ta mère est morte, tu n'as pas pleuré.
Un menu bovin a crevé et tu dis Yoo !
La maison est détruite !

Mais les autres peuples comptaient-ils ? On ne s'en rapprochait qu'en saison sèche afin de négocier l'accès à la pâture et à l'eau pour le bétail.

Puis un jour, des tondyons [1] bambaras avaient surgi coiffés de bonnets à deux pointes, vêtus de tuniques jaunes s'arrêtant au-dessus du genou, bardés de cornes et de dents d'animaux ou d'amulettes achetées aux musulmans. L'odeur de la poudre emplissant ses narines, Sira s'était retrouvée à Ségou dans le palais du Mansa [2]. Malgré le chagrin que lui causait sa captivité, elle ne pouvait s'empêcher d'admirer le nouveau cadre de sa vie. Derrière des murs qui défiaient le ciel, des esclaves tissaient, assis sous des auvents devant leurs appareils faits de quatre bois verticaux enfoncés en terre et reliés par des tiges horizontales, et elle ne se lassait pas de regarder, fascinée, le long serpent blanc de la bande. Des maçons réparaient et recrépissaient les façades. Partout, des commerçants offraient des tapis de Barbarie, des parfums, des soieries tandis que des bouffons, le corps disparaissant littéralement dans des vêtements faits de petits losanges de peau de bête étoilés de cauris [3], caracolaient pour la plus grande joie des enfants royaux. Comme les Peuls, quant à eux, ne bâtissaient pas, se contentant de leurs cases rondes en paille tressée ou en branchages, tout cela la fascinait.

Était-ce pour la punir de ces sentiments d'admiration involontaires, presque inconscients pour ses vainqueurs que les dieux l'avaient livrée à Dousika ?

Maryse Condé, *Segou*, éd. Robert Laffont

1. Guerriers. — 2. Roi. — 3. Petits coquillages (porcelaines), servant de monnaie, d'ornements, d'objets divinatoires, etc.

Bien qu'œuvres d'auteurs que l'on dira « métros » en français régional des Anilles (en français d'administration : oriinaires de France métropolitaine), pluieurs romans peuvent être considérés omme appartenant à la littérature anillaise. Écrits à partir des Antilles, ils y ont trouvé un public et ont participé au lévoilement d'un imaginaire littéraire ntillais. André Schwarz-Bart, qui avait u initialement le projet, en collaboraion avec sa femme Simone, d'une vaste uite romanesque, dont ils ont signé en ommun le premier volume *(Un plat de porc aux bananes vertes,* 1967*),* a donné ous son seul nom *La Mulâtresse Solitude* (1972), poignante chronique de la ie d'une esclave révoltée dans la Guaeloupe des années 1760 à 1802. Le mysérieux Salvat Etchart bouscule, dans un écit éclaté et torrentueux, proche de Claude Simon, la réalité violente de la Martinique contemporaine *(Le Monde tel qu'il est,* prix Renaudot 1967*).*

Jeanne Hyvrard occulte volontairenent le lieu de son origine, la source de a parole. Elle a cependant révélé, dans in poème publié dans le numéro « Martinique, Guadeloupe » de la revue *Europe* (avril 1980), la nécessité de son appartenance antillaise : « Négresse à pleurer / Négresse à mourir / Négresse d'avoir la peau blanche / Négresse d'un combat sans fin avec la langue / Pipée / Faussée / Tordue / Négresse de n'avoir plus qu'un corps pour dire / L'impossible oubli de la brisure / [...] » Un peu plus loin dans le même poème : « Ils entendent dans ma bouche le parler fou. » Tels ont été reçus les romans de Jeanne Hyvrard : laissant parler des voix d'origine mal définie, qui prolongent un infini monologue entre folie et mort. Si dans *Les Prunes de Cythère* (1975) sont multipliées les références aux réalités d'un paysage tropical antillais, la quasi-disparition de celles-ci dans *Mère la mort* (1976) et surtout *La Meurtritude* (1977) ne doit pas dissimuler l'homologie entre les voix qu'on y entend (privées de mots, condamnées à inventer sans fin un langage pour remplacer le langage perdu) et ce que Glissant analyse dans la situation antillaise comme dépossession de soi, déni d'existence, nécessité de la folie comme seule expression possible.

Madame n'a pas voulu de moi]

Pas d'identité précise pour la narratrice : voix multiple, éclatée et meurtrie, où l'on reconnaît parfois la servante martiniquaise.

Schoelcher. Fond-Bourlet. Case-Pilote [1]. On m'a dit, c'est là qu'il y a des Blancs qui viennent d'arriver. La grande maison là-bas tout au bord de la plage. La maison aux vérandas. La maison aux bois déchiquetés. La plage sent la mort. Les mers du Sud. Le sable gris vomi par le volcan. 'île entière sent la mort. Déchets de pauvre cuisine. Excréments. Saint-Tropique-des-Ordures. Les gomiers [2] rouges et bleus, verts et jaunes, pastilles d'une boîte de couleurs, pour quel dessin d'enfant à l'école es Français ? Tous les hommes du village tirent vers la plage leurs filets. La sène, dit-on, c'est la sène. Mais, dans les filets, ils ne ramènent rien. Les canots ne vont pas assez loin. Je m'en vais le long du chemin. On m'a dit là-bas, y a des Blancs qui viennent d'arriver. La maison à un étage. Les balcons de bois délabrés. a véranda peinte en vert et en mauve. Les moustiquaires trouées. Les manivelles rouillées qui ne commandent us les jalousies. Les portes gauchies par le gonflement de l'humidité. Le pain qui ne rassit pas. Les balcons ongés des termites. La nuit, quelquefois, on les entend grignoter petitement. Patiemment. Sans faille. La ouche où les ravets [3] courent dès le coucher du soleil. La splendeur de cette île pourrissant dans le silence.

Villes et villages martiniquais. — 2. Barques des pêcheurs. — 3. Cancrelats.

Elle est là à défaire ses malles et ses robes ne racontent pas encore le temps d'autrefois.
Madame veut-elle une servante ? Je sais cuisiner, laver, coudre et servir à table. Madame verra, je sais bien faire. Elle sera contente. Je sais faire la cuisine comme elle aime et aussi la cuisine d'ici si elle veut. Elle me regarde avec ses grands yeux. Bois d'ébène. Ti doudou. La Folie. Je ne sais pas quoi lui répondre, je ne veux pas de servante. La Redoute, Ravine-Vilaine, Petit-Brésil [1], tu trouveras bien une bonne négresse pour t'aider. Deux cents francs, c'est le prix. Un peu plus. Les Blancs donnent un peu plus. Mais la plage sent la mort, les ordures, les excréments. Les gommiers comme une boîte de couleurs. Les noms des bateaux sur la carcasse de ma peine. « La nourriture des enfants. » « Le mensonge est un arbre stérile. » « Soyez le bienvenu, je suis toujours là. »

Elle n'a pas voulu de moi. Pourquoi Madame a-t-elle honte de moi ? Je sais si bien servir à table. La mère de Madame m'avait bien appris. Même avec les amis de Monsieur. Crève-Cœur. Mon-Désir. Morne-Calebasse [1]. Quelquefois, les parents de Madame m'emmenaient à Beauregard chez des amis de Monsieur. Il y avait de belles dames et elles me donnaient leurs vieilles robes, quand elles n'en voulaient plus. Elles étaient bonnes avec moi.

Mais Madame n'a pas voulu de moi. Je marche le long de la route. Les cochons noirs fouillent de leurs grouins les trous des crabes. Les chiens errants se battent pour des ordures.

Jeanne Hyvrard, *Les Prunes de Cythère*, éd. de Minuit

1. Noms d'anciennes propriétés.

Une culture créole

Le souci de défense et illustration de la culture propre aux Antilles et à la Guyane a ramené l'attention sur **les productions populaires créoles.** Dès 1887, l'écrivain anglo-américain Lafcadio Hearn, séjournant aux Petites Antilles, avait noté et transcrit des contes créoles *(Trois fois bel conte,* première édition française en 1932*)*. Relayant folkloristes et amateurs érudits, de modernes chercheurs ont repris et multiplié collectes et publications, développé analyses littéraires ou idéologiques (Ina Césaire a montré que les contes véhiculaient une apologie multiforme de la débrouillardise — détour de l'esclave rusant contre la toute-puissance du maître). Plusieurs romans ont emprunté leurs composants à la matière des contes : *Issandre le mulâtre* (1949) de Jean-Louis Baghio'o et surtout *Ti Jean L'horizon* (1979) de Simone Schwarz-Bart, dont le héros, Ulysse caribéen, erre jusque chez les morts avant de trouver le chemin du retour au pays natal.

Longtemps réduite à un statut subalterne de patois, **la langue créole** a été peu à peu **réhabilitée,** surtout à partir des années 60 et du développement de mouvements nationalistes. Jusqu'alors le point de vue de Césaire dominait : impossible d'écrire en créole, parler trop marqué par l'esclavage, les humiliations, le rabaissement des nègres. Les savants travaux de linguistes (comme le Martiniquais Jean Bernabé), décrivant le créole et sa grammaire, élaborant un système cohérent de transcription graphique, ont fourni des arguments solides aux partisans du créole. On a pieusement rassemblé les premiers témoignages écrits en créole : chansons, saynettes, traductions de fables de La Fontaine, proclamation aux habitants de Saint-Domingue signée de Napoléon Bonaparte, bribes de dialogue dans le *Bug Jargal* de Victor Hugo. On a découvert et republié en 1980 le premier roman en créole, *Atipa,* du Guyanais Alfred Parépou (1885). On s'est aperçu que Léopold Senghor, dans son *Anthologie* de 1948, avait fait une place aux poèmes créoles de Gilbert Gratiant. Celui-ci dans ses *Fab Compé Zicaque* de 1958, a détaillé les scènes malicieuses ou touchantes de la vie quotidienne martiniquaise. Dans les années 70, l'usage du créole s'est répandu dans les pratiques culturelles : théâtre, chanson, certaines pages de journaux, bandes dessinées... L'édition de textes écrits en créole n'est plus exceptionnelle, même s'ils ne trouvent pas toujours facilement leurs lecteurs. Des anthologies récentes

Bloc totem orchestral
œuvre d'Henri Guédon.

(dans les revues *Europe* en 1980 et *Présence Africaine* en 1982, comme en volume : *Anthologie de la nouvelle poésie créole* en 1984) ont montré la diversité des tentatives : littérature en surgissement, annonçant des paroles inouïes, permettant de « pénétrer l'histoire d'une civilisation éclatée et les rêves d'accomplissement d'un archipel cheminant » (Lambert-Félix Prudent). Selon Édouard Glissant, la poétique du créole se fonde sur le « détour » : non l'économie linéaire de la concision et de la clarté (comme dans le français), mais le goût de la paraphrase et de l'hyperbole, de l'accumulation et de la redondance. Le créole ne va pas directement aux choses, mais tente de les envelopper dans la sinuosité des métaphores et le jeu des répétitions. Ainsi le poème du Martiniquais MONCHOACHI, *Nostrom* (1983), dont l'ambition non dissimulée est de donner en créole l'équivalent des grands plissements poétiques de Saint-John Perse (comme un retour à la langue natale d'une poésie exilée en français).

[Zombi, manman, ça vré ?]

— Manman, nou peù !
— Pou si couri vini, manman ?
— Pou si Zombi rivé, yich-moin ?
— Zombi, manman, ça vré ?
— Ça vré, ça vré, yich-moin.
Moun, mo ka voyagé,
Yo ka poté lantenn,
Chuval voyé, cabritt voyé ;
Ka trainin-n chain-n.
Ni Zombi qui ka sem-m an gran fan-m qui plu bel
Passé lumiè l'étoil assou la tè.
Yo ni gran chuveu jone
Mé deu zieu yo cé agath gro-sirop.
Ni ça qui peu tchoué moun qui gadé yo
A foce yo laidd ;
Ni ça qui ni an zassiett platt en place têtt yo
Oti pa ni pièce bouche,
Pièce nin, pièce zieu...
Aïen...
Si Zombi palé zott, pa répon-n yo, yich-moin.
Ni cercueil ka maché doubout en clè d'lune...
— Metté d'lhuil pou la Viège,
Manman, non peù...

Gilbert Gratiant, *Nouvelle poésie nègre et malgache* de L.S. Senghor, P.U.F.

— Maman, nous avons peur.
— S'il nous fallait courir, Maman ?
— Si les Zombis venaient, mon enfant ?
— Les Zombis, maman, c'est chose vraie ?
— Très vraie, très vraie, mon enfant.
Les morts voyagent
Portant des lanternes,
Des chevaux ensorcelés, des boucs ensorcelés,
Traînent des chaînes.
Il y a des Zombis qui ressemblent à une grande femme
Plus belle que la lumière des étoiles sur la terre.
Elle a de longs cheveux blonds
Et deux yeux qui sont des billes d'agate brune.
Il y en a qui peuvent tuer qui les regarde
Si mortelle est leur hideur ;
Il y en a qui en guise de tête ont une assiette plate
Sans bouche, sans nez, sans yeux,
Sans rien...
Si les Zombis vous parlent, ne leur répondez pas,
Mes enfants.
Il y a des cercueils qui marchent debout au clair de lune.
— Mets de l'huile pour la Vierge
Maman, nous avons peur...

Tou dous, wo !]

Poème bilingue, dont la traduction française est de l'auteur lui-même.

ou dous, wo ! Tou dous ! Pran chanté tala
k lavwa égal. Pas sé yon chanté lalin plenn
otré a on chanté lalin plenn. Epi chanté-y
oi chacha-y, épi rèv li épi sézon-y.
k chantè-a nan lawonn lan ka rondi lawonn,
ka danmé latè
sann épi laswè, èk tanbouyè-a ka bat
a lalin ka lévé nan sézonn...
ou dous ! Pas sé yon chanté kon an chaspann,
as sé yon chanté kon an ja
tila ou ka anmasé dènyé dènyé ti myèt limyè-a,
n chanté fok bat èk viré bat nan bouch ou
ou chak son an monté... Dé-twa mo, dé-twa
yé mo flègèdèk nou an, ès ké ni moun pou
kouté yo ? Otila
- pa tras, ousinon pa ravin ka planté létchèt
k adan pé-bouch ki pé-bouch — otila
onm lan ka alé viré doubout doubout li-a ?
n chanté ou ka viré di... Men pipiri a
ėpi nanni nannan, ka viré vini chanté chanté-y
a chak jou a ka lévé-a...
! Es Latè-a adan an léta éti yo pé rélé-y anko... ?

Tout doux, ho ! Tout doux ! Qu'on amorce ce chant
d'une voix égale. Car c'est un chant de vaste lune
et tel un chant de vaste lune. Avec son chant
et son murmure, avec ses songes et ses âges.
Et le chanteur tourne dans l'arène, damant terre
cendre et sueur, et le tambourinaire rythme
la montée des lunes dans la fécondité des âges...
Tout doux ! Car c'est un chant telle une puisette,
car c'est un chant telle une cruche
où recueillir l'ultime et minuscule clarté,
un chant qui se balbutie et qui se répète
dans la préservation de ses syllabes... Nos mots,
nos pauvres mots, trouveront-ils audience ? Où,
— par des ravines ou des ornières précipitées
et dans de hauts silences, — où
va l'homme à son repeuplement ?
Un chant que l'on redit... Mais l'oiseau pipiri
depuis mille ans vient répéter son chant
à chaque jour qui se lève...
Oh ! Le monde est-il tel qu'on puisse encore
le susciter... ?

Monchoachi, *Nostrom,* éd. Caribéennes.

Choix bibliographique :

Jacques André, *Caraïbales,* éditions Caribéennes, 1981.
Maryse Condé, *La Poésie antillaise,* Nathan, 1977.
Maryse Condé, *Le Roman antillais,* Nathan, 1977.
Jack Corzani, *Littératures des Antilles-Guyane françaises,* Désormeaux, 1978.
Thomas A. Hale, *Les Écrits d'Aimé Césaire,* Les Presses de l'Université de Montréal, 1978.
M. a M. Ngal, *Aimé Césaire, un homme à la recherche d'une patrie,* N.E.A., 1975.
Daniel Racine, *Léon Gontran Damas,* Présence Africaine, 1984.
CARE, n° 10 (avril 1983) : « Édouard Glissant ».
Textes et Documents, n° 2 (1979) : « Pluie et vent sur Télumée Miracle » de Simone Schwarz-Bart.

Le Salon du roi Christophe, *peinture de J.-C*
Sévère

Port-au-Prince.

Chapitre 4

Haïti

La révolte de 1946, qui renverse le résident Lescot, a ceci de très particuer qu'elle a partie liée avec la littéraure : à la suite d'une conférence donnée Port-au-Prince par André Breton, la vue *La Ruche* publia un numéro 'hommage au poète et au surréalisme. e numéro fut saisi, la revue interdite, ses rédacteurs, notamment René epestre et Jacques-Stephen Alexis, jetés prison, ce qui provoqua une riposte udiante, puis une grève générale, et, our finir, la chute du président-dictaur. Cette révolte ne constitue pourtant as le point de départ d'une ère nouvelle ui fournirait un cadre tout trouvé pour étude d'un renouveau de la littérature aïtienne. L'histoire d'Haïti est en effet ne longue suite de semblables révoluons qui, toutes, font référence à la ythique révolution fondatrice, celle de 04 qui vit, pour la première fois dans monde, un peuple d'esclaves noirs nquérir par lui-même sa liberté et son dépendance : comme l'écrit Aimé ésaire, Haïti est « le pays où l'homme oir s'est mis debout pour affirmer, pour première fois, sa volonté de former nouveau monde, un monde libre » ans *Bonjour et adieu à la négritude* de né Depestre).

Mais l'indépendance politique n'a pas suffi à garantir au pays une véritable autonomie : partages et partitions multiples (qui aboutissent à la création de Saint-Domingue), occupation américaine (de 1915 à 1934), influences contradictoires des intérêts français, espagnols et américains, font qu'Haïti affronte, depuis bientôt deux siècles, tous les problèmes d'une interminable et violente décolonisation. Sur le plan culturel, la situation est tout aussi complexe : problèmes de langue (français et créole), d'identité culturelle (modèle français ou modèle africain), d'identité raciale (noirs et métis ; le concept de négritude est, pour une bonne part, né en Haïti) auxquels s'ajoutent un problème religieux bien particulier (la place et la valeur du vaudou) et, plus récemment, le statut d'exilé de la plupart des écrivains haïtiens, réfugiés, puis installés, en Europe, en Afrique, au Canada ou aux États-Unis. Il n'est donc pas possible de séparer l'étude de la production littéraire de cette situation paradoxale, qui fait de ce pays aux dimensions réduites (27 000 km², 5 millions d'habitants dont 1 million au moins vivent à l'étranger) un foyer de création et un exemple entraînant pour tout le monde noir.

Comme dans la plupart des pays qui furent des colonies, la littérature haïtienne fut d'abord une littérature du mimétisme. Paris demeura longtemps la référence obligée, lieu des modes et des modèles. Cependant, dès le début de ce siècle, un certain nombre d'écrivains, regroupés dans l'école de *La Ronde* entreprirent sinon de couper les ponts avec la France, du moins de rendre compte de la réalité haïtienne : poèmes de Georges Sylvain, romans de Frédéric Marcelin et de Justin Lhérisson qui introduisent le créole dans leurs textes. Ce sont l'occupation américaine et la diffusion des idées marxistes qui provoquent, un peu plus tard, une prise de conscience et la revendication d'une littérature vraiment autonome. **L'école « indigéniste »** (du nom de *La Revue indigène,* fondée en 1927) conteste tout modèle littéraire d'importation et revendique à la fois l'héritage africain et l'originalité de la culture haïtienne. S'appuyant sur les thèses de l'anthropologue Jean Price-Mars *(Ainsi parla l'oncle,* 1928*),* qui devait influencer toute une génération d'Haïtiens mais aussi d'Antillais et d'Africains (Damas, Césaire, Senghor), les indigénistes adoptent pour devise l'une de ses phrases : « Être soi-même, le plus possible. » Être soi-même c'est alors reconnaître et accepter l'héritage africain, la réalité caraïbe, la religion vaudou, la culture créole (le langage et toute une tradition orale, comme ces contes de Bouqui et Malice, deux figures typiques du folklore haïtien). D'une vaste production, on retiendra par exemple les poèmes de Carl Brouard, d'Émile Roumer, les romans de J.-B. Cinéas, de Stephen Alexis *(Le Nègre masqué),* de Milo Rigaud, et surtout de Jacques Roumain dont le célèbre *Gouverneurs de la rosée* (1944) — qui consacre la reconnaissance internationale d'une littérature haïtienne — peut être considéré comme le couronnement de ce mouvement (mais il faut rappeler que, dès 1931, Roumain avait déjà publié, en plein « indigénisme », son roman *La Montagne ensorcelée*).

L'élan est maintenant donné et sera encore accentué en 1934 après le départ des Américains. A *La Revue indigène* succède le journal *Les Griots* dont le seul nom signale déjà l'importance accordée à l'élément africain dans cette nouvelle conception de la culture. Comme l'écrit Price-Mars qui soutient ce mouvement : « Ils s'insurgeront contre les aînés qui ayant été trop fascinés par l'éblouissement de la littérature française en ont imité servilement les avatars. Ils iront demander à l'Afrique ce que l'alma mater a déposé dans nos lointaines origines et glorifieront les légendes, les croyances, les mœurs paysannes imprégnées d'africanisme. »

Ce retour aux sources se révéla, on s'en aperçut bien vite, porteur d'une étrange contradiction. La redécouverte de « l'âme haïtienne » a pu donner naissance aussi bien à la prise du pouvoir par les forces conservatrices (l'ancien président Duvalier, « papa Doc », avait fait partie de l'école des Griots) qu'aux prises de position révolutionnaires d'un Jacques Roumain pour qui la culture n'est pas séparable des conditions d'existence du paysan haïtien : qui s'intéresse au folklore est bien forcé de constater que ce folklore accompagne, dans les villages, une misère grandissante. Le vaudou lui aussi constitue un exemple tout à fait remarquable de cette ambiguïté : auparavant rejeté par les écrivains hors du champ de la littérature comme trop populaire, il rentre maintenant avec « l'indigénisme » dans ce même champ comme manifestation caractéristique de l'haïtianité ; il symbolise la résistance autochtone et séculaire à l'influence étrangère, à la religion catholique officielle, et cette résistance fournira le sujet de nombreux romans. Puis, plus récemment, il est mis de nouveau en accusation comme élément de l'obscurantisme résistant aux forces de progrès (par exemple dans *Le Nègre crucifié* de Gérard Étienne, 1974), signe — et peut-être même cause — du retard pris par Haïti devenue l'une des nations les plus pauvres du monde.

ıspiration Vaudou : ballet haïtien Bacoulou.

Le débat sur la langue rentre dans des ıdres tout à fait comparables. Le créole 'est devenu langue officielle, et enseiıée à l'école, qu'à une date très récente, 979. Le français, lui, n'est parlé que ır à peu près dix pour cent de la popution, dans certaines circonstances de estige ou de communication particures. Tant que la littérature haïtienne se préoccupait que d'imiter la littéture française, et ne se proposait que chanter la beauté des crépuscules trocaux ou la langueur des émois sentientaux, le problème ne se posait guère. partir du moment où elle entend rendre mpte de la réalité nationale dans sa talité, elle ne peut plus éviter le proème du choix de la langue : problème écriture, de lecture, de diffusion. écrivain haïtien écrit-il pour être lu à ıris ou à Port-au-Prince ? Par une élite locale le plus souvent bilingue, ou, potentiellement, par *tous* les Haïtiens ? Les solutions apportées à ce problème sont multiples, on le verra, et c'est d'abord au théâtre, forme d'expression collective, que le créole a conquis ses lettres de noblesse, soit en puisant dans la tradition orale, soit en transposant (le mot convient mieux que « traduisant ») de grandes pièces du théâtre occidental *(Antigone, Œdipe roi,* ou *Le Cid* présenté sous le titre *Général Rodrig).*

L'édition, en Haïti, a toujours été bien vivante, mais davantage sous forme de revues et de magazines, plus favorables à la poésie qu'au roman. Les conditions matérielles sont cependant trop précaires pour assurer aux œuvres une existence convenable : publications à compte d'auteur, tirages insignifiants, rééditions inexistantes, trop rares bibliothèques.

L'écrivain haïtien cherchera donc à se faire publier à Paris, ou bien, dans les années récentes, au Québec et en Afrique, là où les structures éditoriales présentent plus de stabilité. S'il n'y est pas publié directement, ce sera souvent la réédition à l'étranger d'un texte publié originellement en Haïti qui fournira à l'écrivain un public véritable, une reconnaissance digne de son talent. Les conditions politiques qui avaient forcé la plupart de ces écrivains à quitter leur île natale avaient aussi contribué à accentuer ce phénomène.

Le roman

C'est sans doute parce qu'il apportait un certain nombre de réponses concrètes à quelques-unes de ces questions que *Gouverneurs de la rosée* connut un tel retentissement en Haïti, puis en France, et bientôt dans un grand nombre de pays étrangers. Son auteur, JACQUES ROUMAIN, membre de l'école indigéniste, avait, dès 1934, fondé le parti communiste haïtien, après avoir été emprisonné, et avant d'être exilé en Europe. Devenu ethnologue, il approfondit sa réflexion sur la réalité haïtienne. Son premier roman, *La Montagne ensorcelée* (1931) décrivait la misère paysanne et peignait le vaudou comme une accablante superstition. Dans *Gouverneurs de la rosée* Roumain élargit les perspectives. Le héros, Manuel, a, comme l'auteur, connu d'autres horizons : ce fils de paysan est devenu ouvrier, il a travaillé à Cuba, et revient au pays natal riche d'une expérience de lutte syndicale, phénomène totalement ignoré dans son île natale. Refusant la résignation aussi bien que le désespoir, il prétend lutter contre la sécheresse qui désertifie la campagne et qui résulte à la fois des circonstances climatiques et des techniques archaïques de culture ; il part à la recherche de l'eau, source de vie et de renouveau.

Si les discours de Manuel aux paysans sont idéologiquement marqués par une foi inébranlable dans l'acquisition nécessaire du savoir et dans l'efficacité de la lutte collective, ils ne sont jamais des discours politiques au sens étroit du terme. Et surtout son espoir s'enracine dans la connaissance de la réalité locale spécifique : « Un jour, quand nous aurons compris cette vérité [la force de l'union des villages], nous nous lèverons d'un point à l'autre du pays et nous ferons l'assemblée générale des gouverneurs de la rosée, le grand combite des travailleurs de la terre pour défricher misère et planter la vie nouvelle. » Manuel n'apporte pas des solutions préfabriquées : *Gouverneurs de la rosée* est aussi un « retour au pays natal » et c'est comme nègre et comme exploité que Manuel essaie de parler à ses concitoyens. Écartant comme des « bêtises et des macaqueries » les sacrifices du vaudou, il garde cependant « de la considération pour les coutumes des anciens ». On peut être « nègre véridique », vibrer au rythme des tambours, mais ne pas adopter en bloc l'héritage ancestral.

Ce cri d'espoir pourrait sembler daté si Roumain, en « écrivain véridique », n'avait su trouver, surtout, une réponse au délicat problème du langage. Contrairement à ce qu'avaient fait certains romanciers du début du siècle (*La Famille des Pitite-Caille* de Justin Lhérisson), il ne fait pas parler ses personnages en créole, afin d'éviter le pittoresque. Le créole est réduit à très peu de choses et Roumain recrée plutôt de l'intérieur certaines structures de phrases, certains rythmes propres au parler haïtien : sa langue possède une allure indéniablement différente, qui peut sembler parfois proche, pour le lecteur français, d'un certain langage paysan archaïque. Roumain vise à l'universel en recréant ainsi une vision singulière, et cependant il n'est pas sûr que le lecteur non haïtien fasse du livre la même lecture que le lecteur indigène, ambiguïté sans doute voulue par l'auteur : « Le titre même du roman illustre ce procédé ; le lecteur français y voit une trouvaille poétique ; le lecteur haïtien y reconnaît le titre de *Gouvénè rouze* que porte, dans les campagnes, le paysan chargé de l'arrosage, de l'irrigation, bref de tout ce qui concerne la distribution d'eau » (L.-F. Hoffmann, *Le Roman haïtien*).

[Une école à Fonds-Rouge]

Manuel se rend chez Larivoire, un notable, pour essayer de convaincre l'autre moitié des habitants du village de coopérer aux travaux d'adduction d'eau.

— Dis-moi, Manuel, tu dors, Manuel ? demande sa mère de la chambre voisine.

Assis sur le lit, il ne répond pas ; il fait semblant. Seule, brûle faiblement devant l'image d'un saint, la mèche trempée dans l'huile de palma-christi de la lampe éternelle. Un souffle d'air passe sous le battant mal joint de la fenêtre, fait remuer la flamme et avive les couleurs déteintes. C'est l'image de saint Jacques et en même temps c'est Ogoun, le dieu dahoméen. Il a l'air farouche avec sa barbe hérissée, son sabre brandi, et la flamme lèche le bariolage rouge de son vêtement : on dirait du sang frais.

Dans le silence, Manuel entend sa mère se retourner sur la paillasse, chercher la bonne place pour le sommeil. Elle murmure des paroles qu'il ne comprend pas, une oraison peut-être, une dernière prière : c'est une personne qui est à tu et à toi avec les anges, Délira.

Le temps passe et Manuel s'impatiente à la fin. Il va à la porte et écoute.

— Maman, appelle-t-il doucement.

Une respiration apaisée lui parvient. La vieille est endormie.

Manuel ouvre la fenêtre avec beaucoup de précaution. Les gonds rouillés grincent un peu. Il se glisse dans la nuit. Le petit chien le reconnaît sans aboyer et trotte un moment sur ses talons. Il fait noir comme chez le diable. Heureusement qu'un petit filet de lune coule sur le sentier. Les chandeliers dressent un mur de ténèbres le long du jardin. Les criquets criaillent dans l'herbe. Manuel enjambe les nattes de la barrière. Il est sur la grand-route.

Il n'y a plus loin jusqu'à la case de Larivoire. La lumière lui fait signe et le guide. Il passe devant che Annaïse [1]. « Bonsoir, ma négresse », pense-t-il. Il l'imagine couchée, le visage sur son bras replié, et u grand désir d'elle le prend. Cette semaine, Bienaimé et Délira [2] apporteront à Rosanna la lettre de demand Quelles belles paroles il avait écrites ce M'sieur Paulma. Il les avait lues à haute voix pour Manuel, passant de contentement la langue sur les lèvres, comme si du sirop lui coulait de la bouche. Et ensuite, lui avait offert un rhum, un rhum fin, en vérité. Il avait toujours regretté, Manuel, de ne pas savoir l écritures. Mais lorsque l'existence, grâce à l'arrosage, sera devenue meilleure, on demandera au Magistr Communal du bourg d'installer une école à Fonds-Rouge. Il proposerait aux habitants de bâtir de bon volonté une case pour l'abriter. C'est nécessaire l'instruction, ça aide à comprendre la vie. Témoins compagnero à Cuba qui lui parlait politique, au temps de la grève. Il en savait des choses, *el hijo de...* *madre* [3], et les situations les plus embrouillées, il te les démêlait que c'était une merveille ; tu voyais deva toi chaque question alignée sur le fil de son raisonnement comme du linge rincé accroché à sécher au solei il t'expliquait l'affaire si clair que tu pouvais la saisir comme un bon morceau de pain avec la main. Il te mettait comme qui dirait à ta portée. Et si l'habitant allait à l'école, certain qu'on ne pourrait plus facilement le tromper, l'abuser et le traiter en bourrique.

Jacques Roumain, *Gouverneurs de la rosée,* E.F.R./Messid

1. La femme qu'il aime. — 2. Les parents de Manuel. — 3. Le fils de sa mère.

Le livre de Roumain devait fixer, pour les années futures, un grand nombre des thèmes du roman haïtien : description de la misère paysanne, influence du vaudou, oppression politique aveugle, ce sont là des sujets qui seront, sous des formes diverses, repris bien des fois. Le roman des villes, petites (Jacmel) ou grandes (surtout Port-au-Prince la capitale), forme l'autre volet du diptyque, villes de plus en plus souvent envahies par les paysans fuyant leurs terres appauvries ou confisquées par les grandes compagnies américaines. Malgré la mort du héros, *Gouverneurs de la rosée* (dont la publication coïncida avec la mort de l'auteur) caractérise une période, très brève, d'espoir en une renaissance des libertés et un progrès économique. Mais très vite, malgré le retour formel aux institutions républicaines, le pays va retrouver des conditions aussi désastreuses que celles qu'il avait connues sous l'occupation américaine et qui avaient provoqué la réaction indigéniste. Les romans de la décennie 1950-1960 vont proposer une **description critique** d'une société où les contrastes sont de plus en plus accusés, où la corruption et la dictature fleurissent de plus belle. Littérature nécessairement engagée qui, selon les caprices de la censure et de la répression, prendra des formes variées, du réalisme le plus classique à l'allégorie la plus fantastique.

C'est sans doute chez JACQUES-STEPHEN ALEXIS que la leçon de Roumain se prolonge le plus nettement en s'enrichissant d'une sensibilité bien différente. *Compère général Soleil,* le roman qui en 1955 le rend célèbre, met d'ailleurs en scène un certain Pierre Roumel dans lequel il est facile de reconnaître Jacques Roumain. Dans ce premier roman, qui décrit le Haïti des années d'avant-guerre (1934-1938), le héros, Hilarius Hilarion, découvre, comme le Manuel de *Gouverneurs,* le communisme, et, comme lui, il mourra sous les coups de ses adversaires politiques. J.-S. Alexis devait lui aussi périr dans les luttes politiques (il était revenu clandestinement d'exil en 1961 pour relancer la révolution), non sans avoir écrit d'autres livres moins marqués par l'influence de Roumain. Se retrempant — c'est sans doute l'exil qui l'y incite — dans les conditions particulières en Haïti, il conteste le caractère trop général du concept de « négritude ». Et, surtout dans *Les Arbres musiciens* (1957), il réexamine le vaudou qu'il considère comme un moyen de résister à l'influence étrangère lors de la campagne anti-superstition du clergé catholique.

A cette écoute de l'univers insulaire, Alexis fait une place de plus en plus grande aux formes locales du langage. Souvent obligé de traduire en notes les vocables créoles, il s'efforce aussi de

« C'est nécessaire l'instruction, ça aide à comprendre la vie. »

retrouver les rythmes et les cadences des conteurs haïtiens populaires. Après *L'Espace d'un cillement* (1959), roman d'amour d'un ouvrier et d'une prostituée (personnage important du roman urbain), c'est avec les contes de *Romancero aux étoiles* (1960) qu'Alexis se rapproche au plus près des formes de la littérature orale haïtienne — dits, fables, chroniques, romances —, et qu'il fixe les thèmes traditionnels de ce folklore (histoire de Bouqui et de Malice, légende d'Anacoana, mythique princesse indienne d'avant la conquête) où se mêlent les sources africaine, indienne et française en un kaléidoscope d'images, de couleurs et de musiques. Il retrouve « le vieil art de jadis et de toujours », plein de fantaisie, en suivant les leçons de ce « vent caraïbe » dont la parole fait le lien entre les différents contes du livre. Là est pour lui la racine de ce « réalisme merveilleux » où Alexis voyait la marque originale de l'expression artistique (littérature, mais aussi peinture et musique) haïtienne, et dont il a donné le Manifeste au premier congrès des Artistes et Écrivains noirs (Paris, 1956) : « Faire du réalisme correspond pour les artistes haïtiens à se mettre à parler la même langue que leur peuple. Le réalisme merveilleux des Haïtiens est donc partie intégrante du réalisme social [...] Qu'est-ce donc que le merveilleux sinon l'imaginaire dans lequel un peuple enveloppe son expérience, reflète sa conception du monde et de la vie ? » Et Alexis invite les artistes haïtiens à utiliser « le trésor de contes, de légendes, toute la symbolique musicale, chorégraphique, plastique, toutes les formes de l'art populaire haïtien [...] Les genres et organons occidentaux légués à nous doivent être résolument transformés dans un sens national et tout dans l'œuvre d'art doit ébranler la sensibilité particulière des Haïtiens, fils de trois races et de combien de cultures » (cité dans *Europe,* janvier 1971).

[Le Vieux Vent Caraïbe]

C'est la fin du prologue. Le narrateur est entré dans une grotte au sommet de la plus haute montagne d'Haïti. Il y découvre un vieillard qui n'est qu'un tas de barbe et de « plumes soyeuses ».

J'étais tellement englué dans mon ravissement que je ne vis pas fonce sur moi une minuscule et luisante pipistrelle [1]. Sentant quelque chose su mon visage, je battis des mains précipitamment. Dans ma vélocité, j perdis l'équilibre et je tombai dans le tas de plumes douces et irréelle qui battaient, frileusement respirantes. D'un souffle le vieillard m'envoy dinguer. Je m'envolai parmi les lianes et les gouttes d'eau qui pleuvaient de la voûte et je retombai dar l'autre coin de la grotte, sur une couche de champignons noirs qui, fraternellement, amortirent ma chute.

Le vieillard, lumineuse cascade de fils impalpables, s'était dressé d'un bond, furieux. La pipistrelle éclat d'un rire aigu et ses prunelles, feux d'or ancien, pétillèrent de contentement et de malice.

« Pfuh !... Caramba !... Quel est le malotru qui ose venir me déranger dans mon sommeil ?... J'ai vol toute la nuit d'île en île, de Caraïbe en Caraïbe, jusqu'à la terre d'Anahuac [2] et je suis revenu avec le devan jour, d'un élan... N'ai-je pas le droit de dormir un peu, à mon âge ?... Allons, approche, sacripant !... »

Je tremblais comme une feuille. Le vieillard s'approcha vivement de moi et me pinça l'oreille :

« Allons !... Vagabond !... Tu dois approcher quand je te parle !... Tu oses au surplus manquer de respe à ton grand-oncle ?... »

1. Chauve-souris. — 2. Le Mexique.

L'Arbre sacré, *peinture de Regoit Benoit.*

L'étonnant et alerte vieillard était ébouriffé comme la plus longue comète qui se puisse imaginer. Il étincelait plus que la lumière.

« ... Ainsi, tu oublies même les usages ? Tu ne demanderas pas pardon à ton grand-oncle, le Vieux Vent Caraïbe ?... »

J'écarquillai les yeux plus encore que la pipistrelle. Ainsi, j'avais devant moi mon aïeul, le Vieux Vent Caraïbe, l'immémorial et légendaire ménétrier, le plus grand Samba [1] de toute la Caraïbe. Depuis un temps que nul ne peut dire ce vieux drille chante, danse, musarde, se musse, musique et fredonne au long des âges nos belles histoires de jadis, de naguère et de toujours. Il est le père des gentils alizés, du nordé taquin, du suroît fraternel, père de tous les vents qui gambadent sur nos îles et sur le continent de notre méditerranée centro-américaine, et les hurricanes [2] eux-mêmes, adolescents inconscients et méchants, malandrins fous qui ne nous viennent voir que pour piaffer, ricaner, déchirer les nids et les rêves, se prétendent ses fils prodigues... Ce vieux recors, le plus vieux témoin de nos âges anciens, des chimères, des luttes et des merveilles de tous les peuples haïtiens, nos ancêtres les Ciboneys, nos aïeux les Chemès et les Caraïbes, nos pères nègres et zambos, ce vieux birbe, croque-note édenté, me regardait d'un air rogue et bon enfant.

Jacques-Stephen Alexis, *Romancero aux étoiles,* éd. Gallimard.

Brutalement interrompue, la production d'Alexis existe cependant en tant qu'œuvre, avec ses thèmes, son unité, sa vision du monde. Rares sont les écrivains haïtiens qui ont eu le loisir de composer une telle œuvre ; les conditions d'existence et de publication, l'exil de plus en plus fréquent font que bien souvent un roman isolé, parfois deux, constituent toute la production romanesque d'un auteur. C'est ainsi que *Les Chiens,* paru à Paris en 1961, représente toute l'œuvre de Francis-Joachim Roy. Roman allégorique qui peint une ville (Port-au-Prince) envahie par des chiens — « vainqueurs dépassés par l'ampleur de leur victoire » — ; sur le mode bouffon et désespéré l'auteur fait s'agiter tous les types de la société haïtienne, le paysan, le policier véreux, le politicien, la prostituée, le dictateur, en un ballet de marionnettes inquiétantes. En même temps qu'il évoque les problèmes insolubles de cette société pathétiquement décadente, Roy peint l'atmosphère d'une ville devenue folle de peur où le goût du verbe et la bonne humeur enracinée au plus profond des êtres font naître, en une invention jaillissante, de truculents discours qui mêlent l'érudition bouffonne, le sens de la métaphore, le constant recours aux proverbes. Il convient de voir, dans ces longues scènes dialoguées autour de monologues pittoresques, la transposition littéraire d'un phénomène typique ment haïtien, « l'audience », conversation à bâtons rompus qui passe en revue les derniers potins aussi bien que les nouvelles du monde extérieur, les interlocuteurs y refaisant à chaque fois le monde et la vie. Le livre pourrait paraître bavard ou digressif, alors qu'il n'est que fidèle à l'un des aspects essentiels du mode de vie de la société dont il entend rendre compte. La force de ce roman sans équivalent fait d'autant plus regretter la disparition prématurée de Roy.

Mais Roy n'est pas le seul à transformer ainsi la réalité quotidienne. **Réalisme magique,** réalisme merveilleux, toujours l'imagination du romancier haïtien s'empare de la réalité quotidienne et lui donne les allures cosmiques du mythe ou délirantes de la fable : « Haïti est terre fertile en mythes, elle en produit chaque jour que Dieu fait », écrivent Philippe Thoby et Pierre Marcelin dans *Tous les*

1. Sorcier. — 2. Ouragans (mot anglais).

hommes sont fous (1980), qui reprennent dans ce roman le sujet de la campagne contre la superstition, dans une langue que l'on pourrait dire inspirée de Rabelais ou de Queneau si elle ne se nourrissait d'abord aux sources les plus vives de la verve indigène. Le vaudou qui peut réaliser quasi quotidiennement la mise en contact avec des forces surnaturelles, qui sont aussi les traces dans l'imaginaire de la religion africaine ancestrale, fournit un réservoir apparemment inépuisable de telles transfigurations du réel banal. Ces cérémonies où chacun peut se trouver soudain possédé d'un « loa », constituent la face cachée, mystérieuse, d'une existence misérable. Bien rares sont les romans, on l'a dit, où le vaudou ne soit peu ou prou présent, sous forme de superstition rétrograde ou comme la marque de l'haïtianité la plus authentique ; là n'est pas le vrai problème. C'est plutôt comme composante essentielle d'un imaginaire qu'il donne au roman haïtien sa couleur spécifique. Ce sera dans *Le Mât de cocagne* de René Depestre (éd. Gallimard, 1979) la transformation de l'objet, qui donne son titre au roman, en un être vivant capable de se déplacer :

Le bruit s'était répandu que le mât, dès les deux heures du matin, avait disparu de la place des Héros. Des témoins auraient vu une équipe de soldats le charger sur un camion-grue et le transporter à toute vitesse au Palais. Trois heures après, on aurait vu le mât descendre tout seul les marches du Palais, précédé d'un bouc géant vêtu d'une jaquette rouge avec une couronne de cierges allumés entre ses cornes. Au lieu de retourner à son point de départ, le mât, comme une longue jambe de bois, se serait engagé à grands pas dans la rue Montalais, en direction de la cathédrale. Monseigneur Wolgondé en personne l'aurait attendu et lui aurait chanté un *Te Deum,* entouré de diacres et de sous-diacres. La cérémonie terminée, le mât et son guide à cornes se seraient dirigés vers les marchés de la ville où ils se seraient gavés de légumes et de fruits frais...

Ce sera, dans *Cathédrale du mois d'août* de Pierre Clitandre (1982), de manière plus essentielle, la vision du monde chaotique de paysans exilés en ville : dans ce fouillis baroque, sans chronologie ni perspective, aux points de vue narratifs démultipliés, le lecteur (aidé par un glossaire nécessaire à la compréhension du vocabulaire créole très abondant) a l'impression de partager une appréhension des choses vraiment différente, primitive et magique. La fusion du politique et du social s'opère en des mythes très simples : l'émeute prolonge le Carnaval et les avancées du Progrès (la contraception) renvoient à un univers incompréhensible pour ces esprits absolument simples.

[La mayotte des temps nouveaux]

Raphaël a été blessé lors d'une émeute qui a éclaté dans les bidonvilles de Port-au-Prince.

Le tumultueux cortège de cris et de poussières avait suivi la Sainte-Vierge-Mécanique jusqu'à l'endroit où l'on avait construit un petit autel de planches, de branches d'arbre et de bois sur lequel étaient montés deux hommes qui parlaient de planification familiale. Le Blanc parlait la langue qu'on entendait souvent dans la bouche des hommes des grandes bâtisses. L'autre, un nègre savant, traduisait dans la langue des corridors, des marchés, des combats de coqs. Et ils avaient entendu ce que le Blanc disait. Il avait dit de limiter les naissances ou de les programmer suivant un espace de temps déterminé. Ce qui était difficile à faire comprendre à la foule. On la montra à la télévision, l'image d'une mère allaitant son bébé. La populace était contente et confuse comme un petit enfant devant un miroir. Certains allaient jusqu'à croire que c'était une apparition et étaient retournés chez eux, la tête baissée en baragouinant des choses ambiguës. D'autres disaient que la femme ressemblait à Sainte-Rose-de-Lima derrière la vitre de son tabernacle. Certains protestaient en disant que les saintes n'ont jamais eu de seins nus comme ceux de leurs femelles.

Le soir, des chefs de famille s'étaient réunis. Et ils parlèrent de la flamme de la bougie qui ne doit pas s'éteindre.

La nuit même, de l'épine dorsale de la Porte-de-la-Mort au Quartiers-des-Lauriers en passant par le Corridor-des-sept-coups-de-poignards, et du Couloir-aux-douleurs au vieux Trou-des-cochons ils avaient envoyé des hommes frapper aux portes pour réveiller des masses de corps étendus à la clarté des étoiles et propager le message que le peuple ne doit pas mourir malgré la grande crève et le vieux soleil.

Lorsqu'ils étaient venus, la huitième fois, parler de la limitation des naissances, ils trouvèrent une grande foule d'enfants les uns nus, les autres aux chemises ouvertes à la hauteur de leurs gros nombrils, qui ne voulaient que voir les images de la télévision. Ils les réclamaient à grands renforts de cris, de bruits de marmites qui couvraient les paroles du Blanc appelant les hommes et les femmes ne voulant ni secouer leurs compilations de mamelles, d'os, d'ongles et de poils, ni leur sommeil de sueur qui leur faisaient entrevoir dans leurs rêves des choses lamentables et baillées.

A dater de cette époque, le nombre des naissances se multiplia avec une telle croissance qu'il n'y eut pas assez d'étoiles dans le ciel pour protéger tous les chrétiens vivants. Un jour, le bon Dieu s'étonna sur la grande multiplication de son troupeau. Une nuit que le puissant ronflement du bidonville endormi chassait les nuages, il s'abattit sur la terre une apothéose de comètes, comme une grandiose errance de mariées. Quelques jours plus tard, une quinzaine d'enfants étaient morts, tous frappés par la fièvre des marais. Leurs étoiles étaient venues les chercher, rapportait-on.

Ce fut donc une époque de grand deuil. Le peuple accusa les intrus qui étaient venus avec la mayotte à images et avaient distribué des grains à boire qui auraient empoisonné les enfants. Et ce fut avec des coups de pierre qu'ils les accueillirent. Ils n'avaient pas prononcé leur dernier discours. Ils étaient encore venus cette fois-ci accompagnés par un camion de gendarmes, apprendre aux peuples à respecter la noblesse de la Science. Il y eut des coups de matraques et de nouvelles distributions de grains.

Pierre Clitandre, *Cathédrale du mois d'août,* éd. Syros

Comme bien des romanciers récents, Clitandre, par le biais d'un mythe final (une Ascension, imaginaire ou rêvée), tente d'échapper au désespoir qui s'était abattu sur les écrivains de la génération précédente. Génération trahie, dépossédée, dont les cris traduisent l'absolu du désespoir, et dont les réquisitoires terrifiants ne sont que des constats sans aucune espérance d'amélioration. Frank Étienne dans *Mûr à crever* (éd. Presses port-au-princiennes, Haïti D.F., 1968) utilise les techniques de la fiction, de l'autobiographie et du poème en prose (cette littérature « totale » est l'ambition du mouvement qui prend le nom de spiralisme, mais les questions de générations et d'écoles paraissent bien secondaires face à l'âpreté des enjeux) pour dire cette désespérance absolue :

Mon visage, miroir piqué. Mes veines ternissent Je suis sale jusqu'au sang. Quelle lessiveuse attendri portera mon cœur à l'eau claire d'une rivière ?

Mon cerveau, un nid de serpents enroulés sur eux mêmes. Autour de moi, un essaim de guêpes folles Sommeil de bûcheron rêvant d'un arbre aux doigt coupés. Si je me réveille, c'est pour retrouver l'ennu couché au pied de mon lit.

Avec l'espoir de sauver le seul homme qui eût p échapper à la terrible peur, j'ai traversé marécages fleuves en crue, forêts vierges, savanes désolées déserts sans lune. J'ai couru toute une nuit. A l'aub je n'ai retrouvé que moi, cadavre de fou sans têt et sans cœur dans une grande brouette d'immon dices.

GÉRARD ÉTIENNE, lui, dans *Le Nègre crucifié* (1974), s'invente une sorte de double, un zombi (mort-vivant, figure elle aussi empruntée au vaudou) qu'il soumet à toutes sortes d'épreuves, contestant et l'ordre social, et toutes les tentatives de mise en cause de ce même ordre. Étienne veut démystifier toutes les images successives forgées par cette société, depuis les prétentions à la culture française des intellectuels de Port-au-Prince, « cette ville qui se veut citadelle de la culture de France et qui dort dans la crasse et la bassesse », jusqu'au mythe de l'Indépendance : « L'indépendance des rois nègres d'Haïti est un bout de bois allumé aux deux bouts et que personne ne peut tenir. » Il maudit « ces lâches d'intellectuels qui laissent gémir un peuple de zombis ». L'écriture de Gérard Étienne, frénétique, paroxystique, invente à chaque ligne des images frappantes pour parler malgré tout quand la parole est tout ce qui reste.

[Un peuple de cochons]

Le Je, emprisonné, « crucifié », invente un Il qui lui sert d'interlocuteur et est l'objet de ses invectives.

Il s'assoit sur des morceaux de bouteille. A des airs d'indifférence comme s'il oubliait que je suis son camarade de bataille. Je lui parle en latin. Il me répond en espagnol. Je lui parle en espagnol. Il me répond en anglais. Je lui parle en anglais. Il me répond en latin. C'est un moyen de se faire comprendre. Sinon, nos pouls vont cesser de battre.

Maintenant qu'il est là, je peux, en tout repos d'esprit, rétablir la relation. Comment t'appelles-tu ? Il me file la langue. Je ne comprends pas sa réponse. C'est comme s'il avait des pétards dans la bouche, le soleil cogne contre le corps quand on a la figure marquée de révoltes parce qu'on ne peut pas tuer les démons en soi-même. Je voudrais tellement qu'il soit le mal qu'on me fait, qu'il soit une chaudière d'eau bouillante pour l'eau puante qu'on me fait boire. Je voudrais tellement qu'il arrive à faire le tour de la planète pour être ce grand nègre que je ne suis pas, ce briseur de chaînes que je ne suis pas, ces broussailles qui sont mon portrait et ma vérité. Que je pue, me dis-je en moi-même.

Qu'on me brise comme une muraille sous la mitraille. Mon corps s'effrite. Mes esprits se bousculent dans le dénombrement de mes pensées que je n'arrive pas à fixer. Dire qu'on me fouette à mort depuis les ongles des pieds jusqu'aux ongles des mains, depuis les premiers jours de ma naissance jusqu'à l'âge de la croissance, depuis ma déportation sous l'empire des Arabes jusqu'à la construction de Chicago. Qu'on me saigne en tout temps, en tout lieu, contre la déclaration des droits de l'homme, la poésie de Senghor et de Césaire. Contre la richesse de ma terre et l'ordre. Que mon amour est la haine des nègres. Je le crie cent fois. Qu'on m'entende cette fois-ci. Je n'aime pas le mensonge. Qu'on m'entende dessus ma dépossession, ma douleur, mon inquiétude et mon intelligence, cette boîte d'absurdités et d'impuissances. Que je l'écrive, cette malédiction qui tue un peuple de cochons, ces ténèbres qui m'assaillent depuis le jour où je suis rentré dans la poussière pour être un monde fade dont les couleurs ne sont que brouillards et malpropretés.

J'ai mal sur la croix du Président. J'ai mal dans cette prison où l'on m'enferme, où j'entends dehors grouiller toute une avalanche de déhontés qu'on dit être mes frères. Non, je ne veux pas les sentir. C'est eux, mes bourreaux et mes enfers, ce pays dont chaque fil est une tripe qui sort du ventre, une peur qui grandit sans cesse, qui tourne et qui retourne sans qu'on sache exactement d'où elle vient.

Gérard Étienne, *Le Nègre crucifié,* éd. Francophones et Nouvelle Optique.

La plupart des grands romans haïtiens, depuis *Gouverneurs de la rosée* jusqu'au *Mât de cocagne,* se terminent sur la disparition (mort, départ, arrestation) du personnage principal. Une autre mort, celle du dictateur, du maître injuste et tout-puissant, est souhaitée, dont on sait bien cependant qu'elle ne résoudra aucun des problèmes qui hantent cette société moribonde. Ainsi ANTHONY PHELPS dans *Mémoire en colin-maillard* (1976), avec une écriture beaucoup plus sage que celle de G. Étienne, met encore une fois la mythologie vaudou à contribution pour incarner le Président et sa police (Marie Chauvet avait, dans *Amour, Colère et Folie,* utilisé le même procédé, passant du réalisme simple d'*Amour* au mythe et au fantastique dans *Colère* et *Folie*). Le Narrateur, victime de la répression qui a frappé les partis de gauche en 1969, jusque dans la personne des enfants des opposants politiques, rêve d'écrire, en assassinant lui-même le Dictateur, une page d'une nouvelle histoire. Phelps entrelace le conte d'enfants, la réécriture du mythe et la fable politique en un texte qui, ressassant les circonstances de l'inévitable échec, veut y trouver néanmoins des raisons d'espérer. Le départ, en 1985, de Jean-Claude Duvalier, « baby Doc », qui avait succédé à son père, en 1971, semble lui donner raison.

[Un Nègre de capacité]

Depuis le balcon où il attend et guette, le Narrateur, coupable d'avoir, quand il était enfant, dénoncé à la police deux enfants d'opposants politiques (répression des communistes en 1969), se rappelle et imagine.

Haruspice fouillant les fibres, croyant découvrir dans leur entremêlement tel signe prémonitoire, tel commandement m'ordonnant de passer à l'action et m'assurant en même temps que les augures sont favorables, je scrute régulièrement les carreaux de la salle de bain et les lames du parquet avec l'espoir d'y déceler, dans une certaine symétrie ou les formes bizarres de la fleur du bois, un indice, un tracé secret, une calligraphie ésotérique dont le décodage me révélera l'avenir ou tout au moins m'en laissera entrevoir les grandes lignes car, un jour proche ou lointain, j'écrirai cette nouvelle page pour les manuels d'histoire des Enfants. C'est devenu d'une impérieuse nécessité, une question de survie. Je dois toutefois recevoir le feu vert, alors tous les matins j'attends, j'espère ; je guette le signe qui me viendra de mon muscadier et je le questionne ; du vent et j'interprète ses râles ; du bois et je déchiffre ses nœuds. Il est écrit quelque part qu'il y aura une fois un Nègre, pas comme les autres, qui fera les gestes nécessaires.

Tant que ces gestes ne seront pas accomplis, les élèves qui étudient dans leur manuel d'histoire ne pourront pas ânonner : « Il y avait une fois un Nègre de capacité. »

Ils continueront à murmurer dans leur petite cervelle d'enfants précoces : « Il y aura une fois un Nègre pas comme les autres, un Nègre spécial, un Nègre plein de connaissances secrètes, de science, un Nègre de capacité qui fera les gestes indispensables. »

Moi. Un jour, je les ferai ces gestes. Je le [1] tuerai avec ces mains. Mes mains de Nègre pleines de doigts durs, rêches, solides comme des boudins de fer. Je l'étranglerai.

Je franchirai le portail du Palais. Le factionnaire ne me verra pas passer à côté de lui. Tout au plus sentira-t-il une légère brise le frôler. Je traverserai la grande pelouse, grimperai les marches de l'escalier

1. Le Président-dictateur.

l'honneur. A l'intérieur, je chercherai son bureau. Il sera certainement assis derrière sa table imposante, en train d'écrire un de ses nombreux discours stupides et incohérents. Je passerai derrière lui et lui ferai un collier de chair avec mes doigts. Mes mains de Nègre se refermeront autour de son cou, je serrerai avec une lenteur calculée, jusqu'au moment où sa langue fourchue commencera à sortir de sa bouche. Alors, je relâcherai la pression, juste assez pour lui conserver un filet de vie, afin qu'il se sente souffrir. Une fois, deux fois, cinq fois, je lui cognerai la tête contre l'angle du bureau puis, d'un seul coup de presse-papiers, je lui fendrai le front et, prenant ce revolver qu'il garde toujours à portée de la main, je lui en viderai le chargeur dans la bouche. Sa tête de Nègre malsain se remplira alors de terreur, de violence et de mort.

Anthony Phelps, *Mémoire en colin-maillard,* éd. Francophone et Nouvelle Optique.

Qu'il emprunte la voie de la transe ou celle de la lucidité (ainsi de Marie-Thérèse Colimon avec *Fils de misère,* 1973), le romancier haïtien est par nécessité un **romancier politique.** Qu'il soit sensible aux influences avant-gardistes venues de France ou d'ailleurs (États-Unis et Amérique latine), ou qu'il tente de s'enraciner plus profondément dans la réalité et dans la langue de son pays, il reste confronté à une urgence qui demeure celle du constat et de la lutte. Que peut la littérature, sinon redire inlassablement l'injustice faite au peuple haïtien : « Ce peuple mérite davantage que la pitié, l'obole ou la condescendance. Il y a d'autres horizons que celui de la dépossession des choses du monde », écrit Émile Ollivier dans *Mère-solitude* (éd. Albin Michel, 1983). Mais Ollivier, lui aussi, vit en exil (à Montréal), et la fin de son roman — enquête sur la mort d'une mère (moderne Judith, elle s'était donnée à un tortionnaire de la police pour sauver son fils) — est peut-être l'une des plus noires de tout le roman haïtien : on est bien loin de l'espoir qui luisait quand même à la fin de *Gouverneurs de la rosée.*

J'ai beau écarquiller les yeux, je ne vois pas poindre l'aube nouvelle. Mes oreilles tendues n'entendent pas les premiers accords de la fête depuis si longtemps promise. J'ai vingt ans. Comment faire pour balancer la nuit et contempler quelque part au loin, la vertigineuse blancheur du petit matin ? Il faudrait laisser là, cette nuit, cette gangrène interminable. Englué dans cet espace clos, la moiteur d'une moitié d'île, il faudrait s'en aller, mais comment en sortir ? Il y a des taches de sang sur la Caraïbe. Il faudrait s'en aller, mais il n'y a ni bateau ni Boeing qui puissent nous conduire ailleurs. Quand les ramiers sauvages empruntent le long chemin de la migration, la mer trop souvent rejette leurs cadavres.

L'exil peut aussi procurer au romancier haïtien l'occasion de tourner son regard vers le monde nouveau qui l'a accueilli. On retiendra ainsi le parcours de Jean Métellus : parti d'une œuvre poétique tout à fait enracinée dans la terre haïtienne *(Au pipirite chantant),* il écrivit ensuite en France deux romans *(Jacmel au crépuscule,* 1981 ; *La Famille Vortex,* 1982*)* dans lesquels il décrivait à son tour des situations et des personnages déjà rencontrés dans bien d'autres romans haïtiens : politique et poésie, humour et vaudou, le cocktail n'offrait aucun ingrédient original. Métellus semblait poursuivre cette tâche de dénonciation caractéristique de tous ses prédécesseurs. Et le lecteur pouvait s'interroger sur la nécessité d'une telle entreprise. Dans son dernier roman *Une eau-forte* (1983), Métellus tourne le dos à Haïti pour écrire une fort belle et fort mystérieuse fable dont l'action se passe en Suisse. La langue elle-même paraît purifiée, universelle. Et la question se pose alors : sommes-nous encore en présence d'un roman « haïtien » ? Ou tout simplement d'un romancier « francophone » ? En abandonnant les « problèmes » d'Haïti, Métellus ne découvret-il pas en lui-même un « autre » écrivain ? Difficile de répondre à ces questions, d'autant plus que Métellus brouille les cartes en écrivant aussi une pièce dont l'héroïne n'est autre que cette princesse indienne Anacoana chère déjà à Jacques-Stephen Alexis. En remontant aux origines légendaires de son histoire d'Haïtien, Métellus voudrait-il se faire pardonner sa « trahison » antérieure ?

La poésie

Il en va de la poésie haïtienne comme du roman : d'une très abondante et très intéressante production qui, faute d'éditeurs, reste le plus souvent confinée aux journaux et aux revues de Port-au-Prince ou même des villes de province, le public français ou international ne connaît que de trop rares exemples. Dans les années quarante, André Breton faisait connaître l'œuvre de Magloire Saint-Aude ; dans les années 60, la critique française, à la suite d'Alain Bosquet, s'extasia sur celle de Davertige (*Idem,* édité en Haïti à compte d'auteur en 1962, réédité à Paris en 1964). Avec le recul du temps ces œuvres nous apparaissent comme trop proches des œuvres françaises qui les ont inspirées (Rimbaud, Lautréamont, Mallarmé, le surréalisme, Char), ce qui explique peut-être qu'elles aient pu retenir ces lecteurs illustres : versions tropicales d'un texte original, dépaysantes certes, mais pas vraiment autres. Il vaut mieux, semble-t-il, considérer ces textes comme des points de repère, étapes qui marquent l'assimilation par la poésie haïtienne d'œuvres essentielles, indispensables à son évolution vers davantage d'originalité.

« Nous autres griots haïtiens, nous devons chanter la splendeur de nos paysages, la douceur des aubes d'avril, bourdonnantes d'abeilles, et qui ont l'odeur vanillée des kénépiers en fleurs, la beauté de nos femmes, les exploits de nos ancêtres, étudier passionnément notre folklore et nous souvenir que changer de religion et s'aventurer dans un désert inconnu, que devancer son destin est s'exposer à perdre le génie de sa race et de sa tradition », écrivait Carl Brouard, l'un des fondateurs des *Griots* et l'une des deux grandes figures inaugurales, avec ÉMILE ROUMER, de la poésie haïtienne contemporaine, celle qui se détache définitivement de l'imitation des modèles français. Brouard, poète maudit à la Verlaine, qui finira dans l'alcool et la misère, chantre des pauvres — « vous / les gueux / les immondes / les puants / paysannes qui descendez de nos mornes avec un gosse dans le ventre / paysans calleux aux pieds sillonnés de / vermines, putains / infirmes qui traînez vos puanteurs lourdes de mouches » — refuse pourtant l'emploi du créole et entend demeurer fidèle à l'emploi du français : « Le français n'est pas une langue d'emprunt, c'est notre propre langue. Le créole ne sera jamais qu'un patois, comme le bigorrois. Il n'y a rien à faire. » ÉMILE ROUMER, au contraire, parti d'une position indigéniste traditionnelle, évoluera, lui, vers l'utilisation du créole. Dans la poésie savante de ses débuts, on peut sentir encore l'influence de Baudelaire, mais très vite il exploite une veine à la fois plus populaire et plus engagée (contre l'impérialisme américain et ses ravages, il publie en 1963 *Le Caïman étoilé*) avant de donner, finalement une place importante au créole dans ses vers, comme par exemple dans *Rosaire Couronne Sonnets* (1964). On peut considérer Roumer comme le dernier représentant d'une poésie classique ou comme l'un des artisans du passage à l'expression véritable du peuple haïtien.

Le Fiancé a' pantalon unique

Dadoune, si je vous aime c'est parce que vous êtes une femme nature,
sans fanfreluche, hypocrisie, parler français ;
vous êtes svelte comme une tige de maïs, adorable fiancée,
le baiser de ta bouche a plus de gomme qu'une soupe de tortue.

Quels yeux aura l'enfant que nous concevrons
quand j'aurai fait bénir la bague, même avec un pantalon piécé ?
Je me sens chaud comme l'enfourneur pressé devant le four,
que m'importe la médiocrité d'une chambre en terre battue,
pour faire bénir la bague à la chapelle, ne vois-tu pas qu'il est temps ?
vous êtes les doux yeux de ma tête et la tige de maïs de mon champ,
à l'ombre des bambous mes tortues dans l'étang.

Quand nous aurons bu le thé de petit baume [1] et mangé du cham'cham [2]
ce n'est pas un petit contentement qu'auront mes entrailles
quand je t'entendrai pisser dans l'obscurité de ma chambre.

Émile Roumer, in *Conjonction,* N° 102, 1966, D.R.

Brouard et Roumer sont uniquement poètes, ce qui n'est pas le cas de la plupart des autres poètes indigénistes ou inspirés de l'indigénisme, qui affirment leurs convictions aussi bien dans la prose romanesque que dans le chant lyrique. Ainsi de Jacques Roumain, l'auteur de *Gouverneurs de la rosée,* qui, avec *Bois d'ébène* (1945), infléchit la veine indigéniste vers une **poésie engagée**, beaucoup plus explicitement politique, qui constituera, jusqu'à aujourd'hui chez certains, l'inspiration dominante de la production poétique. J.-F. Brierre avec *Black Soul* (1947), Roussan Camille, Morisseau Leroy, René Bélance, Regnor Bernard *(Nègre !* 1945*)*, René Depestre (d'*Étincelles,* 1945, à *Poète à Cuba,* 1976), Franck Fouché, quelques noms parmi tant d'autres, qui ont chanté inlassablement, sur les modes les plus divers, quelques thèmes fondamentaux : dénonciation du racisme et de l'exploitation économique et sociale, revendication de la négritude, éloge de la terre d'Haïti, exaltation de la révolte, aspiration à la révolution qu'elle soit proprement haïtienne, ou plus largement caraïbe ou universelle ; les figures de Guevara, de Lumumba, d'Angela Davis se mêlent à celles des pères fondateurs de l'indépendance nationale. La fièvre lyrique qui anime ces poèmes, la puissance envoûtante de ces textes en forme de litanies, l'imagination surprenante, la liberté verbale, font souvent, mais pas toujours, passer la rhétorique pesante et l'imagerie obligée qui furent alors, dans le sillage d'Aragon, d'Éluard ou de Pablo Neruda, à la mode. On avait voulu se libérer des modèles culturels français et on les troquait contre d'autres, tout aussi encombrants. D'un RENÉ DEPESTRE par exemple, l'un des plus féconds, et l'un des plus actifs dans la lutte politique, on oubliera bien des vers dans le genre de ceux-ci : « Me voici / citoyen des Antilles / l'âme vibrante / je vole à la conquête des bastilles nouvelles / », et l'on appréciera plutôt ses poèmes érotiques (éros et révolution, pour lui, ont partie liée) ou cette « Machine Singer » qui transmet poétiquement une vision du monde tout à fait singulière.

1. *Salvia occidentalis* (la sauge). — 2. Maïs grillé, sucré que l'on mange avec l'apéritif.

La machine Singer

A Mario de Andrade.

Une machine Singer dans un foyer nègre
Arabe, indien, malais, chinois, annamite
Ou dans n'importe quelle maison sans
boussole du tiers-monde
C'était le dieu lare qui raccommodait
Les mauvais jours de notre enfance.
Sous nos toits son aiguille tendait
Des pièges fantastiques à la faim.
Son aiguille défiait la soif.
La machine Singer domptait des tigres.
La machine Singer charmait des serpents.
Elle bravait paludismes et cyclones
Et cousait des feuilles à notre nudité.
La machine Singer ne tombait pas du ciel
Elle avait quelque part un père,
Une mère, des tantes, des oncles
Et avant même d'avoir des dents pour mordre
Elle savait se frayer un chemin de lionne.
La machine Singer n'était pas toujours
Une machine à coudre attelée jour et nuit
A la tendresse d'une fée sous-développée.
Parfois c'était une bête féroce
Qui se cabrait avec des griffes
Et qui écumait de rage
Et inondait la maison de fumée
Et la maison restait sans rythme ni mesure
La maison ne tournait plus autour du soleil
Et les meubles prenaient la fuite
Et les tables surtout les tables
Qui se sentaient très seules
Au milieu du désert de notre faim
Retournaient à leur enfance de la forêt
Et ces jours-là nous savions que Singer
Est un mot tombé d'un dictionnaire de proie
Qui nous attendait parfois derrière les portes
une hache à la main !

René Depestre, *Poète à Cuba,* éd. P. J. Oswald

C'est bien lorsqu'ils dépassent la transmission d'un simple message politique pour laisser parler leur personnalité que ces poètes — noirs, opprimés, révoltés — atteignent à l'originalité, en nous faisant partager, de l'intérieur, les raisons profondes qui les poussent à cette révolte. Aux textes de la période militante (1945-1955), cris vite vieillis de n'avoir jamais été des chants tout à fait vivants, on préférera des textes souvent plus tardifs (des années 70) où l'évocation de cette condition humaine bien particulière suit des chemins moins battus, et qui sont ceux d'une authentique réflexion sur le langage.

L'air libre

A Jacques Alexis qui comprenait automatiquement mes instincts les plus sauvages.

locataires des nœuds

il n'avait pas les rides du métier

les arbres sont chers

visage corbillard
cercle
il installa en lui
l'intestinale splendeur des arbres

personne ne put l'aider
avec tant d'arbres sur le dos

en se déplaçant
il faisait un bruit de grande
feuille affamée comme des rires d'enfant
parés de toutes les plumes de basse-cour

lacéré de gouffre

grand apache au milieu des mots
il jouait sa contrebasse
à la troisième personne

les yeux déchirés
comme une fourmi
ou peut-être troués
jusqu'à la cendre du souvenir

a-t-il souffert ?
le jour est une embolie de nuage

chaque année
aux heures flasques des enterrements d'oiseaux
la foudre recoud ses haillons
à la pointe de son miroir.

Georges Castera Fils, in *Europe,* janvier 1971.

Aux mots d'ordre jadis scandés dans la revue *La Ruche,* se mêle, dans les années 60, une réflexion plus large, plus nuancée, menée au sein de plusieurs groupes ou écoles successifs (Samba, Haïti-Littéraire, et surtout l'École du spiralisme), qui approfondissent le concept de **négritude haïtienne.** Roumain déjà, puis Alexis, poète lui aussi, avaient insisté sur la multiplicité des sources — indienne, africaine, latine, américaine — de l'âme haïtienne. Un Gérard Dougé, fondateur, lui, du pluréalisme, conteste même ce concept, qui écrit : « Je suis nègre, *même sans le dire,* autant que le jaune, tout naturellement, affirme, sans le dire, sa vérité jaune. Il l'est, c'est tout. J'ignore la négritude de mon langage, de ma beauté, mais elle est. »

C'est au sein du langage, du discours, de ses rythmes et de ses images, qu'il faut découvrir, apprivoiser, la nature et les structures de la négritude haïtienne, et non en empruntant à des discours préfabriqués. Paradoxalement, cette recherche d'une spécificité ne craint pas de chercher son inspiration — et non plus ses modèles — dans une culture extérieure (de Kafka à Sarraute, du Nouveau Roman au structuralisme). Mais les poètes haïtiens ne retiennent de ces œuvres ou de ces mouvements que ce qui peut nourrir une littérature qui se veut en liaison constante avec la vie, vie nouvelle d'un peuple qui veut naître enfin.

L'œuvre poétique d'un RENÉ PHILOCTÈTE, qui a participé à ces différents mouvements, représente sans doute le mieux cette vitalité toujours en éveil d'une poésie ouverte aux voix du monde entier, mais soucieuse d'accroître son originalité sans rien abandonner de sa vocation révolutionnaire. Un court extrait ne peut donner qu'une idée très imparfaite d'une œuvre jaillissante, non linéaire dans son développement, qui correspond bien à ce que ce groupe (Philoctète, Frank Étienne, Dieudonné Fardin) nomme du nom de spiralisme « à cause des tours, des cercles, des boucles, des zigzags et des entortillements qui semblent affecter le mouvement général de la vie et que devraient saisir plus ou moins la littérature et l'art ».

[Antilles heureuses]

Ces îles où fleurissent les oiseaux dans les fûts
de palmiers clairs
pattes du monstre bleu
cinglent vers les hublots
ascension de cannaies et de formes félines

Alors la steawardesse renseigne
Antilles heureuses en vue !

Mais moi fils légitime de ces terres poubelles
des festins
des continents
épaves niaises chantant sans cesse gencives nues
parce qu'habituées depuis guimbo à bercer
les écœurements
des maîtres
en swing en rumba en méringues en tango
en cet autre de Trinidad
moi fils légitime de ces grandes bringues
aux ventres plissés
gombos de fin de saison
qui ne connaissent que chanter
qui ne connaissent que danser
danser dans la mort danser dans la faim danser
à la dérive
qui ne connaissent que dire oui

1. Dans le vaudou, esprits qui, au terme d'une danse rituelle, « chevauchent » le fidèle. — 2. Fibre de la canne à sucre, broyée pour en extraire le jus.

oui m'sié
oui mada'm
oui mam'zelle
jusqu'à ce qu'elles finissent par dire oui nos loas [1]
nous sommes ni contentes ni pas contentes
de notre état
d'îles flottantes
d'îles vagabondes
d'îles laissées comme ça
d'îles purgées
d'îles cobayes
bagasses [2]
qui ne connaissent que palabrer
aiment la chicotte à ce qu'il paraît
qui ne connaissent que rire
aiment la trique à ce qu'il paraît
moi fils légitime de ces grandes bringues d'îles je
me ferais sorcier
pour savoir en fin de compte quelle force
les garde ainsi
chiennes reins cassés
ayizan [3] ayizan ô !
moi sorcier de ces terres lâchées dru drums en rut
cognant recognant leur front sur le chemin
des madrépores je soulèverais leur voile
d'émeraude jusqu'à la mue des étoiles pour
voir en fin de compte
les mousses grasses les mouches luisantes de leurs
tumeurs.

René Philoctète, *Ces îles qui marchent,* éd. Fardin.

De plus en plus souvent, cette parole poétique dont l'objet, explicitement ou non, est la terre haïtienne, l'homme haïtien, s'élève depuis une autre terre, celle de **l'exil** (Depestre vit à Paris, Castera à New York), obligé ou choisi. JEAN-FRANÇOIS BRIERRE, l'auteur d'un *Black Soul* qui fit grand bruit dans les années 45, vit maintenant à Dakar. En 1980, il écrit un « Nouveau Black Soul » *(Un Noël pour Gorée).* L'exil en Afrique peut être vécu sur un mode différent. Il est remontée vers les origines, autre retour au mythique pays natal. Mais il est aussi un retour d'exil. Superposant Haïti et la Casamance, le temps de la naissance et le temps de la mort, le poète touche à l'éternité.

[En Casamance]

En Casamance pavée de coquillages d'eaux douces
où les fleuves étreignent
de leurs bras parallèlement bleus
pâturages et rizières
forêts de palétuviers,
et fromagers caresse-ciel ;
où les boubous font un hymen de vent
au tam-tam langoureux des hanches,
j'ai vu le bois de mon berceau
et l'aubier de ma bière ;
et le temps de l'un à l'autre
filer le cafetan de mon suaire.

Figures de tapisseries anciennes
restées debout au seuil des palais de boue
et des paillotes coiffées de rizières fauchées,
qui parlez en silence et marchez en rêvant
sur le tapis velouté de l'ombrage
ou brûlant du soleil d'acier,
Dernières ombres attachantes et fragiles

1. Haïtien.

comme dessinées en sanguine
sur les murs végétaux du Bois Sacré,
projections en couleurs de passés abolis
dans le présent sans âme,
En Casamance des coquillages
et des arbres en ajours arachnéens sur le ciel,
vous êtes l'instant gelé dans le temps qui s'écoule.
Vos pirogues remontent le cours des âges.
Les petites rames aux mélodies de Kora [1]
scarifient les eaux tranquilles
tandis que, figures de proue,
vous fixez l'éternité sans bavure de la Source.

Jean-François Brierre, *Un Noël pour Gorée,* éd. Silex.

La sérénité de Brierre est aussi celle d'un homme qui aborde l'ultime étape. Pour la plupart des autres poètes coupés de leurs racines (et même si souvent l'exil constitue une grande chance du point de vue de l'édition et de la diffusion), la voix sera celle du déchirement et du manque. Dans *Poésie quotidienne* (1979), Paul Laraque (qui vit en Amérique du Nord) donne une vision tout autre, onirique et terrifiante, de cet improbable retour aux rivages qui virent s'éloigner les navires chargés d'esclaves. JEAN MÉTELLUS, lui aussi, vit loin d'Haïti (à Paris). *Au pipirite chantant,* long poème qui donne son titre au recueil publié à Paris (1976), peut rappeler, par son ampleur, ses allures changeantes, ses saccades, les ambitions du spiralisme : kaléidoscope d'images violentes et colorées qui ressaisit, depuis d'autres rivages, la réalité haïtienne telle que le poète se la remémore, telle qu'il peut la revivre, par le verbe : « Et la mémoire tout habillée d'étoiles laisse encore traîner son paraphe sur la blessure de l'oubli. » *Ogoun,* poème plus bref, donnera peut-être une assez juste idée de cette poésie qui tente de retrouver et de transcrire les voix ancestrales.

Ogoun

Lassés, haussés,
Saoulés par le sang de vos dieux
Minés, honnis,
Talés par vos propres sacrilèges
Vos vergers seront ravagés
Tondus par les insectes et la sécheresse
Votre plénitude sera inquiète
La fin de vos journées débordera de larmes écarlates
Votre pays sera terre de sang
Car vous avez ignoré vos dieux
J'ai détourné de vos cœurs les balles,
De vos cases les canons,
De votre tête les mauvais esprits

La parole de vos dieux n'a pas d'aune
La prière, midi de l'âme à nu, a vanné votre
désespoir

Mais je vous cache désormais, enfants têtus, maudits
Les lumières de ma cité qui vous a sauvés, lacés
et délassés
Je reprends ma terreur, mes matins éternels
Pour tous les dieux meurtris par vos lèvres cramoisies
Pour tous ces temps brûlés par vos paroles de craie
Pour vos voix détrempées et votre avenir mauve
Vos dieux jadis précieux s'éloignent dans le silence
noir de la méditation
Oui, moi, Ogoun

Jean Métellus, *Au pipirite chantant,*
éd. Les Lettres Nouvelles/Maurice Nadeau.

1. Sorte de harpe sénégalaise.

Exilé, le poète haïtien peut-il longtemps survivre dans ce no man's land mental ? La nostalgie ou l'oubli ? Deux livres d'Anthony Phelps, écrits à quelques années de distance, font résonner deux notes légèrement décalées. Dans *Motifs pour le temps saisonnier* (1976), le passé paraît submerger la réalité présente ressentie comme agressive et inacceptable. Dans *La Bélière caraïbe* (1980), le pays natal est comme mis à distance ; l'évocation en est moins vivace, moins douloureuse, et le poète se tourne vers la terre qu'il habite désormais. Ces deux textes semblent dessiner un parcours cohérent, comme d'un travail de deuil qui aurait réussi. Rien n'est aussi simple, et les retours en arrière sont toujours possibles. Mais Phelps est l'un des nombreux Haïtiens qui se sont installés au Québec. Et ce sera, dans les années à venir, un champ d'observation intéressant que l'« acculturation » des exilés haïtiens en terre québécoise.

[Frères d'exil]

Frères d'exil
compagnons aux pieds poudrés
dans nos regards passe une même vision
les souvenirs en cage derrière la vitre opaque
présent comme une dalle
Nous n'avons plus que gestes de fumée
pour conter le temps des kénépiers en fleurs
car nous entrons dans un domaine étrange
de plus en plus tournant dos au Pays
et le verre et l'acier modifient nos croyances

Nous vivons dans une ville
où la chanson du rémouleur
n'est même pas un souvenir
où nul ne se rappelle la flûte triangulaire
dont les notes aiguës
montaient et descendaient le long de notre enfance
Nous vivons dans une ville
qui jamais ne connut cet homme
doué du pouvoir de créer des étoiles
en plein midi
ville de verre ville d'acier

Anthony Phelps, *Motifs pour le temps saisonnier*,
éd. Oswald.

[Silence de gouttière]

Silence de gouttière
de pluie tropicale sur les toits de tôle
La sarde rose rescapée
faisait la sieste dans la poêle
Le temps qu'on met pour enfouir la semence
Silence de cannaie
de la macération du rhum dans les fûts
Un peu de clairin [1] disait le gai bosquet
et des cassaves [2] pour ma ligne
Le temps qu'on prend pour donner sa mesure
Silence de ma civilisation du maïs
Temps d'un pays entouré d'écritures
d'instants privilégiés enfermés dans les livres
Silence de grenouille
Silence en catacombe
Temps du crispant refus
du vent oiseau libéré du poème
Temps du vivant non du vécu
Terre Caraïbe
j'ai honoré mon quota d'errance
je ne veux plus d'un pays
uniquement pour la mémoire

Anthony Phelps, *La Bélière caraïbe*,
éd. Poésie/Nouvelle Optique.

1. Rhum blanc non raffiné. — 2. Préparation à base de manioc.

Se fondre dans une autre culture francohone est une possibilité que refusent ceux qui, exilés ou non, choisissent d'**écrire en créole.** Plusieurs des poètes que nous avons rencontrés — Morisseau Leroy, Roumer, Fouché, Laraque, Castera — ont publié, parallèlement à leur œuvre en français, des poèmes en créole, mais bien d'autres également, et, plus récemment, un Rodolph Miller qui, avec *Parole empile/parolanpil* (1977), publie le premier livre de poèmes « bilingues ». La problématique de cette utilisation en Haïti n'est pas fondamentalement différente de ce qu'on a vu à propos des îles voisines, à ceci près que l'emploi du français ne renvoie pas automatiquement au problème de l'identité nationale. Il s'agit bien davantage d'un problème social, presque d'un problème de classe. Le rapport avec une métropole fascinante, lieu de la reconnaissance éventuelle et du succès littéraire, est beaucoup moins aigu puisqu'il existe une vie culturelle haïtienne autonome, bien plus affirmée que dans les Antilles françaises.

Il apparaît tout à fait logique que la reconquête culturelle de la collectivité haïtienne débouche sur une littérature en créole, puisque celui-ci est la langue de la majorité de la population devenue la langue de l'enseignement. En attendant la constitution plus complète de cette littérature, et aussi en raison de l'existence de la diaspora haïtienne aux quatre coins du globe, la littérature en français connaît une période de transition — ou de crise ? — et la richesse actuelle de cette production n'est pas nécessairement la garantie de sa survie.

Choix bibliographique :

S. Baridon et R. Philoctète, *Poésie vivante d'Haïti,* Les Lettres nouvelles/Maurice Nadeau, Paris, 1978.

R. Berrou et P. Pompilus, *Histoire de la littérature haïtienne* en 3 volumes, édition Caraïbes, Port-au-Prince, l'École, Paris, 1975-1977.

R. Cornevin, *Le Théâtre haïtien des origines à nos jours,* Leméac, Ottawa, 1973.

R. Depestre, *Bonjour et Adieu à la négritude,* Robert Laffont, Paris, 1980.

Europe, n° 501 (janvier 1971) : « Jacques-Stephen Alexis et la littérature d'Haïti. »

G. Gouraige, *Histoire de la littérature haïtienne,* Impr. des Antilles, Port-au-Prince, 1963.

L.-F. Hoffmann, *Le Roman haïtien : idéologie et structure,* éd. Naaman, Québec, 1982.

M. Laroche, *Le Miracle et la Métamorphose,* essai sur les littératures du Québec et d'Haïti, édition du Jour, Montréal, 1970.

M. Laroche, *La Littérature haïtienne : identité, langue, réalité,* Leméac, Ottawa, 1981.

Chapitre 5

Mascareignes

En 1945, le Mauricien Loys Masson, qui est arrivé en France en 1939 et qui a très activement participé à la « Résistance des poètes », est nommé secrétaire général du Comité National des Écrivains, organisme visant à régir la vie littéraire française après la Libération. Bel exemple d'assimilation d'un écrivain francophone par la littérature française !

En 1985, à l'occasion de la publication de son roman *Le Chercheur d'or,* J.M.G. Le Clézio, Niçois de naissance, revendique son appartenance à la culture mauricienne. Mouvement de retour à l'île où ses ancêtres ont émigré au XVIIIe siècle !

Certes, il ne faut pas faire trop dire au rapprochement de deux dates et de deux stratégies d'écrivain (encore qu'on puisse en conclure qu'en 1985 la culture mauricienne soit plus vivante et attirante qu'en 1945). En tout cas, une tension apparaît, qui régit la vie culturelle des îles, entre deux désirs contradictoires : désir d'intégration à la métropole culturelle européenne et désir d'enracinement dans une originalité insulaire. De fait, on retrouve cette tension tout au long de l'histoire culturelle des îles.

Longtemps, les Mascareignes (ensemble d'îles dans l'océan Indien comprenant essentiellement La Réunion, autrefois Bourbon, et Maurice, qui fut l'île de France) ont servi de référence privilégiée à l'imaginaire exotique. Ces îles étaient désertes quand les Européens les découvrirent au XVIe siècle : on y aborda comme à un paradis retrouvé. Pour y produire des denrées précieuses, comme le café, puis le sucre, on y systématisa le régime de la plantation esclavagiste. Ainsi y furent introduites des populations d'origines très diverses : il se créa une société créole, dans la rencontre des races, des langues et des habitudes culturelles. La littérature française des siècles passés, en s'annexant des images et des écrivains venus des îles, porte témoignage de la séduction exercée par les Mascareignes : on évoquera le prodigieux succès du roman de Bernardin de Saint-Pierre, *Paul et Virginie* (et de l'imagerie populaire multiforme qui l'accompagne), la renommée des poètes créoles, Bertin et Parny, admirés, voire imités par Lamartine, les souvenirs des îles que Baudelaire glisse dans *Les Fleurs du mal,* la fidélité que Leconte de Lisle garde aux paysages de son île natale...

Le développement, aux îles, d'une pratique littéraire véritablement autonome, a été comme bloqué par le succès même de ces images exotiques : elles s'imposent aux insulaires, qui y résistent mal, quand ils ne finissent pas par s'y conformer. On écrit donc pour perpétuer les modèles de l'exotisme du siècle dernier. A quoi s'ajoute la force du désir mimétique. On se rassure en écrivant d'après les exemples français anciens et éprouvés. Ainsi les récentes et annuelles anthologies de poésie réunionnaise contemporaine se transforment-elles en conservatoire des formes mortes : on y lit encore des poèmes de facture parnassienne ou symboliste. Rien d'étonnant si beaucoup d'écrivains des îles, succombant à l'attraction des métropoles culturelles européennes, choisissent l'exil et s'intègrent à la vie littéraire française. Comme Loys Masson...

Et pourtant, malgré cette dépendance littéraire (ce « francotropisme », pour reprendre le néologisme forgé par l'historien de la littérature mauricienne, Jean-Georges Prosper), beaucoup de conditions sont réunies aux Mascareignes pour permettre le développement d'une littérature autonome. La prise de conscience d'une identité propre a été favorisée par l'éloignement et l'isolation insulaires, l'ancienneté de la colonisation, l'émergence, à partir du XVIIIe siècle, d'une langue et de pratiques culturelles « créoles », l'évolution historique (surtout à Maurice, qui fut coupée de la France en 1810, devint colonie britannique et accéda à l'indépendance en 1968). Ce qui est encore plus important, l'installation d'imprimeries et l'essor de la presse au XIXe siècle ont permis de publier et de diffuser sur place les textes d'auteurs mauriciens et réunionnais. Les bibliographes et les historiens littéraires ont recensé plusieurs centaines d'auteurs, plusieurs milliers de titres. C'est considérable, sur une durée de deux siècles et compte tenu des dimensions et de la démographie des îles. Des journaux et revues dynamiques ont pu susciter une opinion et des débats littéraires. Dans les années récentes, la volonté de recentrer le système scolaire sur les îles a encouragé un mouvement d'appropriation ou de réappropriation des textes littéraires des Mascareignes : on veut apprendre à lire les auteurs insulaires.

Renaissance littéraire à La Réunion

Jusque vers 1950, à La Réunion, qui vit mal la crise presque centenaire de l'économie sucrière, la vie culturelle reste engourdie dans le souvenir statufié des gloires du passé : les poètes du siècle dernier, émigrés en France, comme Leconte de Lisle, Léon Dierx (qui succéda à Mallarmé comme « prince des poètes ») ou Auguste Lacaussade (qui fut secrétaire de Sainte-Beuve) ; les romanciers comme Marius-Ary Leblond, prix Goncourt 1910, inlassables propagandistes de la « littérature coloniale ». A leur suite, de touchants amateurs de poésie morte continuent à psalmodier en alexandrins des hymnes à l'île natale.

La vie est ailleurs. La renaissance culturelle va s'appuyer sur la revendication d'une identité retrouvée : on approfondit sa relation à l'espace insulaire, que souvent l'expérience de l'exil a rendue plus intense ; on récupère un passé longtemps enseveli sous les simplifications de l'histoire coloniale ; on réinvente un langage, dans les formes neuves de la modernité poétique ou en explorant les ressources de la langue maternelle : le créole. Ce renouvellement littéraire est soutenu, à partir des années 70, par une presse plus vivante, par des revues qui se

Fare fare : construction en bois pour abriter les semences.
Dessin de Jean Albany.

multiplient *(Bardzour, Fangok, Art Quivi,* etc.), par le dynamisme d'associations culturelles comme l'UDIR ou l'ADER (cette Association des Écrivains Réunionnais s'efforce de publier le plus grand nombre de manuscrits, fût-ce sous forme de plaquettes multigraphiées).

En 1951, Jean Albany annonce la **nouvelle poésie réunionnaise** avec *Zamal,* recueil né de l'exil parisien, qui est donc retour par les mots vers le pays natal. Collectionneur de mots créoles (il a publié en 1974 un *P'tit Glossaire : le piment des mots créoles,* suivi d'un *Supplément* en 1983), il leur emprunte sensualité et piquant, au plus près des formes populaires de la chanson créole, *séga* ou *maloya (Bal indigo,* 1976*)*.

Le long poème de Boris Gamaleya, *Vali pour une reine morte* (1973), peut se lire comme un oratorio mettant en scène les personnages des légendes insulaires : l'île-reine, l'esclave révolté, le chasseur de nègres marrons... La poésie fait miroiter le montage violent de fragments culturels, d'images disloquées, de bribes de langage appartenant à tous les peuples et à toutes les langues qui ont formé l'île de la Réunion : français, créole, malgache, langues africaines des esclaves, langues indiennes des engagés...

vali
fondant d'imerina
pour les bakoules de l'eau

vali
rivières mani mani
aux laisses océanes

vali
annonciade de mantes anémones
ventrée de lucanes de boucane

Alain Lorraine a dédié *Tienbo le rein* (1975) « aux z'enfants la misère de ce pays qui vient ». Le titre du recueil, reprenant une locution créole, programme un appel à la lutte de résistance (« tienbo le rein » signifie « serrons les coudes »), mais il s'y ajoute des connotations amoureuses (« tienbo le rein » se traduirait alors par « serrons-nous bien »). Poésie de révolte et d'amour donc, qui vise l'efficacité militante et use d'une langue directe.

Village natal

Village natal
Visage métal
brillant de fer au soleil midi qui fait mal
Les rails du train de sucre
Haleine de vapeur épuisée
Contre les cannes farouches
Déjà trop loin de mes mains
Un village perdu
Largué au bas de ma vie
Une seule fumée native de ses maisons fermées
Un seul enfant par jour
au jeu de l'oiseau-malheur
Face aux matins rebelles
Ce village rencontré
éloigné
insaisi
interdit
mal-lové autour des passants de pluie
mal-aimé au beau fixe de l'alcool
Village non-fini
Pas d'oubli rouillé sur le macadam
Un seul enfant sur les pas blessés de la solitude
et dans sa tête brûlante toujours la même tourment
la même souffrance
la même violence
Village natal
Visage métal explosé enfin

Alain Lorraine, *Tienbo le rein,* éd. L'Harmattan

Dessin de Geneviève Kœnig-Durieux pour le recueil Tienbo le rein *d'Alain Lorraine.*

Gilbert Aubry, qui a été nommé évêque de La Réunion en 1976, a publié *Rivages d'alizé* en 1971, recueil dont plusieurs rééditions soulignent le succès dans l'île. Sa poésie naïve et indignée, militante sans agressivité, sait refuser les complaisances exotiques pour chanter l'amour du pays natal. Éditeur, avec Jean-François Sam Long, de nombreux jeunes poètes, il a imposé le mot « créolie » pour désigner l'idéal d'une île rassemblée dans la fraternité de tous ses habitants, dans la fierté d'une histoire et d'une identité réunionnaises assumées, dans la communauté d'une culture partagée avec les îles voisines : « Ici nous sommes tous fils et filles de la Créolie. Ici nous vivons de Créolie comme ailleurs de Négritude ou d'Occitanie. »

Agnès Guéneau écrit l'attente d'une parole authentique *(La Réunion : une île, un silence,* 1979*)*. Jacques-Henri Azéma, qui fut doublement exilé, d'abord en Europe, puis en Argentine, revient à l'île par un « testament » *(Olographe,* 1978*)*, qui se souvient de Villon et d'Apollinaire : « Dans tout amour il y a une île / mon île vous verrai-je jamais / la terre me sera lourde ici. » « Mon île belle ô premier bourgeon / d'un amour périmé mon doux printemps / sous un eucalyptus notre temps / d'aimer n'a duré qu'une chanson / mais toujours reverdit le bourgeon / des misaines à la rose des vents. » Quant à Riel Debars, il se dresse contre les impostures d'une poésie qui donne aux îles le masque de l'Eden *(Sirène de fin d'alerte,* 1979*)*.

Tous ces poètes ont en commun le besoin de dire les mêmes sollicitations profondes : l'expérience de l'île comme paysage intimement vécu, la reconquête d'une histoire, les vertiges de l'exil... Leur écriture prend le parti de l'île contre les survivances coloniales dans les relations avec la métropole. Mais ils écrivent en français et certains, comme le critique Carpanin Marimoutou, y voient la preuve d'une « mauvaise conscience » : en refusant le créole, ils choisissent de manquer l'identité qu'ils visent à retrouver. Ceci ramène au débat fondamental sur la capacité du français à dire de cultures autres... On constatera seule ment que la poésie en français des Réu nionnais, par ses violences et ses silence ses ruptures, ses inventions, sa difficult parfois à trouver ses mots, s'accord assez bien à la situation actuelle de l culture réunionnaise.

Il est vrai, d'autre part, que **le créol** constitue la terre promise des jeune intellectuels réunionnais. Arrachée au langueurs folklorisantes des nostalgique de Bourbon, revalorisée par les savante études des linguistes, la langue créole e en attente d'une rhétorique qui lui dor nerait une légitimité littéraire. Déjà, de chercheurs universitaires ont patiemme collecté un trésor des contes créoles, qu l'on croyait disparu de la mémoire de conteurs *(Kriké Kraké,* 1977*)*. On publié, en version créole accompagné d'une traduction française, l'autobiogr phie d'un jeune Réunionnais d'asce dance indienne, travailleur immigré e France *(Zistoir Kristian,* 1977*)*. De jeun auteurs comme Anne Cheynet et Alai Armand pratiquent une poésie populist souvent proche de la chanson. L'antho logie rassemblée par le même Alai Armand et Gérard Chopinet *(La Litt rature réunionnaise d'expression créol* 1984*)* propose un suggestif inventaire d textes anciens retrouvés et des possib lités littéraires du créole à La Réunion

A partir de la fin des années 70, u série de parutions, en créole po quelques titres (Daniel Honoré, *Lou Redona,* 1980*)*, en français pour la pl part, a fait reconnaître l'existence d **« roman réunionnais »**. Le terme figu explicitement, comme sous-titre, po caractériser *Les Muselés* (1977) d'An Cheynet, *Quartier Trois-Lettres* (198 d'AXEL GAUVIN, *La Terre-Bardzou Granmoune* (1981) d'Agnès Guéneau. C sont des romans-constats, scènes de vie quotidienne des Réunionnais les pl pauvres, adoptant le profil bas d'u écriture tranquillement efficace. *L Muselés* réussit à être l'archétype roman militant.

D'autres romans choisissent la voie

récit historique : *Boadour* (1978) de Firmin Lacpatia (sur les travailleurs engagés indiens au XIXe siècle) ; *Terre arrachée* (1982) de Jean-François Sam Long (l'arrivée à La Réunion, dans les années 20, des Antandroy [1] de Madagascar) ; et surtout *Chasseur d'esclaves* (1982) et *L'Affranchi* (1984) de Daniel Vaxelaire (l'esclavage et ses conséquences, aux XVIIIe et XIXe siècles). Le plus intéressant de ces romans reste peut-être *Quartier Trois-Lettres :* tout en restant fidèle à la formule du roman-reportage, Axel Gauvin se livre à un curieux travail sur le français, pour y rendre le créole présent (par quelques démarquages syntaxiques et beaucoup d'emprunts de mots, de transpositions d'expressions imagées). On lui a reproché ce moyen terme : fabriquer un pseudo-français régional, au lieu de passer franchement à l'écriture en créole (d'autant qu'Axel Gauvin est l'auteur d'un vibrant manifeste de défense de la langue réunionnaise, *Du créole opprimé au créole libéré,* 1977). Vaine polémique, si cette modeste créolisation du français montre le chemin d'une libération des formes littéraires, d'une rupture avec les normes venues de la métropole... Pour couper court à la querelle, le romancier a choisi de transposer lui-même son œuvre en créole *(Kartyé trwa lèt,* 1984*)*.

[Quand Manda halait des disputes]

Quand Manda halait des disputes avec une autre femme, elle avait une drôle de façon pour finir par gagner le dessus : elle prenait un grand bain de baquet, enfilait une culotte propre, un jupon amidonné, préparait ses jurements et mauvais causements et se lançait à l'assaut. Elle attaquait l'ennemie en public, le jour et l'heure où le monde grouillait. Le samedi soir, pour ça, était le meilleur moment, surtout qu'il fallait bien que la « fant-de-garce » aille faire ses commissions.

En premier, Manda lançait quelques insinuations pour faire bouillir le sang de l'adversaire. Un bon règlement de compte commence toujours par là. Ce qu'il y a de bon dans les insinuations, c'est que l'adversaire y trouve ce que vous-mêmes vous ne connaissez pas : il n'y a pas plus efficace pour faire lever les nerfs de l'autre. Après ça, Manda envoyait quelques bonnes menteries, puis, certaine de gagner, elle laissait rouler sur elle le flot d'insultes que la « jument » d'en face pouvait bien trouver. Alors, quand la langue de l'autre commençait à battre dans le vide, elle larguait le tout pour le tout :

— Tu es une femme malpropre, tu es une souillon, tu es croûtée de saleté !

— Le bilimbi [2] dit toujours que la mangue est acide.

Le moment décisif était venu : Manda soulevait sa robe sentant bon l'essence Pompéïa, son jupon éclatant et montrait la petite culotte d'une propreté non maginable.

— Regarde si je suis une souillon ! Fais-en autant si tu l'oses !

L'adversaire était sûre de perdre. Même si ses dessous étaient propres comme linge d'autel, elle ne pouvait avoir les jambes de Manda, des jambes longues sans être cueille-papayes-sans-gaulette, minces sans être mollet-coq, musclées mais enveloppées d'un fil, d'un quart d'épaisseur d'ongle, d'un rien de graisse, et dont la peau lisse et douce éclatait dans la lumière ramassée par le jupon blanc.

Axel Gauvin, *Quartier Trois-Lettres,* éd. L'Harmattan.

1. Habitants du sud de Madagascar dont les migrations sont traditionnelles. — 2. Fruit très acide.

Pluralité littéraire mauricienne

A l'île Maurice, on a recensé dix-sept langues en usage, dont sept, pour des raisons historiques ou sociologiques, jouent un rôle réellement important : français, anglais, créole, chinois, diverses langues indiennes... Dans cet imbroglio linguistique, chaque langue a son domaine réservé. Depuis le début du XIXe siècle, le français s'était ménagé le monopole de la pratique littéraire. Mais les choses changent. La vie culturelle mauricienne ne s'enferme plus dans une seule langue. Une littérature anglophone est apparue à partir de 1960 (le choix de l'anglais comme langue littéraire n'étant pas toujours étranger aux rivalités socio-politiques entre communautés). En liaison avec la reconnaissance de l'importance de l'héritage indien dans l'île, il s'est développé une littérature en hindi, avec des auteurs comme Abhimanyu Unnuth, qui suscitent beaucoup d'intérêt dans la péninsule indienne. Le créole, comme à La Réunion ou aux Antilles, acquiert le statut de langue de culture : on a remarqué les poèmes et les pièces de théâtre de Dev Virahsawmy *(Disik Salé,* 1976 ; *Bef dâ disab,* 1980*)* ou le premier roman écrit en créole mauricien par Renée Asgarally *(Quand montagne prend difé...,* 1977*)*.

Le français reste cependant la langue littéraire la plus prestigieuse. Mais sa fonction s'est modifiée d'un siècle à l'autre. Après 1810 et le passage sous domination britannique, la pratique littéraire était le fait de l'aristocratie blanche des Franco-Mauriciens qui entendaient manifester et maintenir par l'écriture leur appartenance culturelle française. A la fin du siècle dernier, les plus en vue des écrivains mauriciens sont des hommes de couleur, des « créoles », comme Léoville L'Homme (1857-1928) ; mais inquiets devant les changements démographiques et culturels dus à l'arrivée massive des travailleurs engagés indiens, ils s'alignent sur les modèles littéraires, les préjugés et le « francotropisme » des Franco-Mauriciens. Puis, au fil des décennies du XXe siècle, la littérature découvre la riche variété de l'île et de ses habitants. A partir de 1945, on écrit surtout pour s'affirmer Mauricien et pour mettre en valeur l'un ou l'autre des composants de la mosaïque culturelle mauricienne. On célèbre les attaches indiennes, malgaches ou africaines.

Très révélateur est l'itinéraire de **Robert-Edward Hart** (1891-1954), le plus important des écrivains mauriciens de la première moitié du siècle. Venu d'une esthétique vaguement parnassienne, tenté un moment, à l'exemple de Gide, par l'exploration charnelle du monde sensible, il a évolué vers une poésie fluide, musicale et comme spiritualisée, reflétant quelque inquiétude intime et l'influence des philosophies indiennes *(Poèmes védiques,* 1941*)*. Son œuvre majeure, le cycle romanesque de *Pierre Flandre* (1928-1936), conduit le héros vers la reconquête initiatique de l'enfance perdue. On y déchiffre un idéal d'ascèse et de communion avec une nature essentielle ; on y devine les principes d'une religion de l'île, fondée sur l'exaltation panique d'un paysage tropical, materne et jeune. Par son attention à la pensée indienne, qu'il a appris à connaître à travers le filtre mauricien, Hart est sans doute le premier homme de culture de l'île à tenter une synthèse des civilisations qui s'y rencontrent.

Un projet parallèle commande l'action et l'œuvre de **Marcel Cabon,** qui, des années 30 jusqu'à sa mort, en 1972, a été un personnage central de la vie littéraire mauricienne. Amateur de rencontres, désireux d'embrasser toute la complexité mauricienne, il a d'ailleurs beaucoup plus marqué par le rayonnement de sa personnalité généreuse que par son œuvre très méconnue (beaucoup de textes restent dispersés dans des revues ou des journaux, comme ces *Chroniques*

Nous n'avons plus que le séga pour nous tenir dans cet exil [...]
Nous n'avons plus que le séga pour nous unir.

de Brunepaille, petits tableaux de la vie villageoise mauricienne). Pourtant son roman *Namasté* (1965) marque une date importante. C'est en apparence un très simple roman paysan, racontant les tentatives d'un jeune Indo-Mauricien pour moderniser son village. Mais c'est surtout une œuvre de reconnaissance symbolique : le Créole [1] Marcel Cabon y présente avec sympathie la communauté indo-mauricienne, sa soif de terre et d'enracinement, sa nostalgie du pays des ancêtres indiens.

L'inventaire poétique de l'identité mauricienne devient catalogue de pays rêvés : Madagascar est célébrée par Robert-Edward Hart et Marcel Cabon (ils ont tous deux séjourné dans la grande île) ; l'Afrique, découverte à travers les poètes de la négritude, inspire Jean Erenne, André Legallant ou Pierre Renaud ; la Chine lointaine est discrète-

1. On appelle « Créoles », à Maurice, les descendants plus ou moins métissés d'Africains ou de Malgaches.

ment présente dans les poèmes méditatifs de Joseph Tsang Mang Kin.

La rêverie mauricienne sur l'Afrique a permis une **renaissance du séga.** Rythme, chant et danse, le *séga* se donne traditionnellement à la nuit tombée, sur une plage, près d'un feu de bois. On y fait chauffer, pour le tendre, le grand tambour plat (la *ravane*). L'« appel » d'une phrase verbale et musicale, improvisée et longuement répétée, soutenue par la *ravane,* provoque la danse : déhanchements, glissements, frôlements... mais il ne faut pas toucher son partenaire. Il ne fait pas de doute que, pour les Mauriciens, le *séga* est le lien le plus tangible avec l'ancestrale terre africaine. « Présence réelle » de l'Afrique, ayant presque seul survécu à l'effacement de la culture des ancêtres, il porte témoignage pour tout ce qui a disparu dans le grand traumatisme de l'esclavage. D'où le sentiment de perte et d'exil que reconnaît Jean Erenne dans son *Séga de liberté :* « Nous n'avons point de totem / nous n'avons plus que la couleur / de notre peau / pour nous identifier au pain / de la liberté / Nous n'avons plus que le séga pour nous tenir / dans cet exil / terre entre mers / Nous n'avons plus que le séga pour nous unir. » L'Afrique que rêvent les îles créoles reste décidément un continent perdu.

Malgré l'entêtement de toutes les nostalgies, nostalgie des pays d'origine, nostalgie de l'époque fondatrice, celle de l'île de France et de la société esclavagiste (les romans historiques comme *La diligence s'éloigne à l'aube,* 1958, de Marcelle Lagesse y puisent d'inusables prétextes à évocations mélancoliques), la réalité présente de l'île Maurice est celle d'un pays de sang-mêlé, s'inventant dans une culture glorieusement métissée. Ce que proclament les poètes, tels Édouard Maunick :

Je prophétise le sang mêlé comme une langue de feu

ou Emmanuel Juste dans le recueil *Mots martelés :*

Mayoumbé ! Mayoumbé !
Ovale la vie outre-cri
Le métis est outre-nègre
Ovale la vie outre-sang
Le métis est moyen âge

Malcolm de Chazal et les apocalypses mauriciennes

En 1947, André Breton, Jean Paulhan et quelques autres entendirent une voix qui venait d'ailleurs. Ils proclamèrent aussitôt la bonne nouvelle : « On n'avait rien entendu de *si fort* depuis Lautréamont » (André Breton). Celui qui provoquait cet enthousiasme (Jean Paulhan parlait d'« un art qui mérite [...] le nom de génie »), c'était le Mauricien Malcolm De Chazal, dont les textes énigmatiques et oraculaires acquéraient une résonance étrange quand on les lisait en France. Les éditions Gallimard rééditèrent, sous le titre *Sens-plastique* (1948), une partie des *Pensées* publiées à Maurice de 1940 à 1945. Les premiers lecteurs de 1947 ont surtout été sensibles à l'autorité du ton de Chazal. Breton citait en exemple un appel à la révolte commençant par cette belle formule : « La vie est un seul bourrage de crâne, de la naissance à la mort. » Beaucoup d'aphorismes ont conservé leur vertu joyeuse de corrosion : « Le rire est une évacuation psychique. Qui rit peu deviendra par degrés constipé de la face. Le rire est, de ce fait, le meilleur anti-toxin de la peau. » Jean Paulhan remarquait que les « pensées » de Chazal, surprenantes ou banales, s'imposent au lecteur comme malgré lui, et avec d'autant plus d'efficacité qu'elles refusent les séductions trop littéraires. Le style peut être maladroit, abrupt, voire incorrect, cette parole semble commandée par on ne sait quelle force. Conclusion de Paulhan : Chazal est un inspiré. L'étonnant est qu'il retrouve, malgré son isolement au milieu de l'océan Indien, certaines intuitions de la cabale et de la théosophie : que le monde est traversé d'intentions, qu'il est régi par un échange infini d'analogies et de correspondances. Chazal réussit le paradoxe d'être un « occultiste sans tradition », un initié autodidacte. Sa révélation au public français, en 1947, soigneusement mise en scène, mimait l'apparition d'un astre littéraire éclatant et inconnu.

Sens-plastique et les recueils ultérieurs (*La Vie filtrée,* 1949 ; *Sens magique,* 1956 ; *Poèmes,* 1959) mettent à jour le mouvement perpétuel des correspondances et des synesthésies qui unissent 'homme et la nature (« L'homme est 'universel rond-point de l'universelle nature »), le visage et le corps (« Le corps humain est un visage au ralenti »), les traits du visage entre eux (« Dans l'œil qui sourit, les paupières prennent forme de lèvres ; les cils s'avancent comme une rangée de dents ; et le blanc de l'œil dénude largement ses gencives »), les différents sens entre lesquels sont lancés des « ponts » qui les relient (« La couleur est le manche du pinceau des sons. Violon des lèvres, cuivres de la peau, piano des dents »). Mais il ne faut pas s'arrêter au charme d'images un peu baroques. Il y a plus fort, — des images nées de la sensation brute, se détournant de l'interprétation pittoresque :

ttouchements du cou des branches ; attouchements e la bouche des fleurs ; attouchements du ventre de eau ; attouchements de la hanche des fruits ; uilles : langues humides.

e bébé meurt les jambes étalées. Fleur qui agonise pand largement à terre les cuisses de ses pétales.

'espace est l'universelle épaule des choses et le ude de Dieu.

La démarche poétique de Malcolm de Chazal s'apparente à la quête romantique, dans une variante exotique et absolutiste. *L'Homme et la Connaissance* (1974) en a fait la théorie. Il s'agit de retrouver le chemin de l'harmonie originelle, par la révélation de toutes les correspondances secrètes, par la mise en évidence d'un processus d'hominisation générale de la nature. Un « sixième sens de nature plastique » permet de percevoir que l'homme « est le principe magique en soi dont les déclinaisons donnent les formes de la vie à l'infini ».

Sens-plastique a fasciné parce que le livre, dans sa forme même, invite le lecteur à s'engager dans une telle expérience : deux à trois mille textes brefs (de une à quarante lignes), imprimés à la suite, sans effet apparent de classement ou de montage, produisent la sensation d'une plongée dans un océan d'analogies.

Illustration d'après un dessin original de Malcolm de Chazal pour L'Homme et la Connaissance.

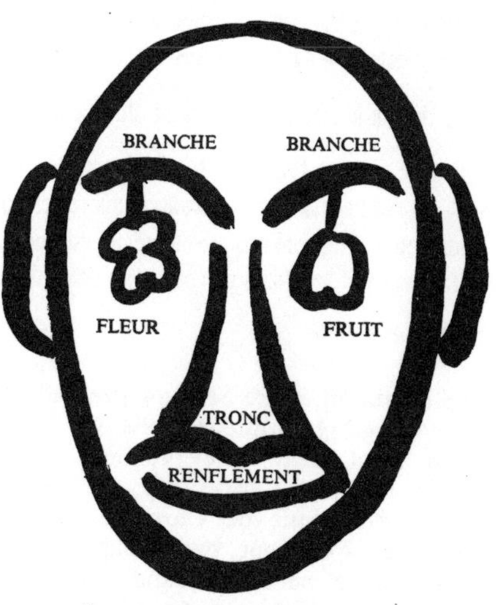

Et nous nommerons le corps de l'arbre comme suit :
L'arbre a des bras par ses branches
un torse par son tronc,
un bassin par son renflement du bas et jambes

[Les sous-bois rendent la lumière joufflue]

Anthologie arbitraire prélevée dans *Sens plastique.*

La graine est le sac à main des plantes.

Rire contraint maigrit les dents.

Là est l'extrême nord des mots ; *là-bas,* l'extrême sud ; et *ici,* l'équateur.

La fleur est multi-cuisses — harem du soleil, cet Oriental des Orientaux.

L'eau a voix d'homme dans le ruisseau, et voix de femme dans le jet d'eau.

Les sous-bois rendent la lumière joufflue.

« Citronné » dans le jaune pâle, le jaune dans le marron pue. L'intensité du marron ajoute à la puanteur de l'immondice. Robe marron ralentit les parfums suaves du corps humain et en accélère les odeurs fortes : sueur et haleine, et l'âcre odeur des jointures.

Les objets sont les fermoirs de la poche de l'espace.

Le vent ajoute une paume aux doigts de la pluie. La gifle de la brise n'est totale que si mêlée de pluie.

Toutes les épices « entrent » dans l'odeur du corps humain, mais à doses variées, selon les régions. Ainsi les cheveux ont du girofle en pléthore ; aux aisselles, le gingembre abonde ; l'haleine a de la menthe en abondance ; le cou sent la cannelle à plein nez ; et le poivre « grouille » aux régions intimes. Toutes les épices « entrent » dans les odeurs du corps humain, mais à prédominances variées selon les régions.

Le rire est le meilleur désinfectant du foie. Ivrogne gai coupe la chopine en deux.

Femme enceinte respire du bassin. Le créateur spirituel en gestation « souffle » des épaules. Les hanches sont des épaules renversées, condition qui se vérifierait si l'homme pouvait prendre totalement « les jambes à son cou ». Pour preuve, la volupté qui est une auto-création double, nous met les cuisses à cheval sur le cou. Épaules et hanches sont comme les deux plis d'un même faire-part, couchés sur le torse.

Malcolm de Chazal, *Sens plastique,* éd. Gallimard

S'il faut en croire *Sens unique* (1974), l'autobiographie intellectuelle de Malcolm de Chazal, une première expérience, révélatoire et décisive, eut lieu au Jardin botanique de Curepipe, à l'île Maurice : « Un jour, par une après-midi très pure, je marchais quand, face à un bosquet d'azalées, je vis pour la première fois une fleur d'azalée me regarder. » Seconde étape initiatique : en 1951, au bord de la mer australe, dans la nuit des tropiques, la découverte que les étoiles parlent ; Chazal écrivit sous leur dicté des poèmes cosmiques (qu'il devait brû ler par la suite, parce que la transcriptio ne le satisfaisait pas). Enfin, troisième e ultime moment de cette quête du gran secret, ce fut la révélation que les mon tagnes de l'île Maurice ont aussi un lan gage. Chazal apprit à déchiffrer l paysage mauricien (« J'ai fait de la cart de mon île la Géographie Universelle d l'Esprit »). Un ouvrage imposant, mai accueilli avec réserve ou ironie, *Petrus mok,* a fait en 1951 le bilan de ces visions et révélations extraordinaires. Ce que les montagnes qui parlent ont révélé à Chazal, c'est que l'île Maurice est le vestige d'un continent englouti : la Lémurie. Avec les autres îles de l'océan Indien, dernières terres émergées d'un monde disparu, elle porte encore témoignage pour la brillante civilisation lémurienne des temps anté-historiques. Un œil averti qui scrute le relief de l'île peut voir se découper les silhouettes reconnaissables des montagnes-temples taillées et sculptées à la main par les fabuleux géants qui habitaient la Lémurie.

Chazal a continué à délivrer sa révélation dans des ouvrages nombreux, publiés à Maurice et qui ne sont guère sortis de l'île. Il a cherché à la transcrire picturalement, par des tableaux joyeusement colorés. Il s'est parfois contenté, par ses interventions publiques dans son pays, de jouer un rôle de délirant pittoresque et grandiose. Mais si délire il y a, il prend nécessairement sens. Les Mauriciens ne peuvent qu'être éblouis d'entendre leur île consacrée lieu magique absolu, paradis retrouvé, monde des fées et de l'enfance, qui « renfermerait tout le *mystère du monde* ».

Or ce « délire » n'est pas isolé, individuel, surgi *ex nihilo.* Contrairement à ce que pensait Paulhan, Chazal n'est pas « sans tradition ». Au contraire : il rassemble dans une construction mythique impressionnante tout un ensemble de rêveries qui traversent l'imaginaire insulaire depuis les débuts de l'installation humaine aux Mascareignes. Par son maître Robert-Edward Hart, auquel il a aussi emprunté le thème de l'enfance fabuleuse et de l'île-fée, Chazal a été introduit à l'ouvrage étrange du Réunionnais Jules Hermann, *Les Révélations du Grand Océan* (1927), où ce notable et érudit local, président du Conseil général de La Réunion et correspondant de l'Académie des sciences, développait sa découverte des montagnes sculptées, vestiges du continent effondré de la Lémurie. Ce livre d'un « fou littéraire » qui aurait ravi Raymond Queneau, a transmis à Chazal cette découverte capitale : la lecture des montagnes. Par ailleurs, l'affirmation des lois de l'universelle analogie et de l'harmonie cosmique semble commander la littérature mauricienne, et plus généralement les œuvres nées du contact avec les Mascareignes. C'est sensible dans le cycle romanesque de Robert-Edward Hart et dans les romans maritimes de Loys Masson. C'est encore plus vrai dans l'œuvre de Bernardin de Saint-Pierre, particulièrement dans *Les Harmonies de la nature,* où ces îles tropicales offrent à déchiffrer comme un dictionnaire constitué des harmonies de l'univers.

La rêverie harmonique et lémurienne a trouvé dans l'œuvre de Chazal son expression la plus fascinante. Mais elle se prolonge dans des textes poétiques que l'on pourrait définir, du titre de J.-G. Prosper, comme des « apocalypses mauriciennes ». Poèmes d'inspiration cosmique, rêvant l'apparition de l'île sur l'océan, mêlant genèse géologique et naissance historique, confondant le surgissement des volcans et les métissages originels. Ainsi Jean-Georges Prosper dans *Apocalypse mauricienne,* 1964 :

> D'une montagne à une autre, des visages naissent du granit et de la foudre. (...)
> Les tambours et les palmiers font jaillir des étincelles vertes, des étincelles rouges.
> Les enfants des Noirs sont des soleils d'ébène.

Ou Jean-Claude d'Avoine dans *Les Années solaires,* 1975 :

> ainsi
> l'Ile — la Nubile — la Toute-Brûlante —
> souleva son ventre d'esclave pure
> et s'ouvrit au dieu solaire
> dans un immense déchirement tellurique.

Avec Raymond Chasle, l'interrogation cosmique est mise en correspondance avec la désarticulation du vers, la discordance de la syntaxe et le jeu sur l'inscription spatiale du poème. Dans *Le Corailleur des limbes* (1970), *Vigiles irradiés* (1973), *L'Alternance des solstices* (1975), l'explosion de la page mime l'explosion cosmique originelle.

Ile et exil

La mythologie lémurienne est centrée sur les îles, dont elle fait le centre du monde. On y lit sans peine la force d'un désir d'autochtonie. Les insulaires des Mascareignes magnifient les genèses tropicales et affirment leur filiation avec les géants lémuriens pour oublier leurs migrations maritimes. Ils deviennent ainsi, littéralement, les enfants de leurs îles, c'est-à-dire des autochtones. Mais le **désir d'autochtonie,** par sa véhémence même, affiche son envers, la puissance des tendances centrifuges.

En effet, l'histoire (récente : deux à trois siècles) du peuplement des îles montre l'inachèvement d'une œuvre en travail : personnes déplacées, pays décentré, culture déterritorialisée... Pris dans la tension de leurs appartenances multiples, les insulaires n'échappent pas à la tentation de l'exil : ils sont voués à voyager (fût-ce dans l'imaginaire) d'un pôle à l'autre de leur identité, de leurs fidélités.

Tel est le choix du poète ÉDOUARD MAUNICK. Sa démarche poétique mime un mouvement d'oscillation perpétuelle (« En cette île là-bas qui voyage sur mon corps d'ici »). Il est parti de Maurice pour connaître l'Europe et rencontrer l'Afrique de la négritude (« Je suis nègre de préférence »), mais il a surtout découvert sa richesse de métis (« Métis est mon état civil »). Il transcrit donc dans les mots la complexité du sang, les mélanges de la race, les échanges de l'île et de la mer (tout ce que peut désigner la métaphore des « manèges de la mer »). Son œuvre s'est développée comme un archipel poétique, en recueils multiples (parmi lesquels *Les Manèges de la mer,* 1964 ; *Ensoleillé-vif,* 1976 ; *En mémoire du mémorable,* 1979), où reviennent les mêmes figures majuscules : la Femme (qui est Neige, la femme blanche, la femme aimée, mais aussi l'île-mère et quelques autres présences féminines) ; l'île (une et divisée, lointaine et intérieure, douloureuse et pacifiante, orientant chaque poème par ses paysages, son histoire, son langage) ; la Mer (promesse et épreuve, lieu de l'échange et de l'exil) ; le Père (figure du sang, du temps, de la mort) ; la Parole (qui est langue et qui est femme). Le poète adopte un principe de composition qu'on aimerait dire insulaire : jouant sur le discontinu, du recueil, du poème, des images, de la syntaxe. Pour dire son « royaume métis », il doit inventer une langue, qui est du français sans doute, mais syncopé, elliptique, comme si la syntaxe du créole mauricien avait proposé le modèle de certains raccourcis. Surtout, cette langue se veut ouverte, refusant de s'enfermer dans une détermination unique, invitant le lecteur à multiplier les itinéraires de lecture.

L'exil selon Maunick, ce n'est pas l'abandon d'un pays pour un autre, c'est l'acquiescement à la pluralité. Errant définitif, le poète, comme le métis, est partagé entre deux appartenances, divisé par un double amour.

Avec JEAN FANCHETTE, l'aventure de l'exil devient ouverture cosmopolite. Fondateur, à Paris, avec Anaïs Nin, d'une revue bilingue, *Two Cities* (1959-1964), auteur d'un essai sur le psychodrame *(Psychodrame et Théâtre moderne,* 1971*),* il a publié en 1975 un étrange roman, *Alpha du Centaure,* qui dit la dualité et la superposition d'espaces et de temps (ceux de Paris et ceux de l'île Maurice) que l'on voudrait, mais que l'on ne saurait unifier. Sa poésie cherche à cerner une *Identité provisoire* (c'est le titre d'un recueil de 1965). Elle constate la dissolution du passé (« Les enfants de la nuit meurent dans ma mémoire / L'âme des soleils noirs redevient impalpable ») ou s'interroge sur l'héritage insulaire (« Venus de mer nous sommes les Grecs de la négritude / Les Pascuans de l'improbable »). Poésie de

et quel retour tenter ?
Et pourtant, voici que « l'île reprend sa place » :

La nuit verte du Sud n'avait rien apprivoisé
L'île en jaillit avec la véhémence de la race
De nouveau le sang gagne sur ses marées basses.
Souvenir redis-moi le nom de ce voyage
A rebours au pays de trop-d'enfance
Je n'ai rien renié de ma part de lumière.

L'essentiel d'un exil

Première partie de la section des *Manèges de la mer* qui porte pour titre *L'essentiel d'un exil.*

terre noire source claire
qu'importe la terre la source portera juste nom
le mur entre nous
n'a chair ni entrailles sentinelle veillant à genoux
je lui donne à vivre
ce que j'ai de peur le temps de tuer la couleur
de dire un nom d'arbre
lilas técoma [1] tamarinier [2] des soirs sorciers
car pour toi je sais
il n'est pas d'ombre qui ne soit feuillage assermenté
pour nous délivrer
en cette île là-bas qui voyage sur mon corps d'ici
je suis de la mer
j'ai longtemps prié sur le perron des vagues hautes
ton lieu de naissance
recommencera les églises que j'ai sabordées
pénitent métis
amour divisé je veux te parler en images
écoute entends l'histoire où la race devient
monnaie de plomb
j'avais ouvert les vents à la proue des départs
mis entre l'eau et moi ce que l'eau réclamait
quelques oiseaux pour vivre et beaucoup de mots
d'homme
les mots sont décédés à force de trahir
seuls au milieu de moi donnant chair à l'exil
les oiseaux sont restés avec leur sang-soleil
et j'en parle aujourd'hui à défaut de patrie
regarde vois passer fous [3] et mandrins [4] gardiens
des bateaux morts

Édouard Maunick, *Les Manèges de la mer,*
éd. Présence Africaine.

[C'est décembre]

C'est décembre et les troupeaux là-bas vont
vers le Sud
Parmi les souches et la pierraille blanche.

Assez des migrations assez des transhumances !
Je ne veux plus me briser aux vents
qui traversent le Sud
Aux pluies lourdes lavant les ossuaires de l'enfance
Qu'importent à présent les guetteurs camouflés
de mes constellations
Ils ne me reconnaîtront plus.

Loin de la mer respirante
La route de l'avenir jetée comme un pont
Sur un si vertigineux espace
Sur une telle absence

Rien à déclarer à la douane du passé !

Jean Fanchette, *Je m'appelle Sommeil,*
éd. Two Cities.

1. Plante réputée pour ses fleurs. — 2. Arbre à fleurs en grappes. — 3-4. Oiseaux de mer.

Y a-t-il des exilés sans retour ? LOYS MASSON s'est appliqué à devenir un écrivain parfaitement français. Une fois son île natale quittée, il n'a jamais voulu y revenir, même pour un très bref voyage. Toute une partie de son œuvre (ses poèmes de résistance ou l'inspiration farfelue — proche de celle du jeune André Malraux — de *L'illustre Thomas Wilson*) fait oublier son origine mauricienne. Cependant, il s'est fait une spécialité de raconter des histoires maritimes *(Les Mutins,* 1951 ; *Les Tortues,* 1956*),* animées d'un puissant souffle symbolique, à la manière de Melville, comme on l'a dit parfois. Et ces romans, Loys Masson a choisi de les situer dans le décor des mers du Sud : l'océan Indien pour *Les Tortues,* l'île Maurice pour *Le Notaire des Noirs* (1961), La Réunion pour *Les Noces de la vanille* (1962), l'océan Pacifique (plus flou et simple transposition de l'océan Indien) pour *Le Lagon de la miséricorde* (1964) et *Les Anges noirs du Trône* (1967). Certes, le choix d'un décor n'autorise pas à classer Loys Masson parmi les « romanciers mauriciens ». Même si son premier roman, *L'Étoile et la Clef* (1945), fortement autobiographique, se présente comme un témoignage, très engagé, sur les luttes sociales à Maurice dans les années 30.

Ce qui est plus troublant, c'est la récurrence de certaines scènes, la permanence d'un schéma romanesque qui témoignent de la constance d'une inspiration. Reviennent ainsi des scènes et des motifs qui mettent en jeu les relations interraciales : fantasme du viol homosexuel d'un enfant blanc par un intendant de couleur *(L'Étoile et la Clef ; Les Noces de la vanille) ;* leitmotiv de la malédiction de la « race de Caïn » (dans pratiquement tous les romans exotiques de Loys Masson). Les romans adoptent souvent une structure réflexive : le narrateur revient sur son passé pour élucider une culpabilité avouée ou latente. Les héros sont des enfants, orphelins ou trahis par les pères. *Le Notaire des Noirs, Les Noces de la vanille, Les Anges noirs du Trône* racontent la passion et la mise à mort (au moins symbolique) d'un enfant (ou d'un couple d'enfants). Ces héros enfantins sont les seuls à transgresser les interdits sociaux ou raciaux, les seuls à brûler d'un désir de révolution que les adultes ne savent plus entendre... On serait tenté d'interpréter ces retours thématiques en les rapportant à l'itinéraire personnel de Loys Masson. Le départ de Maurice et l'exil vaudraient reconnaissance de l'échec des rêves de jeunesse, rêves de libération des opprimés. Les romans diraient la mauvaise conscience d'un Franco-Mauricien et son refus de l'héritage des péchés ancestraux (l'esclavage... et tout ce qui s'en suivit).

[La vanille fiancée]

Sur le domaine de La Morelle, l'intendant Esparon, chargé de surveiller la fécondation des fleurs de vanille, épie l'amour naissant entre le narrateur adolescent et la toute jeune Marie-Thérèse.

— Que savez-vous de la vanille ? s'exclame Esparon, claironnant tout à coup. Même toi, Marie-Thérèse, qui es née ici ? Tu ne connais que la vanille-femme, la vanille mûre ; tu ne la connais pas jeune fille, ces fleurs qui émergent chaque matin de l'ombre un peu plus désirantes et nues. La vanille fiancée, ah mes enfants ! Quand elle est si folle d'amour, juste avant son mariage ? Dans une quinzaine au plus une équipe de journaliers spécialisés — que j'aurai recrutés en personne, je n'accepte pas n'importe qui — va nous arriver du Bras-Posé et chacun sera tel un prêtre, il nouera sur elles-mêmes des fleurs et des fleurs et des fleurs, il mariera le pollen au pistil sans parler, car je leur défends de parler, ce sera dans les collines une grande cérémonie lumineuse, une fête et une prière, jusque tout en haut, jusqu'à Montagne-Palmistes et encore après. Et c'est en cette piété de l'année que moi, Édouard Esparon, je vous ferais une saloperie ? Votre amour et l'amour de la vanille, ça va ensemble pour moi, comprenez-le donc à la fin, sacrédieu ! Vous m'êtes de la vanille qui marche...

Une religieuse ferveur émane de lui. Il est transfiguré. Il fait des moulinets avec son bâton. Une tumultueuse, surprenante saoulerie. C'est un tout autre Esparon ; un mage, un saint en vision. Ses yeux ont acquis une vivacité intense. Son menton lui-même s'est allégé. L'ardente tendresse qui est à présent sa loi oblige nos âmes à abandonner leur refuge de feuilles et à nous réhabiter.

— De la vanille qui marche ! Pour la première fois de ma vie j'ai des enfants...

Sa canne ferrée lui échappe. Il la ramasse, la laisse retomber. Il a saisi Marie-Thérèse de la main gauche, moi de la droite. Herculéen — avec une force élémentaire, la force sans hasard de la mer — il nous pousse l'un vers l'autre. Ce regard luisant, trop mobile, comme d'un animal qui a faim. Cette sensuelle exaltation, ces bouffées de sueur fétide... cette nasse de sueur — oui, c'est cela : une nasse dans laquelle je me débats en vain.

— Embrassez-vous, dit-il d'un ton qui contraste avec son attitude, dolent, presque craintif.

Il titube...

— J'ai le droit d'assister aujourd'hui à l'étreinte de deux enfants. C'est ma fête à moi, la vanille, chaque année. Ce temps-ci. Ces jours-ci où les fleurs des vanilliers commencent à sortir et m'aimeront parce que je les aime. Au moment où j'étais le plus désespéré et le plus solitaire, je les ai découvertes ; elles me disaient d'attendre, qu'elles ne pouvaient pas être si tragiquement offertes, ces fleurs nonnes, si elles ne représentaient pas un signe, que Dieu et la vie et les hommes auraient pitié de moi. Rien de la sorte ne s'est produit mais tous les ans j'attends, j'espère encore en elles et avec elles, le monde redevient transparent comme un globe de verre et au milieu il y a l'amour. Après, elles se seront mariées, elles n'auront plus besoin de moi, elles feront leur fruit tout doucement, dans l'indifférence.

Il nous a lâchés. Il tourne sur lui-même. Sa gorge roule des glaires. Un sanglot qui monte ? Et est-ce cela qui me garde rivé à Marie-Thérèse ?

Loys Masson, *Les Noces de la vanille,* éd. Robert Laffont.

L'influence de Loys Masson s'est peut-être exercée sur l'œuvre de son frère, André Masson, moins tenté par l'exil, mais livré, lui aussi, à la mauvaise conscience *(Le Chemin de pierre ponce,* 1963*)*, à l'attirance pour un réalisme halluciné, mettant en scène des passions dévastatrices, attisées par la violence de la nature et des cyclones tropicaux *(Un temps pour mourir,* 1962*)*.

Une génération après Loys Masson, MARIE-THÉRÈSE HUMBERT a curieusement accompli le même retour par l'écriture à l'île natale. Installée en France, elle avait commencé à écrire une histoire qu'elle situait dans le Berry, où elle résidait alors : donc un roman qui se voulait français. Puis la nécessité s'est peu à peu imposée de déplacer le roman vers le pays natal, et il est devenu *A l'autre bout de moi* (1979), roman d'une gémellité tragique, mais surtout tableau de la vie et des passions mauriciennes, dans leurs cloisonnements et leurs exclusions intérieures.

Le paradoxe de la littérature mauricienne (peut-être de toute littérature insulaire) est de rester ouverte à toutes les influences (apportées par la mer), de se laisser perpétuellement tenter par l'exil, mais de toujours revenir à l'île par les chemins de l'écriture.

[C'est ici qu'est notre monde]

De leur maison dans l'île Maurice, la narratrice et sa sœur jumelle, Nadège, rêvent le monde.

Bien loin, disais-je, au-delà des récifs, là où le soleil se couche, il y a des terres orange et or, des floraisons de givre blanc, des êtres purs et beaux, si blonds qu'on dirait des anges. Et les peupliers se dressent au bord des routes, pareils aux cierges des autels.

Mais Nadège, les yeux fermés, ne voulait pas voir.

— Il n'y a rien au-delà des récifs, rien que la mer bavarde et sourde. C'est ici qu'est notre monde. Ici sont les sentes étroites qui ouvrent aux alcôves silencieuses du rêve, dans l'humide pénombre des jardins fermés, sur les *vaquois* [1] où s'engourdissent des caméléons aux prunelles d'or ; ou encore dans les villages calmes de la grand-terre, là où les ségas s'élèvent à la tombée du soir — et des mains battent, et des brises du large charrient ainsi qu'une plainte l'odeur âpre des salines. Donne-moi la main : ici s'agitent de grandes étendues de cannes en fleur, et nous y vivrons comme au sein de mers closes par d'immenses continents. Ailleurs est un songe, ailleurs ne nous parle pas.

Sa voix était si lointaine que seule la fin de son discours me parvenait distinctement. Et je répondais avec désespoir :

— Mais alors, Nadège, qui, qui nous parlera donc !

Marie-Thérèse Humbert, *A l'autre bout de moi,* éd. Stock.

1. Sorte de palmiers.

Choix bibliographique :

Jean-Georges Prosper, *Histoire de la littérature mauricienne de langue française,* édition de l'océan Indien, 1978.

Kissoonsingh Hazareesingh, *Anthologie des lettres mauriciennes,* édition de l'océan Indien, 1978.

Camille de Rauville, *Chazal des antipodes,* N.E.A., 1974.

Encyclopédie de la Réunion (sous la direction de Robert Chaudenson), tome 7 : « La Littérature réunionnaise ».

Daniel-Rolland Roche, *Lire la poésie réunionnaise contemporaine,* édition de l'Université française de l'océan Indien, 1982.

Alain Armand et Gérard Chopinet, *Anthologie de la littérature réunionnaise d'expression créole,* L'Harmattan, 1984.

III

LA MÉDITERRANÉE

1. Le Maghreb

Littératures maghrébines : le pluriel s'impose — et à plus d'un titre. Il existe en effet un vaste ensemble de textes qui ont en commun de procéder du Maghreb, mais selon des principes de filiation très divers : lieu de naissance des auteurs ou lieu de dissémination des traditions orales, participation à un imaginaire spécifique de l'Afrique du Nord, insertion dans une production et une circulation littéraires centrées sur le Maghreb, etc. De plus, ces textes s'écrivent (ou se disent) en des langues différentes : arabe, classique ou dialectal, berbère, français... Par là-même, ils se destinent à des publics différenciés. Produits à des époques historiques fort dissemblables (avant, pendant ou après la colonisation), ils s'enracinent dans des situations nationales qui ont chacune leur originalité propre.

Cette **pluralité** est bien manifestée par le large éventail d'études et d'anthologies parues en français sur les littératures du Maghreb. A titre d'exemples — et sans remonter aux études sur la littérature latine d'Afrique ! — ces quelques ouvrages... Trois volumes, publiés en 1956 par Aimé Dupuy et Roland Lebel *(L'Algérie, le Maroc, la Tunisie dans les lettres d'expression française),* brossent le tableau de la littérature coloniale. Une équipe réunie autour d'Albert Memmi se proposait de présenter l'ensemble des écrivains modernes du Maghreb : une *Anthologie des écrivains maghrébins d'expression française* (1964) fut suivie d'une *Anthologie des écrivains français du Maghreb* (1969), mais le troisième tome prévu, consacré aux écrivains de langue arabe, n'a jamais vu le jour. En revanche, on peut lire des textes d'auteurs maghrébins de langue arabe dans les trois volumes de l'*Anthologie de la littérature arabe contemporaine* (1964-1967) de Raoul et Laura Makarius. Le *Florilège poétique arabe et berbère* (1964) de Mohammed Aziz Lahbabi fait une place au berbère. Deux traits marquants se signalent dans les ouvrages les plus récents. D'abord la place prise par les anthologies nationales : ainsi les *Écrivains marocains* (1975) de Touimi Benjelloun et Abdelkébir Khatibi ou les *Écrivains de Tunisie* (1981) de Taoufik Baccar et Salah Garmadi. Ensuite, une remise en question des classifications et des oppositions naguère communément acceptées. Albert Memmi, par exemple, refondant en 1985 ses précédentes anthologies, réunit en un seul volume, sous le titre *Écrivains francophones du Maghreb,* ceux que vingt ans plus tôt il distinguait comme « écrivains d'expression française » et « écrivains français ». De ce retournement, il faut sans doute retenir l'utile provocation à réfléchir sur l'appartenance littéraire des écrivains liés au Maghreb par leur naissance, leur identité nationale, leur inspiration, leur nostalgie, leur engagement...

Si l'on prend une vue générale des littératures maghrébines depuis 1945, on constate la séparation assez nette de trois ensembles de textes, et en même temps la perméabilité de ces frontières littéraires. C'est à partir des relations avec la France — phénomène dominant l'histoire récente du Maghreb — que l'on peut distinguer **trois types de fonctionnement littéraire.** Il y a ainsi les textes qui, par le choix de la langue d'écriture (arabe, berbère), échappent très largement à l'influence française : **littératures enracinées dans les cultures nationales.** A l'opposé, les textes qui s'inscrivent dans une logique coloniale, **écrits à propos du Maghreb,** par des Français, pour un public français : littérature régionale, province exotique de la littérature française. Enfin, des textes contradictoires, écrits en français, mais ayant leur centre de gravité au Maghreb : **littérature maghrébine d'expression française.** Produite par des écrivains revendiquant une identité maghrébine, cette littérature a d'abord (au moment des combats pour l'indépendance nationale) visé un public plutôt français, qu'il fallait gagner à la cause de la libération du Maghreb ; elle est devenue « classique » par son inscription dans des programmes scolaires maghrébins ; contre toute attente, elle a survécu à l'arabisation des trois États du Maghreb et s'adresse aujourd'hui à un public maghrébin autant que français, instaurant un nouveau dialogue intellectuel et culturel entre les deux rives de la Méditerranée.

Malgré les exclusives parfois prononcées (certains renvoient à la littérature française tout ce qui est écrit en français, et décrètent nulle et non avenue la littérature maghrébine d'expression française), des rencontres et des échanges esquissent un continuum littéraire maghrébin. Ainsi, il est certain que ce qu'on a appelé la « littérature ethnographique » (les romans d'Ahmed Sefrioui au Maroc ou de Mouloud Feraoun en Algérie) continue la tradition exotique du roman colonial, mais en en inversant les signes dévalorisants — ce qui n'est pas négligeable ! Réciproquement, la littérature maghrébine influence certains écrivains français : la suite polyphonique, obsessionnelle, consacrée par Jean-Pierre Millecam à la guerre d'Algérie (de *Sous dix couches de ténèbres* en 1968 à *La Quête sauvage* en 1985) doit se lire — la critique l'a parfois reconnu — comme un contrepoint au cycle romanesque de Kateb Yacine. Des passages s'établissent du français à l'arabe et de l'arabe au français : Kateb Yacine, et plus récemment Rachid Boudjedra changent de langue d'écriture. Plusieurs écrivains kabyles (Jean Amrouche, Mouloud Feraoun, Mouloud Mammeri) ont utilisé le français pour faire connaître la poésie berbère, et particulièrement l'œuvre du grand poète Si Mohand.

A l'intérieur de la littérature française inspirée par le Maghreb, on peut reconnaître les contours d'ensembles plus ou moins autonomes : ce qu'on pourrait appeler une littérature « pied-noir » et une littérature juive d'Afrique du Nord. Dans les deux cas, par la langue d'écriture, par les circuits d'édition et de diffusion, par les publics visés et atteints, on reste bien dans la littérature française. Mais l'imaginaire s'ancre ailleurs. Et ces textes peuvent faire retour au Maghreb : seule une lecture maghrébine saurait déchiffrer les réseaux d'allusions portées par la mémoire, tout un implicite culturel qui, au-delà des déchirements tragiques de l'Histoire récente, fut malgré tout partagé. La littérature « pied-noir » (du Camus de *Noces* à Jean Pélegri ou Jules Roy) dit l'attachement au pays de naissance et l'impossible rencontre avec le Maghreb musulman, l'échec fatal de la colonisation : à ce titre, comme le remarque Albert Memmi, c'est une littérature « sudiste », passionnée et mélancolique, célébrant un passé révolu, fascinée par les derniers éclats d'une splendeur écroulée. La littérature juive (d'Élissa Rhaïs, avant la guerre, à Ryvel ou, plus récemment, Nine Moatti) se préoccupe de rassembler la mémoire d'une communauté intégrée depuis des siècles à la vie nord-africaine, choisissant au XXe siècle d'entrer dans une modernité occidentale, courant aujourd'hui le risque, par sa dispersion sur plusieurs continents, d'oublier son identité maghrébine : c'est donc une littérature de découverte des traditions populaires venues du fond des âges, de nostalgie d'un art de vivre façonné par les siècles, de lucidité critique pour comprendre ou démêler les fils du destin juif.

C'est la littérature maghrébine de langue française, dans sa triple incarnation nationale, qui sera au centre de ce chapitre. On cherchera à comprendre la relation que nouent avec le Maghreb des textes écrits en français : réponse à l'urgence d'une situation historique ou recul critique procuré par l'exil, déchiffrement d'un imaginaire, regard distancié sur sa propre culture grâce au détour par une langue d'emprunt ou exploration des possibles de l'écriture, déploiement d'un espace de lecture propre ou reconnaissance d'un métissage des cultures accompagnant les migrations des hommes... Il faudra s'interroger sur ce qui fait de la littérature maghrébine en français la plus paradoxale des littératures en français hors de France : le statut problématique du français, langue de l'aliénation et de la révolte, langue dans laquelle on proclame (c'est l'une des constantes les plus frappantes) l'indéfectible amour de la langue maternelle.

Malgré la parenté historique et culturelle des trois pays du Maghreb, et donc le parallélisme ou l'osmose des productions littéraires, **le découpage national** conserve sa pertinence pour pénétrer dans le détail de l'évolution de la littérature, en raison des spécificités sociales ou politiques, des particularités culturelles (le français n'a pas eu exactement le même rôle dans les protectorats du Maroc et de la Tunisie que dans la colonie de l'Algérie ; les politiques actuelles d'arabisation ne sont pas strictement homologues ; le berbère n'occupe pas en Tunisie la même place qu'en Algérie ou au Maroc...). Dans chaque pays la relation entre littérature « d'expression française » et littérature en langue maternelle ou littérature française du Maghreb se pose en termes différents.

Dressant en 1983 un bilan de la littérature marocaine d'expression française, — bilan qui pourrait valoir pour l'ensemble des littératures maghrébines francophones, — Abdellatif Laâbi constatait que cet « enfant maudit », longtemps considéré comme illégitime, avait fait la preuve de son efficacité comme moyen de « résistance à l'injustice culturelle ». Le développement plus tardif d'une littérature tunisienne en français montre bien que ces littératures ne sont pas nécessairement condamnées à un dépérissement rapide. L'écriture en français donne la chance d'une ouverture à l'autre, dans un « élan de don à la culture universelle ».

Chapitre 6

Algérie

La Seconde Guerre mondiale a suscité en Algérie une vie littéraire plus riche, plus ouverte, plus autonome. Le choc de la guerre, la coupure dans les relations avec la métropole, le repliement en Algérie d'intellectuels, d'écrivains et d'éditeurs ont favorisé le rassemblement de jeunes talents littéraires autour de ce qu'on a appelé « l'école d'Alger ». Se démarquant du triomphalisme raciste des « algérianistes » au début du siècle, chantres avec Louis Bertrand d'une Afrique du Nord latine rechristianisée, exaltant avec Jean Pomier et Robert Randau les vertus viriles et l'énergie civilisatrice du colonisateur, Gabriel Audisio, dès la fin des années 30, rêvait d'une Afrique méditerranéenne, creuset des races et synthèse des cultures (*Jeunesse de la Méditerranée,* 1935 ; *Le Sel de la mer,* 1936). Certes, dans ses souvenirs (*L'Opéra fabuleux,* 1970), Audisio devait constater l'échec des projets humanistes de fusion des coloniaux et des colonisés : l'homme nouveau, « l'Algérien », n'est pas né d'une « synthèse de races bordières [de la Méditerranée] cimentées par la culture française ». Dans les années 40, ces thèmes sont neufs et séduisants. Le jeune Albert Camus se saisit comme d'un mot de passe d'une étiquette lancée par Gabriel Audisio : « l'école d'Alger ». Celle-ci réunit, de façon informelle, de jeunes auteurs, appartenant souvent à la deuxième ou troisième génération de colons installés en Algérie, volontiers portés à célébrer les gloires païennes de la mer et du soleil, mais sachant aussi poser sur leur société un regard curieux et critique : Emmanuel Roblès, dont toute l'œuvre conjugue l'exigence d'une morale humaniste et la passion de la lumière méditerranéenne, René-Jean Clot, Claude de Fréminville, Marcel Moussy, Jean Pélegri, Jules Roy... C'est parmi ces écrivains issus de « l'école d'Alger » que se rencontrèrent, au moment de la guerre d'indépendance algérienne, quelques esprits libres, soucieux d'établir un dialogue entre les deux communautés en lutte, rêvant encore d'une utopique réconciliation, comme s'il avait été possible de dépasser cent trente ans d'aveuglement et de déni de la culture arabe algérienne.

« L'école d'Alger » eut la chance de rencontrer un éditeur dynamique, en la personne du libraire Charlot, qui publia les premières œuvres d'Albert Camus. Dans l'excitation de la fin de la guerre, plusieurs revues virent le jour à Alger : *Fontaine,* animée dans un esprit de résistance par Max-Pol Fouchet, *L'Arche,* de Jean Amrouche et Jacques Lassaigne, *La Nef,* lancée par Robert Aron — ces trois revues devaient vite s'exiler à Paris. D'autres restèrent publiées à Alger : *Forge, Soleil, Simoun,* etc. Ces revues surent souvent ouvrir leurs colonnes à des écrivains d'origine musulmane, qui purent écrire aussi dans quelques journaux de gauche, comme *Alger républicain.*

Dès avant les années 50, portés par l'effervescence littéraire algéroise, quelques écrivains de culture arabo-berbère s'essayent donc à l'écriture en français. Il s'agit à peine d'un choix : leur situation d'intellectuels algériens colonisés ne leur laisse guère d'autres possibilités, s'ils veulent entrer en littérature. En effet, le système traditionnel d'enseignement algérien avait été laminé après la conquête ; l'arabe classique était pratiquement expulsé de l'enseignement français, qui constituait la voie royale de la promotion sociale ; les premières générations d'écrivains algériens, qui ont reçu une solide instruction française, ont souvent été privées de formation arabe classique : c'est le cas de Jean et Taos Amrouche, de Mouloud Feraoun, de Mouloud Mammeri, de Malek Ouary, de Nabile Farès, qui sont de langue maternelle berbère ; c'est vrai aussi pour des auteurs d'origine arabe, qui furent plus ou moins coupés de leur langue : Mohammed Dib, Kateb Yacine, Malek Haddad, etc.

Cette situation de l'écrivain algérien, conduit à écrire dans la langue littéraire qu'il maîtrise le mieux, le met en porte-à-faux à plusieurs titres. Il est privé de son public « naturel » : celui de ses compatriotes, qui ne sont pas passés par l'école française, voire par aucune école du tout (on estimait à 85 ou 90 % la proportion des analphabètes au Maghreb avant 1960 !). Il écrit donc pour « l'autre » : un public européen, qu'il espère sympathisant, et auquel il s'efforce de présenter les réalités algériennes.

Par ailleurs, l'usage du français plonge l'écrivain algérien dans ce qu'Albert Memmi appelle « le drame linguistique » du colonisé : la possession de deux langues, qui ne sont pas deux outils de statut égal, mais qui ouvrent sur deux univers en conflit : celui du colonisateur et celui du colonisé ; « la langue maternelle du colonisé, celle qui est nourrie de ses sensations, de ses passions et de ses rêves, celle dans laquelle se libèrent sa tendresse et ses étonnements, celle enfin qui recèle la plus grande charge affective, celle-là précisément est *la moins valorisée.* [...] Dans le conflit linguistique qui habite le colonisé, sa langue maternelle est l'humiliée, l'écrasée. Et ce mépris, objectivement fondé, il finira par le faire sien. De lui-même, il se met à écarter cette langue infirme, à la cacher aux yeux des étrangers, à ne paraître à l'aise que dans la langue du colonisateur » (*Portrait du colonisé,* 1957). Écrire en français révèle un malaise, qui peut aller jusqu'au sentiment d'une déperdition d'être. Le thème est partout présent dans les œuvres algériennes (ou maghrébines) d'expression française, jusqu'aux plus récentes : « Le français m'est langue marâtre » se plaint Assia Djebar, dans *L'Amour, la Fantasia* (1985). Rien d'étonnant si l'éloge de la langue maternelle, arabe ou berbère, constitue corrélativement un thème non moins obligé. « Je t'aime. En arabe, c'est un verbe qui dépasse l'idée », déclare un des personnages de Malek Haddad (*Je t'offrirai une gazelle,* 1959). « C'est en berbère que j'eusse aimé lui dire cela et d'autres choses encore », soupire Bachir dans *L'Opium et le Bâton* (1965) de Mouloud Mammeri. Mais si le français a été « introduit en Algérie comme moyen de dépersonnalisation », l'écrivain ne choisit-il pas de travailler la négativité de la langue, inversant les signes, transformant la langue et la culture de domination en « armes miraculeuses » de la libération ? Kateb Yacine l'a souligné à plusieurs reprises : « La situation de l'écrivain algérien d'expression française entre deux lignes de feu l'oblige à inventer, à improviser, à innover » ; il doit « aller résolument à la rencontre des langues littéraires les plus avancées ». L'écrivain authentique, bousculant la langue imposée, y dépose le ferment de l'invention littéraire. Toute la littérature algérienne de langue française (comme ses voisines du Maroc et de la Tunisie) se donne à lire comme un affrontement physique et sensuel avec la langue reçue du colonisateur.

Pourtant, les premières œuvres maghrébines écrites en français ne se préoccupent guère de recherche littéraire d'avant-garde. On y sent surtout le souci d'afficher une belle maîtrise de la langue empruntée : les poèmes de Jean Amrouche se font remarquer par la pureté d'un français classique et abstrait. C'est qu'alors on écrit pour faire reconnaître la dignité des « indigènes ». La célébration de la vie algérienne s'accorde avec une écriture pudique et directe, sans éclats inutiles, montrant tranquillement les réalités de la culture ancienne : *captatio benevolentiae* des lecteurs français (ce sont eux les destinataires visés par les écrivains des années 1945-1955, publiés chez quelques grands éditeurs de la métropole, notamment dans la collection « Méditerranée » dirigée au Seuil par Emmanuel Roblès). Cette modestie du ton, ce refus des violences de langage, le regard nostalgique porté sur le terroir devaient irriter, au moment de la guerre d'indépendance, les jeunes lecteurs maghrébins, qui dénoncèrent la « trahison » des écrivains, leur enfermement dans un folklore suranné. On fabriqua une étiquette infamante (« littérature ethnographique ») pour tenir à distance ces œuvres qui semblaient dévalorisées par les urgences de l'Histoire. Aujourd'hui, les passions retombées, on découvre que ces œuvres, devenues « classiques », relues par un public maghrébin, recèlent plus de force et de subtilité qu'on ne l'imaginait.

Manifestation à Sétif en mai 1945. Kateb Yacine, qui y participa, fut arrêté et emprisonné.

L'œuvre et le destin de JEAN AMROUCHE inséparable de celui de toute sa famille sont comme emblématiques des contradictions de sa génération : on y déchiffre clairement l'impossibilité de l'assimilation. Né de parents convertis au christianisme, Jean Amrouche s'est d'abord senti à l'aise dans la citoyenneté française et il a tenu un rôle de premier plan dans la vie littéraire parisienne des années 50, imposant un genre nouveau : les entretiens radiophoniques (avec Gide, Claudel, Mauriac, etc.). Mais l'insurrection de 1954, qui ne le surprit pas vraiment, le conduisit à affirmer son appartenance algérienne (« nous voulons habiter notre nom », écrit-il dans un poème de l'époque). Pendant toute la guerre, il resta un homme de dialogue, favorisant les contacts entre le général de Gaulle et le F.L.N. Épuisé par la maladie et par ses efforts passionnés pour aider à l'indépendance algérienne, il est mort en 1962, laissant une œuvre en chantier, mutilée par la pression des événements : beaucoup de manuscrits inédits, des carnets intimes, des correspondances nombreuses, beaucoup d'ébauches aussi, de projets qui ne purent être menés à terme. Ses premiers recueils poétiques (*Cendres,* 1934 ; *Étoile secrète,* 1937) disent l'exil et la quête d'identité d'un « hybride culturel » : il se découvre tout proche de son ami, le poète malgache Jean-Joseph Rabearivelo, avec lequel il entretenait une correspondance et dont le suicide, en 1937, l'a beaucoup marqué. Les *Chants berbères de Kabylie* (1939) rassemblent et traduisent des poèmes anciens : fidélité à la culture ancestrale ! Puis Jean Amrouche disperse ses écrits dans des journaux et revues, dans des chroniques radiophoniques, dans des pages intimes restées confidentielles... A juste titre, on cite souvent un texte publié dans *L'Arche* en 1946 : *L'Éternel Jugurtha,* « propositions sur le génie africain », tentative de description de l'identité du Maghrébin (qui réunit « dans un même homme son hérédité africaine, l'Islam et l'enseignement de l'Occident »), et en même temps autoportrait de l'écrivain.

[La porte noire du refus]

Jugurtha, roi numide du IIe siècle av. J.-C., d'abord allié, puis adversaire farouche des Romains, devient l'archétype de l'homme algérien : « Jugurtha ou l'inconstance, Jugurtha génie de l'alternance », mais aussi Jugurtha et « sa passion de l'indépendance ».

Composé humain d'une sensibilité extrême, affligé d'une imagination qui dégénère assez vite en mythomanie, le moindre propos risque de le blesser profondément, de déchaîner sa colère et de le porter aux actes les plus violents. Si l'on ménage son amour-propre et le sentiment qu'il a de sa dignité, on peut s'en faire un ami et obtenir de lui beaucoup et jusqu'au dévouement le plus passionné, car il est généreux, jusqu'au faste, comme seuls savent être généreux les princes et les pauvres gens, peu attachés aux biens de ce monde, les premiers parce que comblés, les seconds parce que la misère et le dénuement les préservent de l'avarice du cœur et des mains. En d'autres termes, Jugurtha croit très profondément à l'unité de la condition humaine, et que les hommes sont égaux en dignité ou en indignité, selon qu'on les compare entre eux, ou qu'on les compare à ce qui est au-dessus d'eux par nature [...]

Cependant Jugurtha s'applique à différer de lui-même jusqu'à la plus complète contradiction. Nul, plus que lui, n'est habile à revêtir la livrée d'autrui : mœurs, langages, croyances, il les adopte tour à tour, il s'y plaît, il y respire à l'aise, il en oublie ce qu'il est jusqu'à n'être plus que ce qu'il est devenu. Jugurtha s'adapte à toutes les conditions, il s'est acoquiné à tous les conquérants ; il a parlé le punique, le latin, le grec, l'arabe, l'espagnol, l'italien, le français, négligeant de fixer par l'écriture sa propre langue ; il a adoré avec la même passion intransigeante tous les dieux. Il semblerait donc facile de le conquérir tout à fait. Mais à l'instant même où la conquête semblait achevée, Jugurtha, s'éveillant à lui-même, échappe à ce qui se flattait d'une ferme prise. Vous parlez à sa dépouille, à un simulacre qui vous répond, acquiesce encore parfois ; mais l'esprit et l'âme sont ailleurs, irréductibles et sourds, appelés par une voix profonde, inexorable, et dont Jugurtha lui-même croyait qu'elle était éteinte à jamais. Il retourne à sa vraie patrie, où il entre par la porte noire du refus. Nous touchons ici au caractère le plus profond du génie africain, au mystère essentiel de Jugurtha, à un môle intérieur impénétrable. Celui qui jusque-là n'avait jamais cessé de dire oui fait tout à coup défaut et s'affirme dans la négation et dans l'hérésie. Je vois ici une véritable frontière des âmes, une véritable frontière spirituelle.

Jean Amrouche, « L'Éternel Jugurtha », *L'Arche,* n° 13, février 1946.

La sœur de Jean Amrouche, Marie-Louise Taos Amrouche, a consacré sa vie à collecter et interpréter les chants millénaires hérités de sa tribu berbère : six disques publiés conservent le souvenir de sa voix étonnante, sauvage ou tendre, qui transformait ses conférences-récitals en liturgies de la mémoire ancestrale. *Le Grain magique* publié en 1966, traduit des poèmes, contes et proverbes de la Kabylie. Trois romans (*Jacinthe noire,* 1947 ; *Rue des Tambourins,* 1960 ; *L'Amant imaginaire,* 1975), d'inspiration autobiographique, disent le destin douloureux de jeunes femmes ardentes et exigeantes, souffrant de leur étrangeté et de leur exil, blessées dans leur amour sans retour (« Aussi loin que je remonte dans le souvenir, je découvre cette douleur inconsolable de ne pouvoir m'intégrer aux autres, d'être toujours en marge », *Rue des Tambourins*). En 1968, on a publié l'autobiographie de la mère de Jean et de Taos, Fadhma Aïth Mansour Amrouche : *Histoire de ma vie.* Cet émouvant récit, attaché à rendre la dignité et la rigueur des mœurs rudes d'un pays rude, prolonge et en même temps enracine l'œuvre de ses enfants dans l'énergie d'une lignée.

La génération de 1952

Moins en marge que la famille Amrouche, exilée dans son destin exceptionnel, souvent incomprise et contestée, malgré les hommages rendus par les plus éminents intellectuels algériens, plusieurs romanciers maghrébins publient leur premier roman dans les années qui précèdent l'insurrection algérienne de 1954. *Le Fils du pauvre* de Mouloud Feraoun paraît (à compte d'auteur) en 1950. En 1952, on peut lire *La Grande Maison* de Mohammed Dib et *La Colline oubliée* de Mouloud Mammeri. Un peu plus tard, en 1956, c'est *Le Grain dans la meule* de Malek Ouary. L'apparition simultanée de ces jeunes romanciers a donné l'impression que se révélait une « génération de 1952 », inaugurant la littérature algérienne de langue française. De fait, un air de ressemblance court à travers leurs romans de la réalité algérienne : une écriture soignée, sans grandiloquence, la volonté de montrer leur société dans la vérité de ses mœurs anciennes, mais aussi dans les conflits et les transformations à l'œuvre, donc le dévoilement du malaise latent de la situation coloniale. Ces romans ont reçu un accueil plutôt ambigu : un public français a manifesté son intérêt, découvrant avec sympathie des images plus authentiques de la vie algérienne ; certains lecteurs maghrébins ont réagi avec défiance, voire hostilité : ils attendaient des points de vue plus militants, moins « régionalistes » ; une petite polémique, en 1953, a critiqué l'insistance que *La Colline oubliée* mettait à évoquer le particularisme des mœurs kabyles : on craignait que cela ne fît le jeu de la colonisation.

Avec le recul du temps, ces polémiques ont perdu de leur sens. L'enracinement algérien des romanciers est devenu plus évident. La simple publication de leurs œuvres, la peinture sans complaisance qu'ils y donnaient de l'Algérie à la veille de la guerre, prenaient valeur d'acte de résistance. Le destin tragique de MOULOUD FERAOUN (assassiné par l'O.A.S. en 1962) a comme manifesté l'engagement que ses romans laissaient implicite. Ceux-ci, malgré la retenue du style, brossent un tableau très âpre de la vie dans les montagnes kabyles. Dans *Le Fils du pauvre,* autobiographie romancée, le fils d'une famille de paysans pauvres devient instituteur ; dans *La Terre et le Sang* (1953), un travailleur immigré revient, avec sa femme française, dans son village isolé du haut pays ; dans *Les chemins qui montent* (1957), une histoire d'amour et de mort révèle les tensions et les fragilités d'une société déséquilibrée par la colonisation. Partout on subit la pauvreté, la faim obsédante, les privations, la dignité de la misère comme seule raison de vivre : « Nous sommes damnés pour la vie, et quand notre triste cohorte débarque au printemps dans le pays civilisé auquel elle va demander de l'argent, nous nous considérons comme des âmes en peine visitant le paradis des Élus. [...] Quand nous revenons chez nous, tout se passe comme si nous n'avions rien vu, comme si nous n'avions rien appris. » Cependant ces romans échappent au pessimisme par le regard généreux que le romancier porte sur cet univers de violence et de passion, par l'humour aussi et par la saveur de la langue, irriguée par des images, des proverbes, des façons de parler venues du terroir berbère.

La trilogie romanesque de MOHAMMED DIB (après *La Grande Maison,* paraissent *L'Incendie* en 1954 et *Le Métier à tisser* en 1957) a l'ambition de peindre, sous le titre général *Algérie,* une vaste fresque de la vie algérienne entre 1939 et 1942 : ce sont des années charnières, où le peuple algérien prend conscience des rapports de force et prépare la venue d'un monde nouveau. Les trois romans ont pour cadre Tlemcen et la campagne environnante. Dans *La Grande Maison,* l'adolescent Omar, promenant son regard sur la vie collective d'un grand immeuble pauvre, rend compte du tumulte et des incohérences de vies ballottées par la misère. *L'Incendie,* au titre prophétique, puisque le roman sort à la veille de l'embrasement nationaliste de 1954, raconte, en s'inspirant de faits divers réels, l'éveil politique des campagnes (« Un incendie avait été allumé, et jamais plus il ne s'éteindrait. Il continuerait à ramper à l'aveuglette, secret, souterrain ; ses flammes sanglantes n'auraient de cesse qu'elles n'aient jeté sur tout le pays leur sinistre éclat. ») *Le Métier à tisser* montre le retentissement de la guerre mondiale sur la ville de Tlemcen, les menaces que les machines font peser sur les artisanats ancestraux. Dans cette trilogie, Mohammed Dib adopte une vision unanimiste, qui se souvient davantage du roman américain que de Jules Romains, et qui tire parti d'une composition morcelée, assemblant en un montage parfois abrupt des fragments ou des nouvelles parus antérieurement en revue. Le schématisme et le didactisme propres à la fresque historique sont heureusement contrebalancés par les effets poétiques d'une écriture faisant éclater les sensations et les perceptions en éclaboussements d'images

[Nous mangeons, la tête basse]

Entre deux périodes de travail aux champs, le père du narrateur s'est fait embaucher sur le chantier de construction d'un moulin à huile.

Les travaux avaient débuté au mois de juin, je crois. Nous étions encore à l'école. Le chantier se trouvait juste en face de chez nous, à une centaine de mètres. Il y avait là, en même temps que mon père, notre cousin Kaci — le père de Saïd — et Arab, le père d'Achour, un autre camarade d'école. Dès le premier jour, à onze heures, Saïd nous propose d'aller voir nos parents. Nous acquiesçons, Achour et moi. Nous avons compris à demi-mot ce que veut dire Saïd. N'est-ce pas à onze heures que le patron fait arrêter le travail pour déjeuner ? C'est un homme instruit qui se pique d'avoir copié certaines habitudes des Français : il mange à heure fixe. Ses employés aussi. Nous tombons sur eux, avec une louable exactitude, au même moment que les plats. Nos pères respectifs sont vivement contrariés. Mais le patron est généreux. Il nous ordonne de nous asseoir et nous mangeons, la tête basse. Nous mangeons quand même. D'abord une bonne soupe avec des pommes de terre, et nous recevons chacun un gros morceau de galette levée ; puis du couscous blanc de semoule, avec de la viande. Devant de telles richesses, la joie prend le pas sur la honte du début. C'est la joie animale de nos estomacs avides. Dès que ceux-ci sont pleins, nous nous sauvons, le front ruisselant de sueur, sans remercier personne, emportant dans nos mains ce qui nous reste de viande et de galette. Nous reprenons nos esprits un peu plus loin pour évaluer et comparer nos fortunes. Nous nous quittons après avoir félicité Saïd de sa bonne idée. A vrai dire, nos félicitations manquent de chaleur et Saïd les accepte sans trop de conviction. Chacun des gourmands voit se dresser devant ses yeux l'image sévère et quelque peu attristée de son père. Que dira-t-il le soir ?

Mouloud Feraoun, *Le Fils du pauvre,* éd. du Seuil.

[Qui te délivrera, Algérie ?]

Omar, petit citadin aux champs, écoute à la veillée l'infirme Comandar, rescapé de la Première Guerre mondiale, raconter les vieilles légendes de la terre algérienne.

Un foyer proche et lointain éclairait l'espace. Les champs grésillaient. Un immense cheval bondit vers le ciel et hennit. La vieille terre se tut. Et le feu blanc s'éteignit.

Les cigales seules continuaient sans défaillance à creuser le jour de leur tarière.

— L'as-tu vu, le cheval qui a traversé le ciel ?

— Non, Comandar. Il ne pourrait y avoir de cheval qui vole. Tu rêves. Les flammes qui tombent du ciel te tournent la tête. Et tu vois des choses.

— Toi, tu n'as rien vu. C'est pourquoi tu parles comme ça.

Omar s'étendit à l'ombre déchiquetée d'un olivier. Pour quelle raison n'avait-il rien vu ?

Comandar lui raconta ce que les fellahs avaient observé au cours d'une nuit :

« La lune d'été écumait au-dessus des abîmes noirs qui s'ouvraient entre les monts. Ce n'était plus la nuit. L'air, la terre, resplendissaient. On pouvait distinguer chaque touffe d'herbe, chaque motte. L'air, la terre, et la nuit respiraient d'un souffle imperceptible. Soudain un bruit de sabots frappant le sol se répercuta à travers la campagne. Tous les fellahs [1] se dressèrent sur leur séant. Le bruit se rapprocha encore : ce fut comme un tonnerre roulant d'une extrémité à l'autre de la contrée. Plus aucun fellah n'avait sommeil. Certains qui s'étaient installés devant leurs gourbis [2] virent sous les murailles de Mansourah [3] un cheval blanc, sans selle, sans rênes, sans cavalier, sans harnais, la crinière secouée par une course folle. Un cheval sans rênes ni selle dont la blancheur les éblouit. Et la bête prodigieuse s'enfonça dans les ténèbres.

« Quelques minutes à peine s'étaient écoulées : et le galop retentit de nouveau, martelant la nuit. Le cheval reparut sous les remparts de Mansourah. Il fit une seconde fois le tour de l'antique cité disparue. Les tours sarrazines qui avaient résisté à la destruction profilaient leurs ombres intenses dans la clarté nocturne.

« Le cheval fit une troisième fois le tour de l'antique cité. A son passage tous les fellahs courbèrent la tête. Leur cœur devint trouble et sombre. Mais ils ne tremblaient pas. Ils eurent une pensée pour les femmes et les enfants. " Galope, cheval du peuple, songeaient-ils dans la nuit, à la male heure et sous le signe mauvais, au soleil et à la lune. " »

Omar s'endormit dans l'herbe ardente. Comandar le vit plongé si profondément dans le sommeil qu'il se tut.

Il murmura pour lui tout seul dans une réflexion entêtée : « Et depuis, ceux qui cherchent une issue à leur sort, ceux qui, en hésitant, cherchent leur terre, qui veulent s'affranchir et affranchir leur sol, se réveillent chaque nuit et tendent l'oreille. La folie de la liberté leur est montée au cerveau. Qui te délivrera, Algérie ? Ton peuple marche sur les routes et te cherche. »

Mohammed Dib, *L'Incendie,* éd. du Seuil.

L'épreuve de la guerre

Après 1954, la littérature algérienne entre en guerre. On écrit pour témoigner, pour militer, pour exalter les luttes, la patrie, les ancêtres, pour dessiner un avenir de liberté. Si les témoignages sur la guerre s'éloignent souvent du domaine littéraire, certains manifestent le pouvoir de l'écriture. Le récit d'Henri Alleg, *La Question* (1958), adressé à des lecteurs français (« Il faut qu'ils sachent [...] ce qui se fait ici [en Algérie] *en leur nom* »), a été beaucoup lu, malgré les interdictions et les saisies de la censure gouvernementale française : la nudité du ton dénonçait mieux qu'un pamphlet la gangrène de la torture. Tout un courant de **poésie militante** naît dans la mouvance du soulèvement national. L'anthologi de Denise Barrat (*Espoir et Parole,* 1963 en donne une bonne image. En 195 déjà, la *Complainte des mendiants arabe de la Casbah et de la petite Yasmina tué par son père* d'Aït Djafer trouvait le to de l'éloquence poétique pour dire l révolte face à la misère d'un fait diver sordide. La poésie de combat, exaltan la révolution et la construction natio nale, est aussi bien le fait d'Algérien d'origine maghrébine (Noureddine Aba Bachir Hadj Ali, Malek Haddad, Katel Yacine, Noureddine Tidafi) que d'ori gine européenne (Anna Greki, Henr Kréa, JEAN SÉNAC). Cette poésie ardente qui tient du cri, du tract, de l'appel au

1. Paysans. — 2. Cabanes. — 3. Ancienne ville, aujourd'hui en ruines et située dans la banlieue de Tlemcen qui fut au XIVe siècle la capitale du Maghreb central.

armes, tire son efficacité du contexte de la guerre. Les mots deviennent engins de mort :

Feu sur les seigneurs venus d'Europe,
Feu sur ces semeurs de fléaux,
Feu sur les chevaux de frise qui protègent leurs châteaux !
Sur les garde-chiourme aux yeux de coquilles d'oursin, feu !
Feu, malgré les frères foudroyés au pied d'un mur,
Malgré le cri de la liberté qui chavire au petit matin,
Malgré l'espoir troué par douze balles anonymes,
Malgré le coup de grâce dans un fossé !
Malgré la mort sans sépulture, sans autre oraison
Que le chant des grillons balbutié dans le silence, feu !

Noureddine Aba, *Gazelle après minuit,* éd. de Minuit.

Les mots inventent l'Algérie ressuscitée :

Chez nous le mot Patrie a un goût de légende
Ma main a caressé le cœur des oliviers
Le manche de la hache est début d'épopée
Et j'ai vu mon grand-père au nom de Mokrani
Poser son chapelet pour voir passer les aigles
Chez nous le mot Patrie a un goût de colère

Malek Haddad, *Le Malheur en danger,* éd. La Nef de Paris.

Ces poèmes de guerre ont beaucoup circulé, des maquis aux prisons ; dans leurs formules frappantes, qui condensaient tout l'espoir de la lutte, on respirait l'air de la liberté à venir. Bien sûr, l'éloignement dans le temps a retiré leur nécessité à bien des textes. Certains pourtant conservent leur pouvoir d'éveil, leur promesse d'avenir.

Matinale de mon peuple

pour Baya

Tu disais des choses faciles
travailleuse du matin
la forêt poussait dans ta voix
des arbres si profonds que le cœur s'y déchire
et connaît le poids du chant
la tiédeur d'une clairière
pour l'homme droit qui revendique
un mot de paix
un mot à notre dimension

Tu tirais de sa solitude
le rôdeur qui te suit tout pétri de son ombre
celui qui voudrait écrire comme tu vois
comme tu tisses comme tu chantes
apporter aux autres le blé
le lait de chèvre la semoule
et si dru et si fort dans le sang
la bonté de chacun
le charme impétueux des hommes solidaires

Parle ô tranquille fleur tisseuse de promesses
prélude au sûr éveil de l'orge
dis que bientôt l'acier refusera la gorge
bientôt le douar entamera la nuit

Tu m'apprends à penser
à vivre comme tu es
Matinale arrachée à l'obscure demeure.

Jean Sénac, *Matinale de mon peuple,* éd. Subervie.

Le roman se prête moins que la poésie à accompagner les grandes turbulences de l'Histoire. La guerre est pourtant présente dans les romans de Malek Haddad. Ses héros, piégés par l'exil, s'interrogent sur leur « bâtardise » culturelle, tandis que, de l'autre côté de la Méditerranée, la guerre fait rage et exige que l'on s'engage sans biaiser (*L'Élève et la Leçon,* 1960 ; *Le Quai aux fleurs ne répond plus,*

1961). La guerre finie, Mouloud Mammeri publie *L'Opium et le Bâton* (1965), vaste roman chantant l'héroïsme des maquis (on en a tiré une superproduction cinématographique, qui a eu un succès considérable en Algérie).

En 1959, Mohammed Dib continuait sa chronique de la vie algérienne avec *Un été africain,* peinture de la bourgeoisie au début de la guerre (le roman la désigne par l'euphémisme alors d'usage : les « événements »). Mais la prise de conscience du « caractère illimité de l'horreur », le désir d'être encore entendu et donc la volonté d'éviter que la parole romanesque ne se dissolve dans la banalité réaliste ont conduit Dib à tenter « l'aventure littéraire » : écrire un roman qui soit l'équivalent du *Guernica* de Picasso, qui, par le recours à un symbolisme onirique, se transforme en mythe apocalyptique. *Qui se souvient de la mer* (éd. du Seuil, 1962) inaugure cette écriture du cauchemar, empruntant à la science-fiction d'étranges constructions imaginaires : la descente dans une ville pétrifiée devient la « périphrase » de ce qui n'a pas de nom, l'affrontement à l'horreur de la guerre coloniale. Le roman s'achève sur un cataclysme libérateur, la mer (comme le déferlement d'une vague populaire ?) venant recouvrir la ville morte :

> Explosant l'une après l'autre, les nouvelles constructions sautèrent jusqu'à la dernière, et aussitôt après les murs se disloquèrent, tombèrent : la ville était morte, les habitants restant dressés au milieu des ruines tels des arbres desséchés, dans l'attitude où le cataclysme les avait surpris, jusqu'à l'arrivée de la mer dont le tumulte s'entendait depuis longtemps, qui les couvrit rapidement du bercement inépuisable de ses vagues.
>
> Quelquefois me parvient encore un brisement, un chant sourd, et je songe, je me souviens de la mer.

Si l'épreuve de la guerre a donné une orientation nouvelle à l'œuvre de Mohammed Dib, elle a révélé dans toute sa puissance celle de KATEB YACINE. Non pas que Kateb soit devenu écrivain à cause de la guerre. *Nedjma,* qui paraît en 1956, est le produit d'une lente gestation, qui a duré des années : venant des expériences les plus profondes, répondant comme à un appel tribal, le roman a été longuement médité, repris, remanié, augmenté ou découpé. C'est l'œuvre d'une vie, débordant de tous côtés le livre où elle s'est incarnée. Mais l'apparition de *Nedjma,* en pleine guerre, fit date : c'était la rencontre du mythe et de l'événement. Le roman rassemblait et tissait à nouveau les fils perdus de l'Histoire algérienne.

Poète par atavisme (*Kateb,* en arabe, c'est « l'écrivain »), formé dans la familiarité des légendes historiques du Maghreb et des traditions populaires, découvrant, plus tard, avec passion, les mutations que Joyce et Faulkner ont fait subir au genre romanesque, Kateb Yacine a commencé à devenir lui-même le 8 mai 1945 : il a 16 ans et il participe, à Sétif, à la grande manifestation des musulmans qui protestent contre la situation inégale qui leur est faite ; la répression est terrible ; Kateb est arrêté, torturé, emprisonné ; après le « retour à l'ordre », il est exclu du collège ; mais en prison, il a découvert « les deux choses qui [lui] sont les plus chères, la poésie et la révolution ».

Kateb Yacine a d'abord été un poète adolescent, partagé entre la passion amoureuse et l'engagement politique (dans le recueil *Soliloques* en 1946). Mais écrire en français, « seconde rupture du cordon ombilical », « exil intérieur », révèle un douloureux arrachement à l'identité native : le moi individuel se désagrège dans l'acculturation. Contre la perte d'identité, un double recours se dessine, dans l'appartenance tribale (malgré leur dispersion dans tout l'Est algérien et au-delà, les fils de Keblout — la tribu de Kateb — maintiennent les liens du sang et les traditions de résistance à la conquête) et dans la solidarité politique (celle des militants nationalistes que Kateb a côtoyés en prison, et au-delà celle de tous les révolutionnaires luttant pour la libération des peuples). Toute l'œuvre de Kateb Yacine confronte les valeurs de l'individu, de la solidarité tribale et de la lutte contre toutes les oppressions.

Parce qu'il refuse la solitude de l'écrivain, Kateb cherche au théâtre les moyens d'une écriture agissante, matérialisant sur la scène les débats de l'individu et de la collectivité. *Le Cadavre encerclé,* paru d'abord dans la revue *Esprit* en 1954, créé à la scène par Jean-Marie Serreau en 1958, recourt à la forme tragique, héritée des anciens Grecs (la tradition arabe semble la refuser), pour déployer le destin de Lakhdar, partagé entre son identification à la communauté pour laquelle il meurt et son refus des tabous, des interdits, de la toute-puissance des pères, qui sont pourtant les valeurs de cette communauté. Épique dans l'exaltation du soulèvement anticolonial, la pièce se fait tragédie pour souligner les contradictions d'une société mise à mal par la conquête et l'acculturation. Le titre renvoie symboliquement à la situation du héros : « cadavre encerclé », Lakhdar se dresse parmi les morts (victimes d'une fusillade réprimant l'émeute d'une ville maghrébine), mais il est cerné par la troupe et, encore plus, « encerclé au maquis de [ses] origines » ; c'est un des siens, son parâtre (la trahison des pères !), qui lui porte le coup fatal. Le choix par Kateb d'une langue très belle dans ses images abruptes, mais difficile, et donc peu apte à toucher dans l'immédiat un vaste public populaire, peut être interprété comme témoignant de sa foi révolutionnaire : assurance que la pièce rencontrera un jour le public pour lequel elle a été écrite.

[Un si vaste carnage]

Rue des Vandales, dans une ville maghrébine. Des cadavres et des blessés sont entassés. L'un des blessés, Lakhdar, parle.

Ici sont étendus dans l'ombre les cadavres que la police ne veut pa voir ; mais l'ombre s'est mise en marche sous l'unique lueur du jour, e le tas de cadavres demeure en vie, parcouru par une ultime vague d sang, comme un dragon foudroyé rassemblant ses forces à l'heure d l'agonie, ne sachant plus si le feu s'attarde sur sa dépouille entière ou sur une seule des écailles à vif don s'illumine son antre ; ainsi survit la foule à son propre chevet, dans l'extermination qui l'arme et la délivre ici même abattu, dans l'impasse natale, un goût ancien me revient à la bouche, mais ce n'est plus la femm qui m'enfanta ni l'amante dont je conserve la morsure, ce sont toutes les mères et toutes les épouses don je sens l'étreinte hissant mon corps loin de moi, et seule persiste ma voix d'homme pour déclamer la plénitud d'un masculin pluriel ; je dis Nous et je descends dans la terre pour ranimer le corps qui m'appartient jamais ; mais dans l'attente de la résurrection, pour que, Lakhdar assassiné, je remonte d'outre-tomb prononcer mon oraison funèbre, il me faut au flux masculin ajouter le reflux pluriel, afin que la lunai attraction me fasse survoler ma tombe avec assez d'envergure... Ici je me dénombre et n'attends plus la fi Nous sommes morts. Phrase incroyable. Nous sommes morts assassinés. La police viendra bientôt nou ramasser. Pour l'instant, elle nous dissimule, n'osant plus franchir l'ombre où nulle force ne peut plus no disperser. Nous sommes morts, exterminés à l'insu de la ville... Une vieille femme suivie de ses marmo nous a vus la première. Elle a peut-être ameuté les quelques hommes valides qui se sont répandus à trave nous, armés de pioches et de bâtons pour nous enterrer par la force... Ils se sont approchés, à pas de lou levant leurs armes au-dessus de leur tête, et les habitants les observaient du fond de leurs demeures éteinte partagés entre l'angoisse et la terreur à la vue des fantômes penchés sur le charnier. Un grand massacre ava été perpétré. Durant toute la nuit, jusqu'à la lueur matinale qui m'éveille à présent, les habitants restèrent claquemurés, comme s'ils prévoyaient leur propre massacre, et s'y préparaient dans le recueillement ; puis les fantômes eux-mêmes cessèrent leurs allées et venues, et les derniers chats firent le vide ; des passants de plus en plus rares s'inquiétaient de nos râles, et s'arrêtaient un instant sur les lieux de la mêlée ; aucune patrouille ne vint troubler leurs furtives méditations ; ils connurent un nouveau sentiment pour les obscurs militants dont le flot mugissait encore à leurs pieds, dans cette rue qu'ils avaient toujours vue pourrie et sombre, où la gloire d'un si vaste carnage venait soudain prolonger l'impasse vers des chevauchées à venir.

Kateb Yacine, *Le Cadavre encerclé,* éd. du Seuil.

Élaboré dans une lente gestation, reprenant personnages et thèmes du *Cadavre encerclé, Nedjma* s'est imposé dès sa publication en 1956 comme une somme romanesque inouïe. Empruntant quelques secrets de fabrication aux grands novateurs du XXe siècle (le montage des destins parallèles ou croisés à la Dos Passos ; le goût faulknérien pour la manipulation du temps et la transmutation des événements en mythes ; la plongée, comme chez Joyce, dans les monologues intérieurs aux franges de la conscience), Kateb y réussissait ce qui semblait impossible : dire en français une Algérie surgie des profondeurs, communiquer les expériences et les rêves, les révoltes et les désirs, l'attachement au lien tribal et la volonté de construire une nation de toute une génération d'Algériens qui se retrouveraient bientôt plongés dans la guerre de libération. La structure éclatée et répétitive de ce roman inracontable a pu déconcerter : de courts chapitres s'enchaînant en séquences de douze, mélangeant points de vue et tons romanesques, souvent refermés sur eux-mêmes comme des poèmes en prose ; pas de héros principal unique, mais l'entrecroisement des expériences de quatre jeunes gens (Lakhdar, Mourad, Mustapha, Rachid), cousins appartenant au même ensemble tribal, dans leur recherche d'identité et dans leur quête amoureuse de la même Nedjma (« l'étoile », en arabe) ; la figure énigmatique de cette Nedjma, fille de l'étrangère (une Française), plusieurs fois conquise par des séducteurs audacieux, objet de tous les désirs, symbolisant l'Algérie, « son inextricable passé » tissé de passions violentes et exclusives, sa sourde résistance aux conquérants (elle reste « vierge après chaque viol »), retournant à la fin du roman (comme la nation algérienne naissante ?) aux sources régénératrices de la tribu (« Et le sang de Keblout retrouvera sa chaude, son intime épaisseur. Et toutes nos défaites, dans le secret tribal — comme dans une serre — porteront leur fruit hors de saison »). *Nedjma* doit donc se lire comme une tentative de reconstitution d'une identité déchirée, comme une anthropologie poétique de l'Algérie après l'échec du mouvement du 8 mai 1945, avant l'explosion du 1er novembre 1954. Les fils s'interrogent sur la démission des pères, sur leur incapacité à venger la conquête, mais ils sont victimes des mêmes aliénations ; les mères sont maintes fois abandonnées et trahies ; le vertige de l'inceste (le retour à la tribu, la passion pour Nedjma, la cousine et presque sœur) conjure l'altération de l'identité : « L'inceste est notre lien, notre principe de cohésion depuis l'exil du premier ancêtre ; le même sang nous porte irrésistiblement à l'embouchure du fleuve passionnel, auprès de la sirène chargée de noyer tous ses prétendants plutôt que de choisir entre les fils de la tribu — Nedjma menant à bonne fin son jeu de reine fugace et sans espoir [...], et ce sera enfin l'arbre de la nation s'enracinant dans la sépulture tribale, sous le nuage enfin crevé d'un sang trop de fois écumé... » « Autobiographie au pluriel », selon l'heureuse formule de Jacqueline Arnaud, *Nedjma* incarne « l'âme de l'Algérie déchirée depuis ses origines, et ravagée par trop de passions exclusives ».

[Le crépuscule d'un astre]

Rachid, un des quatre « héros » du roman, médite, devant le panorama de Constantine, et déplie, une fois de plus, l'écheveau complexe des histoires emmêlées : l'histoire de l'Algérie et sa propre histoire, l'assassinat de son père et le destin de Nedjma.

Et c'est à moi, Rachid, nomade en résidence forcée, d'entrevoir l'ir résistible forme de la vierge aux abois, mon sang et mon pays ; à moi d voir grandir sous son premier nom arabe [1] la Numidie que Jugurtha laiss pour morte ; et moi, le vieil orphelin, je devais revivre pour un salammbô [2] de ma lignée l'obscur martyrologe ; il me fallait tenter tou jours la même partie trop de fois perdue, afin d'assumer la fin du désastre de perdre ma Salammbô et d'abandonner à mon tour la partie, certai d'avoir vidé la coupe d'amertume pour le soulagement de l'inconnu qui me supplantera... Nomade d'u sang prématurément tari, il m'a fallu naître à Cirta [3], capitale des Numides évanouis, dans l'ombre d'u père abattu avant que j'aie vu le jour ; moi qui n'étais pas protégé par un père et qui semblais vivre à se dépens le temps qu'il aurait pu progressivement me céder, je me sentais comme un morceau de jarre cassée insignifiante ruine détachée d'une architecture millénaire. Je pensais à Cirta ; j'y trouvais des ancêtres plu proches que mon père au sang répandu à mes pieds comme une menace de noyade à chaque pas que j ferais pour éluder ma vengeance.

— Tu connaissais l'assassin ?

— Il était l'aîné de mon père, et son proche parent... Je ne le savais pas le jour où je suivis le vieu bandit dans une autre ville qui me séduisit aussitôt... Et je découvris à Bône l'inconnue qui s'était jouée d moi [4]... C'était sa fille. Je ne savais pas non plus qu'elle était ma mauvaise étoile, la Salammbô qui allai donner un sens au supplice... Sous les palmes de Bône m'attendaient d'autres ruines où je devais rampe comme un lézard délogé de son terrier... Elle aussi vivait loin de son père qu'elle avait reconnu trop tard des étrangers l'avaient mariée à un homme qui était peut-être son frère ; et je rêvais jour et nuit sous le palmes du port, ressentant ma frêle existence comme une brisure insoupçonnée de la tige vers la racine... L rayon dont elle m'avait ébloui rendait mes maux plus cuisants ; oui, je fumais comme un fagot sous l loupe, écœuré par la mauvaise chimère... Elle n'était que le signe de ma perte, un vain espoir d'évasion. J ne pouvais ni me résigner à la lumière du jour, ni retrouver mon étoile, car elle avait perdu son écla virginal... Le crépuscule d'un astre : c'était toute sa sombre beauté... Une Salammbô déflorée, ayant déj vécu sa tragédie, vestale au sang déjà versé... Femme mariée. Je ne connais personne qui l'ait approché sans la perdre, et c'est ainsi que se multiplièrent les rivaux...

Kateb Yacine, *Nedjma,* éd. du Seuil

La publication en volume ne fige pas les œuvres de Kateb. Elles se continuent, comme un chantier en perpétuels travaux, par des suites ou des variations. En 1959, un volume de théâtre, sous le titre général *Le Cercle des représailles,* prolonge *Le Cadavre encerclé* par une tragédie au symbolisme complexe *(Les Ancêtres redoublent de férocité)* et pa un monologue lyrique *(Le Vautour),* tan dis qu'en contrepoint une comédie, trè populaire dans son langage direct *(L Poudre d'intelligence),* s'inspire de contes maghrébins de J'Ha. En ce années de guerre, l'inspiration tragiqu laisse transparaître une profond

1. El Djezaïr, la péninsule, a d'abord désigné l'Arabie, puis l'Algérie : la racine arabe persiste dans l vocable français. (Note de K. Y.) — 2. Le nom de l'héroïne de Flaubert désigne ici Nedjma. — 3. Aujourd'hu Constantine. — 4. Il s'agit de Nedjma.

détresse. La figure de Nedjma se fond dans celle de « la Femme sauvage », incarnation de la guerre (« Toute guerre est fratricide / Toute vraie guerre nous remémore / Les cannibales incestueux [...] Et si loin qu'on remonte, une femme sauvage est occupée à dévorer les hommes, sans haine et sans pitié »). Le chœur des ancêtres et leur oiseau symbolique, le vautour, disent l'appel de la mort (« Nous les ancêtres, nous qui vivons au passé / Nous la plus forte des multitudes / Notre nombre s'accroît sans cesse [...] Nous sommes parfois tentés de parler à la terre, / De dire à nos enfants : courage / Prenez place dans les vaisseaux de la mort / Venez rejoindre à votre tour l'armada ancestrale »). Dans son anarchisme frondeur, la comédie est plus optimiste : dénonçant les complicités oppressives du pouvoir, de la richesse et de la religion, elle dessine a contrario l'image de la patrie à venir.

Le Polygone étoilé (1966) assemble, dans la discontinuité totale des genres, des textes en gestation depuis une dizaine d'années, arrachés au « chaos créateur », sauvés de la dispersion de l'exil ou empruntés à des sources multiples (légendes, chansons populaires, faits divers, textes coloniaux, etc.). Le montage des textes joue sur la polysémie du titre : construction géométrique aux multiples dimensions, rayonnement d'une étoile (Nedjma ?) sans commencement ni fin, à l'image d'une Algérie toujours renouvelée, dispersée par la guerre et l'émigration, rassemblée par le rêve des éternels rebelles (« une pure création d'un peuple inculte et délaissé [...] comme un rêve d'enfant, péremptoire et incommunicable »). On y retrouve les personnages des œuvres antérieures. Nedjma, bien sûr (« au sortir du bain maure, fraîche et brûlante sous un voile blanc troussé à l'algéroise, ou clair et chaud, largement ouvert, à la tunisienne, ou d'un noir implacable, comme on le porte à Bône, Constantine ou Sétif, ou bleu foncé à la maghrébine, qu'elle arborait souvent à visage découvert (d'autres fois se masquant d'un transparent triangle) et qui s'attachait à ses formes, signalant sa démarche, son moindre mouvement, par un frisson de soie, apparition inespérée des *Mille et une Nuits* ») ; Lakhdar, passager clandestin en route pour Paris, Mourad, Mustapha, Rachid. Les dernières pages sont autobiographiques : Kateb y raconte comment « son père prit soudain la décision irrévocable de le fourrer sans plus tarder dans la " gueule du loup ", c'est-à-dire à l'école française ».

[Le retour des Beni Hilal]

Considérés comme les ancêtres des fils de Keblout, la tribu de Kateb Yacine, les Beni Hilal « deviennent en définitive le symbole des rebelles irréductibles, retournant sans cesse manifester leur présence en leur pays, polygone immense et chaotique, à l'action sur lequel ils ne renoncent pas » (Jacqueline Arnaud).

Jamais on n'attendait le retour des Beni Hilal. Toujours ils revenaient bouleverser les stèles, et emporter les morts, jaloux de leur mystère, inconnus et méconnaissables, rejetons préconçus d'une maternité trop douloureuse pour les absoudre, les suivre en leurs tâtonnements avides, leurs luttes intestines, leurs pérégrinations, et qui les dévorait l'un après l'autre démocratiquement, en un ressentiment tragi-comique d'amours interrompues, de mâles taillés en pièces, d'enfantements sans halte, sans aide, sans secours, de fureur vide, mortifiante, comme un suicide recommencé, ne voulant plus connaître, toute espérance prohibée, que les xtrêmes visions de mêlées sans merci, dans l'obnubilation, la solitude, et leur pensive tribulation de peuplade garée, mais qui toujours se regroupait autour du bagne passionnel qu'ils appelaient Islam, Nation, front ou Révolution, comme si aucun mot n'avait assez de sel, et ils erraient, souffle coupé cherchant la lune, l'eau ou le vent, vers les accords de grottes communicantes, le comité exécutif, dédoublé avec son destin de manchot intrépide, ses énergies de dernière chance, sur les chemins embroussaillés de la forme encore titubante, même pas prolétarienne, à peine consciente, et qui leur revenait désolée, souillée, jamais assez brimée, comme pour leur demander le coup de grâce, ou le retour en force et l'oubli des défaites, et comme pour les submerger de puissantes caresses, leur prodiguer la gifle ou le sein maternel, et leur remémorer les exploits légendaires, car elle seule pouvait les faire vivre, leur parler, murmure de brasier faisant peau neuve sous le rapide orage d'été, chants d'aurore destinés aux frères d'insomnie, moqueuse protection de la portée d'oursons que berceraient bientôt des sons d'absurde hostilité sous un nouveau feuillage interdit et blessant, eux, les fous du désert, de la mer, et de la forêt ! Ils ne manqueraient pas d'espace à conquérir, et il faudrait tout exhumer, tout reconstituer, écarter l'hypothèque de ce terrain douteux qui avait attiré soldats et sauterelles, dont le propriétaire avait été tué, dépossédé, mis en prison, et sans doute avait émigré, laissant aux successeurs un vieil acte illisible n'indiquant plus qu'un polygone hérissé de chardons, apparemment inculte et presque inhabité, immense, inaccessible et sans autre limite que les étoiles, les barbelés, la terre nue, et le ciel sur les reins, en souvenir de la fraction rebelle, irréductible en ses replis, et jusqu'à sa racine, la rude humanité prométhéenne, vierge après chaque viol, qui ne devait rien à personne ; Atlas lui-même avait ici déposé son fardeau et constaté que l'univers pouvait fort bien tenir autrement que sur ses épaules.

Jamais on n'attendait le retour des Beni Hilal [1]. Ils revenaient toujours bouleverser les stèles et emporter leurs morts, jaloux de leur mystère, inconnus et méconnaissables, parmi les fondateurs.

Kateb Yacine, *Le Polygone étoilé,* éd. du Seuil

La fin de la guerre et le retour en Algérie après de longues années d'exil marquent un tournant dans l'œuvre de Kateb. Il se consacre au théâtre, « un théâtre politique dans une langue populaire », qui soit une pédagogie de la libération. Un voyage en 1967 dans le Viêtnam en guerre ranime son optimisme révolutionnaire et lui fait reprendre un projet de pièce déjà ancien : *L'Homme aux sandales de caoutchouc* (1970) exalte, autour de la figure d'Ho Chi Minh, la séculaire résistance des Viêtnamiens aux envahisseurs et à l'oppression. La pièce est créée en 1971, à peu près simultanément à Lyon en français et à Alger dans une version en arabe dialectal. Dorénavant, Kateb se choisit homme de théâtre plus qu'écrivain : il est directeur de troupe, metteur en scène, auteur aussi des textes représentés — encore qu'il laisse une part importante à la création collective dans la mise au point des pièces, dont le texte n'est pas édité et qui sont susceptibles de multiples réaménagements. Sont ainsi élaborés en arabe populaire *Mohammed prends ta valise* (1971), sur l'émigration (il en existe une version en langue berbère), *La Voix des femmes* (1972), sur le rôle des femmes dans un épisode de l'histoire de Tlemcen au XIIIe siècle, *La Guerre de 2000 ans* (1974), replaçant la guerre de 130 ans des Algériens dans le cadre plus vaste d'une lutte universelle contre l'oppression... Ces pièces ont pu atteindre un immense public : plus de 350 000 spectateurs pour *Mohammed prends ta valise.* Malgré l'adoption d'un langage simple et direct et le recours à des formes empruntées aux genres populaires (comme l'opérette), la rupture avec les recherches de l'œuvre antérieure est moins nette qu'il ne semblerait. D'abord, par le simple fait qu'elle ne soit pas éditée, cette œuvre théâtrale reste perpétuellement mobile

1. Turbulente tribu arabe, d'abord installée en Égypte, lancée au XIe siècle à travers l'Afrique du Nord et l'Espagne, qui a inspiré la matière d'une geste épique très populaire au Maghreb.

ıns cesse réaménagée ou transformée. e plus, on y retrouve des motifs, des ;quisses de scènes, des formules frappantes déjà rencontrées, notamment dans *e Polygone étoilé.* Kateb demeure — ce u'une critique à courte vue lui a parfois :proché — l'homme d'une seule œuvre, ıdéfiniment reprise et toujours ouverte. Il se pourrait d'ailleurs que l'expérience de l'homme de théâtre retentisse dans l'avenir sur la pratique retrouvée de l'écriture — à supposer que celle-ci ait jamais été abandonnée (les pages écrites attendent peut-être simplement le moment de se métamorphoser en œuvres imprimées).

,'Indépendance

Le passage de Kateb Yacine d'une ,ngue d'expression à une autre est révé-.teur de l'ampleur du changement cultu-:l apporté par l'indépendance de Algérie. La décolonisation a d'abord romu une intense politique d'arabisa-on : il fallait récupérer une identité longtemps menacée, sans cependant rejeter le français qui peut constituer « une fenêtre ouverte sur le monde ». On a entrepris un considérable effort en faveur de l'enseignement : en dix ans, le nombre des enfants scolarisés avait plus que décuplé. La connaissance de l'arabe clas-

Mohammed prends ta valise *de Kateb Yacine.*
Théâtre des Bouffes du Nord, 1975.

sique, mais aussi celle du français, s'est donc spectaculairement développée. Certes, les indéniables progrès quantitatifs masquent des résultats qualitativement inégaux : on a entendu bien des doléances sur les méfaits d'un bilinguisme boiteux (les élèves ne sachant véritablement ni l'arabe, ni le français). De plus, des problèmes linguistiques très délicats restent en suspens : ce sont ceux posés par les langues populaires (quel statut donner à l'arabe dialectal et au berbère ?).

Il reste que l'enseignement massif du français a élargi le public des écrivains algériens de langue française (d'autant que leurs œuvres ont été inscrites aux programmes scolaires). Une maison nationale d'édition, la SNED, a été fondée par l'État. Les écrivains sont donc officiellement encouragés. Mais beaucoup redoutent les pesanteurs d'une tutelle administrative. Ils préfèrent donc se faire publier par des éditeurs français. L'exemple de romans (comme *La Répudiation* de Rachid Boujdedra) dont la diffusion en Algérie a été arrêtée par la censure n'est pas pour les faire changer d'attitude.

Faisant mentir des prédictions largement répandues, la littérature algérienne en langue française (comme les littératures homologues au Maroc et en Tunisie) ne s'est pas doucement éteinte au lendemain de l'indépendance. Au contraire. La plupart des écrivains reconnus ont continué à publier, donnant ampleur et cohérence à leur œuvre. Des nouveaux venus, en nombre grandissant, se sont fait connaître. Sans doute, en Algérie, ces écrivains ne touchent-ils qu'un public marginal (malgré l'explosion scolaire, le taux d'analphabétisme reste des plus élevés). Mais écrire en français reste particulièrement gratifiant. D'abord, le recours à une langue étrangère aux fondements de la culture algérienne met en situation d'extériorité : on se regarde avec les mots de l'autre ; on fait l'expérience de la vision critique ; on exprime ce que sa propre langue refuserait de dire... De plus, le français fait voyager : tentation de l'Occident et diaspora de l'écriture, parallèles aux grands flux migratoires qui font communiquer des deux rives de la Méditerranée. L'écrivain algérien trouve son public des deux côtés de la mer.

Aussitôt après la guerre, sous l'impulsion des autorités, se développe une **littérature de la célébration nationale** : témoignages sur la guerre, exaltation des héros, idéalisations épiques. La revue *Promesses,* émanation du ministère algérien de l'Information et de la Culture, publie de 1969 à 1974 une série de nouvelles hagiographiques. Cette littérature très fonctionnelle, dont Mostefa Lacheraf dénonçait le « nationalisme anachronique » et les « mythes inhibiteurs », s'est vite sclérosée dans sa langue de bois et ses formes convenues.

L'expression poétique, malgré les facilités de l'entraînement verbal et le goût des générosités emphatiques, retient davantage l'intérêt. C'est que le poète algérien, au sortir de la poésie de guerre dont l'efficacité décline quand l'événement s'éloigne dans le temps, découvre le lyrisme. Que la poésie puisse dire le mal de vivre, la recherche inquiète du bonheur, voilà, comme le constate Bachir Hadj Ali, « une idée neuve » en Algérie : « Dans notre pays, l'amour est souvent clandestin ou n'est pas. » Le poète de langue française s'emploie à explorer le continent nouveau des sentiments que la tradition refoulait. Jusqu'à sa mort violente, en 1973, Jean Sénac, qui avait choisi de s'intégrer à l'Algérie nouvelle, fut le rassembleur des jeunes poètes enfants de la guerre et de l'indépendance, qui affirmaient contre les tabous hérités leur désir de vivre à neuf. Son *Anthologie de la nouvelle poésie algérienne,* parue en 1971 aux éditions Saint-Germain-des-Prés, présentait un ensemble de textes, alors inédits, de poètes issus surtout de milieux populaires et choisis pour la véhémence de leur cri d'espoir. Certains poèmes sont vite devenus célèbres : toute une génération y reconnaissait l'écho de son désarroi et de ses aspirations.

Chroniques des années de braise, *Film de Mohamed Lakhdar Hamina, 1975.*

Nuit de noces

a mis la clef dans la serrure
a frappé avec violence
a poussé la porte avec violence
est entré
a marché
soulevé le voile
n'a relevé la tête
m'a ricané au nez
n'a déshabillée
'est déshabillé
e m'a rien dit
il a cassé un miroir
il a tout fait
il a très vite fait
il est sorti
il avait bu
et moi j'ai pris les draps
entre mes dents
et je me suis évanouie

Youcef Sebti, *Anthologie de la nouvelle poésie algérienne,* de J. Sénac
Poésie I, éd.. Saint-Germain-des-Prés.

Cette poésie des années 60 et 70 s'affiche volontiers comme homologue de l'action révolutionnaire. Sa rhétorique vise l'efficacité militante. Elle se satisfait de scander les mots d'ordre du changement : « La réalité on ne crache pas dessus / On la transforme » proclame un Rachid Boudjedra. Pourtant certains tiennent pour inutile une poésie qui n'est qu'alignement de mots, affirmation de vérités trop générales, gesticulation narcissique. Malek Alloula a plusieurs fois dénoncé les « démagogues de la poésie ». Il préfère le travail complexe de textes qui jouent sur la composition typographique, sur le déploiement d'un imaginaire mythique, explorant par exemple le dédale des espaces urbains (*Villes et autres lieux,* éd. Ch. Bourgois, 1979) :

villes qu'un lourd mystère désarçonne et dont le désarroi nous revient comme souvenir d'obscure complicité

et à se pavaner dans leurs rues tous ceux venus d'ailleurs y refont un simulacre d'activité où se prennent tant de regards à la fascination de la démarche rectiligne celle de pas de conquête et d'ordre d'obliques visiteurs furent là aussi mais leur fugitive trace se perd dans le quadrillage des rues notre insurmontable préjudice

Parallèlement à une œuvre romanesque qui, au fil des parutions, s'est imposée au premier plan de la littérature algérienne, Mohammed Dib a publié plusieurs recueils poétiques : *Ombre gardienne* (1961), *Formulaires* (1970), *Omnéros* (1975), *Feu beau feu* (1979). Au temps de la guerre, des poèmes d'une volontaire discrétion disent l'espoir de la libération :

« La menthe nouvelle a fleuri
« Le figuier a donné ses fruits
« Finisse seulement le deuil »

Au temps des supplices, toi seule
Fille de lavande au cœur sombre,
Toi seule peux chanter ainsi.

Ombre gardienne, éd. Gallimard.

A la recherche d'un langage nu et lumineux, celui des « formulaires », comptines et chansons populaires, Mohammed Dib est devenu le poète d'une inspiration amoureuse toujours interrogée. Poète de l'amour, plus exactement de l'acte d'amour, il poursuit une exploration heureusement sans fin : « Quand tout est dit, rien n'est encore dit. »

Source au-delà

au confluent des jambes
bête écoulée du corps
immédiate et sans lieu
viens démentir le temps
comme la vie entoure la mort

Mohammed Dib, *Feu beau feu,* éd. du Seuil

Vie enclose

douce
elle se couvre
de chair

violente elle fixe
et dépouille une bête

rouge
elle prend retraite
à même la braise

précaire
elle se fait houle
accoudée sur la hanche

heureuse
laisse les amants
vider leur mort

Mohammed Dib, *Feu beau feu,* éd. du Seuil

Romancier, Mohammed Dib reste poète par son goût de l'onirisme, par la fulgurance d'images brutalement sensuelles, par l'usage d'un langage aux arêtes vives. Or cette osmose de la poésie et de l'art du roman pourrait bien constituer un trait récurrent de la littérature algérienne. On l'a vu chez Kateb Yacine : les brefs chapitres de *Nedjma* et du *Polygone étoilé* dérivent volontiers vers le poème en prose (quand ils n'intègrent pas purement et simplement des fragments de chansons et de poèmes). Le phénomène est encore plus marqué dans les œuvres d'écrivains de la nouvelle génération, comme Nabile Farès ou Habib Tengour : la forme romanesque éclate ; les genres se mélangent ; la lisibilité du récit fait place à l'opacité du poème. L'abandon du roman linéaire et éaliste pourrait témoigner à la fois de a fascination pour l'intellectualité occidentale (le Maghreb est grand amateur le sémiologies) et de la résurgence d'une sthétique « arabo-islamique », mettant n crise la représentation, préférant le eu des formes en arabesques à la copie ittérale du monde.

Le roman invente une forme nouvelle dans l'éclatement des anciennes structures. Il dit aussi les bouleversements de la guerre et de l'indépendance, l'affrontement du nouveau et de l'ancien dans une société en mutation, les transformations inachevées, les identités problématiques... Littérature nécessairement critique, polémique, iconoclaste, voire sacrilège. Le désir de mener à terme les révolutions empêchées fait violenter le texte. Ces audaces devaient inévitablement paraître scandaleuses.

En 1968, Mourad Bourboune dans *Le Muezzin* part en guerre contre les hypocrisies, les tricheries, les mensonges qui ont arrêté en chemin l'instauration du monde nouveau. Le héros, muezzin bègue et athée, mène le combat contre la « ville fausse couche, ville bâtarde affalée sur le lieu d'irruption de la vraie ville ». Il annonce le nouveau Livre, l'anti-Coran, qui subvertira la ville par l'écriture du délire. « Le Muezzin parle ainsi en phrases populaires et sacrales. En strophes-bidonvilles. Avec une simplicité hermétique accessible au seul commun des mortels. »

Je lui inventerai un délire]

Marre des fantasias, du rahat-loukoum, du mouton de l'Aïd, du rodéo berbère, du couscous-méchoui, de Assemblée des Sages du village où des sociologues profonds et de passage découvrent leur nombre d'or, arre des vierges voilées et de l'amputation des prépuces. Qu'on leur donne une tête, deux bras, deux mbes, un truc, et qu'ils cessent de passer par toutes les couleurs de l'état civil spécifique. Qu'ils s'inventent, ommes-iguanes, hommes-zèbres, hommes-ergs, hommes-tiers et, s'il le faut, hommes-hommes, pas hommes-méléons, pas hommes qui ne changent que pour mieux ressembler à eux-mêmes.

— Ici, commence le combat contre la Ville : la Ville, ses avenues, ses marchés, ses bétons, ses murs étallisés, vitrifiés, opaques, ses cafés-cratères d'où l'on sort éjecté, saoul, ses minarets, ses veuves, ses lonels, ses meddahs, ses tahars, ses Rachid, ses Ramiz, ses ulémas, ses RE-pulsions-volutions, ses sidis, s messieurs, ses brocantes et ses putes, ses séditions-soumissions, ses dissidences, ses préfets, ses suffètes, s consuls, le tout à tendre à bout de bras dans un sac, dire : « Voici la Ville. » Et courir la noyer comme e portée de chats dans l'oued en novembre.

Ses granits, ses stucs, ses pierres, ses pavots en serres. La Ville de tout sauf de délire — l'abattre.

Je lui inventerai un délire, je l'organiserai pour que la Ville future qui jaillira à sa place apporte les démangeaisons pubères de la liberté à venir.

Mourad Bourboune, *Le Muezzin*, éd. Christian Bourgois

L'ironie froide, le prophétisme délirant du *Muezzin* eurent sur le moment moins de retentissement que la violence verbale de RACHID BOUDJEDRA : *La Répudiation* (1969), qui choqua par son sujet et par son écriture, circula en Algérie dans une semi-clandestinité. Il suffit de préciser l'argument du roman pour comprendre comment il touchait au plus sensible de l'imaginaire algérien : le narrateur raconte à sa maîtresse française son « enfance saccagée », la répudiation de la mère, le remariage du père avec une toute jeune femme (dont le narrateur devient l'amant), la dérive de son frère vers l'alcoolisme et l'homosexualité, l'oppression imposée par les « Membres Secrets du Clan ». Dans l'exaspération d'une écriture charriant l'horreur, provoquant la répulsion, le roman invite au symbolique meurtre du père. Mais avec la figure paternelle, despotique et féodale, ce qui est mis à mal c'est la complicité des pouvoirs d'après l'indépendance avec les forces qui ancrent l'Algérie dans le passé. La répudiation de la mère, asservie au despotisme patriarcal, est la métaphore de la mise à l'écart du peuple, détourné de sa révolution.

L'Insolation (1972) continue le travail de décomposition du modèle familial archaïque : explosions érotiques, rituels du sang versé, litanie des violences infligées à la femme, descente du narrateur au fond de la folie — mais le délire provoque une catharsis salvatrice, pour « à travers la folie, resurgir dans la clarté de la conscience ». Les romans ultérieurs s'efforcent de moduler violence et folie en inventoriant de nouveaux cauchemars, par l'errance dans le lacis des labyrinthes. Dans *Topographie idéale pour une agression caractérisée* (1975), un immigré algérien se perd, à en mourir dans le dédale du métro parisien. *L'Escargot entêté* (1977), moins complaisant dans l'étalage de l'horrible, explore par un subtil jeu de manipulations textuelles la névrose d'un bureaucrate maniaque et rigide, dépassé par sa mission de dératisateur. *Les 1001 années de la nostalgie* (1979), roman luxuriant convoquant tout un bestiaire magique, chantant la femme et les prestiges du matriarcat, recherche dans le passé une identité abolie [par] l'époque coloniale. *Le Vainqueur de coupe* (1981) assemble en un puzzle textuel la finale de la coupe de France de football en 1957 et la préparation d'un attentat par un militant nationaliste algérien. Les romans plus récents de Boudjedra (*Le Démantèlement,* 1982 ; *La Macération,* 1985) sont indiqués comme « traduits de l'arabe » : ils sont plus bavards et démonstratifs ; la violence se fait plus discursive que poétique.

[Noces crispées]

Le père du narrateur, Si Zoubir, a annoncé son intention de répudier la mère...

Le père n'avait pas attendu longtemps pour se remarier. Son plan était précis : habituer la mère à cette idée nouvelle et rompre définitivement avec nous. Il ne fallait pas brusquer les choses, l'affaire étant importante. Il s'agissait pour lui d'attiser notre haine et d'atteindre un point de non-retour à partir duquel toute réconciliation serait impossible. Nos rapports se détérioraient de plus en plus, devenaient plus que crispés. Petits meurtres en puissance... Il avait le beau rôle mais c'était trop facile : Ma avait depuis longtemps abdiqué et s'était laissée prendre par ses prières et ses saints. Nomenclature complexe pour une mise à mort évidente ! Tout le monde avait compris et nous attendions avec fébrilité l'annonce du mariage de Si Zoubir. Le père vint demander conseil à Ma qui fut tout de suite d'accord. Les femmes lancèrent des cris de joie et ma mère, pour ne pas rester en deçà de l'événement, accepta d'organiser les festivités. La mort sur le visage, elle prépara la fête ; d'ailleurs, pouvait-elle s'opposer à l'entreprise de son mari sans aller à contre-courant des écrits coraniques et des décisions des muphtis, prêts à l'entreprendre jour et nuit si elle avait eu la mauvaise idée de ne pas se résigner ? Ma ne querellait plus Dieu, elle se rangeait à son tour du côté des hommes. Ainsi, l'honneur du clan était sauf (louanges à Dieu ! encensements) et Si Zoubir pouvait éclater de bonheur.

Noces drues. La mariée avait quinze ans. Mon père cinquante. Noces crispées. Abondance de sang. Les vieilles femmes en étaient éblouies en lavant les draps, le lendemain. Les tambourins, toute la nuit, avaient couvert les supplices de la chair déchirée par l'organe monstrueux du patriarche. Pétales de jasmin sur le corps meurtri de la fillette. Zahir [1] n'avait pas paru à la fête. Mes sœurs avaient de vilaines robes, et des larmes aux yeux. Le père était ridicule et s'efforçait de se montrer à la hauteur : il fallait faire taire les jeunes gens de la tribu. Depuis que sa décision de se remarier avait été prise, il s'était mis à manger du miel pour retrouver la vigueur hormonale d'antan. Zoubida, la jeune mariée, était belle ; elle venait d'une famille pauvre et le père n'avait certainement pas lésiné sur le prix. Sérénité du troc et netteté des comptes ! Pendant la noce, les femmes étaient séparées des hommes ; mais les garçons de la maison profitaient d'une certaine confusion pour aller rejoindre les femmes qui n'étaient là que pour se laisser faire. L'euphorie battait son plein, mais Ma ne quittait pas la cuisine. Tout le monde louait son courage et cela la consolait beaucoup ! Lamentable, ma mère ! Je ne lui adressais plus la parole et je la haïssais, bien que cela pût profiter à Si Zoubir. Zahir n'apparaissait toujours pas et personne ne s'en inquiétait. Vers la fin de la noce, il rentra complètement saoul et jeta l'émoi parmi les femmes en leur faisant publiquement de l'œil.

Rachid Boudjedra, *La Répudiation,* éd. Denoël.

L'itinéraire de Boudjedra, de la manipulation agressive du français, parfois constellé de citations en arabe, au choix de l'arabe comme langue première d'écriture, est symptomatique de la situation littéraire algérienne **depuis les années 60.** L'écriture en français autorise de grands éclats de violence libératrice. Ce qui serait refusé par la littérature de langue arabe. Celle-ci, au demeurant mal diffusée et peu lue, reste dépendante d'une tradition littéraire séculaire, appartenant à l'ensemble de la culture arabe. Les poèmes de l'émir Abd El-Kader au XIXe siècle, ceux, mystiques et hermétiques, de Mohammed Laïd (son *diwân* a été édité à Alger en 1967) attestent la prééminence du genre poétique. Le roman, forme neuve, se satisfait souvent d'évocations réalistes et moralisatrices, même si un Tahar Ouettar (*L'As,* 1974) sait être le dénonciateur mordant des profiteurs de la révolution. En passant à l'arabe, Rachid Boudjedra manifeste la volonté de ne pas laisser au français le privilège de violenter les tabous de la société algérienne.

Le succès de scandale aidant, les romans de Boudjedra ont été beaucoup lus. D'accès plus difficile, par le choix de techniques d'écriture ambitieuses, l'œuvre de NABILE FARÈS a été moins fréquentée. Un premier roman, *Yahia, pas de chance* (1970), déroulait le cheminement d'un adolescent, enfant de la guerre et de l'exil : la nostalgie du chant des cigales et de la douceur des amandes, l'expérience de la peur, l'apprentissage

1. Frère du narrateur.

de la révolution et de l'amour. Thématique somme toute attendue, rénovée par le travail du montage romanesque. Avec *Un passager de l'Occident* (1971) et surtout avec la complexe trilogie de *La Découverte du Nouveau Monde* (*Le Champ d'oliviers,* 1972 ; *Mémoires de l'absent,* 1974 ; *L'Exil et le Désarroi,* 1976), Nabile Farès entreprend une quête d'identité qui refuse les solutions de facilité trop souvent retenues : restauration du passé, volontarisme de la construction révolutionnaire de l'avenir, enfermement dans les frontières retrouvées d'un pays ou d'une culture. Pour affirmer l'identité, c'est-à-dire pour renouer le devenir à une origine, mais aussi pour fonder l'appartenance à un lieu, pour s'approprier un nom, pour se donner le pouvoir de parler, il faut accepter le risque de l'écriture : vertige du délire, déconstruction du récit, surgissement de voix multiples, désancrage et dissémination des mots, confrontations chaotiques... Bref, l'œuvre est « illisible », c'est-à-dire qu'elle fait lire l'intenable, le désordre régnant dans l'identité algérienne minée par la colonisation et la guerre. Aucune fondation d'identité n'est possible sans ce voyage au bout du chaos, qui montre que toute identité reste problématique, provisoire ou conflictuelle. Dans la trilogie, la polyphonie du texte laisse affleurer les grandes voix des mythes et légendes (l'Ogresse et la Kahéna [1]) et les traces de l'oralité, retrouvant le substrat profond d'une Algérie antéislamique. Dans la suite de l'œuvre (*La Mort de Salah Baye,* 1980 ; *L'État perdu,* 1982), l'attention se porte davantage sur les métamorphoses de l'exil et les épreuves de l'émigration.

[L'exilé culturel]

Il est évidemment impossible de « situer » un extrait de la trilogie de Nabile Farès. Dans *Le Champ des oliviers,* un « personnage », projection de l'auteur (« Brandy Fax est le nom que je me suis donné pour développer [moi, le primitif de l'Ancien Monde] un panorama tendu d'occidentalité : limite de deux mondes »), part pour Barcelone, où il retrouve Conchita, une femme aimée.

« Ce qui est terrible, c'est que la folie qui me traverse a une réalité. Palpable. GÉOGRAPHIQUE. Je ne suis pas un fou ordinaire. Je suis un fou cartographe. Et je bois à cette nouvelle cartographie... On va aller dîner, mon amour, et l'on boira un vin jeune et que tu aimeras comme si on était les derniers héritiers de cette décomposition de l'histoire de l'Afrique du Nord et de l'Espagne... Je suis très... Je suis très très amoureux de toi... » et je me mordais la langue jusqu'à la gorge.

« Tu n'emportes pas ta carte. »

« Non. Mon amour. Je la recommencerai tous les jours. Rien que pour toi. Rien que pour moi. Rien que pour ceux qui ne veulent pas y croire. Parce qu'ils ont négligé l'enseignement des cartographes et des fous. Pour ceux qui forcent l'étroite paresse des politiques. Des rêves. Des sciences incultes... Pour ceux qui rêvent. Oui. Rêvent. D'appartenir à un statut. Non pas d'exilés politiques. De dangereux exilés politiques... Mais. OUI... Pour ceux qui croient. Encore aujourd'hui. A la liberté de l'intelligence et de la culture. Même si la réalité qu'elle délivre appartient à l'exigence vertigineuse de la vie... Quel pays découvrira. En plus des exilés politiques (Ce qui n'est qu'une limite contemporaine) l'exilé culturel. L'impossibilité d'appartenir à l'étroitesse d'un périmètre nationaliste. Qui reconnaîtra ce statut en plus des statuts d'apatrides. »

1. L'Ogresse est un personnage clef des contes populaires maghrébins et la Kahéna est l'héroïne de la résistance berbère à la conquête arabe au VIIe siècle.

... Il marchait vers cette reconnaissance. En cette ville où son amour vit. Ville des routes différentes. Des différents pays. Des différents continents... Le statut d'"exilé culturel devrait ressembler au statut d'un port de longs et de moyens courriers... Barcelone ?... Oui... Peut-être... En d'autres temps.

Nabile Farès, *Le Champ des oliviers,* éd. du Seuil.

Familier de l'émigration où il a longtemps vécu, Habib Tengour s'est réinséré en Algérie. Son œuvre confronte des images de l'Algérie actuelle avec de grands mythes littéraires ou des épisodes historiques plus ou moins connus : le retour d'Ulysse dans *Tapapakitaques* (1976) ; l'aventure de Sultan Galiev, fondateur d'un parti communiste musulman, rêvant d'une République tatarobachkire entre Volga et Oural, arrêté en 1923 sur ordre de Staline (*Sultan Galiev,* 1982, pour une première édition, ronéotée, à Oran) ; les relations dans l'empire abasside à la fin du XIe siècle entre le Vieux de la montagne, chef de la secte dite des assassins, le Premier ministre du calife et le poète Omar Khayam (*Le Vieux de la montagne,* 1983). Le principe de ces récits est de respecter les données légendaires ou historiques, et d'imaginer là où l'Histoire et la légende se taisent (en inventant par exemple les amours de Galiev ou sa rencontre avec le poète Essénine) ; de glisser, par un jeu textuel, de la situation légendaire ou historique à l'évocation des réalités algériennes (« Ce jour-là, Sultan Galiev lisait Diderot à Boukhara » ; mais si Sultan Galiev lève les yeux de son livre, c'est pour découvrir, de son balcon à Constantine, « le quartier de Bellevue-Ouest où résidaient les étrangers, marchandises de luxe, apeurés ») ; de multiplier les ellipses, les collages de textes et donc les rencontres d'images. Ainsi prend corps, dans les marges de l'Histoire, une méditation sur la révolution, la poésie et l'amour.

S'il est un trait commun à Boudjedra, Bourboune, Farès et Tengour — trait qui soulignerait leur filiation avec Kateb Yacine — c'est le goût des ruptures et des ellipses, du montage et de l'opacité voulue, dans la langue et dans la construction des œuvres. Même Boudjedra, qui se laisse parfois porter par le flux rhapsodique du courant de conscience, participe de cette volonté de poétiser le récit. Tous, et surtout Farès, portent l'attention la plus vive à l'inscription du texte sur la page : typographies calculées, irruption de l'écriture arabe, ou de petits dessins (dans *Mémoires de l'absent*), bref toute une calligraphie du texte algérien en français s'offre à déchiffrer.

Les préoccupations de ces jeunes écrivains ne restent pas étrangères à certains de leurs aînés. Mohammed Dib, tenté par le réalisme poétique dans ses premiers romans, déréalise ses textes plus récents. Le roman n'est plus enquête sur une société (où en est l'Algérie après l'indépendance ? — ce qui était encore le sujet de *Dieu en Barbarie* en 1970 ou *Le Maître de chasse* en 1973) ; il se fait quête par l'écriture, aventure mystique (*Habel,* éd. du Seuil 1977). Aux images violentes de naguère, rassurantes par leur charge sensuelle, succède une écriture de la déception, laissant le sens en suspens, prenant sens de n'avoir peut-être pas de sens, faisant miroiter l'abîme d'un mystère.

Ce qui commençait alors n'avait pas de nom, était ce qui n'a jamais de nom et ne doit jamais arriver. Mais qui arrive. Et arrive bien que non inscrit nulle part, et surtout pas dans cette part appelée à devenir votre part et destinée à être reçue spécialement en lot, à être recueillie dans la suite et l'obscurité des générations. Et venant ainsi, chance, expiation, fatalité ou quelque nom que ça veuille prendre, arrivant bien qu'étant la chose qui ne peut pas arriver, s'infiltrant dans une vie, est néanmoins ce qui vous l'envahit et vous l'infeste comme rien.

Habel est un roman de l'émigration, saisie non dans sa dimension sociologique, mais comme une ascèse intérieure et une initiation. L'Algérie, même invisible, reste inscrite au cœur du roman. Comme reste capitale la rencontre de l'amour — et l'attente du salut par la femme.

Comme celle de Mohammed Dib, l'œuvre d'ASSIA DJEBAR s'est notablement transformée au fil du temps, tout en demeurant fidèle à une même inspiration — le projet de faire entendre une voix féminine, plus exactement de relayer par l'œuvre littéraire le cri multiple des femmes algériennes enfermées vivantes dans les rôles qu'une tradition millénaire leur réserve. Un premier roman (*La Soif,* 1957), tout psychologique, trop proche d'un modèle admiré (la jeune Françoise Sagan), situé dans une Algérie curieusement détachée des événements historiques, traçait déjà le portrait d'une héroïne cherchant à inventer sa liberté de femme. Dans *Les Enfants du Nouveau Monde* (1962) et *Les Alouettes naïves* (1967), sur l'arrière-plan de la guerre qui bouleverse la société algérienne, la romancière enregistre les transformations, analyse les difficultés nouvelles du couple moderne, déchiffre la mémoire collective qui relie ses héroïnes, vivant dans le monde actuel, à leurs lointaines aïeules, les unes et les autres se débattant dans l'enfermement du voile, du gynécée, de la parole et du regard empêchés. Ce jeu sur une parole collective féminine, tramée d'âge en âge, se poursuit, d'un genre à l'autre, dans les œuvres ultérieures : un recueil de nouvelles, *Femmes d'Alger dans leur appartement* (1980), qui fait référence au célèbre tableau de Delacroix ; un film, *La Nouba des femmes du mont Chenoua* (primé à Venise en 1979) ; un roman ambitieux, *L'Amour, la Fantasia* (1985), qui entrelace des éléments d'autobiographie et des fragments de l'histoire algérienne telle qu'elle a été saisie par l'écriture des conquérants. Rencontrant de génération en génération un même cri féminin cherchant son expression, la narratrice du roman prend conscience que sa propre parole souffre d'avoir perdu une langue aimée (« je recherche, comme un lait dont on m'aurait autrefois écartée, la pléthore amoureuse de la langue de ma mère ») et d'être contrainte dans la langue acquise. Sa relation au français conjugue amour et fantasia, fascination amoureuse et sursaut de révolte : « Après plus d'un siècle d'occupation française — qui finit, il y a peu, par un écharnement — un territoire de langue subsiste entre deux peuples, entre deux mémoires ; la langue française, corps et voix, s'installe en moi comme un orgueilleux préside, tandis que la langue maternelle, toute en oralité, en hardes dépenaillées, résiste et attaque, entre deux essoufflements. [...] Je suis à la fois l'assiégé étranger et l'autochtone partant à la mort par bravade, illusoire effervescence du dire et de l'écrit. »

[Dans la langue adverse]

Pour ma part, tandis que j'inscris la plus banale des phrases, aussitôt la guerre ancienne entre deux peuples entrecroise ses signes au creux de mon écriture. Celle-ci, tel un oscillographe, va des images de guerre — conquête ou libération, mais toujours d'hier — à la formulation d'un amour contradictoire, équivoque.

Ma mémoire s'enfouit dans un terreau noir ; la rumeur qui la porte vrille au-delà de ma plume. « J'écris, dit Michaux, pour me parcourir. » Me parcourir par le désir de l'ennemi d'hier, celui dont j'ai volé la langue...

L'autobiographie pratiquée dans la langue adverse se tisse comme fiction, du moins tant que l'oubli des morts charriés par l'écriture n'opère pas son anesthésie. Croyant « me parcourir », je ne fais que choisir un autre voile. Voulant, à chaque pas, parvenir à la transparence, je m'engloutis davantage dans l'anonymat des aïeules !

Une constatation étrange s'impose : je suis née en *dix-huit cent quarante-deux,* lorsque le commandant de Saint-Arnaud vient détruire la zaouia [1] des Beni Ménacer, ma tribu d'origine, et qu'il s'extasie sur les vergers, sur les oliviers disparus, « les plus beaux de la terre d'Afrique », précise-t-il dans une lettre à son frère.

C'est aux lueurs de cet incendie que je parvins, un siècle après, à sortir du harem ; c'est parce qu'il m'éclaire encore que je trouve la force de parler. Avant d'entendre ma propre voix, je perçois les râles, les gémissements des emmurés du Dahra, des prisonniers de Sainte-Marguerite ; ils assurent l'orchestration nécessaire. Ils m'interpellent, ils me soutiennent pour qu'au signal donné, mon chant solitaire démarre.

La langue encore coagulée des Autres m'a enveloppée, dès l'enfance, en tunique de Nessus, don d'amour de mon père qui, chaque matin, me tenait par la main sur le chemin de l'école. Fillette arabe, dans un village du Sahel algérien...

Assia Djebar, *L'Amour, la Fantasia,* éd. Jean-Claude Lattès.

Dans les années 80, la littérature algérienne de langue française cherche son renouvellement dans une double direction : en promenant un regard lucide, voire désenchanté sur l'Algérie actuelle ; en portant témoignage sur l'émigration en Europe. Moins complaisants que leurs aînés aux sirènes de la modernité occidentale, les jeunes écrivains cherchent à se faire éditer en Algérie, même s'ils ne refusent pas la consécration internationale apportée par les éditeurs parisiens.

Après *L'Exproprié* (1981), Tahar Djaout a donné une fable grinçante, *Les Chercheurs d'os* (1984) : un adolescent a mission de retrouver les ossements de son frère, tué à la guerre, pour les réenterrer au village natal ; son voyage lui ouvre les yeux sur les réalités de l'Algérie s'installant dans l'indépendance.

D'abord édité en Algérie (*Le printemps n'en sera que plus beau,* 1978), Rachid Mimouni a publié en France deux romans d'une écriture puissante, qui ose aller jusqu'au bout de l'atroce. Dans *Le Fleuve détourné* (1982), un combattant de l'Armée Nationale de Libération, que l'on croyait mort, revient au village ; il ne s'y reconnaît plus, même le fleuve (de la tradition ? de la révolution ?) a été détourné de son cours. *Tombeza* (1984) dresse le tableau d'une horreur sans limites, en suivant le destin d'un être d'apparence physique monstrueuse, qui, né d'une mère violée et rejetée par sa famille, se fait une place dans le monde, acquérant richesse et puissance, parce qu'il ne refuse jamais de se livrer aux manœuvres les plus ignominieuses. Le roman multiplie les scènes horribles : « La porte pivote de nouveau pour laisser se dessiner à contre-jour la silhouette d'un homme de petite taille. Il approche lentement. On distingue peu à peu ses traits. Horreur. Répulsion. Peau du visage profondément labourée. Nez absent. Lèvres à moitié rongées figeant un sourire sardonique. Plus d'oreilles. »

Azzédine Bounemeur revient sur le passé récent de l'Algérie. Ses romans mettent en scène les hors-la-loi (*Les Bandits de l'Atlas,* 1983) et les révoltés (*Les Lions de la nuit,* 1985) qui ont préparé le soulèvement national de 1954. Ils sont écrits du point de vue des paysans écrasés par une oppression séculaire, retrouvant une très ancienne tradition berbère de résistance aux occupants. Par le travail sur la langue, dépouillée, au plus proche du langage même des personnages, ils font pénétrer dans la vision du monde et l'imaginaire des fellahs.

1. Complexe religieux et scolaire autour d'un lieu saint.

[Ma vie n'a été qu'un enfer]

« Faites avancer votre aile plus vite. Il faut que ça avance en ligne », criait le métayer.

Il allait d'un bout à l'autre du champ et faisait gerber plus vite les retardataires. Les moissonneurs plongeaient et se redressaient. Les faucilles luisaient au soleil. Les paysans étaient inondés de sueur. Le visage rouge, le cou ruisselant. Le champ jaune était avalé par des ombres noires. La chanson s'élevait grave et sonore, pleine d'espoir. L'eau glougloutait de la jarre directement dans la bouche. Les bergers ne pouvaient résister à ces chansons, et tous convergeaient vers les champs, attirés aussi par la nourriture. Comme charmés, ils s'abandonnaient et reprenaient l'air à haute voix. Les chèvres, libres, se jetaient sur les épis.

Le sort, cette fois, tomba sur le nouveau berger du caïd que la faim avait attiré vers le plat de tomena [1] à l'huile d'olive et le monceau de galette d'orge. Il était arrivé à portée du plat quand la voix du métayer, criarde, ponctuée de jurons, le fit tressauter.

« Attends, fils de chien, hurla-t-il, tes chèvres et toi, vous ne cherchez qu'à manger sans fatigue. Sale teigneux. »

L'enfant, malingre, essaya de s'enfuir, affolé, et tomba. Il se mit à hurler avant que le métayer ne le touche. Par ses hurlements, il voulait capter l'attention des moissonneurs. Les coups s'abattirent sur lui.

1. Gâteau de semoule.

Après l'avoir jeté comme un ballon par terre, le métayer lui envoya plusieurs coups de pied dans les côtes. Son visage, dévoré par la haine, était terrifiant. L'enfant hurlait de douleur. Quelques moissonneurs se détachèrent du groupe et se précipitèrent pour le libérer des mains du métayer qui l'avait finalement saisi à la gorge. L'enfant râlait. Il réussirent à le lui arracher et tous crièrent :

« Tu vas le tuer, tu es fou ou quoi ! »

Aidé de quelques moissonneurs, l'enfant réussit à éloigner les chèvres loin du champ.

Le métayer alla s'asseoir seul près du plat et mangea quelques bouchées en marmonnant :

« Je le tuerai. Il recommencera et je le tuerai. »

Sa cruauté était connue de tous. Son maître pouvait dormir sur ses deux oreilles. Pas un paysan n'échappait à son humiliation, pas un berger à sa trique.

Le vieux moissonneur avait le cœur brisé. Il regarda la scène sans broncher, avec une moue de dégoût, puis il parla à haute voix. S'adressait-il à lui-même ou aux autres ?

« Toute ma vie je l'ai passée avec des gens comme ça, sans cœur ni âme. Berger, on m'a rossé. Homme, ma vie n'a été qu'un enfer. »

Pendant qu'il parlait, ses lèvres tremblaient. La peine, comme un voile, assombrit son regard. Il cracha par terre et se remit à moissonner. Il était midi. Une chaleur de plomb pesa sur le champ. Ils allèrent se reposer et manger à l'ombre de l'unique caroubier.

Azzédine Bounemeur, *Les Bandits de l'Atlas,* éd. Gallimard.

L'émigration n'est pas un thème neuf dans la littérature algérienne. Feraoun, Kateb et quelques autres lui ont fait sa place, souvent importante, dans leur œuvre. Mais chez eux, l'émigré est senti comme un expatrié, voué nécessairement au retour au pays natal : son vrai pays est au Maghreb. Au contraire, dans des textes récents, l'émigré ne sait plus bien quel est son lieu d'appartenance. Comme si l'émigration cessait d'être conjoncturelle et transitoire, pour devenir irréversible, pour se transformer en identité à assumer. Cette problématique est au cœur de l'œuvre de Nabile Farès. Elle donne son unité au roman d'Akli Tadjer (lui-même né à Paris), *Les A.N.I. du « Tassili »* (1984) : le héros, Omar, A.N.I. (comprenons : « arabe non identifié ») de La Garenne-Colombes, embarqué à Alger sur le bateau qui le ramène à Marseille, fait le point, au gré des rencontres du voyage, sur ses déchirements intimes (« j'aime Alger, mais pourquoi faut-il que ce sentiment se

Un ANI,
Arabe Non Identifié ?

développe quand je suis plus sur Algérie terre » ; « Algérie, je t'en veux de n'avoir pas su me retenir »). Le choix symbolique du navire comme lieu du développement romanesque souligne que l'écrivain de l'émigration est désormais un passeur qui accompagne d'une rive à l'autre, d'une culture à une autre, des êtres désorientés, sans cesse renvoyés d'un lieu à l'autre de leur double appartenance.

En France même, du côté des enfants d'immigrés, qui se reconnaissent sous le nom de « **beurs** », une expression littéraire plus ou moins spontanée a su se développer : plaquettes ronéotées, mais aussi journaux, émissions de radio, chansons, diffusés par des circuits parallèles. Comme aux tout débuts de la littérature maghrébine en langue française, priorité est donnée au témoignage : il faut qu'on sache comment vivent ces immigrés, ces beurs mal acceptés par la société française. Nacer Kettane trace l'itinéraire typique (et autobiographique ?) de l'un d'entre eux : *Le Sourire de Brahim* (1985). Leïla Sebbar, elle-même fille d'un père algérien et d'une mère française, après avoir évoqué son enfance algérienne dans quelques beaux textes publiés par *Les Temps Modernes,* s'est mise à l'écoute des émigrés, métis et autres marginalisés de la vie française (*Fatima ou les Algériennes au square,* 1981 ; *Shérazade, 17 ans, brune, frisée, les yeux verts,* 1982 ; *Le Chinois vert d'Afrique,* 1984). Son ambition est de faire entendre la parole des exclus (*Parle mon fils parle à ta mère,* 1984). Mehdi Charef a trouvé le succès en portant au cinéma son premier roman ; *Le Thé au harem d'Archi Ahmed* (1983) : dérives banlieusardes des enfants des bidonvilles et du béton, rendues plaisantes par une langue empruntant beaucoup au verlan et autres argots, par le sens des détails violents et pittoresques et par le goût d'une émotion facile, héritée d'une littérature populaire. Même s'il est encore difficile de préjuger de l'avenir d'une « littérature beur », les textes déjà publiés ont su retenir l'attention.

Chapitre 7

Maroc

Les premiers romans

L'année 1954, qui voit la publication le *La Boîte à merveilles* d'Ahmed Sefrioui et du *Passé simple* de Driss Chraïbi, pourrait être retenue comme la date de naissance d'une littérature marocaine en langue française, surgissant en parallèle à la « génération de 1952 » en Algérie. Mais la comparaison ne saurait être développée, car les situations sont bien différentes. La présence culturelle rançaise est indéniablement moins pesante au Maroc. Il n'y a pas de « littérature française du Maroc », mis à part quelques titres de François Bonjean, dont e regard manifeste au demeurant une haleureuse sympathie pour la vie musulmane. Aucun juif marocain non plus, vant Edmond El Maleh (en 1980), qui hoisisse l'écriture littéraire en français : st-ce parce que la communauté juive 'est longtemps sentie bien intégrée au ays ? L'emprise politique du protectorat, autorisant quelque souplesse, n'a pas herché à faire table rase de la culture marocaine. L'enseignement traditionnel arabe n'a pas été démantelé : même s'il reste archaïque, il a permis à un Chraïbi ou à un Sefrioui d'accéder à l'arabe classique. Tandis que les immémoriales traditions berbères continuent de vivifier la culture rurale, une littérature en arabe, essentiellement poétique, prolonge un patrimoine séculaire. Mais avant les années 60, cette littérature s'essouffle, cultivant surtout les poncifs, suscitant l'ironie des critiques du Machrek [1] qui soulignent ses traits désuets et retardataires. L'écriture en arabe est d'ailleurs contrôlée par des censures officielles ou intériorisées. Si bien qu'en 1973 encore, l'autobiographie de Mohamed Choukri, *Le Pain nu,* qui raconte sa dérive adolescente dans un monde de misère et de prostitution, est refusée par les maisons d'édition arabes et publiée en anglais dans une adaptation de Paul Bowles (version française de Tahar Ben Jelloun en 1980).

1. L'Orient arabe, par opposition au Maghreb, l'Occident arabe.

Si les premières publications significatives d'écrivains marocains de langue française coïncident (paradoxalement ?) avec la fin du protectorat, il faut en fait attendre 1966 et la fondation de la revue *Souffles* pour que l'originalité de la situation marocaine soit clairement perçue et pour que se constitue un corpus appréciable de textes marocains écrits en français. Jusqu'alors les ouvrages parus sont en nombre infime : on en a recensé huit en tout et pour tout ! *Souffles* rassemble autour de son initiateur, Abdellatif Laâbi, une équipe de personnalités fortes (Mohammed Khaïr-Eddine, Abdelkebir Khatibi, Mostafa Nissaboury, plus tard Tahar Ben Jelloun, etc.), qui n'hésitent pas à dynamiter, par leurs proclamations véhémentes, la culture périmée du Maroc néo-colonial et qui publient, sur les deux rives de la Méditerranée, des œuvres violentes, rayonnant sur tout le Maghreb. Très vite, la revue devait s'ouvrir à des textes en arabe. Mais dès le premier numéro, le soupçon était jeté sur la littérature de langue française : « Faut-il l'avouer, cette littérature ne nous concerne plus qu'en partie, de toute façon, elle n'arrive guère à répondre à notre besoin d'une littérature portant le poids de nos réalités actuelles, des problématiques toutes nouvelles en face desquelles un désarroi et une sauvage révolte nous poignent. » Depuis, on ne compte plus les mises en question du statut littéraire du français au Maroc : Laâbi, qui écrit en français, parle de « co-existence non pacifique » ; quant aux arabisants, les plus convaincus renvoient à la littérature française tout ce qui s'écrit en français. Pourtant, tout se passe comme si cette suspicion généralisée, cette mort annoncée et attendue de la littérature francophone du Maroc, allumait les plus superbes feux de langue : éclats terroristes ou éclaboussements voluptueux qui n'en finissent pas de dire, pour paraphraser Khatibi, l'errance et la déraison d'une langue sur la terre qui l'engloutira.

Couverture de la revue Souffles.

Par ses refus décisifs, ses curiosités iconoclastes, ses fièvres ravageuses et théoriciennes, *Souffles* a introduit une rupture fondatrice, au Maroc et dans tout le Maghreb (où aucune revue, aucun regroupement d'intellectuels n'ont joué un rôle comparable). Par contre-coup, les œuvres antérieures, fort critiquées en leur temps, prennent une signification nouvelle.

On avait fait grief aux contes (*Le Chapelet d'ambre,* 1949) et au roman (*La Boîte à merveilles,* 1954) d'Ahmed Sefrioui de se complaire dans une peinture trop pittoresque (« ethnographique », disait-on) de la vie populaire, sans la moindre critique du fonctionnement social, sans même une mention de la présence coloniale. C'était oublier la force d'affirmation que prend un récit venu de l'intérieur de la société mise en scène, heureux de se couler dans les paroles mêmes du conteur. Certes, les lecteurs français ont pu alors applaudir ce qu'ils prenaient pour de chatoyants effets exotiques. Aux nouveaux lecteurs marocains de savoir désormais discerner la reconnaissance naïve et têtue d'une identité marocaine, quotidienne et populaire.

Ce n'est pas le conformisme que l'on reprocha, en 1954, au premier roman de Driss Chraïbi. Au contraire ! *Le Passé simple* fit scandale, suscita indignation, campagnes de presse, injures et menaces de mort contre l'auteur. Beaucoup de lecteurs ne comprenaient pas qu'au moment où le pays rassemblait ses forces dans la lutte pour l'indépendance, un romancier publiât une œuvre d'une violence dévastatrice, racontant la révolte d'un fils contre son père. Certes, la tyrannie féodale de ce père (« le Seigneur » comme l'appelle le roman), bourreau de sa famille, ne soulevait pas de sympathie, mais la révolte du fils le conduisait au rejet des valeurs traditionnelles de sa société, et finalement au départ pour la France. Œuvre terrible donc, qui pouvait être lue comme la condamnation à mort de la vieille société marocaine et de la religion sclérosée qui la sous-tend.

Je vis que la nuque du Seigneur était devenue violette. Mon échine suinta froid. Je plongeai le poing dans ma poche. Le fermai sur mon couteau à cran d'arrêt.

Je souriais. Ce couteau avait tout coupé : les feuillets de mes livres, le cou des coqs de l'Aïd Seghir (32 au total), la gorge des moutons de l'Aïd El Kebir (10 au total) et, une fois, à la naissance d'Hamid, le ventre de ma mère. Après ce dernier exploit, on s'en était débarrassé dans une des caisses du grenier où je le découvris, dérouillai, fourbis et aiguisai — si minutieusement qu'il avait pris l'aspect d'un tranchet. Puis le mis dans ma poche, persuadé qu'il pourrait encore servir, d'autres moutons à égorger, une autre césarienne à opérer — et, un jour parmi les jours créés par Dieu, avec un peu d'adresse, un peu de sang-froid, le lancer vers le Seigneur, quelque part vers le corps du Seigneur, vers sa nuque par exemple, où il se planterait jusqu'au manche, comme une aiguille.

Le Passé simple, éd. Denoël.

Le Passé simple est bien un règlement de comptes, une autobiographie transposée et fantasmée, une délivrance par l'écriture, nerveuse et provocante, de hantises douloureuses, donc une profanation de valeurs désormais caduques. Pour échapper aux attaques qui le harcelaient, Chraïbi fut contraint de publier un texte par lequel il reniait son roman. Mais avec le recul du temps, on a pu apprécier ce qu'il apportait de libérateur. En 1967, la revue *Souffles* louait le romancier d'avoir eu « le courage de mettre tout un peuple devant ses lâchetés » en dénonçant « cette autocolonisation et oppression exercée les uns sur les autres, le féodal sur l'ouvrier agricole, le père sur ses enfants, le mari sur son épouse-objet, le patron libidineux sur son apprenti... ». De fait, Chraïbi a su donner la force de l'archétype à sa révolte contre le père monstrueux ; et il faut considérer comme autant d'hommages à sa réussite la reprise de ce thème devenu mythique dans tant d'œuvres maghrébines : *La Répudiation* (1969) de Rachid Boudjedra ou *Harrouda* (1973) de Tahar Ben Jelloun et, plus récemment, *Messaouda* (1983) d'Abdelhak Serhane ou *Tombeza* (1984) de Rachid Mimouni.

Driss, le héros du *Passé simple,* choisissait le départ pour Paris. Mais en France, Driss Chraïbi découvre les épouvantables conditions de vie des travailleurs maghrébins, parqués comme des animaux dans des bidonvilles sordides, réduits à une existence sous-humaine. Son second roman, *Les Boucs* (1955), veut descendre au fond de cet enfer, dans une surcharge de violence et de symboles. Tout dit l'horreur de vivre de ces « boucs » ou « bicots », jusqu'au nom du personnage principal, Yalann Waldick, c'est-à-dire, en arabe, « maudits soient tes parents ».

L'Âne (1956) ramène au Maroc, en recourant à une forme romanesque qui doit beaucoup aux apologues des conteurs. C'est pour méditer sur le changement : le monde se transforme-t-il en profondeur ? Comment croire à un nouvel ordre de valeurs, quand la jeune fille, naguère membre des jeunesses féminines, se retrouve mariée de force et se précipite dans le fleuve ?

Alors que Sefrioui se fixe sur les images heureuses d'une société regardant vers le passé et que Chraïbi, pour refuser le désespoir, s'abandonne aux frénésies de la révolte, Mohamed Aziz Lahbabi s'engage dans la recherche d'un humanisme ouvert, fondé sur la notion de personne, dont il découvre la théorie dans des textes fondateurs de l'Islam, et sur le dialogue avec la pensée de Bergson et d'Emmanuel Mounier (*Le Personnalisme musulman,* 1964). Cette démarche philosophique s'est exprimée aussi dans des poèmes et, plus tard, dans un roman, *Espoir vagabond,* significativement écrit en arabe et traduit en français (1972). Mais entre tradition et modernité, ce roman répugne à choisir. L'humanisme reste au-dessus de la mêlée.

Les refus et la violence de « Souffles »

Ce que refuse *Souffles,* à partir de 1966, c'est précisément l'universalisme trompeur de l'humanisme, ultime déguisement de l'europécentrisme. Les animateurs de la revue ont lu Fanon ; ils font leur l'exigence de décolonisation radicale ; ils proclament leur projet de reconstruire la culture nationale en puisant dans « l'immense énergie créatrice du peuple ». Ils ont aussi vécu les désillusions et le pourrissement des fausses indépendances, la confusion des discours couvrant les formes nouvelles de l'oppression. Ils sont d'autant plus intransigeants, « hérétiques dans l'acception la plus lointaine, la plus profonde du terme » (A. Laâbi). L'évolution de la revue en témoigne. Bilingue à partir de 1968, devenant plus nettement, après un numéro sur « la Révolution palestinienne », la voix du mouvement révolutionnaire marocain, publiée ensuite en arabe sous le titre *Anfas,* elle est finalement interdite en 1972 et ses animateurs, Abdellatif Laâbi et Abraham Serfaty, considérés comme les idéologues du groupe, sont jetés en prison. Leurs compagnons se réfugient dans une revue plus luxueuse, *Intégral,* consacrée à la littérature et aux arts plastiques.

La nouveauté introduite par *Souffles* est de lier le **travail idéologique** (la mise en pièces des valeurs mystifiantes de la bourgeoisie marocaine) et le **travail sur les formes littéraires** (la contestation des académismes hérités ou, plus radicalement, le désir d'une table rase régénératrice). « Bloc enraciné et irradiant, volcan éruptif », l'écrivain nouveau tel que le décrit Laâbi se fait « l'épicentre du malaise » qui secoue sa société. A l'écoute de son « vécu générateur », il réagit physiquement, dans la matérialité de l'écriture, aux ébranlements du monde qui l'entoure. Ce qui signifie qu'il porte la subversion dans tous les codes littéraires : « guérilla linguistique » pour l'écrivain Khaïr-Eddine, « violence du texte » pour le critique Marc Gontard. Une telle littérature de l'agression suppose désarticulation de la syntaxe, dissémination lexicale, prolifération de symboles opaques. Elle cultive une inintelligibilité nécessaire, comme un masque qui empêche d'être identifié dans le piège de la langue de l'autre, comme un vertige exorcisant la dépossession de soi-même.

Un trait largement commun à tous les écrivains de la mouvance de *Souffles,* c'est le **refus des frontières de genres.** Leurs textes glissent de la prose à la poésie, du récit aux scènes dialoguées, de la fiction au reportage... Abdellatif Laâbi appelle « itinéraire » cette traversée des écritures arrachées à la loi et à l'ordre de la tradition occidentale.

L'envers de cette belle et ambitieuse violence, c'est le risque de tomber dans les poncifs symétriques de ceux que l'on attaquait : facilités de la subversion de principe qui se dissout dans le n'importe quoi. L'évolution des principaux animateurs de *Souffles,* le développement de leurs écrits en œuvres cohérentes dans leur projet critique montre comment ils ont su éviter ces pièges.

Dans ses premiers textes (*L'Œil et la Nuit,* « roman-itinéraire », 1968 ; *Le Règne de barbarie,* 1976), ABDELLATIF LAÂBI expérimente la conception terroriste de l'écriture théorisée dans *Souffles.* Il pratique la transgression des genres, glisse de la fluidité des poèmes-tracts au montage brutal de fragments prélevés sur une langue qui vole en éclats. Il mime dans ses poèmes les maladresses d'une oralité populaire ou les pulsions du corps dans la langue, la colère des mots (« fureur irrépressible, gros caillot acéré dans la gorge ») et leur irruption explosive :

entendez le choc des idiomes
dans ma bouche
la soif des naissances
entendez le clapotis des sueurs
sous mes aisselles
la course des biceps
poussée de ma faune intérieure

Le Règne de barbarie, éd. du Seuil.

La vocation du poète (« Le poète est révolté par nature ») s'articule sur la conception sans cesse énoncée de la poésie jaillissant d'un ébranlement du corps : « La naissance d'un poème est d'abord pour moi le moment d'étourdissement qui suit une collision. Une collision brutale, avec coups et blessures, sang, sécrétions, cris, courses, piétinements, mais aussi étincelles, visions chevauchant l'espace-temps. »

Arrêté au début de 1972, « questionné » et traité sans ménagements, condamné à dix ans de prison, Abdellatif Laâbi ne devait être libéré qu'en 1980, malgré les efforts en sa faveur d'une vaste campagne d'opinion internationale. La prison ne l'a pas empêché d'écrire : des poèmes (*Sous le bâillon, le poème,* 1981), un récit qui en fait la chronique (*Le Chemin des ordalies,* 1982). Et surtout une abondante correspondance avec ceux qui le soutiennent dans l'épreuve : sa femme, ses enfants, quelques amis... Rassemblées sous le titre *Chroniques de la citadelle d'exil* (1983), ces lettres peuvent sembler bien loin des poèmes-agressions de l'époque de *Souffles.* L'écriture y est fonctionnelle : il s'agit de survivre à la prison, en écrivant des lettres d'amour ou en forçant la pensée à se construire sur le papier. Et tout naturellement la lettre se fait poème ou récit : il fallait peut-être avoir été grand dynamiteur de mots pour faire confiance à leur pouvoir de résistance à la prison.

[La poésie au secours de ma raison]

12 mai 1974

Ma femme aimée,

Un peu fatigué ces derniers jours et j'ai peu envie de lire, travailler. Je m'habitue assez lentement au climat d'ici. C'est pour cela que ces douleurs ont repris. Mais je me soigne comme toujours, sans excès. Il n'y a pas donc à s'inquiéter. La semaine dernière s'est déroulée à un rythme foudroyant. C'est le temps subjectif qui a changé. Nous nous sommes adaptés à cette nouvelle périodicité de nos rencontres. Mais comme elles sont intenses. Vendredi, j'en ai perdu le cours de mes idées, tant j'avais seulement envie de te regarder et de nous laisser aller à cette « cérémonie », à cette célébration de notre amour. Joie de le dire, de connaître, de sentir sa résonance en l'autre. S'égarer dans le multiple accord pour retrouver sa totalité. Le monde, la vie s'humanisent. Fou d'espoir.

Puis les jours simples, sans faste, sans rumeurs. Comment te les décrire : c'est la traversée, mer de sables ou d'ondes emboîtées dans d'autres déserts, d'autres océans qui se déplacent sous mes pieds alors que mes yeux sont déportés vers tous les horizons à réserves de mains guérisseuses, à forêts d'hommes en marche. Oasis de fureur trouant les citadelles du silence, de la prostration. Nuits si courtes, hérissées de rêves oubliés, éparpillées en lourdes semences dans les sillons de mémoire. Des aubes apportant l'annonce des oiseaux, la lumière des souvenirs tendres. Tac, tac, tac, comme disait le refrain des *Romantiques* de Nazim Hikmet [1], les ruades du temps. Tout coule, change, se transforme, même sous le vide artificiel appliqué à nos peaux. L'homme, ce miracle d'adaptation et de résistance, créant au jour le jour son miracle, pliant sous ses aisselles la barbarie des limites. Suis-je clair ou confus en appelant ainsi la poésie au secours de ma raison ? La poésie est-elle si monstrueuse, au point de voiler pour certains la réalité ? Comme il est difficile d'être poète, c'est-à-dire d'être soi-même, de proposer aux autres une autre forme de compréhension d'eux-mêmes sans leur devenir étranger ou paraître à leurs yeux comme un imposteur. C'est dur aussi de voir, de donner à voir, sans être taxé de parti pris, d'extrapolation. Tu vois, c'est tout décousu. C'était simplement pour te parler comme me viennent les idées et les images, comme si tu t'appuyais contre moi et que je te caressais la tête et que je te donnais la main. Demain, je répondrai à ta lettre du 8. Je te parlerai comme un adulte. Je serai sage. Aujourd'hui, mes yeux doivent briller comme tu les aimes, parce que tu es tout en moi. Parce que je prémédite le rêve d'un de nos jours fastes à venir.

Abdellatif Laâbi, *Chroniques de la citadelle d'exil,* éd. Denoël.

Mostafa Nissaboury, artisan de la première heure de la révolution poétique marocaine, a rassemblé ses poèmes dans deux recueils : *Plus haute mémoire* (1968) et *La Mille et Deuxième Nuit* (1975). Ces titres soulignent l'ancrage dans une mémoire culturelle ancestrale, mais c'est pour mieux constater l'actuelle dégénérescence. Ainsi, dans *La Mille et Deuxième Nuit,* accompagne-t-on Sinbad dans un huitième et infernal voyage, qui le conduit vers le « pays fendu », aux « provinces de la nuit ». Il y retrouve les personnages célèbres des *Mille et Une Nuits,* mais déchus et prenant la forme d'animaux de cauchemars. Quant à Shéhérazade, la belle conteuse, elle est maintenant muette et unijambiste ! Tout le poème s'écrit sous le signe de la fracture, de la mutilation, du séisme :

Vous savez notre catastrophe nos détresses nos
pays en flagrant séisme
séisme de la tempe et séisme du regard impulsant
le naufrage

Auteur d'une dizaine de titres publiés, d'*Agadir* (1967) à *Légende et vie d'Agoun'chich* (1984), MOHAMMED KHAÏR-EDDINE est sans doute le plus volcanique et le plus virulent des écrivains révélés par *Souffles.* A l'esthétique de l'informe, ou plutôt de la déconstruction des formes, il ajoute un goût particulier pour les grandes coulées de rêves, les grandes éruptions de mots, dont il a appris la violence libératrice chez les surréalistes et surtout chez Aimé Césaire. « Tout ce que j'ai dit relève de l'élucubration, de l'hystérie et du rêve mal dirigé », déclare un de ses narrateurs *(Le Déterreur).* Son long exil en France (de 1965 à 1979) a crispé en férocité frénétique sa haine de tout ce qui corrompt le Maroc natal.

Même si l'éditeur signale comme « romans » certains titres (ainsi *Le Déterreur,* 1973, ou *Une vie, un rêve, un peuple, toujours errants,* 1978), les ouvrages de Khaïr-Eddine refusent de se

1. Écrivain turc.

constituer en récits cohérents. Cette absence d'unité interdit toute localisation littéraire précise (le récit est traversé de bouffées de lyrisme ou expulsé par l'irruption de scènes dialoguées) ; elle efface les distinctions entre réalité, fiction, souvenir, fantasme ; elle multiplie, oppose ou confond les voix narratives, si bien que le récit révèle sa propre impossibilité.

Il est pourtant toujours possible de faire apparaître un embryon de narration ou une organisation symbolique qui auraient pu sous-tendre un roman plus classique. Dans *Agadir,* un fonctionnaire est dépêché sur les lieux d'une ville détruite par un séisme ; il s'emploie à préparer la future reconstruction et l'imagine sous la forme d'une cité harmonieuse ou terrifiante ; mais faut-il vraiment reconstruire à l'endroit même de la ville sinistrée ? Dans *Corps négatif* (1968), un jeune homme (le poète ?) soumet à la négativité de la critique sa vie et le monde où il vit. *Moi l'aigre* (1970) développe la « tragibouffonnerie » d'un roi aux prises avec les complots de ses militaires, l'appétit de pouvoir de ses bourgeois, l'archaïsme de ses imams, les révoltes de son peuple, sans compter l'ombre du « Grand Opposant » dont il se défend d'avoir provoqué la mort. *Le Déterreur* fait parler un homme arrêté pour avoir mangé, faute de viande, les morts encore tout frais qu'il déterrait. *Une odeur de mantèque* (1976) fait interférer récits de rêves et schéma d'un conte à la façon des *Mille et Une Nuits :* descente aux enfers ou quête du paradis perdu par un vieux marchand scandaleusement enrichi grâce à l'efficacité d'un miroir magique. *Une vie, un rêve, un peuple, toujours errants* se construit sur un enchaînement de récits de rêves, de résurgences d'histoires de brigands venant de la tradition orale et d'autobiographie fantasmée.

En fait, si dans tous ces textes le récit ne parvient pas à « se prendre » en une forme définie et objective, c'est qu'il est dévoré par des voix autobiographiques. Le déterreur n'est pas simplement le héros d'un fait divers macabre, il est aussi l'auteur lui-même mettant au jour la pourriture qui gangrène le monde social ou qui annonce sa propre mort. Il arrive que des incises ou des bifurcations du texte avouent la surcharge du récit par l'autobiographie proliférante : « Me voilà encore lancé trop loin dans le temps pour que je ne confonde pas ce qui m'est sûrement arrivé avec ce qu'un autre vivant dans mes chromosomes aurait vécu » *(Le Déterreur).* Et quand le moi et le monde se découvrent dédoublés, morcelés, explosés, le récit se défait et l'autobiographie se réfugie dans le délire ou le fantasme.

[Il faut bâtir sur du vide]

Dans les pages finales d'*Agadir,* le narrateur (« Moi ») et le vieillard (figure paternelle) constatent l'échec de leur projet de bâtir une ville : « Elle ne verra jamais le jour, ta ville ». « Nous ne construirons pas de pyramide ». « Nous verrons si l'on peut revivre ou survivre ailleurs. »

MOI : Je m'en irai quand même je ne suis pas encore tout à fait aveugle

LE VIEILLARD : Je ne t'accompagnerai point J'ai tellement de choses à faire

MOI : Cela suffit Bonsoir.

Et je suis parti j'ai déserté mes fonctions je me suis en quelque sorte effacé pour me défier On ne peut pas s'entendre avec le Temps On ne peut même pas s'entendre avec soi Mais on continue d'errer de forer On se fore On est trop dur On est comme les moutons qui se battent La seule différence c'est qu'on se bat avec soi-même avec son fantôme C'est donc moi mon rival Je suis allé trop loin Pour rien Une ruine voilà ce que je suis devenu C'est même ce que j'ai toujours été Je fuirai mon assassin présumé futur le militaire je sais... Je leur raconterai des choses belles et fausses à propos de la vie que j'ai menée ici M'imposer par des faussetés quoi. Je serai considéré grâce à mes mensonges. Je partirai un point c'est tout. Je suis déjà parti. Je n'ai même plus besoin d'une valise. Tout ce qu'une valise renferme pourrait nuire. Il faut bâtir sur du vide voilà. Ne rien garder du passé... passé... mauvais ; sinon un souvenir si possible mais réinventé passé aux couleurs d'une nouvelle vision, et partant sain neuf... Je partirai avec un poème dans ma poche, ça suffit. Je t'aime, départ, brassée d'yeux s'ouvrant lentement dans l'aube, je ne chanterai plus, je n'ai jamais chanté. Je ne ferai plus de plan qui soit en fonction de ma mort ; je construirai un beau rire s'égouttant des rosées ancestrales. Plus d'éclipses. Je vais dans un pays de joie jeune et rutilante, loin de ces cadavres. Ainsi me voilà nu simple ailleurs.

Mohammed Khaïr-Eddine, *Agadir,* éd. du Seuil.

Plus spécifiquement poète dans *Soleil arachnide* (1969), Khaïr-Eddine s'y déchaîne en cris hallucinés, en invectives blasphématoires.

salves
et trafics de sangsues noires sous mes rétines
soleil laisse s'infirmer tes mains dans mon sang
inaudible
et moi te boire en une giclée de délirium

Mais dans *Ce Maroc !* (1975), on entend clairement l'appel du pays, de ce Sud où se lèvent, malgré tout, les images d'une nature maternelle.

Sudique
percée d'oubli et de rocs violets
assaillie soudain par les troupes ferventes
de poèmes
qui font éclater chaque pierre sous mes pieds

Sudique

Sudique
que je crée par la pluie et les éboulis
que je transforme en lait nuptial pour des noces
de torrents
abrupte et seule face à la parole bouclée nouée
Sudique
m'émiettant en visages de pisé
dans tes circuits d'oiseaux parents des nostalgies

Sudique lourde et transie sous ton fardeau
de lauracée
sous mon absence que l'on me fourre dans les yeux
toujours dans les trombes
comme jamais terre ne fut plus belle

Sudique attelée louve enragée à tes mamelles
que je boive au goulot ta solitude
il y a
cette navette de sadiques et de sorciers
entre ma peau et ton front à saccades

Sudique

inconnue violée morose et cette chaîne
héritée des marées à crampes enfoncée
dans ton cou
et ce maudit esclave qui crache dans ton ombre

tant tu m'emplis la narine et la bouche
de tes effluves de planète et de serpolet
tant tu tournes sur mon échine
pour voir si j'ai peuplé
mes veines qui s'avancent dans une nuit
de graminées

[...]

Mohammed Khaïr-Eddine, *Ce Maroc !* éd. du Seuil.

Rentré au Maroc, Khaïr-Eddine a pu enfin s'y faire publier (*Résurrection des fleurs sauvages,* 1981). Il a donné dans la presse des articles et des poèmes intervenant avec force dans le débat culturel. Mais *Légende et vie d'Agoun'chich,* malgré l'intérêt du thème (les exploits d'un bandit d'honneur venu tout droit des mythes berbères), laisse insatisfait, sans doute parce qu'on croit trop y reconnaître la forme vieille du roman, sans l'impétuosité, sans le déferlement violent des premiers textes, qui rompaient toutes les amarres.

Abdelkebir Khatibi apportait à *Souffles* sa formation de sociologue (en 1965, il a soutenu une thèse sur le roman maghrébin où il proposait une périodisation qui a été beaucoup utilisée). Tenté par le roman et fasciné par la sémiologie, il publie en 1971 *La Mémoire tatouée* dont il a lui-même précisé le projet dans *Palimpseste,* introduction à la réédition en 10/18 :

> Comment ai-je délimité le champ autobiographique ? En démobilisant l'anecdote et le fait divers en soi, tout en dirigeant mon regard vers les thèmes (philosophiques) de ma prédilection : identité et différence quant à l'Être et au Désert, simulacre de l'origine, blessure destinale entre l'Orient et l'Occident. A l'avant-scène (historique), la question de la maîtrise, de la colonisation et de la décolonisation, dont j'ai vécu de près quelques événements sanglants : bref, comment devient-on un eunuque humilié de l'histoire.
>
> Chemin faisant, une rage intempestive a fait tout vaciller : d'où ce texte, image délabrée d'un tombeau vide. Ce délabrement gardera pour moi la signature d'un mort, d'un adolescent mort.
>
> Et j'aurai jalousement retenu mon être sacrifié à la langue française.

Dans la fermeté du chemin tracé comme dans la dérive hermétique de certaines formules, cette présentation donne une bonne idée du livre : dérapages du récit de vie vers la méditation métaphysique, paradoxes et bondissements verbaux pour mimer le voyage ou la danse entre Orient et Occident, entre le même et l'autre, et surtout pour se décoloniser « de l'identité et de la différence folles ».

La réflexion sur identité et différence se poursuit dans *Vomito blanco* (1974), à partir de la question palestinienne et du sionisme, et surtout dans *La Blessure du nom propre* (1974), où est analysé le jeu des signes qui, comme le tatouage ou la calligraphie, viennent « travailler » le système des croyances coraniques. *Le Lutteur de classe à la manière taoïste* (1976) procède du désir de « sortir de l'idéologisme et de la théologie qui dominent dans le monde arabe » ; en empruntant au Tao les structures d'une pensée en énigmes et la forme provocante de l'aphorisme, Khatibi met une fois de plus en question l'opposition illusoire de l'identité et de la différence sacralisées dans leur unicité absolue : « Ne t'envole pas dans ta propre parole / ne t'évanouis pas dans celle des autres. »

Roland Barthes avait souligné le narcissisme de Khatibi, tout à la volupté de son écriture nomade, de son corps à corps avec les mots (« L'homme écrit comme il laboure ; ce geste fonde son érotique », lit-on dans *La Blessure du nom propre*). Le débat infini d'Éros et de la langue est au cœur de ses derniers ouvrages. *Le Livre du sang* (1979), roman débordé par l'autobiographie, le mythe ou l'élévation mystique, montre le parallélisme de l'androgynie, de l'inceste, du bilinguisme, du texte. Dans *Amour bilingue* (1983), le narrateur déchiffre l'amour et l'amour de la langue comme passion de l'intraduisible ; il vit de cette impossible et « constante traduction qu'aura été [sa] vie ». Le bonheur de l'écriture, porté par l'image récurrente du récitant-nageur, de ses noces marines et purifiantes, s'abandonne à la spirale heureuse de la « bi-langue ». La langue de l'autre est « plus belle, plus terrible pour un étranger », même (ou surtout) lorsqu'elle devient langue de l'échange amoureux.

> Il lui disait souvent : « Je t'aime dans ta langue maternelle. » Il ajoutait parfois : « Dans la mesure où ta langue te porte l'amour que je vous porte. »
>
> [...] Il dirigeait son attention sur cette question : Lorsque je t'entretiens dans ta langue, où s'oublie

Calligramme labyrinthe en kûfi, extrait de A. Khatibi, **La Blessure du nom propre.**

la mienne ? Où parle-t-elle encore en silence ? Car, jamais, elle n'est abolie à ces instants. Quand je te parle, je sens ma langue maternelle glisser en deux flux : l'un, silencieux (silence si guttural), et l'autre, qui tourne à vide, se défaisant par implosion dans le désordre bilingue. Je ne sais comment dire, toute la chaîne nominale et phonétique de ma parole natale — je suis né dans la bouche d'un dieu invisible — toute cette chaîne, pareille à un trouble de langage, se détruit et revient à l'envers jusqu'au balbutiement. Je perds alors mes mots, je les confonds de langue en langue.

Amour bilingue, éd. Fata Morgana.

Collaborateur de *Souffles* de 1968 à 1970, TAHAR BEN JELLOUN tend à incarner, aux yeux des Européens, l'intellectuel du Maghreb. Ses articles dans le journal *Le Monde,* ses ouvrages bien diffusés par les collections de poche lui ont acquis un public, qui reconnaît en lui l'homme de dialogue, le passeur des deux rives de la Méditerranée.

Ses poèmes, rassemblés dans *Les amandiers sont morts de leurs blessures* (éd. Maspero, 1976) et *A l'insu du souvenir* (1980), disent « l'homme éclaté », les « cicatrices du soleil », la blessure des villes (« Fès ville répudiée », Tanger, porte et « plaie profonde » de l'Afrique), la violence des émeutes populaires ou de la guerre palestinienne.

La mort au bout d'un fusil
la ville dépecée
par un cri
un homme sur un cheval fou
réveille les pierres lourdes
on ne peut retourner un corps
tombé
le dos à la mer

Les amandiers sont morts de leurs blessures.

Dans ses romans, Tahar Ben Jelloun s'abandonne à « l'irréalisme de l'écriture ». *Harrouda* (éd. Denoël, 1973), qui emprunte son nom à la prostituée mythique, séductrice ou maléfique comme Kandisha l'araignée, incarnation de la subversion, est un « roman-poème » ou un « itinéraire » à travers la mémoire de l'enfance et le corps des villes chargées d'histoire et de légende : Fass, transcription du nom arabe de Fès, et Tanger, la ville louche. Le roman est « lecture de Fass », déchiffrement de l'idéogramme urbain, dénonciation du « discours ancestral » et de ses censures par toutes les cicatrices, traces, tatouages, graffitis qui s'écrivent sur le corps de l'enfant et de la ville. La lecture de la ville révèle l'oppression du « discours coranique » manipulé par les puissants et les blessures de la colonisation. Hélas ! le discours de Fass ne traduit que « les bribes d'une ville et les balbutiements d'une colère ».

La lecture de Fass devient perte de mots et de pierres.

La phrase est une rue tracée au hasard de l'histoire. On traverse la ville en utilisant quelques petits chemins, empruntant au langage quelques périphrases. Le texte s'absente. La ville se retire. Les murs voyagent. Rien ne s'accumule. Page du ciel transparent. Les quartiers se superposent sur écran de soleil. Ils disparaissent dans un magma de textes vagues.

Dans les romans suivants, toujours influencés par la sémiologie et la méditation de Nietzsche, on retrouve les discontinuités narratives et les surgissements lyriques de la parole des exclus et des reclus. La violence faite aux travailleurs immigrés est montrée dans *La Réclusion solitaire* (1976). La figure populaire de *Moha le fou, Moha le sage* (1978) se dresse contre l'injustice, la répression, la torture. S'il arrive que le discours de l'indignation militante devienne envahissant, *L'Enfant de sable* (1985) propose, sous forme d'un conte au développement aléatoire (salut adressé à Borges), un mythe aux résonances subtiles : la huitième fille de Hadj Ahmed est décrétée garçon ; elle sera habillée, élevée, mariée comme un garçon et livrée au vertige de l'identité impossible.

[Ils font dire ce qu'ils veulent au Livre]

La voix de Moha, c'est la voix de tous les exclus. Et d'abord celle des femmes...

Quand je pense à tous ces corps cachés, battus, défigurés par l'absence et le manque... Pourquoi ces mains sont-elles fermées à la caresse ? A quoi bon célébrer le cérémonial de votre propre négation ? Votre corps est annulé et vous continuez à être de la fête. Vous dansez pour faire bander des brutes ; des gars heureux de se masturber quand vous faites trembler le ventre et les fesses. En plus, ils brûlent de l'encens. Quelle ironie ! Le jour file entre vos doigts et vous cachez vos tatouages. Vous travaillez la terre le jour et la nuit vous posez vos jambes sur les épaules de l'homme. Vous transportez les bottes de foin sur le dos pendant que l'homme vous devance sur son mulet. Ah, le ciel ! Je ne comprends rien à l'ironie de la lourdeur. Et le plaisir ? Vous avez décidé de fermer les yeux et de tourner le corps au bord du précipice. Vous êtes toujours prêtes pour les travaux dans les champs ou pour faire la guerre. C'est vrai, vous avez fait la guerre contre les Français. Vous étiez utiles et courageuses. Vous avez fait des opérations mémorables. Quelques prénoms de femmes sont restés sur front de nuage. Après la libération du pays, ils ont fermé les murs et verrouill les portes. Même les terrasses vous sont à présent interdites. Zone extrêmement dangereuse pour la sécurit du morceau de bois. Rions. Rions. Moi je ris et je le fais savoir. Il y a quelque chose de fêlé entre l'homm et la femme dans notre société. L'Islam. On dit que c'est écrit dans le Livre. Non. Ils font dire ce qu'il veulent au Livre. Remarquez, il y a des choses révoltantes dans le discours. Les femmes seraient inférieure aux hommes. C'est dit et entériné ! Non. Moi je n'entérine rien. Je regarde autour de moi avant. N'entérinon pas à la légère. Ni sérieusement. Les lois. C'est une vieille histoire. Je ne marche plus. Trop de combines Oui, il y a quelque chose de malade entre l'homme et la femme arabes-berbères-kabyles... Un malentendu Énorme comme le bateau qui m'emmena en Amérique. Ils s'abattent sur vous comme des sacs de maïs parce que là est leur droit. Ils agitent leurs fesses, bavent par le sexe et par la bouche. Ils sont contents : l devoir conjugal accompli. Et dire qu'ils prient avant ! Se mettre en direction de La Mecque pour une prièr nocturne avant de pénétrer la femme qui n'ose pas se toucher. Quel cérémonial ! Quelle honte !

Tahar Ben Jelloun, *Moha le fou, Moha le sage,* éd. du Seuil

La cohérence du projet de *Souffles,* l'ambition et la réussite des auteurs révélés par la revue, comme aussi l'essor, dans les années 70, d'une jeune littérature marocaine d'expression arabe, ont rendu la relève difficile. Pourtant Mohammed Loakira, surtout dans son second recueil (*Marrakech,* 1975), continue dans la voie d'un travail sur les structures du texte poétique. Mais son exemple est peu suivi. Il y a peu à retenir (peut-être Abdallah Bounfour ou Mohammed Alaoui Belrhiti) d'une abondante production de plaquettes de poèmes, publiées à compte d'auteur.

A l'écart de *Souffles,* Zaghloul Morsy avait publié en 1969 un recueil de poèmes médités et somptueusement rythmés, sous un titre pudique : *D'un soleil réticent.* Il est resté sans continuation ni vraie postérité.

Ton songe quêtera l'oiseau dépossédé
Mais tu n'invoqueras qu'un astre écartelé.
Je sentirai, muet, ton souffle dans l'exode
Quand les neiges de suie en viendront à faillir
Sur mon fleuve profond rescapé des suicides,
Immuable veilleur que tourmentait l'appel
D'un fabuleux pays obscur d'être innommé.
Plus tard alors, bien plus tard
Pourrai-je encor réapprendre le soleil ?

D'un soleil réticent, éd. Grasset.

Architecture contemporaine de P. Demazières et A. Feraoui, dans le Sud marocain.

Une vraie nouveauté a été apporté par les récits d'Edmond Amran El Male (*Parcours immobile,* 1980 ; *Aïlen ou l Nuit du récit,* 1983). L'auteur, qui s revendique « marocain, juif, arabe » e qui a été membre du bureau politique d parti communiste marocain, prend cong du « bloc de rigueur » qu'il a été pou laisser refluer les images sensuelles et le

ouvenirs brûlants. L'autobiographie se 'ait reconquête de ce que l'aveuglement nilitant avait renoncé à sentir, rassem-)lement de tous les fils, arabes, juifs,)héniciens et français, dont se trame 'histoire du Maroc. Mais, par la situa- ion même de l'écrivain, l'œuvre d'El Maleh ne peut être qu'unique.

Du côté du roman, les jeunes gens qui 'iennent à l'écriture dans les années 70 t 80 semblent condamnés à reprendre es constats désolants et les révoltes de eurs aînés. Ainsi *Messaouda* (1983) l'Abdelhak Serhane renoue-t-il avec des hèmes souvent rencontrés : mère répu- liée, désir de la mort du père, sexualité xacerbée. Trente ans après les éclats du *'assé simple* de Driss Chraïbi, le texte narocain continue de se heurter à « l'autre face de la société » : « la face le la honte, des larmes silencieuses, des nots retenus ».

DRISS CHRAÏBI lui-même, pionnier des nnées 50, a su renouveler son inspira- ion. Après la tentation de romans chappant au particularisme marocain *Un ami viendra ce soir,* 1967 ; *Mort au Canada,* 1974), l'écrivain a fait retour au Maroc, dans des textes qui savent faire place à la verve comique (c'est une originalité, car l'écrivain marocain, dans le déchaînement de ses révoltes ou dans la minutie de ses constructions sémiologiques, reste plutôt attaché à une écriture « sérieuse »). *Succession ouverte* (1962) ramène au pays, à la mort de son père, Driss Ferdi, l'ancien révolté : le dialogue est ouvert avec les valeurs autrefois refusées. *La Civilisation, ma mère !...* (1972) confronte un truculent personnage de mère orientale avec la modernité technique et les bouleversements de l'histoire récente : on s'aperçoit, à la fin du roman, que cette mère « était, à elle seule, la conscience d'un monde inconscient ». *Une enquête au pays* (1981) fait découvrir au chef de police et à son subordonné, l'inspecteur Ali, les réalités d'un village montagnard de l'Atlas, vivant de la permanence millénaire des traditions berbères. L'humour et l'attention portée aux saveurs intimes du pays donnent plus de sérénité à ces livres-bilans. C'est encore plus vrai de *La Mère du prin-*

temps (1982), tout entier dédié à « la folie de la lumière et de l'eau ». Ce roman de l'arrivée de l'Islam au Maroc, avec le général Okba en l'an 681, est l'occasion d'une mise au point mesurée, où l'on sent à la fois attirance pour la grandeur de l'Islam et désir de réhabiliter la culture des Berbères vaincus : « Non, je ne suis pas parjure. Je suis né d'ici et je mourrai ici. Notre terre nous survivra à tous. L'Islam y a fleuri comme nulle part au monde. Mais il l'a saccagée, pour y fleurir, il a tué nombre de ses fils, par les mains de ceux qui ont parlé en son nom, au nom de Dieu ! Qui sait s'il ne va pas s'étioler et mourir à son tour ? »

[Ces vêtements de païen]

Je revenais de l'école, jetais mon cartable dans le vestibule et lançais d'une voix de crieur public :

— Bonjour, maman !

En français.

Elle était là, debout, se balançant d'un pied sur l'autre et me regardant à travers deux boules de tendresse noire : ses yeux. Elle était si menue, si fragile qu'elle eût pu tenir aisément dans mon cartable, entre deux manuels scolaires qui parlaient de science et de civilisation.

— Un sandwich, disait mon frère Nagib. Tu coupes un pain en deux dans le sens de la longueur et tu mets maman entre les deux tranches. Haha ! Évidemment, ce serait un peu maigre. Il faudrait y ajouter une plaquette de beurre. Haha !

Il adorait sa mère. Jamais il ne s'est marié. Un mètre quatre-vingts centimètres à douze ans. Deux mètres dix à l'âge adulte. La force et la joie de manger et de rire, de se lever et de se coucher avec le soleil.

— Écoute, mon fils, me disait ma mère avec reproche. Combien de fois dois-je te répéter de te laver la bouche en rentrant de l'école ?

— Tous les jours, maman. A cette même heure. Sauf le jeudi, le dimanche et les fours fériés. J'y vais maman.

— Et fais-moi le plaisir d'enlever ces vêtements de païen !

— Oui, maman. Tout de suite.

— Allez, va, mon petit ! concluait Nagib en faisant claquer ses doigts. Obéis à la créatrice de tes jours.

Elle marchait sur lui, le chassait à coups de torchon de cuisine et il se sauvait, courbant le dos, terrorisé hurlant de rire.

J'allais me laver la bouche avec une pâte dentifrice de sa fabrication. Non pour tuer les microbes. Elle ignorait ce que c'était — et moi aussi, à l'époque (microbes, complexes, problèmes...). Mais pour chassser les relents de la langue française que j'avais osé employer dans sa maison, devant elle. Et j'ôtais mes vêtements de civilisé, remettais ceux qu'elle m'avait tissés et cousus elle-même.

Dois-je parler de ce fameux savon noir qu'elle obtenait en faisant mijoter dans une marmite en terre de la cendre de charbon de bois et de l'huile d'olive, deux jours et deux nuits durant ? J'y ajoutais à tout hasard du jus de citron, du miel, de la cannelle, n'importe quel ingrédient capable d'aromatiser cette pâte dentifrice dont elle était si fière.

— Curieux, disait le médecin de la commission scolaire. Très, très curieux. Craquelures des gencives dues sans doute à une malformation de la race.

Driss Chraïbi, *La Civilisation, ma mère !...*, éd. Denoël

Chapitre 8

Tunisie

La prospérité de la littérature de langue arabe en Tunisie, avant et après l'Indépendance (1956), a longtemps rendu marginale la littérature tunisienne de langue française. Cette situation privilégiée s'explique par le maintien, sous le Protectorat, d'un enseignement arabe, parallèlement au système éducatif mis en place par les Français : le collège Sadiki, établissement franco-musulman, dispense dans les deux langues un savoir de qualité ; l'université de la Zitouna enseigne en arabe le droit coranique et la théologie.

La littérature tunisienne d'expression arabe, ainsi préservée, s'est de plus renouvelée et profondément modernisée en quelques décennies. Dans ces conditions le recours à la langue française pour un écrivain tunisien constituait un véritable choix qui pouvait être ressenti comme une prise de distance à l'égard de ses compatriotes. Il n'est donc pas surprenant que, pendant longtemps, Albert Memmi ait été le seul écrivain tunisien francophone de renom, à une époque où le Maroc et surtout l'Algérie possédaient au contraire une riche littérature autochtone de langue française.

Depuis la fin des années 60 cependant — et le mouvement va s'accentuant — **un essor de la littérature d'expression française** se dessine. Cette tendance nouvelle peut s'expliquer par l'arrivée à l'âge adulte d'hommes ou de femmes nourris de culture française, pour qui le choix de la langue n'a pas forcément la même signification idéologique qu'avant et tout de suite après l'Indépendance. Depuis 1956, d'autre part, le gouvernement tunisien a préconisé une scolarisation massive et — avec des variantes certes mais d'une manière à peu près constante — la pratique du bilinguisme dès l'école primaire : les écrivains francophones peuvent donc disposer d'un public nouveau dans leur pays même. De plus, longtemps réticentes devant des ouvrages écrits en français, certaines maisons d'édition tunisiennes pratiquent depuis peu une politique d'ouverture.

Malgré ces données nouvelles, les écrivains tunisiens francophones demeurent très dispersés et la majeure partie de leurs œuvres est éditée à l'étranger. Il en résulte un certain éclatement de la production, chacun cherchant sa voie propre, et d'évidentes difficultés d'accès pour les lecteurs et les chercheurs. La récente *Anthologie de la poésie tunisienne de langue française,* présentée par Hédia Khadar et accompagnée d'une bibliographie très complète, constitue à cet égard un précieux instrument de travail.

La poésie

La poésie semble le genre le plus pratiqué, sans doute en raison d'une tradition séculaire. On comprend que J. Déjeux, dans le numéro de *Poésie 1* (janvier-février 1984, n° 115) qu'il consacre aux poètes tunisiens de langue française, regrette que leurs œuvres soient encore méconnues.

Avant 1956, cette poésie, peu représentée, reste en marge des combats politiques. Abdelmajid Tlatli, dans *Sur les cendres de Carthage* (1952), célèbre la beauté des ruines et les leçons de sagesse qu'il veut en tirer. Il souhaite qu'elle nous fasse « haïr tous les chants sanguinaires ». Claude Benady, animateur de plusieurs revues, publie *La Couleur de la Terre* (1951), *Recommencer l'amour* (1953), *Le Dégel des sources* (1954), avant de quitter définitivement la Tunisie pour Paris où il continue son œuvre poétique. Dans une écriture qui privilégie la recherche de l'image plutôt que le souci de la musicalité, il interroge ou célèbre la poésie, l'amour, la relation à autrui. Il dit aussi son attachement pour ce « pays de racines et de pierres » que le temps et la distance ne font que mûrir :

> Ni le matin renaissant de la nuit, [...] ni les automnes et leurs bourgeons de fièvres, ni les fruits, ni le sel, n'ont, depuis l'exil, naguère, rendu à mes mains le pouvoir qu'elles détenaient d'oiseler la joie.
>
> *Un été qui vient de la mer,* éd. Périples.

Depuis 1966 et surtout depuis 1972 **de nouvelles voix** se font entendre et le nombre de recueils publiés chaque année augmente. Le recours à la langue française peut encore être ressenti comme une forme intolérable d'exil surtout si le poète ne sait écrire qu'en français ou lorsqu'il vit son acculturation dans le déchirement. A l'opposé, certains s'expriment et sentent tout naturellement dans cette langue. La plupart du temps, les écrivains tunisiens francophones qui maîtrisent aussi parfaitement l'arabe dialectal et l'arabe littéraire (sans compter parfois d'autres langues) trouvent dans leur situation, souvent inconfortable, des ressources à explorer et à exploiter : spécialisation des genres, des sujets ou des tons selon la langue choisie ; tentatives subtiles de synthèse. Salah Garmadi écrit : « Devant toute bouche trilingue et cousue, je dis " liberté " et " crachez le morceau " en arabe classique ou parlé en français roté ou éternué : que le mot soit et puis viendront les comptes. »

Ces nouveaux poètes tunisiens de langue française se trouvent dans des situations très diverses : certains vivent et travaillent en Tunisie après des séjours plus ou moins prolongés en France comme Sophie El Goulli, Abdelaziz Kacem, Moncef Ghachem et, jusqu'à sa mort récente, Salah Garmadi. Mohammed Aziza, auteur de nombreux travaux sur la civilisation arabe et, plus récemment, de recueils poétiques signés d'un pseudonyme, Chems Nadir, est fonctionnaire international à l'Unesco. Hedi Bouraoui enseigne à Toronto ; Majid El Houssi a choisi l'Italie. Parmi les plus jeunes, Tahar Bekri, Larbi Ben Ali, Amina Saïd résident en France.

Une telle dispersion explique que ces poètes suivent des cheminements personnels : H. Bouraoui, par exemple, auteur d'une œuvre déjà ample au dessein cohérent, semble plus directement touché par les aspects nouveaux et modernes du monde ; il a pour projet de « faire sauter les barrières culturelles » et sa hardiesse dans la dislocation du langage aboutit parfois à l'hermétisme. M. El Houssi crie sa suffocation et sa déchirure, recourant à une écriture éclatée et heurtée. Chems Nadir retrouve l'inspiration de Saint-John Perse dans une poésie savante et hautaine qui ne dédaigne pas, à l'occasion, la fantaisie et la familiarité. S. Garmadi utilise avec truculence et humour sa formation de linguiste. Dans les poèmes de M. Ghachem la révolte contre les injustices gronde, nourrie de tendresse pour les opprimés. S. El Goulli, engagée dans une quête existentielle où dominent l'angoisse, le vertige, l'antinomie du rêve et du réel, choisit d'explorer la symbolique de la mer et du soleil :

Je suis main coupée cœur muré
je suis la femme
la dernière
clouée j'ai mon Amour
porte bonheur
complète et incomplète
la rose mise à nu

Je vise vert
Je vire rouge
Je vis SOLEIL

Vertige solaire, imp. des Presses/Graphie industrielle.

Pourtant leur « métissage culturel », l'exil géographique que plusieurs subissent ou ont choisi, le lien affectif toujours maintenu avec leur pays d'origine, engendrent des préoccupations et des démarches communes à certains ou à tous.

Certes, l'interrogation métaphysique inspire ou structure quelques-uns de ces poèmes. Certes, l'amour garde une place, parfois discrète, mais constante : érotisme violent chez H. Bouraoui ; célébration émue et pudique de la femme sacralisée dans *Joues d'aurore* (1970) d'Ali Hamouda ; évocation parfois amère de « l'amour présence amour absence » chez S. Garmadi ; allusions plus libertines dans les poèmes des plus jeunes. Mais à côté de ces thèmes quasi universels, on observe chez presque tous la volonté d'assumer pleinement la spécificité de leur situation et de renouveler par là une poésie qui aurait pu être tentée autrement par l'aliénation ou le pastiche.

Il s'agit d'abord pour eux de célébrer l'attachement que leur inspire la « Terre maternelle », pour reprendre un titre d'A. Hamouda. Des poèmes décrivent ou nomment les quartiers d'une ville, tentent de cerner la beauté des paysages les plus émouvants, indissolublement liés à une expérience vécue, d'autant plus précieux s'ils sont retrouvés après une longue absence. C'est avec nostalgie que MONCEF GHACHEM évoque, dans ce début de poème, le port de son enfance.

« J'avais la Méditerranée plein les entrailles. »

Ce qui nous a quittés

pour mon frère natif de Mahdia [1]

J'enroue mes amours par ma voix
leur mer de sang cendré me noie

j'aime
j'aime l'horizon aux frégates irisées
et les felouques
aux blancs filets
j'aime le bleuté tendre
aux poings des marins
sur leurs fronts basanés
j'aime l'aurore
dans le port fade
crépitante
dans les paniers des marmots
sur les cils des veuves réveillées
j'aime l'âcre odeur des sardiniers
et pour ma naissance
plus démesurée
que la mer
je m'oppose aux rois
collectionneurs de poissons gras
aux fétichistes et aux voleurs

hier [2] quand les crabes rêvaient de seiches blêmes
pourpre je plongeais dans les rochers
j'avalais coquillages langoustes
vivevipères effrayées
je caressais sieste de mouettes
danse de raies mantelées
j'avais la méditerranée
plein les entrailles
et des soleils
plein les yeux
j'avais l'été ma demeure
l'étoile filante ma sœur aînée
j'étais émir de sang pur
me rinçais la langue au dattier
je mangeais l'argile et le silex
je bombardais le styx
et j'étais le chleuh bâtelé
la vigne m'éclatait aux orteils
la bonté humaine ruisselait de mes yeux

Moncef Ghachem, *Car vivre est un pays,*
éd. Caractères.

L'amour du pays mène souvent à des prises de position politiques et sociales. Si le souvenir de l'époque coloniale et de ses abus reste vivace dans la mémoire de ceux qui l'ont vécue, la déception devant des carences plus actuelles inspire aussi certains poètes plus jeunes ou résolument engagés dans les combats de leur temps : tel poème commémore une manifestation brutalement réprimée ; on ironise sur les cérémonies officielles et les promesses non tenues ; on déplore l'insuffisance des libertés, l'inégalité sociale. S. Garmadi met avec humour en exergue à *Nos ancêtres les Bédouins :* « Il est formellement interdit de créer des chefs-d'œuvre et absolument obligatoire d'adorer les chefs d'État... (Jeune dicton en voie de développement) ».

L'exil aiguise l'attachement que le manque nourrit et exalte : enfance, amis, langue maternelle se confondent dans la souffrance de la perte pour M. El Houssi :

et j'ai perdu ma feuille de menthe
ma touffe de jasmin que je portais à l'oreille droite
le soir
mes frères mes amis : je ne connais plus leurs noms
dans mon froid d'absence d'exil
dans l'invincible jaillissement de la brume.

Iris-Ifriqiya, éd. Saint-Germain-des-Prés

1. Port de Tunisie ; lieu de naissance de l'auteur. — 2. « Hier » s'oppose à un aujourd'hui plus douloureux.

Tahar Bekri dans « Notes pour une absence prolongée » conclut son poème par ces vers :

Le matin de bronze a levé l'ancre et
je suis damné comme un arbre des villes

La Seine est sourde, dit-elle, un enfant
est mort
avec un pays au cœur...

Le Laboureur du soleil, éd. Silex.

Les poètes en quête d'une identité ou d'une renaissance plongent souvent dans leur passé : la culture arabe se trouve sollicitée par Chems Nadir qui, dans *L'Astrolabe de la mer,* recueil de contes proches parfois du poème, s'inspire de différentes traditions orales et écrites pour créer une œuvre à la signification moderne, réalisant ainsi une « symbiose de deux cultures » comme l'écrit L. S. Senghor dans sa préface. Tahar Bekri avec *Le Chant du roi errant* célèbre la vie et la légende du poète-roi préislamique Imru'ul Qays, dont il fait une sorte de « poète maudit ».

Surtout, les écrivains se tournent vers l'histoire de leur pays dont ils privilégient certains aspects ou certains moments. Dans *Nos ancêtres les Bédouins,* S. Garmadi, parodiant l'enseignement historique dispensé par la colonisation française, invoque ces nomades de l'Arabie ancienne pour en faire, semble-t-il, un symbole de l'unité du Maghreb et de son avenir. L'Ifriqiya, nom arabe de la Tunisie et de l'Algérie orientale, sert de référence à R. Zili dans *Ifriqiya, ma pensée* (1967) et à M. El Houssi dans *Iris-Ifriqiya* où le passé berbère se trouve également convoqué. Dans un plus large mouvement d'ouverture, c'est la Méditerranée tout entière, ses mythes, sa culture que chante CHEMS NADIR dans ce poème.

Célébration de la Mer

La Méditerranée c'est :
Une mer-mère.
L'écho des ressacs dans les rivages symétriques.
Une inversion de la vague.
L'alliance des mouettes et des caïques.
La célébration du Bleu dans les golfes et les criques.
Le labyrinthe et son fil d'Ariane : une chapelet d'îles
comme un tatouage immémorial.
Le rameau et la treille.
Le bouzouki, le rabab et la lyre d'Orphée dans une
pluie d'étoiles.

La Méditerranée c'est :
Lumière sur lumière jusqu'à l'Obscur.
Aphrodite émergeant des eaux du Déluge.
La colombe d'Ishtar accompagnant la barque d'Isis.
Le Cantique des Cantiques sous la louange des palmes.
Le retour d'Ulysse.
L'Énéïde psalmodiée.

La flamme d'une bougie, comme la fulgurance du Dieu unique.
La Croix et le Croissant dans une hypostase.

La Méditerranée c'est :
L'inégal partage des eaux et l'insondable fracture.
Le meurtre d'Apollon solaire.
L'annonce faite à Jéricho dans le rugissement des trompes.
Une amnésie des cartographes.
La faute à Galilée.
Un signe à la recherche d'une signification.
La nouvelle Course des barbaresques barbares.
Le souffle rauque du poisson échoué.
Les pieds nus du vendeur de jasmin.
Une chaise vide sur la plage désertée que lèche la
vague et que frange l'écume.

La Méditerranée c'est :
la Mort polymorphe
et c'est
la Résurrection polygraphe.

La Méditerranée sera ce que ses peuples bourgeonnants en feront :
L'équinoxe des printemps.
Le soleil nouveau, au prix du jour.

Et que fleurissent les Andalousies et les Alexandries
nouvelles dans un espace reconnu, un temps accordé, une filiation assumée,
dans l'évidente bonté de la justice et la paix calme de l'olivier.

Chems Nadir, *Le Livre des célébrations,* éd. Publisud.

Les déchirements du passé ou du présent développent chez ces poètes une solidarité militante à l'égard des individus et des peuples victimes de l'injustice et de l'oppression : Raouf Raïssi dénonce l'apartheid. H. Bouraoui exhorte le peuple haïtien et les femmes du Tiers monde. Chems Nadir évoque la tragédie d'Hiroshima, de même que A. Kacem dans *Enola gay :*

Un matin
Dans un tourbillon à ton image
L'espace estropia le Temps
[...]
Hiroshima fabuleux cimetière
De ceux qui n'auront jamais le temps de mourir

Moncef Ghachem vibre à l'unisson de toutes les misères et de toutes les pauvretés. Salah Garmadi se situe au sein d'un monde plein de menaces et d'injustices.

j'écris avec les esthètes les cosmonautes les bêtises [les gloires
avec les monstres - squelettes - à - vomir - des [savanes - des - Biafras
avec mes frères fedayins aux aguets dans le noir
tous mes morts inconnus le massacre et la mafia

avec les enfants suppliciés et les angoisses des femmes
avec les mythomanes les génocides les apatrides
j'écris et le langage s'émeut et le roc s'enflamme
et la lumière éventre les déserts arides

Je suis - suis-je

Je suis tranquille suis-je tranquille
Et ce bruit qui se fait de par la ville
Je suis un joyeux drille suis-je un joyeux drille
Et toutes ces bombes à billes
Et ces hommes portés par des béquilles
Je suis heureux suis-je heureux
J'ai femme qui chante et fait des vœux
J'ai voiture qui crisse sur ses pneus
Et tous ces fils tristes de la vierge
Et ces noyés qui flottent sur les berges
Je suis arrivé suis-je arrivé
Et ces bombes qui tombent comme des baies
Et ces oasis rouges où rêvent des damnés
De bière
Et de Bavière
Et de seins dénudés
Je suis un citoyen libre dans un pays libre
dans le monde libre
Suis-je libre
Et toutes ces lianes et toutes ces fibres
Et ces maquis rocheux ou le Che est fauché
Et ces faucilles qui crèvent dans les sentiers
bouchés

Je suis un être bon suis-je un être bon
Et toutes ces chansons
Qui sortent des caleçons
Et ces seigneurs bouffons
Qui mijotent des ratatouilles
Et qui vous foutent la trouille

Je suis un poète suis-je un poète
Et toutes ces ruines autour des fêtes
Je suis un poète suis-je un poète
Et tous ces intellectuels bêtes
Qui ne font que leurs emplettes

Je suis un oiseau suis-je un oiseau
Et tous ces pets et tous ces rots
Qui vous font courber le dos
Et tous ces fats et tous ces sots
Que n'atteignent pas nos mots

Je suis habile suis-je habile
Et ce corps et cette bouche et ces mains inutiles
Je suis habile suis-je habile
Et toutes ces troupes qui défilent
Sur la misère de nos villes
Sur le cri étranglé de nos gorges stériles.

Salah Garmadi, *Nos ancêtres les Bédouins,*
éd. P.-J. Oswald.

Plusieurs de ces poètes s'engagent dans des recherches langagières et formelles, exploitant la liberté que leur donne le rapport particulier qu'ils entretiennent avec une langue « étrangère ». La subversion des formes peut également constituer une réponse à la violence de l'acculturation, ou devenir une manière de représenter — parfois visuellement — les différentes strates de leur expérience.

Les néologismes abondent, en particulier dans les poèmes d'H. Bouraoui : « mots-valises » (Quoiquiétude, Rirécrire), calembours (Haïtuvois = aïe, tu vois), substantifs ou verbes fabriqués. Tous les niveaux de langue peuvent se trouver mêlés, surtout chez S. Garmadi, comme dans « Ibtisama I » :

Arabe de type nouveau
Ni laid ni beau [...]
Ni rigolo ni salaud
Ni pacha ni charlot
Ni sous-dev ni ultra-mo

Ce dernier joue aussi avec les clichés, les métaphores figées. Ainsi, dans *Nos ancêtres les Bédouins,* à propos d'un anniversaire :

Fête destruction populaire
Par la soupe du même nom
Fête de cuir faite de ronds
Fête du grand bond en arrière

On remarque une prédilection pour les

mots français d'origine arabe (« felouque » par ex.). Presque tous, de plus, intègrent dans leurs poèmes des termes arabes qu'ils traduisent en note.

Jeu avec les mots, mais aussi, dislocation de la phrase. Par ses brisures syntaxiques comme par ses recherches typographiques, H. Bouraoui veut rendre compte du « choc » du futur et de la désorientation du monde moderne.

Certains poètes, enfin, cherchent à renouveler les structures poétiques elles-mêmes en s'inspirant en particulier de toutes les formes de la culture arabe. H. Khadar montre l'influence de la musique (utilisation du « Mewall » ou complainte par Ghachem ; modèle des chants religieux chez El Houssi et Garmadi), de l'architecture (motif de l'arabesque chez Garmadi), des procédés grammaticaux de la langue arabe.

On voit donc que le renouvellement de cette poésie passe par l'acceptation et l'exploitation d'un héritage culturel multiple que les écrivains peuvent faire jouer avec fécondité.

Le roman

Le roman tunisien d'expression française n'a longtemps été illustré que par les œuvres d'Albert Memmi. On remarque cependant depuis quelques années l'émergence de nouveaux romanciers autochtones, influencés en général par des modèles français ou anglo-saxons, mais soucieux de proposer un témoignage personnel : quelques-uns parmi eux ont écrit une œuvre déjà relativement riche ou des romans isolés, mais pleins de talent.

ALBERT MEMMI appartient à la communauté juive tunisienne installée en Tunisie depuis des siècles, et dont la majeure partie a quitté progressivement le pays après l'Indépendance, par choix ou par nécessité. D'abord considéré comme le plus important représentant de la littérature tunisienne de langue française, membre actif — en tant qu'écrivain et journaliste — des luttes maghrébines pour l'Indépendance et très proche, par les préoccupations et les thèmes présents dans ses premiers écrits, des romanciers algériens et marocains de sa génération, Albert Memmi s'est vu parfois contester sa qualité « d'écrivain tunisien » depuis son installation en France et ses prises de position en faveur d'Israël. Interrogé à ce sujet par V. Malka dans un livre d'entretiens, *La Terre intérieure* (1976), il confirme la fidélité de son appartenance à la Tunisie par son « inspiration » et sa « palette », au-delà des péripéties administratives et politiques. Il ajoute : « Mon terreau est là, et se retrouve pratiquement dans tous mes livres. »

En approfondissant au fil des ans sa « judéité », A. Memmi invite cependant à définir et à souligner **une spécificité « judéo-maghrébine »** dans son œuvre : par là, il s'inscrit aussi dans un courant littéraire datant des années 20, qu'il enrichit et renouvelle.

Auteur de quatre romans, de nombreux essais, de préfaces, d'articles, et, plus récemment, de textes poétiques, A. Memmi s'impose par sa fécondité et la richesse d'une œuvre dont il aime à souligner la cohérence. Les romans comme les essais, en effet, puisent dans un matériau autobiographique : « C'est donc ma vie, mon expérience vécue qui donne son unité à mon œuvre. » L'enchaînement des textes, d'autre part, obéit à un principe d'approfondissement « en étoile » des différents problèmes soulevés dans son premier roman, matrice de tout l'ensemble : « On voit qu'il s'agit en somme d'une longue entreprise, d'un seul livre constitué par un emboîtement de livres l'un dans l'autre. »

Le déchirement intérieur et la quête d'une identité problématique, la recherche de solutions vitales, la révolte contre toutes les formes d'oppression constituent les préoccupations constantes de cette œuvre. On peut cependant déceler une évolution dans les textes de fiction : les romans, d'abord moyens de « dévoilement » et de « combat », en même temps que bilans indispensables pour une survie personnelle, s'orientent à partir du *Scorpion* (1969) vers des recherches plus formelles ou obéissent plus clairement au pur plaisir de conter. De plus, A. Memmi, qui s'est situé conceptuellement dans la mouvance sartrienne, revendique toujours comme modèles d'écriture Gide et Rousseau : « La confession la plus sincère et la plus authentique possible ; en même temps la rigueur et la clarté du classicisme » ; mais ses derniers romans font aussi ressurgir une tradition plus ancienne et plus orientale, celle des conteurs judéo-arabes, en même temps que son ghetto natal, la « Hara », disparue mais ressuscitée en lui, devient son « soleil intérieur, portatif et inépuisable ».

Dans *La Statue de sel* (1953), récit à la première personne, le narrateur, double de l'auteur, décide de dresser le bilan de sa vie. Il raconte comment, de la petite enfance à l'âge adulte, il a fait, dans l'humiliation, l'amertume ou la révolte, la découverte de sa « différence » et de son exclusion. Après une série de ruptures difficiles avec l'Orient (sa progression scolaire le détache de sa langue maternelle, « le patois tunisois », de sa famille trop primitive et des rites religieux de la communauté juive ; Tunis, sa ville natale, lui est hostile), il s'aperçoit que l'Occident, dont il a appris à maîtriser la culture et les valeurs, le rejette et trahit ses idéaux pendant la guerre. Il comprend alors « l'impossibilité d'être quoi que ce soit de précis pour un juif tunisien de culture française » comme l'écrit Albert Camus dans sa préface, ajoutée à la réédition de 1966. Étranger partout, proche de la destruction, il décide de s'enfuir en Argentine, de ne plus regarder en arrière pour ne pas se transformer, comme la femme de Loth, en « statue de sel ».

Dans ce livre à la fois rigoureux et émouvant, A. Memmi a su concilier et hiérarchiser le document ethnographique, l'analyse socio-historique et l'authenticité de l'expérience vécue. Bien qu'inscrit dans un contexte social et politique très particulier, l'itinéraire du héros de *La Statue de sel* garde une signification exemplaire et peut toujours servir de référence à tout déraciné confronté aux problèmes de l'acculturation.

[Le seul énoncé de mon nom]

Cet extrait analyse la douloureuse prise de conscience par le héros de son écartèlement à partir du « regard de l'Autre » sur son nom.

Je m'appelle Mordekhaï, Alexandre Benillouche.

Ah ! ce sourire fielleux de mes camarades ! A l'Impasse, à l'Alliance, j'ignorais que je portais un nom si ridicule, si révélateur. Au lycée, j'en pris conscience au premier appel. Désormais, le seul énoncé de mon nom, qui accélérait mon pouls, me faisait honte.

Alexandre : claironnant, glorieux, me fut donné par mes parents en hommage à l'Occident prestigieux. Il leur semblait traduire l'image qu'ils avaient de l'Europe. Les élèves ricanaient, faisaient éclater Alexandre comme un coup de trompette : Alexan-ndre ! Alors je détestais mon prénom de toutes mes forces et aussi mes camarades. Je les détestais et leur donnais raison, et en voulais à mes parents de ce choix stupide.

Mordekhaï, Mridakh en diminutif, marquait ma participation à la tradition juive. C'était le nom redoutable d'un glorieux Macchabée, celui aussi de mon grand-père, débile vieillard, qui jamais n'oublia les terreurs du ghetto.

Appelez-vous Pierre ou Jean, et changeant d'habit vous changerez de statut apparent. Dans ce pays, Mridakh est si obstinément révélateur, qu'il équivaut à clamer « je suis juif ! » et plus précisément « j'habite le ghetto », « je suis de statut indigène », « je suis de mœurs orientales », « je suis pauvre ». Et j'avais appris à refuser ces quatre titres. Il serait facile de me le reprocher et je n'y ai pas manqué depuis. Mais comment ne pas avoir honte de sa condition, après avoir été méprisé, moqué ou consolé depuis l'enfance ? J'ai appris à interpréter les sourires, à deviner aux chuchotements, à lire dans les yeux, à reconstituer les raisonnements au hasard d'une phrase, d'un mot saisi au vol. Quand on parle de moi, *a priori* je me sens agressé, mon poil se hérisse et j'ai envie de mordre. Bien sûr, on arrive à tout accepter, au prix de grands efforts ou d'une complète lassitude. Mais d'abord on se refuse et l'on se déteste ou bien, pour défier les mépris des autres, on revendique même ses laideurs, on s'exagère et l'on grimace.

Au lycée, rapidement, je pris l'habitude de sauter Mordekhaï dans mes copies ; et bientôt je l'oubliai comme une vieille peau. Mais cette peau traînait, bien collée. A propos des appels officiels, des convocations, de tout événement extra-quotidien, elle se rappelait à mon attention. A la fin de ma scolarité, le jour du baccalauréat, je devais être un des triomphateurs. J'attendais, certain, à peine angoissé au milieu d'une foule nerveuse, lorsque l'appariteur grimpa sur une chaise : j'étais le premier de la liste. Mais rétablissant l'ordre exact de mon état civil, l'appariteur avait crié, dans le silence tendu :

— Mordekhaï, Alexandre, Benillouche !

Alors je ne bougeai pas. La foule étonnée de ce calme chercha des yeux l'heureux candidat. Il n'y eut aucune explosion de joie, personne ne jeta ses cahiers en l'air, ne fut entouré, embrassé. Je n'aimais pas que mes parents m'assistent dans les événements publics de ma vie et je ne les avais pas avertis de l'heure des résultats. Je me contentai de sourire aux camarades qui me félicitaient du regard. Chacun, d'ailleurs, était occupé de son propre destin.

Mordekhaï, Alexandre, Benillouche, Benillouche enfin, Ben-Illouche ou le fils de l'agneau en patois berbéro-arabe. De quelle tribu montagnarde mes ancêtres sont-ils sortis ? Qui suis-je enfin ?

Albert Memmi, *La Statue de sel,* éd. Gallimard.

Avec *Agar* (1955), Memmi aborde le problème du mariage mixte : le héros, très proche par ses caractéristiques du personnage principal de *La Statue de sel,* revient comme médecin à Tunis où il ramène sa femme, une jeune Lorraine catholique. Le roman analyse l'inéluctable dégradation de ce couple, incapable de résister au poids des groupes sociaux antagonistes qui s'expriment à travers eux. Le mariage mixte, recherché comme une tentative de solution individuelle aux contradictions du héros, aboutit à un échec. Memmi a cependant voulu écarter une interprétation trop pessimiste de son œuvre : « Loin de décrire une fatalité, *Agar* énonce en vérité les conditions d'une libération », affirme-t-il dans sa préface de 1963. Ce livre serait ainsi « un essai de dévoilement des conditions négatives » de la réussite du mariage mixte et de « la fraternité entre les peuples ».

Conçu d'abord dans le prolongement de sa réflexion sur « le couple mixte en colonie » et comme une nouvelle tentative pour mieux se comprendre, le *Portrait du colonisé précédé du portrait du colonisateur* (1957) a échappé à son auteur pour devenir un texte de référence et un livre de combat, lu et revendiqué par tous les colonisés et les hommes dominés. Dans « cet ouvrage sobre et clair qui se range parmi les " géométries passionnées " », comme l'écrit Sartre dans sa préface, Memmi décrit les différentes conduites des deux partenaires de la colonisation, façonnées par la « condition objective » qu'est le « fait colonial » ; il montre qu'ils sont enchaînés l'un à l'autre, dans un « duo », par une « espèce de dépendance implacable », et annonce avec une grande lucidité les développements ultérieurs des luttes d'indépendance nationale.

Memmi poursuit sa recherche en explorant sa condition juive avec *Portrait d'un Juif* (1962), suivi de *La Libération du Juif* (1966). Il élargit son enquête à toutes les formes d'oppression dans *L'homme dominé* (1968). Le *Scorpion* (1969) marque son retour à la fiction : Marcel, médecin ophtalmologiste juif, exerçant à Tunis après l'indépendance, est chargé de classer les papiers que son frère Imilio/Émile, écrivain mystérieusement disparu, a entreposés dans le tiroir d'un bureau, la « cave » ; il accompagne ses trouvailles de commentaires et de confidences personnelles sur les difficultés croissantes qu'il rencontre dans l'exercice de sa profession. Memmi rompt ainsi avec la composition linéaire de ses premiers récits : son livre se présente comme la juxtaposition de textes apparemment hétérogènes, discontinus et fragmentaires, auxquels s'ajoutent parfois des photographies et des dessins. Des variations typographiques — à défaut des caractères de couleurs différentes souhaitées par l'auteur — distinguent divers niveaux de « vérité », selon qu'il s'agit de pages de journal, de fiction, de commentaires, d'apologues... La multiplicité des voix narratives permet de représenter le déchirement intérieur de l'auteur dont chaque personnage important (Émile, Marcel, Bina, J.H...) incarne une facette ou une virtualité réalisée. Cet éclatement du « moi » en plusieurs figures autorise à dire plus et plus librement. Les interférences entre les différentes histoires, les analogies et les variations d'une série à l'autre, le rapprochement psychologique final des deux frères (Marcel quitte à son tour la Tunisie), suggèrent de surcroît la possibilité d'une synthèse par l'imaginaire, d'autant plus que *Le Scorpion* noue aussi des liens subtils avec les personnages et les thèmes des romans antérieurs.

Ce récit s'impose par la maîtrise et la variété des modes d'écriture, le talent du conteur, le foisonnement des figures pittoresques ou émouvantes qui font revivre la Hara, la richesse des problèmes évoqués. Dans ce « nouveau bilan » qu'est *Le Scorpion,* Memmi veut montrer la relativité de toutes choses ; il s'interroge sur les pouvoirs de la littérature, explore les relations familiales à la lumière de la psychanalyse, passe en revue les différentes solutions à la « difficulté de vivre ». L'oncle Makhlouf, incarnation de la tradition judaïque, représente une forme de sagesse.

[Oncle Makhlouf]

Le journal d'Émile évoque l'oncle Maklouf.

Je l'interroge sur son métier, pour nous reposer et parce que cela lui fait toujours plaisir. D'ailleurs, nous ne resterons pas longtemps à ce premier niveau. Il est pauvre, à demi aveugle, ses enfants sont tous partis, mariés, installés, mais il ne leur demande et n'accepte rien. Inlassablement il assemble, grâce à cette grande roue qui occupe toute la pièce, ses fils de soie jaune, rouge, verte, blanche, en grosses torsades éblouissantes.

— Si tu ne veux pas qu'on te traite en pauvre, commence toi-même par te traiter en seigneur.

— Mais si tu es pauvre, impuissant, méconnu par les autres, oncle Makhlouf ?

« D'ailleurs les couleurs parlent. Elles me parlent chacune avec son langage. »

— Surtout, mon fils, surtout !... Mais de qui parles-tu ? Moi, je ne suis pas pauvre et je ne suis pas dénué de forces. Veux-tu dire qu'il t'arrive de te manquer de respect ? C'est toujours un tort. C'est plus important que les injures des autres ; veux-tu dire que tu es fâché contre toi-même ? Dépêche-toi de faire la paix, mon fils, sinon tu resteras pauvre et divisé, en effet.

Je lui parle d'autre chose, et il n'insiste pas. Je lui demande des nouvelles de sa santé, de ses yeux : comment s'accommode-t-il de cette baisse progressive de sa vision ? [1]

(Ce léger brouillard, de plus en plus fréquent, qui m'angoissait au début, finalement me rassure ; il adoucit tout, enlève du relief, de l'âpreté, donc de l'intérêt à tout, comme si rien ne pouvait plus m'atteindre. De la Sagesse comme myopie de l'âme, oui, pourquoi pas ? Et la mort = retour à l'équilibre.)

— Ça m'oblige maintenant à me concentrer sur les seuls textes que je connaisse par cœur. C'est certainement un progrès.

C'est peut-être l'autre solution, en effet.

L'HOMME PARFAIT EST COMME MORT. SE MEUT-IL ? C'EST COMME S'IL ÉTAIT ENTRAVÉ. IL IGNORE POURQUOI IL EST ICI-BAS ET AUSSI POURQUOI IL NE SERAIT PAS ICI-BAS. SOUS LE REGARD DES AUTRES, IL NE CHANGE PAS SON COMPORTEMENT EXTÉRIEUR. IL NE CHANGE PAS DAVANTAGE CE COMPORTEMENT QUAND IL EST A L'ABRI DU REGARD D'AUTRUI. SOLITAIRE, IL S'EN VA ET IL VIENT. SOLITAIRE, IL SORT ET IL RENTRE.

Les couleurs : il y est revenu de lui-même, comme par hasard, sans lien apparent avec ce qui précède :

1. « Le thème du regard et de la connaissance court tout au long du livre », comme le souligne Memmi lui-même.

— D'ailleurs les couleurs parlent, elles me parlent chacune avec son langage, chacune avec son timbre et sa force : c'est peut-être que j'ai besoin de les entendre.

(Il a même ajouté, le cœur m'en a battu : « Te parlent-elles à toi ? », mais déjà il avait embrayé sur des citations.)

— La mort n'est-elle pas dite « la rouge » ? Le cumin n'est-il pas dit « le noir » ?...

J'ai préféré ne pas l'interrompre ; je vais le laisser avancer, me fournir le maximum de suggestions, qui viendraient donc de lui. Nous verrons après.

Ce que dit l'oncle n'est jamais faux, ni absurde. Manière de parler, qui étonne d'abord, qui peut paraître puérile, mais se révèle toujours étonnamment cohérente : parce que, comment dire, fortifiée de l'intérieur. Finalement, exprime toutes les autres manières possibles, à sa façon.

En somme :

1) Toutes les sagesses ne se valent peut-être pas (d'ailleurs, je n'en sais rien), mais *elles parlent toutes de la même chose :* de quoi ?

2) Ceci admis, comment distinguer en chacune d'elles (et en toutes), à travers les enfantillages, les rêveries, le pittoresque, même dans un propos d'artisan, dans un conte naïf de bonne femme comme dans l'assurance de l'érudit, les *degrés de vérité ?*

3) Comment exprimer ces degrés et ces différences dans un *langage commun ?* Comment passer d'une sagesse à l'autre ?

Toujours : nécessité d'une clef.

Albert Memmi, *Le Scorpion,* éd. Gallimard.

Le Désert (1977), dernier roman d'A. Memmi, raconte les tribulations de l'ancêtre Jubaïr Ouali El-Mammi, prince exilé et auteur supposé de *La Chronique du Royaume-du-Dedans* dont *Le Scorpion* proposait des fragments. Présenté comme une partie de cette Chronique, *Le Désert* rapporte la relation qu'El Mammi fit de sa propre vie au conquérant Tamerlan. Pour la première fois, Memmi introduit une dimension historique dans son œuvre, les événements se situant au XIVe siècle. Le « Royaume-du-Dedans » aurait été fondé par de « grands nomades arabes », et détruit par Tamerlan en 1392. Dans ce récit, qui relève du roman picaresque et du conte philosophique, Memmi donne libre cours à son plaisir de conter mais il mène aussi une réflexion de moraliste sur le pouvoir, l'exil et le royaume, les vertus de l'errance. Il poursuit également sa quête de l'identité : à travers cette rêverie sur les origines déjà largement amorcée dans ses livres précédents et par l'intermédiaire de son personnage, A. Memmi revendique plus fortement que jamais son enracinement maghrébin. Au terme de sa vie agitée, El-Mammi se demande : « Ai-je tenté, sérieusement, de reprendre le royaume de mon père ? N'ai-je pas agi, plutôt, comme si le seul royaume à conquérir était celui de soi-même ? » En trouvant finalement son bonheur dans l'écriture, il devient lui aussi un double de l'auteur, pour qui, malgré ses limites et son ambivalence, la littérature reste le moyen du salut : « Cette passion, ce jeu merveilleux, me sauve encore de tout le reste, de ce quelque chose en moi qui me tenaille et peut-être ne me lâchera pas jusqu'à ma mort. »

Le roman tunisien de langue française, longtemps timide (sauf sous la plume de Memmi), se développe **à partir des années 70.** Avant cette date, Hachemi Baccouche avait publié *Ma foi demeure* (1958) — où il racontait l'itinéraire et le désarroi, après l'indépendance, d'un personnage désireux de concilier son attachement pour la France et sa fidélité à sa patrie — et un roman historique *La*

Dame de Carthage (1961). Les productions plus récentes, assez hétérogènes, se révèlent de valeur inégale. Certains récits, de manière attachante mais sans atteindre à une réussite complète, cherchent à rendre compte des problèmes soulevés par la vie quotidienne ou l'actualité, en s'appuyant souvent sur une expérience personnelle plus ou moins transposée : les difficultés rencontrées par les immigrés en France, étudiants ou ouvriers, inspirent à Moncef Metoui : *Racisme, je te hais* (1973), et à Slaheddine Bhiri : *L'espoir était pour demain* (1982). Le conflit israélo-palestinien sert de toile de fond à une histoire d'amour impossible dans *Josabeth et Mourad* (1981) d'Adel Arwy. *Cristal* (1982) de Gilbert Naccache mérite une mention spéciale. Dans ce texte, édité en Tunisie, s'entrelacent les fragments d'un roman écrit en prison, un témoignage sobre et minutieux sur les conditions d'internement de l'auteur, opposant politique, et un récit autobiographique évoquant l'enfance et l'engagement d'un jeune juif tunisien décidé à rester dans son pays natal tout en cultivant sa différence et sa marginalité. Les liens établis entre la fiction et l'expérience vécue aboutissent à une réflexion stimulante sur la dialectique de la liberté et de l'emprisonnement.

Quatre auteurs se détachent plus particulièrement de l'ensemble par leur talent : Mustapha Tlili, Abdelwahab Meddeb, Souad Guellouz et Hélé Béji. Si différentes que soient les thématiques et les écritures de ces romanciers, ils ont en commun, semble-t-il, de manifester un certain désenchantement, explicite ou sous-jacent, face au présent.

« Triomphe de l'exil ; triomphe de l'angoisse » : tel est le thème obsédant de MUSTAPHA TLILI. Les héros de ses trois romans sont des exilés : l'Algérien Jalal Ben Chérif dans *La Rage aux tripes* (1975), le juif d'origine française Albert Nelli et le Tunisien Adel Safi dans *Le bruit dort* (1978), l'Algérien Youcif Muntasser dans *Gloire des sables* (1982). Tous sont imprégnés de culture française et occidentale, tous ont abouti à New York où ils semblaient s'être brillamment intégrés. Mais ébranlés par une situation de crise, souvent liée à la perte d'une femme aimée, ils doivent affronter la fragilité et l'imposture des synthèses intérieures qu'ils ont cherché à construire. New York, « lieu par excellence de l'exil », « royaume suprême de la nostalgie » devient le théâtre de leur errance, de leur emprisonnement ou de leur dislocation. Au terme d'une déchéance solitaire que l'écriture n'arrive plus à conjurer, c'est la mort que trouve le vieil écrivain A. Nelli. Le choix final de l'action révolutionnaire conduit Jalal Ben Chérif en Palestine, Adel Safi au Cambodge. *Gloire des sables* s'ouvre sur la mort de Youcif Muntasser, tué avec des insurgés dans la Mosquée sacrée de La Mecque. Mais ces retrouvailles ultimes avec l'Histoire apparaissent moins comme de véritables solutions que comme des constats d'échec désespérés.

La quête d'identité, au centre de ces trois romans, en détermine la forme : Dans *La Rage aux tripes,* où le présent et le passé s'enchevêtrent, le héros dresse contre lui-même un violent réquisitoire à la deuxième personne du singulier. Dans *Le bruit dort,* que l'on a pu comparer au *Scorpion* de Memmi par l'éclatement des formes narratives, la figure de l'exilé se dédouble en deux personnages : A. Nelli, héros principal, et A. Safi qui deviennent l'un pour l'autre sujets de roman dans une « fiction généralisée ». *Gloire des sables* donne successivement la parole à deux narrateurs qui interrogent et démontent la personnalité multiple et l'aventure brillante mais tragique de Y. Muntasser manipulé par des puissances occultes.

L'importance du contexte américain dans ces œuvres renouvelle le thème de l'aliénation et de la « bâtardise », tandis que la référence à de récentes luttes révolutionnaires de même que l'attention accordée à différentes formes d'exil ou de marginalité (celles du Noir, du Juif, de l'homosexuel...) estompe la spécificité maghrébine de ces textes pour leur donner une portée plus universelle.

[Djazaïr]

> Au terme de sa tumultueuse remise en question, Jalal Ben Chérif, décidé à partir en Palestine, se rappelle tous les départs de sa vie depuis son enfance algérienne à Tébessa.

Qu'ai-je d'autre à faire, Moreau [1] ? Rien, tu vois. Alors pourquoi ne pas partir ? il y a longtemps que j'ai perdu l'aube de Tébessa...

— Mon fils : n'oublie pas ton salut !

— Oui, Mère.

— Mon fils : Allah ne sera avec toi que si tu te préoccupes de ton âme.

— Oui, Mère.

— Mon fils : rappelle-toi tes ancêtres. Tu es Ben Chérif : tu ne feras jamais le mal.

— Oui, Mère. Je te promets.

— Je prie jour et nuit le Miséricordieux pour toi, pour qu'Il te garde du mal.

— Qu'Il soit avec nous, Mère.

— Qu'Il bannisse le mal de cette terre !

— Qu'Il soit avec nous, Mère, et avec tous ses êtres sur la terre ! Qu'Il bannisse le mal d'Ici-Bas !

— Qu'Il te garde pour ta pauvre mère, mon fils. Je prie. Je prie jour et nuit. Souvent je me réveille, soudain, la nuit, après des rêves troublants, et je me mets à prier le Seigneur jusqu'au petit jour pour toi, pour qu'Il veille sur toi, car je n'ai que toi, mon fils...

Et moi je n'avais que toi, Djazaïr [2], et dans le cœur de la nuit, à Paris, à Henri-IV, ou aux Provinces de France, ou rue de Seine, mon cœur se déchirait d'angoisse pour toi, et parfois, aussi, je priais jusqu'au petit matin le Seigneur pour toi, pour qu'Il te garde pour moi, pour que je n'aie pas à pleurer toute ma vie. Mais tu vois, Djazaïr, tu vois, Moreau, vous voyez où j'en suis. Alors qu'ai-je d'autre à faire sinon partir ? Fuir.

Me fuir. Notre lot, nous les laissés-pour-compte. Histoire de destin !

Mustapha Tlili, *La Rage aux tripes,* éd. Gallimard.

ABDELWAHAB MEDDEB se veut en retrait par rapport aux problématiques maghrébines les plus représentées : « J'essaie de parler du sujet, en essayant de dédramatiser à l'extrême la question de l'identité, et de travailler sur un fonds culturel qui s'inscrive dans une universalité », confie-t-il dans une interview. Son roman *Talismano* (1979) se révèle de lecture difficile à cause des transgressions de tous ordres qu'il opère, en particulier au niveau linguistique et narratif. Trois parties montrent d'abord le retour du héros-narrateur dans la médina de Tunis, puis la mise en place d'une imaginaire procession autour d'une idole monstrueuse fabriquée par le peuple en révolte, « simulacre pour se défaire à jamais de la résonnance archaïque, célébration à dédramatiser le pouvoir » ; enfin la lutte, la défaite et le retrait hors de la ville de toutes les « sorcières » et « énergies tenaces ». A partir de ce fil conducteur, l'auteur livre des fragments d'autobiographie, donne libre cours à d'obsédants fantasmes sexuels, insère des développements théoriques sur la politique ou sur l'art, s'aventure avec brio dans l'utopie. Explorant la diversité du réel, Meddeb rapproche et compare les villes du Maghreb, d'Europe, d'Égypte, fait se télescoper les époques et les cultures les plus éloignées. Ce livre hétérogène et subversif, hanté par le thème du minoritaire et par l'image de la femme, bouscule beaucoup d'interdits.

1. Moreau, ami du héros, connu pendant ses études à Paris. — 2. Mère de Jalal, tuée par les Français pendant la guerre d'Algérie.

[Mosaïques émaillées]

Cet extrait se situe dans les premières pages du roman : le héros, de retour dans sa ville natale en explore les « rues et les impasses ».

En ce retour, je ne tiens pas à refaire les itinéraires familiers : j'ai suivi la muraille, marché de meubles frustes, à scruter les menuisiers populaires ; l'atelier de tel parent était à l'écart, dans la rue principale qui traverse le quartier.

Tandis que les ruelles adjacentes s'éparpillent de reconnaissance : des amis de mon père habitaient une maison dont l'entrée est couverte de mosaïques émaillées : couleurs andalouses, motifs industriels. A retrouver quelques visages souvent vieillis, pâtissiers, bouchers, vendeurs de légumes, grilleurs de viande ; autres senteurs d'épices, piments marinés, câpres, variantes, conserves. Cumin.

La façade de l'école Halfawîne, qui enfant me fascinait, qui maintenant me paraît décor dérisoire. La mosquée restaurée, belle, marbre et nudité ocre, chaleureuse pierre, relents d'italianismes impliqués motifs floraux, chapiteaux ioniques ou composites.

Le jeu des enfants n'a pas changé : billes, trou à sous : trésors à gagner qui varie selon la poussée des saisons ; seul le tintement des misérables pièces légères, argentées, à la gravure passée, dure toute l'année.

Les hammams nombreux : surtout ceux que je n'ai jamais fréquentés. Bruyance à redécouvrir neuve. Ronronnements jaunes des narghilehs.

Sueurs secrètes des femmes : l'intimité suinte, effluves d'amour sous des voiles au port souvent négligé, attirant.

Le corps serré, légère bousculade. Odeur fertile, pincée et œillade à raviver le désir, toujours là, quasi enfantin.

Les impasses inconnues ou dans le passé dédaignées. Un frisson en cette paisible et florissante reconstitution des pas. Les pagnes aux couleurs géométriques sèchent sur la terrasse du hammam Qa'addîn qui a signifié ma consécration mâle parmi les circoncis et les hommes.

Réticences. Scènes lucides des machinations célibataires. Au fond, tout loin, l'insurmontable oppression prime. Il y a soleil. La rue monte après Bab Swiqa vers l'école des filles et les premiers amours brûlants feu rougi. Maison mystérieuse d'un oncle boiteux aux postillons fidèles, tabernacle où brille ô ténèbres à prestigieuse armoire l'arbre généalogique qui assure l'ascendance bédouine, l'origine chérifienne, sahrawie Saqiat al-Hamra, pérégrination des ancêtres. L'agréable sensation qui te lie à jamais racines te coagulant sédentaire faussaire car le désir te projette vers de tels aïeux nomades, vers le mythe.

Les visages et les rues qui ne voyagèrent jamais, dont tu connais les percées dominicales et les temps morts du vendredi arrangent en toi une série de questions collées à la peau car tu sais qu'il suffit d'un pas pour t'en éloigner sans retour.

Abdelwahab Meddeb, *Talismano,* éd. Christian Bourgois

Les rapports de la tradition et de la modernité, le souci de préserver des « racines » à travers la résurrection de figures familiales marquantes semblent être des préoccupations communes à Souad Guellouz et Hélé Béji. Dans *La Vie simple* (1975), œuvre de jeunesse publiée tardivement, S. Guellouz évoque, à travers le monologue rétrospectif d'une jeune femme analphabète, l'amitié passionnée et les destins divergents de deux fillettes que tout sépare socialement. La modernité, valorisée dans ce livre par l'ouverture qu'elle propose à la femme devient une menace dans les *Jardins du Nord* (1982) : c'est pour lutter contre

« Les visages et les rues qui ne voyagèrent jamais... »

l'oubli des origines et l'uniformisation inéluctable des mœurs que Sofia décide de faire revivre son enfance. A partir d'un lieu privilégié, Metline, et de ses jardins ombragés, si près de la mer « qu'ils ont l'air d'être nés d'elle », S. Guellouz retrace avec lyrisme et nostalgie la vie harmonieuse d'une famille tunisienne, s'ouvrant progressivement à la culture européenne dans ce qu'elle a de meilleur, mais jalouse de préserver les coutumes et les vertus ancestrales pour mieux résister à la situation coloniale.

HÉLÉ BÉJI, après un vigoureux essai sur la décolonisation, *Désenchantement national* (1982), où affleuraient déjà des confidences autobiographiques, a publié un premier roman : *L'Oeil du jour* (1985). Entre deux voyages en avion, les perceptions aiguisées par l'imminence d'un retour à Paris, la narratrice recrée la magie de la maison familiale ordonnée autour de la grand-mère, « porteuse d'un temps sans faille », dispensatrice de sérénité. C'est par référence à ce personnage humblement rayonnant, cristallisation d'une certaine tradition musulmane, qu'elle mesure avec sévérité les transformations subies par la ville et la société, et qu'elle se situe elle-même : « Exclue, mais non déchue de cet univers qui n'était plus le mien, et de ses vertus d'immortalité. » L'imprégnation proustienne, évidente dans ce texte, loin d'être paralysante, offre à H. Béji un mode d'exploration original pour célébrer la poésie d'un quotidien précieux et fragile. Sa phrase complexe, capable de cerner les sensations les plus subtiles, sait aussi se faire virulente pour dénoncer la vulgarité moderne, la pesanteur bureaucratique, l'invasion de la propagande politique.

[Coopération française]

Dans ce passage H. Béji exerce sa verve satirique aux dépens d'une enseignante de l'Université de Tunis connue au temps où elle y enseignait elle-même.

La première personne que j'y avais rencontrée était une grande femme aux regards bleuâtres, posés comme deux ternes broches sur la blancheur gonflée des deux coussinets duvetés qu'elle avait en guise de joues, et qui vacillaient de loin, au bout du couloir, au sommet de sa silhouette, dans la morne luminosité de l'interclasse. Elle enseignait la poésie, et on se demandait quel effort insoutenable devaient montrer les étudiants pour écouter ses cours, et l'endormissement qui accompagnait les vers choisis sur lesquels sa voix tombait comme une fadeur nappée, un peu écœurante, autour d'un gâteau. Elle avait la peau blanche que l'on prête aux filles de bey telles qu'elles apparaissent dans les mauvais romans coloniaux, avec leur embonpoint naissant, leur odeur de patchouli, la sensation de pâte d'amande qu'elles procuraient dans ces époques lointaines. Elle était devenue pour moi, subtil paradoxe, l'image mythologique de la coopération française en Tunisie, comme on voit ces bustes de femmes moulés dans un marbre de facture classique représentant la République française aux élections municipales. Avec son cou et son buste un peu trop longs, et sa taille qui s'épaississait légèrement devant, répondant aux joues par une redondance plus pleine et plus circulaire, elle était comme la dernière image froide, polie, et mortellement ennuyeuse de la coopération française, comme si la fin coloniale avait capté avec ses derniers représentants la mollesse décadente, étriquée, surannée des femelles beylicales, par cette contamination mystérieuse que font subir à l'occupant les mœurs aristocratiques finissantes de l'ancienne société occupée. Chaque fois que je la voyais passer, c'est comme si je voyais la statue de la colonisation remuer dans son clair-obscur décadent, une silhouette prosaïque, languissante, engourdie, une dernière paresse qu'elle s'octroie dans le boudoir un peu froid de son empire déchu. La colonisation trouvait en elle son image conclusive une figure de la France qui s'attardait encore sur nos rivages, en faisant une moue douceâtre aux représentants des classes intellectuelles naissantes, en assortissant la pâleur de sa pupille à notre ciel, en prenant la démarche d'un animal du désert, et des lenteurs orientales et sucrées, et à travers elle c'était l'insupportable voix du jasmin qui faisait écho à la désuétude coloniale, comme les derniers relents d'un emblème olfactif saturé. La coopération minaudait avec de fausses et puériles transparences, des paupières lourdes, des intonations chuchotées, un visage un peu hautain sous le duvet frissonnant. Elle enseignait la littérature, mais elle semblait l'héroïne laiteuse et diaphane de tous les médiocres romans de chagrins mouillés de princesses, un mélange de fille de bey, de syndiquée petite-bourgeoise, et d'épouse simplette et massive de colon.

Hélé Béji, *L'Œil du jour,* éd. Les Lettres nouvelles/Maurice Nadeau.

La littérature tunisienne d'expression française, dans ses réalisations comme dans ses promesses, reste fidèle à la vocation du pays dont elle est issue : au croisement de cultures diverses, elle sait maintenir un équilibre entre la tradition et l'ouverture, un dialogue entre l'Orient et l'Occident.

Choix bibliographique pour l'ensemble du Maghreb :

Jacqueline Arnaud, *Recherches sur la littérature maghrébine de langue française. Le cas de Kateb Yacine,* Lille, 1982.

Charles Bonn, *La Littérature algérienne de langue française et ses lectures,* Sherbrooke, Naaman, 1972.

Charles Bonn, *Le Roman algérien de langue française,* Montréal-Paris, L'Harmattan, 1985.

Jean Déjeux, *Littérature maghrébine de langue française,* Sherbrooke, Naaman, 1973.

Jean Dejeux, *La Littérature algérienne contemporaine,* coll. « Que sais-je ? » n° 1604, P.U.F., 1975.

Jean Déjeux, *Poètes tunisiens de langue française,* Poésie I, n° 115, 1984.

Guy Dugas, *Albert Memmi, écrivain de la déchirure,* Sherbrooke, Naaman, 1984.

Marc Gontard, *Violence du texte. La littérature marocaine de langue française,* L'Harmattan, 1981.

Hédia Khadar, *Anthologie de la poésie tunisienne de langue française,* L'Harmattan, 1985.

Abdelkébir Khatibi, *Le Roman maghrébin,* Maspero, 1968.

Albert Memmi, *Écrivains francophones du Maghreb.* Anthologie, Seghers, 1985.

Georgette Tœsca, *Itinéraires et lieux communs, poésie du Mahreb,* Silex, 1983.

Isaac Yetiv, *Le Thème de l'aliénation dans le roman maghrébin d'expression française (1952-1956),* Sherbrooke, CELEF, 1972.

Europe, n° 567-568 (juillet-août 1976) : « Littérature algérienne ».

Europe, n° 602-603 (juin-juillet 1979) : « Littérature marocaine ».

« Französische Heute », *Langue française et pluralité au Maghreb,* édition Diesterweg, 1984.

Itinéraires et contacts de cultures, vol. 4 et 5, 1984 : « Littératures du Maghreb ».

2. Le Proche-Orient

Au cours du XIXᵉ siècle, dans la Méditerranée orientale, le français avait acquis un rôle privilégié de langue internationale : langue du commerce, des écoles, des missions, de la protection des chrétiens dans tout l'Empire ottoman. Des foyers francophones se sont durablement implantés : au Liban, en Égypte, mais aussi en Syrie, en Irak, en Turquie... Au XXᵉ siècle, la langue des marchands est devenue celle des écrivains. Un mouvement littéraire en français s'est affirmé au Levant. En Égypte, Georges Henein a accueilli avec enthousiasme le surréalisme, qui a influencé le jeune Edmond Jabès ou la poétesse Joyce Mansour. Le Libanais Georges Schehadé a apporté au théâtre nouveau des années 50 le sens d'une poésie fragile, rêveuse ou extravagante.

La situation du français n'est cependant pas uniforme dans toute la région. Si un véritable bilinguisme franco-arabe s'épanouit au Liban dans les années 60, ailleurs **le français est la langue de minorités** (importantes en Égypte, plus diffuses dans les autres pays du Proche-Orient). Le statut des écrivains de langue française, l'évolution de l'écriture francophone se ressentent de ces disparités.

Au Liban, sans remonter aux principautés fondées par les croisés, les chrétiens ont, depuis les accords entre François Iᵉʳ et Soliman le Magnifique, privilégié leurs relations avec la France. **Langue de la nation protectrice,** le français a été répandu par l'œuvre scolaire remarquable des missions (en 1881, les jésuites ont fondé l'université Saint-Joseph qui a formé nombre d'intellectuels et d'hommes politiques libanais et syriens). De 1920 à 1943 le mandat français sur le Liban (c'est-à-dire le contrôle de l'administration du nouvel État indépendant) a encore favorisé la propagation du français comme langue de modernisation culturelle. En 1962, dans sa thèse sur « le bilinguisme arabe-français au Liban », Selim Abou montrait qu'il n'existe pas vraiment de clivage ethnique ou religieux dans l'usage du français. En effet, la bourgeoisie musulmane a largement adopté l'usage du français comme langue de culture et d'ouverture sur le monde. A l'époque de l'enquête, sur l'ensemble de la population libanaise, près de la moitié des arabophones parlait aussi français. Une presse en langue française très dynamique, une place importante faite à la francophonie

par la radio et la télévision soutenaient la position du français. Si bien que près de 40 % des familles de la ville de Beyrouth employaient régulièrement le français comme langue de la vie privée. Bien sûr, depuis la parution de l'étude de Selim Abou, la situation s'est sensiblement modifiée. L'anglais a progressé, comme langue de travail, dans les milieux de la finance et du commerce. On a noté la consolidation d'un trilinguisme arabe-français-anglais, et même l'apparition d'un bilinguisme arabe-anglais chez certains jeunes musulmans. Beaucoup plus dramatiquement, la guerre, les destructions, les partitions de fait du pays, l'exode et l'émigration d'une partie de la population ont bouleversé l'échiquier linguistique libanais. Pourtant le français reste encore la langue où s'affirme l'invraisemblable vitalité du peuple libanais.

En Égypte, le français a été la **langue de la modernisation** du pays au XIXe siècle : langue de l'école de médecine ou des concepteurs du canal de Suez. Supplantant l'italien, il s'est imposé à la société cosmopolite d'Alexandrie et la bourgeoisie égyptienne a envoyé ses enfants se former aux écoles françaises. Jusqu'à la fin de la Seconde Guerre mondiale, journaux, revues, conférences, représentations théâtrales en français manifestaient l'engouement des classes aisées pour cette langue (qui avait aussi le mérite de ne pas être celle du colonisateur direct). La conquête du pouvoir par le colonel Nasser, la mise en œuvre d'une politique socialiste, le succès du nationalisme panarabe ont provoqué la dispersion de l'ancien monde des affaires où se rencontraient les cultures les plus diverses. Le français a perdu de son pouvoir d'attraction (encore plus après la malheureuse expédition militaire de Suez en 1956). Un certain nombre d'intellectuels francophones ont quitté l'Égypte. Cependant, la colonie libanaise, relativement nombreuse, a largement contribué à maintenir l'usage du français.

Dans les autres pays du Proche-Orient, on peut signaler, aujourd'hui encore, **quelques îlots francophones,** quelques individualités qui choisissent de pratiquer le français, voire de devenir écrivains en cette langue. Autrefois, le français, porteur de modernité, a pu servir à exprimer des revendications nationales contre la domination ottomane, comme l'influence de la culture française a pu aider la renaissance des lettres arabes (ou *nahda*). Ce rôle historique est sans doute révolu, mais il en reste un élan que certains souhaitent prolonger.

Chapitre 9

De l'Égypte au Liban

Du côté de l'Égypte

Depuis le XVIIIe siècle, beaucoup de voyageurs français ont parcouru et raconté le Levant et l'Égypte : le « voyage en Orient » constitue un genre littéraire quasi obligatoire, au siècle dernier ; les écrivains les plus éminents le pratiquent : Chateaubriand, Lamartine, Nerval, Théophile Gautier, Flaubert... Sans chercher à se poser ostensiblement en censeurs ou en rivaux de ces illustres devanciers, les écrivains francophones d'Égypte n'ont pu ignorer les images insistantes de l'Égypte et de l'Orient déjà proposées aux lecteurs français. Ils ont donc tout naturellement écrit pour préciser, nuancer, parfois corriger des visions trop exotiques. Et comme ils écrivaient depuis l'Égypte même, où ils étaient installés quand ils n'y étaient pas nés, ils ont voulu brosser des tableaux plus authentiques, dessiner des images de l'Orient saisies de l'intérieur. Une grande partie de la littérature égyptienne en français est donc composée de livres qui veulent faire connaître l'Orient en profondeur : romans de mœurs, mais aussi transcriptions de légendes ou de contes qui permettent d'approcher l'esprit d'une civilisation. Déjà en 1919, Adès et Josipovici avaient emprunté au folklore panarabe le héros de leur *Livre de Goha le simple,* bizarre mélange de malice et d'innocence. Mais ce sont peut-être les contes et les romans d'Out-el-Kouloub qui restituent le plus fidèlement l'atmosphère de la vie égyptienne traditionnelle. Appartenant à une vieille famille de l'aristocratie musulmane, tenant salon francophone, la romancière fait pénétrer dans le monde des femmes enfermées, qu'elle avait connu dans son enfance *(Harem,* 1937*),* ou bien elle promène son récit à travers une histoire de passions chevaleresques et de vengeances cruelles *(Hefnaoui le Magnifique,* 1961*),* ou encore elle égrène, au rythme des conteurs, les mille légendes dont la superstition populaire a entouré la célébration des grandes fêtes religieuses *(La Nuit de la destinée,* 1954*).* Libanaise née en Égypte, Andrée Chedid a consacré à son pays natal plusieurs romans qui sacrifient le pittoresque au désir d'atteindre une vérité mythique : dans *Le*

Sixième Jour (1960), une vieille femme se bat pour sauver son petit-fils du choléra et l'arracher à l'étreinte de la fatalité ; *Néfertiti et le Rêve d'Akhnaton* (1974) invite à méditer sur la « Cité d'Horizon », cité idéale créée par le pharaon Akhnaton.

ALBERT COSSERY avait d'abord publié au Caire, en 1941, *Les Hommes oubliés de Dieu,* recueil de nouvelles qu'Henry Miller salue comme « le genre de livres qui précèdent la révolution, si du moins la langue de l'homme possède un quelconque pouvoir ». *La Maison de la mort certaine* (1944) continue la même inspiration : peinture de « l'Égypte misérable » et de l'immense foule des « oubliés de Dieu », qui vivent dans l'attente d'un avenir « plein de cris, plein de révoltes ». L'écriture y est nerveuse, parfois provocante, le langage « aussi clair que les graffiti sur les murs » (Henry Miller). Établi en France depuis 1945, Albert Cossery s'y est fait connaître par la réédition de ses premiers livres, puis par de nouveaux romans : *Les Fainéants dans la vallée fertile* (1948), *Mendiants et Orgueilleux* (1955), *La Violence et la Dérision* (1964), *Un complot de saltimbanques* (1976). Tous ces textes ramènent à l'Égypte natale, mais le ton y a changé : moins directement violent, plus picaresque sans nul doute, peut-être tendre quand le romancier se plaît à magnifier ses personnages de glorieux fainéants.

[Une détresse persévérante]

L'hiver, « le terrible hiver de l'Égypte misérable ». Dans « la maison de la mort certaine », le vieux Kawa vient de se lever.

Bientôt, il lui sembla que quelqu'un s'agitait dans la cour. Il se tourna vers le coin à gauche et aperçut la silhouette floue, insignifiante, de Chéhata, le menuisier. L'homme paraissait absorbé dans une besogne qui réclamait l'éternité. Ses yeux ternes ne bougeaient pas dans leurs orbites ; il les gardait continuellement fixés sur son travail. Ibrahim Chéhata, le menuisier, était un être taciturne et insondable. Il occupait, en compagnie de sa femme et de ses quatre enfants, un infâme réduit dans les sombres profondeurs de la maison. C'était une famille famélique. Ils traînaient une misère vraiment moyenâgeuse et se mouraient tous de consomption. On ne les entendait jamais criailler ni se disputer ; sauf la femme qui, pour soutenir sa réputation parmi les voisines, s'aventurait parfois au centre d'une querelle confuse. On entendait alors le son de sa voix affaiblie et comme appartenant à quelque fantôme.

Trop pauvre pour louer une boutique, le menuisier avait installé son établi dans un coin de la cour. On le voyait toujours en train de se livrer à un travail minutieux et presque clandestin. Mais cet incessant labeur cachait une détresse persévérante et tragique. Car, en vérité, le travail que fournissait le menuisier ne répondait à aucune commande de clients. C'était simplement pour lui une espèce de narcotique. L'esprit accaparé par son ingrate besogne, il essayait d'oublier son extrême indigence et surtout l'insatiable faim qui le dévorait. Ibrahim Chéhata avait atteint les limites de la résistance humaine devant les forces dégradantes de la misère. Il avançait dans la vie comme un somnambule. Ses vêtements étaient en lambeaux. Il ressemblait tout à fait à une momie, une très ancienne momie, venue de temps lointains et barbares.

Le vieux Kawa le voyait manœuvrer d'informes morceaux de bois, auxquels il n'arrivait jamais à donner une consistance définitive. On ne savait jamais de quoi il s'agissait exactement ni à quoi tendaient tant d'efforts désespérés. Tout se faisait en plein mystère. On entendait à peine le frottement du bois et le souffle rauque de l'homme. Le vieux Kawa souffrait de cet effort maladif qui n'avait pas de fin. Le bruit imperceptible de cet effort lui déchirait les entrailles. Il se leva enfin et fit quelques pas dans la cour. Il éprouvait le besoin de parler au menuisier. Il aurait voulu lui raconter l'histoire de l'enfant nu. Mais il n'osait pas l'approcher. Quelle pitié ! Pourquoi Chéhata était-il si taciturne ? Et pourquoi surtout était-il plus misérable que les autres ? D'abord, est-ce que l'on pouvait être plus misérable que les autres ? Non, c'était impossible.

Albert Cossery, *La Maison de la mort certaine,* Nouvelles Éditions Oswald.

La bonne société cosmopolite de l'Égypte d'avant 1950 aimait et pratiquait la poésie de salon, académique, classiquement versifiée, ménageant de temps à autre l'heureuse surprise d'un poème réussi. Le surréalisme, introduit par Georges Henein dès la fin des années 30, apparut aux yeux de jeunes gens impatients et ambitieux comme le sésame ouvrant la voie d'une poésie neuve. Pendant une dizaine d'années, GEORGES HENEIN fut l'âme d'une activité surréaliste au Caire, qui influença les débuts d'Edmond Jabès, Marie Cavadia, Horus Schenouda, JOYCE MANSOUR. Une revue, devenue maison d'édition, *La Part du sable,* diffusait les textes qui se réclamaient du mouvement. En 1948, Henein devait rompre avec André Breton. La publication de ses inédits et la réédition de ses textes anciens, après sa mort en 1973, ont montré toute la fidélité intransigeante que Georges Henein voulait garder, fût-ce contre les fondateurs du mouvement eux-mêmes, à la pureté originelle du surréalisme. Le titre d'un de ses ouvrages, *Le Seuil interdit* (1956), pourrait figurer comme une définition de l'esprit même du surréalisme.

Il suffit d'énumérer les titres de quelques recueils de Joyce Mansour pour comprendre dans quel climat baigne sa poésie : *Cris* (1953), *Déchirures* (1955), *Les Gisants satisfaits* (1958), *Le Bleu des fonds* (1969), *Ça* (1970)... Poésie violemment incarnée, provocante et morbide, outrageusement érotique, agressant directement le lecteur :

Ne mangez pas les enfants des autres
Car leur chair pourrirait dans vos bouches bien garnies.

Poésie d'images intenses, troublantes, oniriques, porteuses d'un désir insatiable, bref parfaitement surréalistes :

Invitez-moi à passer la nuit dans votre bouche

ou bien :

Endormie comme la boue des jardins emmurés
Mon sexe resplendit de la grande soif amère

Le principe d'identité I

Il dissimulait son nom
comme une eau morte
où les pierres en tombant
n'eussent point tracé de cercles

Il descendait vers les Dieux
incrédule mais patient
il avançait dans la nuit des Dieux
fort du sacrifice de sa propre image
fort de sa ressemblance avec le malheur

Quand il entra dans la Cité
quelqu'un parla d'hivernage absolu
les maisons se fermèrent comme des trappes
entre l'homme et la femme
il n'y eut plus que l'infime charnière
d'une lame de Tolède

Et le déni du pardon
replaça le monde
en des mains immobiles.

Georges Henein, *Le Signe le plus obscur*
éd. Puyraimond D.R

Vous ne connaissez pas...

Vous ne connaissez pas mon visage de nuit
Mes yeux tels des chevaux fous d'espace
Ma bouche bariolée de sang inconnu
Ma peau
Mes doigts poteaux indicateurs perlés de plaisir
Guideront vos cils vers mes oreilles mes omoplates
Vers la campagne ouverte de ma chair
Les gradins de mes côtes se resserrent à l'idée
Que votre voix pourrait remplir ma gorge
Que vos yeux pourraient sourire
Vous ne connaissez pas la pâleur de mes épaules
La nuit
Quand les flammes hallucinantes des cauchemars
réclament le silence
Et que les murs mous de la réalité s'étreignent
Vous ne savez pas que les parfums de mes journées
meurent sur ma langue
Quand viennent les malins aux couteaux flottants
Que seul reste mon amour hautain
Quand je m'enfonce dans la boue de la nuit

Joyce Mansour, *Rapaces,* éd. Seghers.

L'Orient voyageur

Albert Cossery, Georges Henein, Joyce Mansour, Edmond Jabès ont dû un jour se résoudre à quitter l'Égypte : les temps avaient changé, la société francophone au sein de laquelle s'était affirmée leur recherche semblait vouée à disparaître. Pour les écrivains venant de pays où il n'existait pas ou plus de foyer francophone, et qui choisissaient cependant le français comme langue d'expression littéraire, l'exil était encore plus inévitable. La France a accueilli certains de ces voyageurs de l'Orient qui apportaient, avec leur imaginaire enraciné au pays de leur enfance, le désir de maintenir un pont avec leur culture d'origine.

Né en Syrie, mais Iranien, Fereydoun Hoveyda a été critique aux *Cahiers du Cinéma* à l'époque où, autour de François Truffaut et Jean-Luc Godard, s'y préparait l'explosion de la Nouvelle Vague. Ses passions de cinéphile et d'amateur de science-fiction nourrissent ses gros romans, mais on y rencontre aussi une réflexion sur les choix de l'intellectuel oriental formé à l'école de l'Occident *(Les Quarantaines,* 1962*)*.

Venu à Paris étudier la philosophie, le Syrien Kamal Ibrahim y est devenu poète *(Babylone* suivi de *La Vache la mort,* éd. Flammarion, 1967*)* et romancier *(Le Voyage de cent mêlées,* 1979*)*. Dans la tradition des poètes-voyants, il écrit une poésie nourrie au désert et au désespoir :

Babylone Babylone broute sa fille
d'herbe et de rêve

Le sang se souvient
La vie se répète
La mort devient

L'itinéraire le plus remarquable est peut-être celui de Naïm Kattan, d'origine juive irakienne, né à Bagdad, formé à l'école française, qui a finalement émigré au Canada, où il a occupé d'importantes fonctions au Conseil des Arts. Écrivain, il a raconté son adolescence dans *Adieu Babylone* (1975). Mais où classer ce grand migrateur : écrivain oriental ou écrivain canadien de langue française ?

Du côté du Liban

Dans l'entre-deux-guerres, la littérature libanaise en français avait connu un bel essor. Déjà en 1910, la représentation d'*Antar* de Chekri Ganem sur la scène parisienne de l'Odéon avait été un triomphe : cette pièce en vers imités d'Edmond Rostand exaltait la lutte nationale des Arabes contre la domination turque. Plus tard, autour de *La Revue phénicienne* de Charles Corm, Hector Klat, Élie Tyan, Michel Chiha célèbrent, dans une forme parfois désuète, les antiquités du Liban.

Depuis 1945, le Liban a vu s'épanouir un bel ensemble de poètes. Le genre romanesque est beaucoup moins développé. Pourtant Farjallah Haïk s'est imposé, dans une série de romans publiés depuis 1940, et surtout dans sa trilogie *Les Enfants de la terre (Abou-Nassif,* 1948 ; *La Fille d'Allah,* 1949 ; *La Prison de la solitude,* 1951*),* comme le peintre des villages libanais, de leurs passions brutales, de leurs tabous, de leurs cloisonnements ethniques. La violence des guerres libanaises s'affiche déjà dans *Journal d'Anne* (1947) de Laurice Schehadé ; on la retrouve dans *L'Excisée* (1982) d'Évelyne Accad, où à l'oppression des femmes par l'autorité de la religion et des pères, à leur mutilation intime répondent les cicatrices toujours saignantes de la guerre. Le dernier roman d'Andrée Chedid, *La Maison sans racines* (1985), s'interroge douloureusement sur l'avenir possible du Liban : l'apocalypse ou, enfin, la paix...

La réflexion sur **l'existence même du Liban** et des Libanais a suscité une prose d'idées, souvent de haute tenue. Se maintenant au plan de la critique littéraire, Salah Stétié dans *Les Porteurs de feu* (1972) analyse le rôle de la poésie dans la construction de l'identité arabe moderne (un vers du poète de langue arabe Adonis pourrait servir d'emblème à cette enquête : « Le poème futur est un pays du refus »). Selim Abou, outre son étude sur le bilinguisme libanais, a publié un superbe ouvrage composé de récits de vie de Libanais immigrés en Argentine, présenté comme une « ethnopsychanalyse des autobiographies » *(Liban déraciné,* 1978*).*

Parmi les poètes libanais, GEORGES SCHEHADÉ a vite été reconnu comme un maître. Son théâtre, de *Monsieur Bob'le* (1951) à *L'Émigré de Brisbane* (1965), a obtenu un succès international[1]. André Breton, René Char, Saint-John Perse ont déclaré leur admiration pour ses *Poésies,* rassemblées en 1952, qui semblent dire « le temps innocent des choses ». Les attaques des courts poèmes suggèrent un jardin heureux, paysage originel d'un imaginaire oriental (« Je me dériderai dans un jardin de pommes » ou bien « Il pleut sur vos genoux des médailles de nuit » ou encore « La rose qu'on endort dans un tablier »). Mais le premier et très bref poème qui ouvre le recueil donne à réfléchir :

D'abord derrière les roses il n'y a pas de singes
Il y a un enfant qui a les yeux tourmentés

Le paradis se creuse d'une mélancolie et, comme le souligne Jean-Pierre Richard, « si exquis soit-il, mon *ici,* je le reconnais bien vite, ne peut être le lieu de mon bonheur, tout au plus de mon aspiration à ce bonheur ». La poésie de Schehadé naît de la distance que le rêve suscite dans l'évidence des choses (« C'est par les jardins que commencent les songes de folie ») :

Tant de magie pour rien
Si ce n'était ce souvenir d'un autre monde
Avec des oiseaux de chair dans la prairie
Avec des montagnes comme des granges
Ô mon enfance ô ma folie.

1. Cf. *La Littérature en France de 1945 à 1968,* pp. 513-516.

[Et dans les rêves un enfant qui racontait sa vie]

VII Dans l'église du village à l'approche de la nuit
Les prières sortent de leurs cachettes
Un ange enfant change de mur

L'encens prête sa couverture d'ombre
A des Mages endormis
Les lys à leurs pieds paraissent obscurs

Et plus loin dans un ciel de bougies
Les icônes voyagent

VIII Avant le sommeil
Les sœurs de ma mère parlaient si bas
Que tout devenait de l'ombre
Les visages et les voix
Jusqu'à l'horloge dans sa cage
Qui n'avait plus de chant
Une allumette alors brillait
Et l'on pouvait entrevoir
Mes tantes agenouillées
Dans une goutte d'or

IX Chaque fenêtre avait le ciel d'une prairie
Dans cette maison oubliée
Il y avait aussi les oiseaux qui apportaient
les nouvelles
Et dans les rêves un enfant qui racontait sa vie

Amour
Où sont les nuits de l'hiver
La lampe douce dans sa robe de verre
Et l'horloge qui sonne et appelle
Un enfant seulement endormi

Georges Schehadé, *Les Poésies,* éd. Gallimard.

Dans *La Description de l'homme, du cadre et de la lyre* (recueil publié d'abord à Beyrouth en 1957, puis à Paris en 1963), Fouad Gabriel Naffah développe en alexandrins le récit d'une conversion (« Au début j'étais athée comme un clair de lune ») et d'une initiation ésotérique. Nadia Tuéni *(L'Age d'écume,* 1966 ; *Juin et les mécréantes,* 1968 ; *Poèmes pour une histoire,* 1972*)* chante les violences d'une terre soumise aux « soleils de midi » et partagée par tant de peuples et de guerres (« Tout n'est si beau que parce que tout va mourir, / dans un instant »). Marwan Hoss *(Le Tireur isolé,* 1971*),* fasciné par « les hauts minarets de l'absence », joue sur la force des silences. Vénus Khoury-Ghata, poète *(Terres stagnantes,* 1968 ; *Au sud du silence,* 1975 ; *Les Ombres et leurs cris,* 1980*)* et romancière *(Vacarme pour une lune morte,* 1983*),* affirme dans la colère ou la dérision sa passion fiévreuse pour son pays déchiré : « Nos morts surveilleront la récolte de nos lunes. »

Beyrouth,
aquarelle de M. A. Kaddoura, 1983.

[Ils]

Peuple voué aux lentes prédictions

1. Ils racontent leur vie aux pierres
Se disent venus d'un hiver
Montrent une poignée de froid pour toute identité

2. Ils annulent leur visage
Se déguisent en ombres
Fondent dans un pli du paysage

S'ils sont fusillés
Blanches sont les traces de leur sang

Dans les mortiers du soir
On pile leurs mots coutumiers avec l'amande amère

3. Ivres d'avoir traversé une vigne
Ils déroulent la lune
Dispersèrent son duvet
Muselèrent leurs légendes

Leurs prières étalées devinrent rumeurs

4. Ils enrôlent les arbres
Qu'ils arment de cris
Qui tirent sur la pluie

Les morts ne sont que flaques d'eau

5. Ils s'infiltrèrent par les fissures de la nuit
Allumèrent nos fleuves
Cassèrent nos viviers
Puis repartirent

Ils nous laissèrent leurs ombres de silex en signe de défi

6. Un automne sous le bras
Ils émondèrent les ailes de nos oiseaux
Estropièrent nos arbres
Ils se prolongèrent jusqu'aux cyprès
Étreignirent les réverbères

Seul le vent greffé de sel a pu les immobiliser

7. Un oiseau suspect qui change souvent d'adresse
Puis torturèrent le vieux cyprès
Qui ouvrit ses branches en forme d'ailes
Et les suivit délesté de son poids
Ils sont venus des terres lentes
Guidés par un vent mouchard
Firent tinter leurs mots dans leurs poches
Les éparpillèrent monnaie sonnante sur nos dalles
Ils interrogèrent un nuage accroupi sur le toit

Vénus Khoury-Ghata, *Les Ombres et leurs cris*, éd. Belfond.

S'interrogeant sur les constantes de la poésie libanaise, SALAH STÉTIÉ y découvre une permanente **hantise de l'exil :** « Peut-être l'exil n'est-il, au niveau profond, que la vocation, assumée par le poète, de cette terre, la sienne, le Liban — qui est seuil entre deux mondes, lieu de départ à la fois et point de nostalgie. » Ses propres poèmes, petits textes en prose énigmatiques et incisifs *(La Mort abeille,* 1972*)* ou poèmes versifiés jouant sur l'espace et la typographie *(L'Eau froide gardée,* 1973 ; *Fragments : Poèmes,* 1978*)*, sont aimantés par une quête de l'unité, de la perfection de l'Être. S'ils se plaisent aux séductions des choses familières (la beauté de ce monde, la chaleur de nos corps), c'est pour y faire surgir le désir d'une pureté première, d'un « arrière-pays », où se dissimule « la fleur fermée de l'être ».

Double maison dans le céleste ciel
Avec l'autre maison approfondie de brume
Puis l'eau mirant la brume sans maison

Double simple maison dans les racines
Du ciel inhabité, pensée pure
Cherchant, d'impure brume, la ressemblance

Fragments : Poèmes, éd. Gallimard.

[Et celle qui lit à l'œil en grain de café noir]

Avant l'invention du café, par un vieil alchimiste d'Arabie, l'univers était sans parfum. D'Arabie Pétrée. Il fallait beaucoup d'aridité sans fleurs pour que naisse la fleur entre toutes, fine colonne à volutes. A l'heure du ciel très vide, comme matière de regard avant le feu, les délicats cristaux des horizons n'ont pas blessé cet amateur du profond songe. Je parle de l'alchimiste et de son alambic, d'où va monter la nuit par nappes, plus claire et veloutée que le jour sans oiseaux, avec ses astres ronds et brodés à l'envers ! Ne dites pas de soie cette souple armure où la femme semble se couler comme ruisseaux réunis par amitié de muscles longs, entre deux langues d'herbe verte. Ne dites pas de soie, ni même sauvage, la respiration d'un moulin, à hauteurs et à défaillances, comme seigneur, maître de lévriers.

Mais que d'images et que de métamorphoses ! La rose seule est plus limpide que ce fond noir ! La rose seule dit mieux l'amour, la farfelue, qui d'odeur nue masque le labyrinthe. De *car* en *comme* se descendent les escaliers de l'anxiété, loin des villages et loin des touffes douces : jusqu'à ce champ de pierres à perte d'âme, et ce croissant de mauve maléfique.

Ce qui s'allume, le café bu, c'est un port. *(O mélodie de la pierre des îles !)*

Navires, vers où, navires, vous allez, tirés par vos chevaux à la tête d'écume ? Les marins sont mariés aux mâts, pour le meilleur et pour le pire. A la frénésie des sirènes couvertes de grappes démentes, ils faussent compagnie, pour de très brèves heures, par la fascination du plus mince filet de mer entre des cuisses d'Amsterdam, roulées roulant sous les minuits comme tristes billes de billard. Bonheur, où sont tes cages — où sont tes prisonniers, bonheur ? A l'heure où passe la gitane, la liseuse de lignes, derrière les jalousies des bars, le marin dort enfin, et sombre, bercé par ses bras seuls.

Aux devantures d'Amsterdam, les sirènes ont laissé leurs jambes...

Le lait des astres, goutte à goutte. Le lait des astres dans l'amertume du monde. Châteaux surgis et fouettés de sifflantes dentelles, traversés de chemins de nulle et nulle part, veillés de sentinelles camouflées d'ironie, sous la feuillée très dure, par une pluie d'aiguilles. Les suies voyagent, avec les âges, et les rumeurs, et ces profils de messagers, de messagères. Destins, dérives, à même les frêles faïences, ravies à la nature du ciel, à la faveur du frais nuage.

Et Celle qui lit à l'œil en grain de café noir, sur ses chemins de poudre.

Salah Stétié, *La Mort abeille,* éd. de L'Herne.

Tous les commentateurs (et les nombreux lecteurs) d'ANDRÉE CHEDID ont noté son refus d'une poésie trop prétentieuse. Dans une vingtaine de recueils (dont *Contre-Chant,* 1969, *Visage premier,* 1972, *Fêtes et lubies,* 1973, *Fraternité de la parole,* 1976, *Épreuves du vivant,* 1982) avec les mots les plus simples, dans une langue fluide, visant la transparence, elle accompagne, de la naissance à la mort, les étapes quotidiennes et les épreuves d'une vie vraiment humaine. Dès 1955, ses *Textes pour la terre aimée* (éd. G.L.M.) enracinent sa poésie dans l'évidence terrienne :

Pour la fille égarée
Une langue de mésange
Pour la veuve
L'écorce d'un tremble
La cerise du loriot
Pour ta prunelle mon enfant
Pour le poète
La soif.

« La Poésie est une terre totalement vécue » : tel est le principe de son art poétique. Dans les déchirements actuels où sombrent les derniers espoirs de maintenir en vie le Liban, sa voix fragile lance un pathétique message de paix.

[Cessez d'alimenter la mort]

Désespérément égorgez l'espoir, mes frères

Dépecez l'espérance jusqu'à l'os !

La vengeance fut votre trappe
La haine votre guet-apens

Mais qui mena le jeu ?
Et qui vous a armés ?

Sans rêve sans avenir
sans visage singulier

Répandus tant que vous êtes
dans le bâti des morts

Disparus tant que vous êtes
dans la matrice funèbre

Comment se détourner de votre image, mes frères ?

Votre histoire est l'histoire
reflet de nos sueurs haineuses
de nos monstres assoupis
de nos faces déchaînées

Puérils sont les mots
Vaine l'écriture
Effréné pourtant, le désarroi du cœur

On ne sait pas on ne voit pas
ce qui pousse dans ces cloaques
quelle cause innocente ces massacres

quel chancre nous ravage
et nous entraîne si loin ?

Vos actions nous minent
Et vous déciment, mes frères !

Cessez d'alimenter la mort !

Andrée Chedid, *Cérémonie de la Violence*,
éd. Flammarion.

Chapitre 10

Diaspora juive

Edmond Jabès

Né au Caire, juif — sans pratique religieuse — d'origine italienne, Edmond Jabès vit en Égypte jusqu'à l'âge de trente-cinq ans. Poète fasciné par Max Jacob, imprégné de la littérature française la plus moderne, il tient le français pour une langue « devenue » maternelle, mais regrette d'avoir été tenu à l'écart de la culture arabe. Il compose de merveilleux poèmes, le plus souvent intitulés chansons, pleins d'une lumière et d'une musicalité que l'on retrouverait alors chez un René Char, chez un Paul Éluard, chez un Georges Schehadé. Dans ces textes, certes, l'Orient ne transparaît que sous la forme du désert, et les recherches sur le signifiant, « du blanc des mots et du noir des signes », répondent à une inquiétude originelle sur les mots mêmes. Malgré cette tristesse anxieuse, *Je bâtis ma demeure,* recueil qui rassemble les textes de la période égyptienne, est comme nimbé d'« allégresse dorée », pour reprendre le mot du préfacier, Gabriel Bounoure, critique et professeur qui joua un rôle de premier plan dans la diffusion de la poésie d'avant-garde au Proche-Orient. Jabès l'enchanteur éclaire ainsi le titre de son volume :

Avec mes poignards
volés à l'ange
je bâtis ma demeure

Thibet lointain où nul ne t'atteint où tu
retrouves intacte ton âme verte et belle
échappée aux églises parmi les bâtons
de réglisses que savourent nonchalamment
les sages
les frêles crayons de nuit avec lesquels tu
illumines d'éclairs la nuit

A toi, je parle

A toi, je parle. L'écho. Les coraux des marelles transmises. La bonne nouvelle brille, aujourd'hui. A toi, j'annonce le don du désir, la mer sans trajet, la bouche.

A toi, l'indiscipline des cimes à tête de jument, le hennissement de la neige, là-bas, sans exemple.

A toi, amour exaspéré, les vérités premières, le délai accordé aux pierres perchées.

A toi, seul pour toi, le deuil des cierges, l'hymne au roc, la carte inviolée du signe.

Blessée dans ta candeur. L'écaille. Les liens sauvages de l'air et de l'eau. Une fois sauvée, plus belle, les seins exposés, les cuisses, compagnes de l'onde.
Et l'entrave de l'amour à la fuite facile.

Le nombre. L'écrin. Le jeu des insignes convoités. L'alphabet, aphtes grossiers. Les lèvres crèvent avec la phrase.

Ici, j'étale. Pages, impatient pays. Ici, je peuple, je boise, je bâtis. L'encre étanche le sol, rivière et pluie.
Ici, tu règnes.

A toi, je dédie. Le sable. Le fruit du dialogue, algue roussie.

Et le sel dans les décombres, plage réduite.

Immobile. Réplique de la lampe.

Demain tranché à l'étonnement des mains.

Edmond Jabès, *Je bâtis ma demeure, Poèmes, 1943-1957,* éd. Gallimard.

En 1957, bien qu'il ait sympathisé avec les forces politiques qui avaient pris le pouvoir en Égypte, Jabès quitte ce pays pour toujours : il y a éprouvé son statut de minoritaire, et de quasi-étranger. Son attachement à la langue française lui fait choisir, plutôt qu'Israël, la France ; mais s'il est un sentiment que tous ses textes récusent, c'est bien celui de l'appartenance. Va alors se déployer une œuvre remarquable par son ampleur et son éclatement, autour de ces deux archipels que constituent *Le Livre des questions (Le Livre de Yukel, Le Retour au livre, Yaël, Elya, Aely, El ou le dernier livre)* et *Le Livre des ressemblances.* Cet ensemble de fragments, dialogues, pseudo-citations, chansons, séquences narratives, se construit et se déconstruit simultanément. Le cours d'une production poétique qui est aussi interrogation sur la poésie, paraît à la fois ininterrompu et toujours soumis aux forces de l'interruption ; et les « questions » de Jabès, avec plus de tension ou d'éclat, viennent rejoindre la question de l'écriture, telle que l'a formulée Maurice Blanchot. **La question de l'écriture** et celle du judaïsme se trouvent liées dans un rapport de symbolisation réciproque ; la difficulté d'écrire et la difficulté d'être juif sont analogues, « car le judaïsme et l'écriture ne sont qu'une même attente, un même espoir, une même usure ». La blessure n'est pas seulement celle de l'holocauste tout récent, mais « cette blessure d'une race issue du livre », celle d'une diaspora bi-millénaire. Un Livre, qui est aussi absence du livre, pour un Juif, peut être imaginaire, tel est le pari mallarméen de Jabès : « Pour le juif, le point de départ et le point d'arrivée se confondent. Ils sont, tous deux, dans ce nom solitaire : Juif. Premier et dernier mot d'un livre où tout le reste est effacé. »

Poète qui ne s'en tient pas à la poésie, prophète qui exclut la révélation, narrateur brisant tout fil de la narration, métaphysicien du non-savoir, Jabès semble défier les commentaires. Maurice Blanchot, Jacques Derrida, Jean Starobinski en ont donné qui rendent compte de cette problématique infinie. Le judaïsme lui-même, malgré ses allures traditionnelles, relève moins de l'Histoire, que d'une fiction des origines, à travers laquelle se fraye la voie un discours de vérité. Dans *Le livre de Yukel,* ses frères de race apostrophent le narrateur : « Les rabbins dont tu cites les paroles sont des charlatans. Ont-ils jamais existé ? Et tu t'es nourri de leurs paroles impies. [...] Ne faire aucune différence entre un Juif et celui qui ne l'est pas, n'est-ce pas déjà ne plus être Juif ? » ; Yukel se frappe alors la poitrine et pense : « Je ne suis rien. / J'ai la tête tranchée. / Mais un homme ne vaut-il pas un homme ? / Et le décapité, le croyant ? » Le *Je* d'Edmond Jabès, son être juif ne relèvent pas des commandements de la Loi, mais du questionnement tâtonnant. Son texte défie toutes les définitions.

Le génie du non-lieu

Nous avons isolé les séquences 5 à 7 dans le mouvement qui porte le titre indiqué. Yukel, peut-être le double de l'auteur, s'entretient avec divers rabbins.

5. Et Yukel dit :

Le pays où je vis n'est pas celui à qui mes aïeux ont donné la parole.

Je me plais peu dans ses paysages.

Et pourtant, ma langue est celle que j'ai acquise et perfectionnée ici.

Mon exil est l'exil antérieur de Dieu.

Mon exil, de syllabe en syllabe, m'a conduit à Dieu, le plus exilé des vocables et, en Lui, j'ai entrevu l'unité de Babel.

C'est par la langue que nous parlons que Dieu nous parlera.

Mais Reb Beda l'interrompit en ces termes :

Fou qui veut détruire la Parole par les paroles et le Livre par les livres.

La parole de Dieu est l'erratique parole.

Le livre est le Livre unique.

6. *(« Nous avions une terre et un livre. Notre terre est dans le livre. »*

Reb Riel.

« Il m'a dit :

Tu n'auras plus de mains.

J'ai dit :

A quoi servent, désormais, mes mains ?

Il m'a dit :
Tu n'auras plus de lèvres.
J'ai dit :
A quoi servent, désormais, mes lèvres ?

Il m'a dit :
Tes yeux seront deux lacs asséchés.
J'ai dit :
Je connais, par cœur, le Livre. »
Reb Forté.)

7. Et Yukel dit :

Nous ne parlons pas la même langue. Ce n'est donc pas les mêmes signes, les mêmes vocables qui nous rapprochent ; mais la passion que nous leur portons.

— Tu es un écrivain de ton pays, lui répondit Reb Vad, Dieu s'exprime par l'univers.

— Si je parlais la langue de Dieu, reprit Yukel, les hommes ne m'entendraient pas ; car Il est le silence de toute parole.

(« L'univers est au seuil du livre, disait Reb Ammar ; après, il y a les vocables en quête de l'univers. En ouvrant les yeux, nous avons trouvé le monde et, maintenant, nous le cherchons. »)

Edmond Jabès, *Le Livre de Yukel,* éd. Gallimard.

Écrits de la dispersion

Autour du cas exemplaire de Jabès, comment ne pas évoquer le **renouveau d'une littérature juive de langue française,** que l'on ne percevait guère dans le passé, à l'exception d'œuvres respectables comme celles d'André Spire et d'Edmond Fleg. Les écrivains français d'origine juive ne faisaient pas de cette origine, de leur enracinement ou de leur déracinement, un thème d'élection ; ils les découvraient à l'occasion des poussées de l'antisémitisme ambiant, sans que cette découverte mît en cause le sentiment d'appartenance à la communauté, la culture, la nation française. Les *Mémoires* (1984) de Raymond Aron [1] indiquent le degré, assez faible, de judéité que se donna, progressivement, cet intellectuel agnostique. Les persécutions antisémites des nazis et surtout la révélation du génocide ont transformé cet état d'esprit. Des écrivains nés après la guerre, comme Patrick Modiano [1], reviendront sans relâche au souvenir des années de l'extermination. L'écrivain juif est tenté de s'interroger sur son degré d'appartenance à une communauté française qui l'a protégé de manière bien relative entre 1940 et 1944. Même s'il a rompu avec les traditions religieuses et les institutions de la communauté juive, il prend en compte désormais ce qui lui apparaîtra

1. Voir note p. 254.

Une culture, résultat ou fondement de la religion…

selon le cas comme une identité, une solidarité ou une sensibilité. Il peut aussi écarter tout sentiment d'appartenance, car, selon la formule de Raymond Aron, « un Juif de culture française, citoyen français depuis plusieurs générations, n'est tenu par aucune loi humaine ou divine de se déterminer lui-même comme juif ». Mais nombre de textes, depuis 1945, manifestent cette autodétermination, avec toutes les variantes du choix personnel. Elie Wiesel, né en Hongrie, rescapé des camps de la mort, citoyen américain aujourd'hui, a choisi la langue française pour construire une œuvre qui va du roman classique *(Le Mendiant de Jérusalem, Le Cinquième Fils)* aux formes brèves de la tradition juive *(Célébration biblique, Célébration hassidique)*. « Nous tirons notre force, écrit-il, d'une mémoire qui précède la nôtre. » La création de l'État d'Israël, en 1948, (réalisation d'une prière séculaire), les drames qui l'entourent et qui la suivent, de l'exode des Palestiniens aux cinq guerres du Proche-Orient, contraignent le juif français à se définir par rapport à un État qui ne peut être pour lui un État tout à fait comme les autres. Claude Vigée, poète authentique, retrouve après les exils et les errances, le chemin de Jérusalem : les thèmes de la Diaspora et du Retour retentissent dans *Canaan d'exil* (1962) et dans *Le Poème du retour*. Inversement, le belge René Kalisky expose, dans *L'Impossible royaum* (1976), l'impossibilité pour un Juif révo lutionnaire d'adhérer à la politique d l'État d'Israël. Les écrivains judéo maghrébins ont en général choisi la langu française, pour maintenir cette cultur juive méditerranéenne, et deux antholo gies de la poésie juive, pour partie e langue française, parues en 1985, (éd Mazarine, éd. Vagabondages), attesten ce renouveau. Venu d'un autre horizon Alain Finkielkraut [1], sous forme d'u essai autobiographique, *Le Juif imagi naire* (1985), analyse la destruction de l culture yiddish en Europe centrale e cherche à tracer, pour son propr compte, « le passage, jamais tout à fai accompli, de l'ostentation à la fidélité » Si on ne peut tenir pour représentatif l destin doublement tragique de Pierr Goldmann [1], le titre de son autobiogra phie, *Souvenirs obscurs d'un Juif polo nais né en France*, marque bien chez lu la difficile recherche de l'identité, entr le projet révolutionnaire et le réenraci nement. Enfin une œuvre philosophiqu et spirituelle s'est lentement imposée celle d'Emmanuel Lévinas, auquel nou emprunterons une définition de cet espac judaïque : « Judaïsme signifie un culture — résultat ou fondement de l religion, mais ayant un devenir propre A travers le monde — et même dan l'État d'Israël — des juifs s'en réclamen sans foi ni pratiques religieuses. »

1. Rien ne serait plus éloigné de notre esprit que de vouloir détacher ces noms de l'espace de la littératur française. En témoigne *La Littérature en France depuis 1968*, pp. 146, 147, 219, 293-299.

Choix bibliographique :

Selim Abou, *Le Bilinguisme arabe-français au Liban*, P.U.F., 1962.

Jean-Jacques Luthi, *Introduction à la littérature d'expression française en Égypte*, éd. de l'École, 1974.

Alexandrian, *Georges Henein*, coll. « Poètes d'aujourd'hui », Pierre Seghers, 1981.

Jacques Izoard, *Andrée Chedid*, coll. « Poètes d'aujourd'hui », Pierre Seghers, 1977.

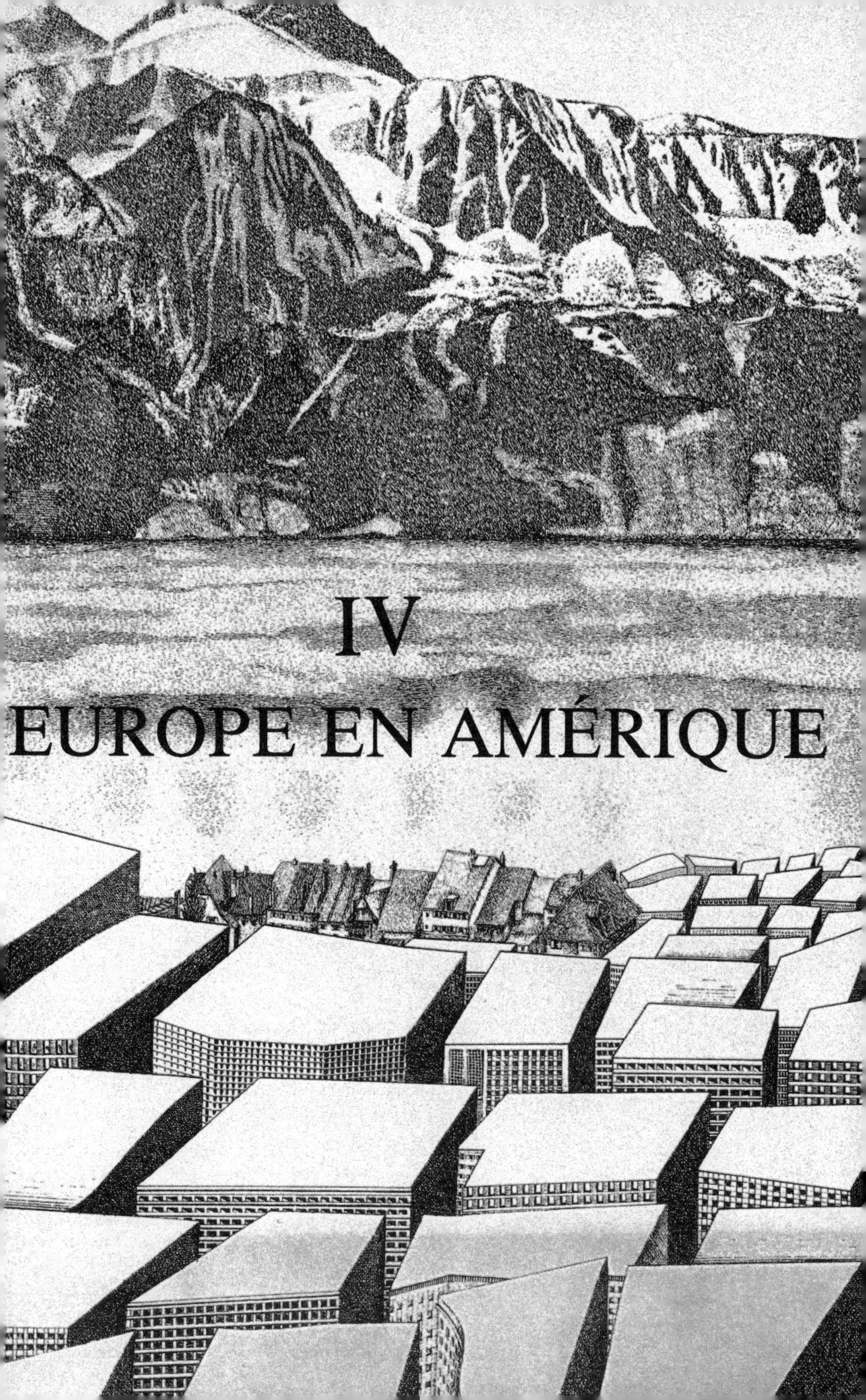

IV
EUROPE EN AMÉRIQUE

Une ville abandonnée, *pastel et crayon de F. Khnopff, 1904.*

Chapitre 11

Belgique

Nous connaissons, dans la production littéraire de langue française, des écrivains qui revendiquent une origine, une identité, une culture qui ne sont pas celles de la France. Ce n'est pas toujours le cas des écrivains d'origine belge. On s'est d'ailleurs rarement demandé si un texte littéraire a nécessairement une nationalité. Le critique est bien en peine d'extorquer la nationalité d'un auteur, si celui-ci a choisi de n'en pas faire état dans son texte, ou dans le paratexte qui l'accompagne. Un poète n'est pas tenu de présenter son passeport, et son état civil devrait nous être indifférent. Faut-il vraiment faire figurer comme Belges des écrivains qui ont effacé de deux manières leur origine : par la naturalisation qui les intègre un peu plus encore à la vie littéraire française, par l'effacement de toute référence textuelle à la terre natale ? Ainsi un inventeur majeur de notre temps comme Henri Michaux récusa-t-il toute tentative d'annexion à la littérature belge : il refusa de figurer dans les anthologies de ce domaine, et aurait concédé être « belge comme ses pieds ». On peut s'interroger sur le rôle qu'a joué la culture et la langue flamande dans la formation de Michaux ; on résistera à la tentation de le reverser malgré lui dans le contingent belge des grands écrivains.

Aborder le problème de cette littérature par le biais des Belges de Paris prêtera le flanc à l'accusation de parisianisme et de gallocentrisme. Mais il ne peut être question d'écarter de notre corpus tous ceux qui, à un moment ou à un autre, ont eu recours à l'édition, l'exposition ou l'émission française. L'absence d'une frontière naturelle entre les deux nations, le conflit culturel entre les néerlandophones, désormais majoritaires, et les francophones, pousseront l'écrivain belge de langue française à rechercher l'audience française, ne serait-ce que pour toucher un plus large public.

Belge ou pas ? La question sera souvent difficile à trancher. Un romancier comme Conrad Detrez n'a cessé, au fil de ses livres, d'évoquer une enfance qui semble déterminer tous ses choix ultérieurs, mais il s'est si bien intégré à la France qu'il en est devenu un représentant diplomatique en Amérique centrale. A la qualité de Belge, il aurait sans doute préféré celle de Wallon, où il aurait vu une origine plus qu'une citoyenneté. Marguerite Yourcenar est rarement revendiquée par les Belges, sans doute en raison d'une nationalité française et d'une résidence américaine ; pourtant peu d'œuvres sont à ce point enracinées et ressourcées dans la terre belge. Née à Bruxelles d'une mère belge et d'un père français qui passa une grande partie de sa vie outre-Quiévrain, Marguerite Yourcenar a recréé sa généalogie maternelle dans ses *Souvenirs pieux ;* elle a situé le plus ambitieux de ses romans, *l'Œuvre au noir,* en Flandre ; elle s'est acharnée à reconstituer des *Archives du Nord.* Elle a même accepter d'entrer à l'Académie royale de Belgique, à titre étranger il est vrai ; et il est difficile dans ses textes directement autobiographiques de déterminer à quel moment elle a fait choix de la nationalité française. Il ne serait pas absurde de voir en elle, malgré elle, mais par la grâce de ses textes, un grand écrivain belge. Son nomadisme même qui lui fait refuser l'appartenance exclusive à une patrie, et son sens aigu d'un humanisme universel qui dédaigne les frontières, se retrouveront chez beaucoup d'écrivains issus de la Belgique et qui constituent une manière de diaspora dans le monde. Georges Simenon, parti de Liège dès la fin de son adolescence, n'y a publié que son premier livre, *Le Pont des Arches,* roman de mœurs et d'aventures liégeoises. Il résidera successivement en France, aux États-Unis, en Suisse, sans jamais, à notre connaissance, abandonner sa nationalité d'origine. Lui aussi revient sans relâche à ses ancêtres, antécédents et enfances, sous la forme de l'autobiographie *(Je me souviens, Mémoires intimes),* du roman *(Pedigree)* ou du texte dicté au magnétophone *(Lettre à ma mère).* Récemment, le vieux maître du roman policier répondait dans ces termes à une enquête de l'Université de Bruxelles : « Au fond, j'appartiens par mes aïeux divers à la Principauté de Liège telle qu'elle a été autrefois puisqu'elle réunissait les trois Limbourg. » Cette lettre, destinée à la somme remarquable que constitue *La Belgique malgré tout,* réussit à ne jamais prononcer le nom de la Belgique, sans que pour autant la nationalité belge y soit reniée. Bien que Simenon, par l'énormité de son succès éditorial, par la durée de sa carrière, représente un cas tout à fait singulier, il manifeste ici un trait fréquent chez le Belge exilé : l'attachement à la région semble plus net que l'adhésion à la nation, souvent omise ou élidée. Ce sens de la région, ou comme on dit en Belgique de la « communauté », s'est développée au détriment de l'unité nationale. Le centre culturel qui face au centre Georges-Pompidou représente très activement, à Paris, la culture belge, se réclame de la Wallonie et de Bruxelles, non de la Belgique. En somme la littérature belge, pas plus que la nation belge, n'apparaît comme une évidence, et son cogito relève du doute systématique.

On pourrait s'interroger, du côté de la France, sur une attitude de réserve et même d'ironie hostile à l'égard de la Belgique. De quelques conférences manquées en Belgique, Baudelaire tira un feu roulant de sarcasmes, qui resteront dans l'esprit des littérateurs. « Pauvre Belgique ! », mais surtout pauvre Baudelaire qui, dans sa rancune, établit un stéréotype absurde de la Belgique comme contrefaçon de l'esprit français, qu'on retrouvera un siècle plus tard dans la vogue de ces détestables « histoires belges » qu'adorent des chansonniers français parfaitement lugubres. On aurait pu retenir plutôt les admirables récits de voyage de Victor Hugo. Malgré le prestige européen de grands artistes tels que Maeterlinck, Verhaeren, César Franck, James Ensor, malgré la grande popularité de la « courageuse petite Belgique » durant la Grande Guerre, l'image littéraire de la Belgique n'a jamais bénéficié de l'engouement ou du snobisme parisien, mais au contraire a été l'objet de plaisanteries suffisantes, comme si la raillerie à l'égard de la Belgique allait de pair avec le monopole du goût moderne. L'esprit français s'attribue à bon compte la légèreté et la subtilité, face à une lourdeur ou à un simplisme qui connoteraient fatalement le terme « belge ». Aussi les Belges qui sont « descendus » à Paris se sont-ils fait invisibles et, qu'ils aient ou non sollicité une naturalisation, pratiquent-ils une discrétion, proche du verrouillage, sur leur origine nationale. Même les avant-gardes les plus soucieuses d'internationalisme manifestent d'étranges réactions : André Breton n'a-t-il pas déploré « la détestable autonomie du surréalisme belge », alors que ce surréalisme-là nous paraît avoir été d'une exceptionnelle fécondité. Depuis 1945, le public français s'est montré moins ouvert aux littératures de la Belgique et de la Suisse qu'à celles des autres espaces francophones. Sans doute n'était-il pas motivé, pour les pays européens, par le sentiment de culpabilité lié à la colonisation ou à la conquête : la France n'a occupé et dominé la Belgique que durant une brève période (1790-1815).

Dans une étude remarquable (*Littérature,* n° 42, 1981), Jean-Marie Klinkenberg a bien analysé cette situation difficile : « C'est la machine parisienne qui anime le champ de production restreinte et hautement légitime, alors que l'éditeur belge doit se rabattre sur des productions faiblement légitimes, ce qui confère *ipso facto* à la littérature qu'il produit un statut globalement second [...] Deux de ces tactiques sont bien connues et ont en commun de contenir en elles leur propre échec. C'est d'une part l'autonomisation d'un champ littéraire distinct, mais qui annule la hiérarchie, donc la légitimité ; c'est de l'autre l'effort d'assimilation au champ parisien ou le désir de la reconnaissance de la part des instances de consécration de ce centre ; cet effort ne peut par définition être le fait d'une collectivité admise comme telle (ce serait contradictoire avec le principe d'hégémonie), mais ne peut aboutir que pour des individus isolés. »

Il n'est pas en notre mesure de risquer une théorisation de la littérature belge. On a pu discerner l'alternance de deux tendances, l'une, centripète, qui vise à pratiquer une littérature belge de langue française, l'autre, centrifuge, qui tendrait plutôt à une littérature française de Belgique. L'ambiguïté d'un même mot pour désigner la langue et la nation est fâcheuse, mais elle est institutionnalisée dans les textes légaux les plus récents qui reconnaissent une « Communauté française de Belgique », alors que l'usage de la langue française n'implique nullement que l'on veuille s'intégrer à la nation française. Nous pourrions reprendre la périodisation suivante, naturellement schématique : dans une première phase, les écrivains francophones auraient revendiqué **l'âme belge,** invoqué une identité, ou peut-être une mythologie, d'un Nord brumeux, froid et coloré ; une seconde phase aurait vu **l'occultation des traits proprement belges** et l'infiltration dans les milieux littéraires français ; une troisième phase s'esquisse depuis 1960, et voit s'instaurer une certaine dialectique : les écrivains wallons et bruxellois s'approprient les moyens de l'édition française, mais revendiquent dans leurs textes leurs origines et leurs racines. Non sans de multiples restrictions, non sans recours à la dérision, ils reviennent à « la Belgique, malgré tout ». Cette évolution est liée à un processus historique dont on peut rappeler les étapes.

La Belgique n'est pas née en 1830 d'un grand mouvement national, à l'instar des autres nations qui trouvent au XIXe siècle leur unité et leur indépendance. Certes il y eut une insurrection bruxelloise, dont la petite histoire nous dit qu'elle partit d'une salle de spectacle où venait de se jouer l'opéra d'Auber, *La Muette de Portici,* et une insurrection wallonne, dirigée contre l'administration du Royaume de Hollande. Mais l'indépendance, les frontières, la neutralité, la famille régnante furent déterminées par une conférence des grandes puissances européennes. D'elles procédaient les garanties de la neutralité belge. Dès 1831, cependant, la France intervenait militairement en Belgique contre un retour offensif des Hollandais... Et l'on sait qu'à deux reprises, en 1914 et 1940, la neutralité belge fut traitée « comme un petit bout de papier », par les armées allemandes. Deux fois, malgré sa neutralité, la Belgique tenta de résister à l'in-

« Ayant tranché sa langue maternelle, l'artiste émigré fuit les conséquences de son acte. »
Page extraite de Le Dérisoire absolu *par Pierre Alechinsky et Pol Bury.*

vasion, puis devint un champ de bataille et un territoire occupé. D'autre part, dès sa naissance, la Belgique se voit tiraillée entre ses deux composantes essentielles, **les Flamands** (néerlandophones) du Nord, **les Wallons** (francophones) du Sud. La « Brabançonne » de 1852 exhorte ainsi les concitoyens : « Flamands, Wallons, race de braves/Serrons les rangs, restons unis. » Dans les faits, malgré une majorité de néerlandophones, l'État belge est alors francophone, et voit surgir un mouvement de revendications flamandes. On passera de l'« unitarisme belge », qui implique un certain bilinguisme, à une sorte d'unilinguisme déterminé par une frontière géographique, tandis que la capitale Bruxelles a un statut, particulier et contesté, de bilinguisme. Le sort du français va d'ailleurs évoluer : langue officielle de l'État, langue de prestige social, langue de culture, elle conquiert une position de prééminence, à tel point que la bourgeoisie flamande parle aussi le français, et que les écrivains les plus célèbres, de Maeterlinck à Ghelderode, de Verhaeren à Crommelynck, sont bien flamands (Ghelderode écrit en français des pièces qui sont souvent créées en néerlandais !). Pour de multiples raisons, économiques et démographiques en particulier, la communauté flamande va peser de plus en plus lourd dans la nation belge à partir de 1918. Elle représentait 50,26 % de la population totale en 1900, mais 57,17 % en 1981. En revanche la Wallonie, qui avait été au XIXe siècle l'un des hauts lieux de la révolution industrielle, va souffrir durement, en ce dernier quart de siècle, de la crise qui touche le charbon, le fer, le textile. Quelques dates symbolisent ce repli du français sur ses frontières linguistiques les plus anciennes : la « flamandisation » de l'université de Gand, qui avait échoué en 1910, se réalise en 1930 ; en 1968, l'université de Louvain (Leuven) devient flamande, tandis que ses étudiants francophones émigrent à Louvain-la-Neuve. La constitution, en 1980, de « communautés culturelles » (flamande, française, allemande) et de « régions » (flamande, française, bruxelloise), pourvues de « conseils communautaires » et d'« exécutifs », aboutit à une véritable séparation des cultures et des langues. La plupart des grands partis politiques se sont scindés selon la langue.

La Belgique française par la langue n'est d'ailleurs nullement homogène. Bruxelles, le Hainaut, le Brabant, Namur, Liège, le Luxembourg ont leurs traditions et leurs particularismes. Dans son passé le plus brillant, la Belgique se trouvait constituée de multiples évêchés et principautés bien distincts. Une littérature dialectale ancienne en wallon (mais aussi en picard), subsiste, comme en témoigne l'anthologie des *Poètes wallons d'aujourd'hui,* composée par Maurice

Piron. Quelques écrivains introduisent des éléments du parler wallon dans leurs textes français. D'autres, au contraire — et ils sont plus nombreux —, pratiquent la chasse aux belgicismes et recherchent un français classique, correct jusquà la passion, exempt de toute marque belge. Ce n'est pas par hasard que *Le Bon Usage* du français a été écrit et édité en Belgique avec un immense succès.

Si la France, avant la création de la Belgique, avait pu avoir des visées annexionnistes sur la Wallonie, elle y a tout à fait renoncé depuis la création de l'État belge. Inversement, nulle trace d'un irrédentisme belge à l'égard de la France. La Flandre quant à elle, s'est vue proposer, lors des deux guerres, l'autonomie par l'occupant allemand. Un très grand roman, écrit en néerlandais, de Hugo Claus, *Le Chagrin des Belges,* a décrit admirablement toutes les forces centrifuges qui s'emparent de la Belgique entre 1938 et 1945. A sa manière, et à son insu, il témoigne aussi de la fécondité littéraire d'une double culture, que tous s'accordent à rejeter pourtant.

En 1944, la Belgique connaît une situation qui paraît proche de celle de la France : la libération par les Américains d'un pays occupé par l'Allemagne nazie. Mais la situation est en fait bien plus confuse : tandis que le roi Léopold III est resté en son château de Laeken, après avoir signé l'Armistice de 1940, son gouvernement a rejoint Londres. La Belgique occupée conserve une administration, mais non un gouvernement. Le mouvement Rex de Léon Degrelle, pronazi, avait connu quelques succès avant-guerre, et se montrera favorable à l'occupant. Reste que la Belgique n'a eu ni son Pétain ni son de Gaulle, et que Collaboration et Résistance laissent peu de traces dans les lettres belges. Pourtant l'épuration sera plus sévère en Belgique que dans d'autres pays. Et Léopold III, après quelques années d'absence et la régence de son frère Charles, finit par abdiquer, en 1950, en faveur de son fils Baudoin, malgré un referendum favorable. Ce qu'on a appelé la « question royale » marquait aussi les clivages entre Flamands et Wallons.

On est frappé, depuis quarante ans, par l'extrême discrétion de l'histoire de la Belgique : elle évite le spectaculaire comme le tragique. La « question scolaire » occupe les esprits jusqu'en 1958, témoignant de la forte emprise de l'église catholique. La « question linguistique » ou « question communautaire » se manifestera précisément à cette date par de vives manifestations flamandes à l'Exposition universelle de Bruxelles. Les circonstances mouvementées et même tragiques dans lesquelles le Congo belge (aujourd'hui le Zaïre) parvient à l'indépendance mettent en 1960 la Belgique à la une des journaux. De ces scènes, on trouvera des transcriptions épiques sous la plume d'un Césaire [1], mais la littérature belge évite de prendre en compte ces crises majeures. La vie politique, faite d'ajustements et de compromis, ne retient guère l'intellectuel belge ; celui-ci préfère s'engager dans les problèmes internationaux ou dans les révolutions du Tiers monde, dans les conflits du Proche-Orient. Il n'y a sans doute **pas de « pouvoir intellectuel » en Belgique,** au sens où un Régis Debray a pu le démonter en France. S'il arrive à un intellectuel belge d'occuper une fonction de pouvoir, ce sera dans un pays voisin. Certains historiens des lettres belges vont jusqu'à parler de « déshistoire » ou « d'anhistoire ». De fait la rareté des témoignages sur la période de l'Occupation est assez surprenante, et un Félicien Marceau fait exception : ayant eu à subir les rigueurs de l'épuration belge, il en a bien montré, dans son autobiographie *Les Années courtes,* toutes les équivoques et tous les non-dits.

Une nation, qui va se divisant en deux communautés qui communiquent le moins possible, n'aboutit pas à un biculturalisme, mais à une véritable **partition culturelle.** Le public potentiel de

1. Cf. *Littérature en France de 1945 à 1968,* p. 683-685.

l'écrivain belge est de l'ordre de 3 700 000 citoyens francophones. Certes l'édition exporte 60 % de sa production vers la France, mais dans cette production la littérature générale (qui comprend bien d'autres choses que la pure littérature) représente 9 % par rapport aux 26 % pour l'édition française. La Belgique importe plus de livres qu'elle n'en exporte, et surtout elle se nourrit de la littérature française, au détriment de la sienne propre. Des efforts considérables sont assurément faits pour rendre les Belges à leur littérature : les éditions Jacques-Antoine éditent ou rééditent, dans les collections « Écrits du Nord » et « Passé présent », ce qui constitue le patrimoine littéraire de la Belgique française ; de remarquables manuels, comme celui de Frickx et Klinkenberg, introduisent dans les cursus scolaires le corpus d'« une littérature française de Belgique ». Mais la pente est dure à remonter, et l'édition littéraire belge n'a pas encore trouvé le public qu'elle mérite, ni une diffusion suffisante en France même.

L'autonomisation du champ littéraire belge est un processus en cours, mais loin d'être arrivée à son terme. Le caractère arbitraire de la frontière, la facilité des communications qui met Paris à trois heures de train de Bruxelles, l'image, sans doute désuète, mais encore efficace, d'une métropole parisienne, instance irremplaçable de légitimation et de consécration, tout cela peut expliquer une diaspora des écrivains belges, qui n'est plus aujourd'hui sans retour. Beaucoup des auteurs que nous allons citer ont été édités par des maisons parisiennes ; ils n'en sont pas moins belges, si tant est que leurs textes revendiquent cette origine. On lira donc d'abord les textes où il est question de la Belgique, et où la littérature met en pages un retour amont.

Récits de vie, quêtes des origines

Henri Michaux, le plus radical des inventeurs, nous servira de contre-exemple. Une très courte notice biographique, qu'il s'est laissé un jour extorquer, nous apprend sa naissance à Namur de mère wallonne et de père ardennais, ses années dans un pensionnat avec les études en flamand, et après des périples maritimes, la « Belgique définitivement quittée » à vingt-trois ans. Michaux nous signale, ici même, qu'il obtint la naturalisation française en 1956. Sans cette notice très discrète, qui pourrait deviner les origines belges de Michaux, tant elles sont effacées dans l'immensité de l'œuvre écrite ? A peine trouve-t-on, dans *Ecuador* (éd. Gallimard), un anathème contre les hêtres qu'on voulait lui faire admirer et qu'il a tant haïs : la forêt tropicale abolit la forêt belge. Dans le même livre, voici l'une des rares vues de la Flandre que l'on doive à Michaux, et qui n'exalte guère :

> Et cette campagne flamande d'hier ! On ne peut la regarder sans douter de tout. Ces maisons basses qui n'ont pas osé un étage vers le ciel, puis tout à coup file en l'air un haut clocher d'église, comme s'il n'y avait que ça en l'homme qui pût monter, qui ait sa chance en hauteur.

Michaux s'astreint d'ailleurs à une destruction radicale de toutes les racines possibles : « Il voyage *contre,* a-t-il écrit de lui-même. Pour expulser de lui sa patrie, ses attaches de toutes sortes et ce qui s'est en lui et malgré lui attaché à la culture grecque ou romaine ou germanique ou d'habitudes belges. » Nulle part l'œuvre de Michaux ne présente une insertion délibérée dans la France ou dans tel autre pays, ni une référence à l'expérience biographique. La Belgique est bien ici abolie... Mais Jorge Luis Borgès, avec l'ingéniosité qu'on lui connaît, remarque que la chance de Michaux est aussi d'être né dans ce petit pays dont la culture ne pouvait pas lui paraître suffisante : ainsi était-il délivré du provincialisme, et voué à l'universel, en explorateur de tous les royaumes terrestres et imaginaires. Sans prendre ce paradoxe au pied de la lettre, on doit constater que l'origine belge prédispose à l'ubiquité et au nomadisme.

La critique belge hésite à revendiquer, et aussi à estimer à sa juste mesure GEORGES SIMENON. Dès la fin de son service militaire, il quitte la Belgique pour pratiquement n'y plus jamais revenir ; il s'impose très vite dans la presse et l'édition parisienne, réside successivement en France (jusqu'en 1945), aux États-Unis (jusqu'en 1956), en Suisse. Son succès international n'a nul besoin des soutiens de la critique, et relève d'abord de la vogue du roman policier, compris dans le sens le plus large du terme. Au fil de ses romans les plus populaires, Simenon utilise indifféremment des décors français, nord-américains, méditerranéens, africains, selon le hasard de ses errances et de ses résidences : la Charente et l'Arizona s'y ressemblent étrangement, et le propos explicite du romancier a toujours été de **gommer les différences nationales** et les traits spécifiques, d'annuler subtilement le sentiment d'appartenance à une patrie, quelle qu'elle fût. Son travail même sur la langue française, qui lui fait éliminer les termes rares et les mots abstraits pour parvenir à une langue basique accessible à tout un chacun, dont rien ne se perde dans la traduction, produit l'image d'un écrivain si international qu'on pourrait l'estimer textuellement apatride. Pourtant, sur le plan de l'état civil, Georges Simenon restera citoyen belge : « Étant né Belge sans raison, je n'ai aucune raison de cesser de l'être », a-t-il déclaré récemment. De fait, à y regarder de plus près, et même si le célèbre commissaire Maigret est l'archétype du Français moyen, la Belgique et plus généralement le Nord ne cessent de s'inscrire dans les textes majeurs de cet écrivain.

Il arrivait à Simenon d'envoyer Maigret *Chez les Flamands.* Mais c'est dans les romans non policiers que l'on trouvera les tableaux des villes belges ; Bruxelles, dans *Le Locataire* (1934), Furnes, en Flandre, dans le très régionaliste *Bourgmestre de Furnes* (1940). Les romans de l'après-guerre, édités non plus par Gallimard, mais par les Presses de la Cité, semblent renoncer aux particularismes wallons et flamands, mais le plus dur, le plus réussi de ces romans, *La neige était sale* (1948), même s'il est situé dans un pays indéterminé de l'Europe livré à l'Occupation et à une Collaboration crapuleuse, symbolise bien une situation propre à la Belgique, comme à d'autres pays occupés. La fin tragique du frère de Simenon (révélée par son dernier biographe Fenton Bresler) a toujours été occultée dans les textes autobiographiques, mais elle se reflète indirectement dans le destin de Franck, entre collaboration et résistance, marché noir, prostitution et expiation. Simenon a écrit ici, avec vingt ans d'avance, le *Lacombe Lucien* de l'Europe, et probablement de la Belgique.

Les racines de l'arbre simenonien apparaissent mieux dans les **écrits autobiographiques.** L'entreprise autobiographique est constamment mise et remise sur le chantier : à l'origine, Simenon conçoit un texte privé sous forme de lettre testamentaire à son fils Marc ; il vient en effet d'apprendre, de la bouche d'un médecin charentais incompétent, qu'il est condamné à brève échéance. Ce projet sera interrompu, quand André Gide lui conseillera de reprendre le manuscrit et de le développer sous la forme d'un roman écrit à la troisième personne, avec des personnages (peu) fictifs : Georges Simenon devient Roger Mamelin, sa mère Henriette Brull est rebaptisée Élise Peeters. La première version ne sera pas perdue, puisqu'en 1945, Georges Simenon en publie un fragment sous le titre *Je me souviens,* que l'on pourra comparer à la version romanesque, *Pedigree* (1951), qui, elle, nous mène jusqu'à la fin des années belges d'apprentissage. Le lecteur a ainsi la chance de disposer d'une double version du récit autobiographique, pierre de Rosette de ce genre littéraire. Aucun livre n'a été plus travaillé par son auteur que ce *Pedigree,* qui représente son œuvre la plus ambitieuse selon l'ordre des valeurs littéraires communément admises : poésie et vérité ; sociologie de la vie pauvre dans le Liège des années 1903-1918 ; chef-d'œuvre d'un art de peindre moderne, avec les intérieurs prosaïques, les paysages urbains, les scènes de genre ; épopée tranquille des humbles et des offensés. Simenon a donné comme mobile de sa vocation de romancier la compassion pour les humiliés, mais le ressentiment vindicatif pour ses propres humiliations anime plus profondément encore ce très personnel *Pedigree.* Simenon allait ensuite reprendre la série de ses romans, toujours voracement adaptés par le cinéma, jusqu'en 1968 *(Le Chat, Le Train, Il y a encore des noisetiers).* Comme l'a remarqué Christian Dotremont, il semblait avoir écrit des adaptations des grands romans de Sartre et de Camus... avant même que ces romans-là fussent écrits. A partir de 1968, Simenon abandonne l'écriture pour des « dictées » au magnétophone : cette oralisation du propos, et ce renoncement à la fiction ont déçu les amateurs des Maigret, mais procuré cette terrible et mesurée *Lettre à ma mère* (1974). En 1981, sous le choc du suicide de sa fille, il revient à l'écriture et au stylo pour un énorme volume de *Mémoires intimes,* adressés à la jeune disparue. Cette saga tragique de la famille Simenon, frappée au comble de la prospérité matérielle, vient compléter le tableau des humbles généalogies que peignait *Pedigree.* Ainsi s'est constitué, au hasard des drames et des fuites, un espace autobiographique, aussi achevé dans son ordre que la création proprement romanesque l'est dans le sien.

[Qué laid effant !]

Chapitre II de *Je me souviens.* La narration est datée du 10 décembre 1940, à Fontenay-le-Comte. L'histoire se passe à Liège le 13 février 1903. On trouvera dans *Pedigree* une version réduite de cette scène. Le prénom du père et les noms de lieux sont inchangés, les noms et prénoms de personnes modifiés.

Et voilà que ma grand-mère arrive, ma grand-mère qui, pour la circonstance, a franchi les ponts. Le silence qui se fait. Le visage de pierre. L'inspection du bébé grimaçant.

Enfin, la voix qui prononce comme un verdict sans appel, avec un calme effrayant :

— *Qué laid effant !*

C'est du patois. Cela signifie :

— Quel laid enfant !

Personne ne dit mot. Ma mère, dans son lit, ne parvient même pas à pleurer.

Et ma grand-mère Simenon, avec l'autorité que lui donnent ses treize maternités, ajoute :

— *Il est vert !*

C'est une autre guerre qui vient d'être déclarée, une guerre atroce, celle-ci, sans morts et sans drapeaux, sans musiques et sans gloire.

Ma grand-mère aux treize enfants a passé les ponts, avec sa robe grise et son médaillon, ses gants gris et sa capeline, pour voir l'enfant de l'étrangère, de cette gamine ébouriffée qui n'a pas de fortune, pas de santé, qui n'est pas d'Outre-Meuse, pas même de Liège, et qui, quand elle se trouve avec ses sœurs, parle une langue qu'on ne comprend pas.

Comment cette Henriette pourrait-elle prendre place, fût-ce le dimanche matin, dans la cuisine de la rue Puits-en-Sock ?

Quand son père est mort, alors qu'elle n'avait que cinq ans, elle ne connaissait pas un mot de français.

Quelle langue, en somme, parlait-elle ? Aucune, à vrai dire. Son père s'appelait Brüll ; il était né à Herzogenrath, en Allemagne, juste à la frontière. Sa mère s'appelait Loyens-Van de Weert et était née en Hollande, à la frontière aussi. Une triple frontière où la Hollande, l'Allemagne et la Belgique se touchent, où une maison est à cheval sur deux pays cependant que de l'autre côté de la Meuse, on en voit un troisième par la fenêtre.

La maison de ses parents était à cheval sur la frontière, entre le Limbourg belge et le Limbourg hollandais, et elle mélangeait tous les patois.

Les Simenon sont chapeliers. Chrétien Simenon a fait son tour d'Europe comme compagnon. Maintenant, c'est un commerçant et la rue Puits-en-Sock ne serait plus la rue Puits-en-Sock sans la chapellerie Simenon. Mineur, c'est un métier aussi.

Tout cela est dru et peuple. Pas riche ? Mais cela vit bien et Désiré est l'intellectuel de la famille. Cela fait partie d'Outre-Meuse et cela parle volontiers wallon. Chez les Simenon, on n'est pas fier. On a les gens fiers en horreur.

Or, cette petite Henriette, qui n'est jamais qu'une demoiselle de magasin, fait des manières et n'irait pas jusqu'au coin de la rue sans son chapeau et ses gants.

Ses frères, ses sœurs sont de gros commerçants. Il y en a un à Hasselt, un à Saint-Léonard, et Vermeiren, le mari de Marthe, est un des plus riches épiciers de la ville.

Seulement, ces gens-là, ce ne sont pas des gens de leur quartier. Ils s'installeraient n'importe où, fût-ce dans un autre pays, avec la même aisance, et ils continueraient à parler flamand entre eux et à manger leur cuisine.

La mère Simenon a bien prévenu Désiré.

— Marie-toi si tu veux. Tu verras ce qu'elle te fera manger.

Qu'était le père Brüll, d'ailleurs, que personne n'a connu et dont Henriette, elle-même, se souvient à peine ?

Bourgmestre d'Herzogenrath, le voilà qui s'installe dans la plaine la plus basse du Limbourg à Néroeteren où il monte une exploitation agricole.

Pourquoi n'y reste-t-il pas ? Pourquoi, avec ses treize enfants, car il en a treize aussi, vient-il à Herstal où il se fait marchand de bois ?

Les Simenon, eux, ne sont pas des gens qui déménagent et qui changent de métier. Tout ce qui bouge leur est suspect. On est ce qu'on est, une fois pour toutes, employé, menuisier, casquettier, riche ou pauvre.

Or, à Herstal, les Brüll ont été riches. Ils ont eu jusqu'à quatre péniches sur le canal pour transporter leurs bois et des chevaux plein l'écurie. Albert, le frère aîné, allait chasser avec les nobles. Pendant que Léopold, forte tête, était garçon de café à Spa.

Chez les Simenon, il n'y a jamais eu de garçon de café !

Ni d'ivrogne ! Or, le père Brüll s'est mis à boire. Un jour qu'il était ivre, il a avalisé des traites pour un ami.

Trois mois après, on vendait tout, les péniches, les chevaux et jusqu'au mouton vivant qui servait de jouet à ma mère.

Georges Simenon, *Je me souviens,* éd. Les Presses de la Cité.

Toute l'œuvre de SUZANNE LILAR, très diverse et pareillement maîtrisée, a partie liée avec la question de l'origine : « Je ne crois (pas) à la survie personnelle, mais bien à la réintégration de cette condition première dont je n'ai cessé d'avoir mémoire autant que nostalgie. Nostalgie : mal du retour. Qu'ai-je cherché d'autre qu'à retourner d'où je venais, qu'à me distraire d'un exil toujours ressenti, qu'à préparer mon rapatriement ? » Elle est l'un des rares écrivains de sa génération à avoir été formé dans une double culture, française et flamande, et n'a eu de cesse de cerner le mystère de **la dualité,** sur tous les plans où il peut se déployer. Son *Journal de l'analogiste* (1954) poursuit l'unité de la poésie à travers les jeux du hasard objectif et des correspondances universelles. La préface de Julien Gracq, l'approbation d'André Breton inscrivent ce texte dans la meilleure veine de la quête surréaliste, mais s'y fait jour aussi la poursuite d'une recherche mystique, telle que celle de Ruysbroek l'Admirable, ce Flamand. *La Confession anonyme* (1960) — présentée d'abord sans nom d'auteur, signée par la suite, enfin adaptée au cinéma par André Delvaux sous le titre *Benvenuta* — se révèle un des plus curieux récits de l'amour fou que l'on puisse rêver : chaste et brûlant, pervers et sublimé, érotique et mystique. Voilà une expérience des limites qu'on peut mettre au rang de celles de Georges Bataille et de Maurice Blanchot. La recherche de l'origine, en l'occurrence de l'androgyne, gouverne aussi l'essai sur *Le Couple,* qui a touché le grand public. Si on laisse de côté les pièces de théâtre, qui transposent au féminin le thème de Don Juan, on reconnaîtra dans le dernier livre de Suzanne Lilar, *Une enfance gantoise* (1976), un chef-d'œuvre : la réussite du genre autobiographique s'y accorde avec un essai pénétrant sur les conflits qui font l'identité — ou peut-être vaudrait-il mieux dire la dualité — belge.

[Parler français]

Extrait du deuxième chapitre de cette autobiographie, intitulé *Le langage.* Suzanne est élevée, au début du siècle, dans l'exécration du néerlandais, cette « bouillie flamande ».

Dans une ville comme Gand où la grande bourgeoisie s'était alignée sur la noblesse, et la petite, tant bien que mal, sur la grande, la classe ouvrière seule, en dépit des efforts de quelques professeurs, était demeurée tributaire du flamand, avec pour conséquence l'isolement et l'abaissement du prolétariat. Car parler flamand vous classait aussi sûrement que le port de la casquette ou du bleu de chauffe, tandis que parler français revenait à prendre un brevet de bon goût, de distinction et même, depuis l'effacement du latin, d'humanisme. Tout ce qui prétendait, tout ce qui cherchait à consacrer son ascension sociale, se voyait contraint d'en user. Au contraire, qui cherchait à s'abaisser avait tendance à l'abandonner avec le conformisme des belles manières. Le masochisme parlait flamand. La pauvre tante Augusta ayant vu ses fiançailles rompues par la ruine de mon grand-père se remit brusquement à le parler. Sans doute choisissait-elle de braver l'opinion plutôt que de la subir. Pour le marquer avec plus d'ostentation, elle se débraillait dans l'habillement mais aussi dans le langage, reprenant celui de la basse classe, non pas même le flamand mais le pire des patois de Gand, celui du Muide (qui avait gardé quelques-unes des inflexions traînantes du « gantois de fabrique », langage qui avait été celui des tisserands qui étiraient les sons à force de crier afin de couvrir le vacarme des machines). Du moins ma tante le parlait-elle avec ses amies qu'elle allait chercher tout au bas de l'échelle sociale, ne changeant de langage que pour venir chez nous, car elle se vergognait du sien comme d'un vice.

Ainsi tout le monde autour de moi parlait-il français, sauf la vieille servante Marie, qui avait résisté à toutes les tentatives de francisation, y compris les miennes. Ne concevant pas en effet qu'il fût possible de vivre sans entendre ce langage, j'avais entrepris de le lui apprendre, la poursuivant jusqu'aux lieux, endroit où elle se rendait avec un journal, espérant y trouver un peu de tranquillité. A travers la porte je l'interrogeais sur sa « leçon » qu'elle mettait à ne point savoir une singulière obstination.

Si je ne réussissais guère dans mon enseignement, Marie eut plus de succès dans le sien, m'apprenant non seulement sa langue, un gantois vigoureux et imagé, mais ses chansons qui toutes célébraient la terre et le langage de Flandre, sa mer, son fleuve, ses géants, ses héros. C'étaient *Mijn Vaderland, Mijn Moedertaal, De Schelde, De Noordzee, Klokke Roeland, Beiaardlied, Reuzelied, Arteveldelied.* Répertoire engagé et qu'elle faisait valoir, non seulement par la voix qu'elle avait chaleureuse mais par l'intonation que j'imitais, donnant de la pédale aux mêmes passages : *Mijn Vlaanderen boven al* (Ma Flandre par-dessus tout) ou *Zij zullen hem niet temmen, den fieren vlaamsen leeuw* (Ils ne le dompteront pas, le fier lion flamand). Mimétisme mais aussi provocation. Je me plaisais à faire apparaître un petit sourire crispé sur les lèvres de ma mère qui, visiblement, goûtait moins que moi cette célébration. Premier souvenir de la contradiction sur laquelle s'édifia mon éducation et plus tard ma vie.

Suzanne Lilar, *Une enfance gantoise,* éd. Grasset.

Faut-il associer à la figure de Suzanne Lilar celle de sa fille Françoise Mallet-Joris, dont la carrière littéraire en France est une réussite parfaite selon le siècle ? Les traces belges que l'on pouvait déceler dans *Le Rempart des Béguines* (1951) ou dans *Les Mensonges* (1956) ont été complètement effacées dans les autres romans ; les écrits autobiographiques, *Lettre à moi-même* (1962), *La Maison de papier* (1969), induisent une image on ne peut plus française, préservée de tout particularisme compromettant. L'intégration a été totale, et elle a coïncidé avec une certaine banalisation de l'écriture et des sujets. Cet auteur, si exemplaire d'une littérature à la fois parisienne et populaire, témoigne de l'aptitude de beaucoup de Belges à s'adapter le plus aisément du monde au milieu littéraire parisien et à y jouer les premiers rôles. Citons, entre autres, Robert Kanters, Félicien Marceau, Hubert Juin, Georges Lambrichs, Alain Bosquet, Jacques Sternberg, Hubert Nyssen.

En dépit de la diversité de son œuvre, CONRAD DETREZ (1937-1984) peut figurer ici dans le cadre général du récit de

William Cliff imaginé et représenté par Conrad Detrez

« Entre la vie et la folie je marche insistamment. » (W. Cliff).

vie. Les nombreux romans qu'il a publiés en dix ans, non sans fièvre, évoquent presque tous, avec une grande variété de dispositifs littéraires, le parcours qui mène un jeune Wallon de milieu rustique, du séminaire à la lutte révolutionnaire en Amérique latine et au choix de l'homosexualité. Si Conrad Detrez a choisi la nationalité française, il n'a pas cessé, depuis *Ludo* (1974) jusqu'au *Dragueur de Dieu* (1980), d'évoquer cette expérience de la Belgique irrévocablement quittée. Avec lyrisme ou ironie, sarcasme ou gravité, il dépeint une Wallonie spirituelle et charnelle, bloquée et révoltée, à jamais lieu de tous les conflits. Il écrira d'ailleurs une pochade, burlesque et désespérée, intitulée *Le Dernier Wallon,* qui prophétise l'extinction de l'État belge en l'an 2000. L'attachement aux origines ne va pas sans une dérision presque haineuse. Mais cet écrivain, disparu bien prématurément, a conjugué d'une manière unique l'enracinement dans la région et l'internationalisme révolutionnaire, dans un style tour à tour cocasse, poétique, politique. Il est difficile de lire autrement que comme un texte quasi autobiographique le meilleur roman de Conrad Detrez, *L'Herbe à brûler* (Prix Renaudot, 1978). Y sont évoqués aussi bien la guérilla d'un révolutionnaire professionnel au Brésil et au Venezuela que les conflits linguistiques du microcosme belge, sur le ton de *L'Éducation sentimentale.*

[Louvain]

Rixes à Louvain. Les Flamands ont jeté dans la Dyle des professeurs et des ecclésiastiques francophones. Attaques et contre-attaques, plongeons et contre-plongeons se succèdent. « Avant la fin de la matinée, la moitié de l'Université barbotait dans la Dyle, y compris six chanoines : deux Wallons et quatre Flamands. »

Au centre de la ville on continuait à culbuter ses adversaires dans l'eau. Des groupes de choc organisaient des razzias, posaient la question : « As-tu soif ? », s'ils étaient Wallons — « Hebt gij dorst ? », s'ils étaient Flamands, précipitant dans la Dyle ceux qui ne comprenaient pas ou qui répondaient dans la langue de l'ennemi. Les bilingues eux-mêmes, accusés d'opportunisme, faisaient le plongeon. Ce genre de représailles, les barbotages prolongés, multiples, des malchanceux (certains avaient connu jusqu'à dix immersions) augmentaient les dangers de noyade. C'est miracle si, après trois jours d'aquatiques batailles, les plongeurs s'en étaient seulement tirés avec des bronchites ou des rhumes, plus rarement avec des écorchures, une côte ou un bras cassés. Les miracles cependant ne durent pas. Les évêques, effrayés par les risques de mort, se sont téléphoné, ont pris leurs voitures et ont foncé vers Louvain. Ils se sont réunis dans le salon du recteur. Les prélats étaient sept : trois Wallons, trois Flamands et un archevêque bilingue affligé depuis la veille d'une rage de dents : les sept Grands Patrons de l'université. Le recteur a évoqué les affrontements, les périls, les menaces de génocide des deux communautés. Il faut, suppliait-il, empêcher techniquement la poursuite de cette petite guerre avant qu'elle n'en devienne une grande. Là-dessus l'évêque le plus jeune, naguère aumônier des ingénieurs catholiques des provinces francophones, a suggéré qu'on étudiât au plus vite les moyens de détourner le cours de la Dyle. L'ex-aumônier des ingénieurs flamands, devenu lui aussi évêque, rétorqua que s'ils ne peuvent plus se noyer les adversaires s'entre-tueront d'une autre manière. Après l'eau il y a la terre, les pierres, les briques et toutes les formes de lapidation. Il y a aussi le feu : celui, traditionnel, des bûchers et celui des armes. Si, en détournant la rivière, on enlève aux combattants l'eau il faudra aussi leur enlever tout ce qui peut servir de bûches : les arbres, les portes, les fenêtres, les pupitres et les tableaux noirs, puis enlever les briques et les pavés, toutes les pierres, cimentées ou non et démanteler les murs, barrer les rues, démolir les bâtiments de l'université. Au lieu d'éliminer de Louvain la rivière et les constructions, de scier les arbres et de dépierrer le sol, le prélat flamand proposa qu'on en élimine plutôt les Wallons. C'est ce qu'on a fait. Les évêques de Flandre ont soutenu le projet, ceux de Wallonie l'ont rejeté. L'archevêque bilingue, épuisé, torturé par son mal de dents, a lâché un cri de douleur et d'abattement, un « ah ! » que les Flamands ont fait passer pour un « ja ». Déroutés, impuissants à se dépêtrer du piège phonétique, les évêques wallons sont partis. L'université francophone de Louvain mourait d'un faux « oui ».

Conrad Detrez, *L'Herbe à brûler,* éd. Calmann-Lévy.

On voudrait au moins rappeler ici la belle figure de **Constant Malva** (1903-1969), ce mineur du Borinage qui prit la plume pour témoigner sur la vie prolétarienne. Son talent d'écrivain ne s'exprime complètement que dans le récit autobiographique et ses alentours, comme l'historiographie des parents et la chronique de la mine. Mais il ne faudrait pas le réduire à un échantillon touchant de littérature prolétarienne. *Un mineur vous parle* (1948), *Ma vie au jour le jour* (1953) ont pris avec le temps la valeur d'un tableau critique d'un univers disparu. Comme l'a écrit son préfacier, le romancier Marcel Moreau : « L'exceptionnel chez Malva, c'est sa remontée des abîmes, à coups de mots. (...) Malva et son verbe nous rapprochent du pire. Ils témoignent d'une vie qui n'est pas, et n'a jamais pu être *comme les autres.* » Malgré la différence énorme sur le plan de l'élaboration littéraire, rudimentaire chez l'un, professionnelle et raffinée chez l'autre, comment ne pas songer aux romans d'Hubert Juin, regroupés sous le titre *Les Hameaux* (1978), qui ressuscitent une communauté rurale archaïque de Wallonie, celle du narrateur :

On nous a chassés, effacés, niés. Ils ont détruit notre patois en comblant nos mares et nos étangs. Ceux de chez nous n'ont plus eu l'envie de vivre. Il aurait fallu les sortir de leur état sans les brusquer, — en les respectant.

Ces accents humiliés et révoltés ne vont pas se retrouver dans deux « recherches des origines » — celles de **Marguerite Yourcenar** (anagramme de Crayencour) et de Dominique Rolin — qui se déploient dans le confort des milieux aristocratiques ou bourgeois et dans le réseau des héritages fonciers ou culturels, mais aussi qui renouvellent le genre par une ambition extrême. « Le labyrinthe du monde » (I. *Souvenirs pieux,* II. *Archives du Nord*), de Marguerite Yourcenar, ne peut être évoqué ici qu'en faisant violence à l'état civil de son auteur. Mais la Flandre belge y est plus souvent décrite que la Flandre française ; la mère est Belge ; le père, Français, passe sa jeunesse à l'université de Louvain et franchit la frontière quand il lui plaît de déserter l'armée française ; le demi-frère choisira résolument la nationalité belge. Peu de biographies plus émouvantes que celle d'Octave Pirmez, le premier écrivain wallon d'importance, parent de la narratrice, dans *Souvenirs pieux ;* peu de tableaux aussi précis que celui de Bruxelles de l'avant-siècle, dans le même volume. Les généalogies flamandes des Cleenewerk de Crayencour, reconstituées et recréées dans *Archives du Nord,* ont aussi nourri *L'Œuvre au noir,* où l'on pourrait voir un sommet de l'art flamand de langue française. La traversée des frontières, le va-et-vient entre Lille et Bruxelles organisent un espace littéraire idéal.

L'entreprise la plus radicale sur la recherche des origines s'élabore au fil des livres de DOMINIQUE ROLIN. Après des chroniques familiales de facture classique, ses romans assimilent les influences du Nouveau Roman, de l'écriture textuelle, et peut-être aussi des récits de Samuel Beckett : ainsi *Le Corps* (1969) tente-t-il de supprimer à la fois l'espace du dedans et l'espace du dehors, d'atteindre le « corps de l'obscur », à travers des jeux d'écriture insistants et destructeurs. *Deux* (1975) figure selon un rituel emprunté à la boxe deux instances irréconciliables de la narratrice. Dans ses derniers récits, la pratique de Dominique Rolin s'écarte de la fiction pour recréer en son propre nom son roman familial (*L'Infini chez soi,* 1980) ou sa propre agonie préméditée pour l'an 2000 (*Le Gâteau des morts,* 1982) : un style inquisiteur et chirurgical poursuit les secrets et les replis de la narratrice, dans un registre qui pourrait être celui de l'autoanalyse par l'écriture ou d'une machinerie de science-fiction à remonter le temps. Deux scènes fondamentales, celle de la mort et celle de la conception, sont ainsi travaillées, retournées, épuisées, par une recherche ininterrompue sur la langue, et composent l'une des formes les plus élaborées de ce roman des origines. Il arrive aussi à la romancière de tirer d'un tableau de Breughel la trame d'un roman (*Dulle Griet,* 1977), ou de proposer de ce peintre une biographie dramatisée (*L'Enragé,* 1980). Son imaginaire et, si l'on peut dire, son archaïque restent marqués par la Belgique prénatale et nous retiennent par cette machine textuelle, progressive et régressive, qui fore et perfore les secrets du sujet avec une cruauté inlassable.

[Campine limbourgeoise]

Le Belge Jean Rolin veut recevoir, pour mieux la connaître, la Française Esther Cladel (parente du poète Léon Cladel), dans sa maison de la Campine, région du nord de la Belgique.

Si j'ai l'occasion de fouiller un jour les tiroirs de notre maison de Boitsfort, je retrouverai sans doute la photo prise à ce moment-là. Avec sa tonalité sépia sombre et ses contours à peu près effacés sous les taches de rousseur dont l'a marquée le temps, une telle image me restituera en filigrane d'une façon beaucoup plus réaliste la scène en question. Pourtant je ne lui ferai pas confiance. Je ne fais confiance qu'à moi, c'est-à-dire à ma cruauté d'investigation naturelle : tôt ou tard et par voie détournée, elle atteint la vérité. Je reprends donc aujourd'hui l'analyse du groupe latent formé ce jour-là par hasard en 1911, lorsque Jean Rolin et Esther Cladel sont mis en présence à l'intérieur d'une espèce de pause historique. Je peux tout voir, tout respirer, insister notamment sur la teinte et les parfums de cette région de l'autre pays appelée « Campine limbourgeoise ». Je m'accorde le droit de traîner, ralentissant ainsi la narration au risque de provoquer l'ennui. *Campine* et *limbourgeoise* deviennent sous ma plume l'écho, la matière d'un monde lointain pour toujours non fini. Il faut que je serre ces deux mots dans mon poing, que je les retourne et les lance comme s'ils étaient de vulgaires cailloux, puis que je coure vers eux pour les ramasser et recommencer le jeu jusqu'au désespoir. Il faut que je les traverse. Or je n'y parviendrai pas. Cachés dans ma main ou posés par terre, ils garderont leur effrayante opacité minérale. Ils auront beau recevoir l'éclat du soleil ou de la lune sur leurs facettes grossièrement taillées, rien n'émanera d'eux, rien ne sera dit ou suggéré ou simplement rêvé par anticipation. Ils resteront incassables dans leur mystère inerte même si, soudain soulevée de fureur, je décide de les frapper à coups de marteau. Et pourtant, et pourtant ! *Campine* et *limbourgeoise* contiennent impeccablement la vérité de cet après-midi de Genck. Vérité d'une chose en train de naître et que je n'ose appeler amour. Vérité que je me bornerai à violer à ma façon, tant pis, ma vie (le reste de ma vie) en dépend. En mon début de printemps 1978, m'y voilà de nouveau confrontée. Je tends l'oreille. J'écoute de toutes mes forces un certain écho qui soit capable de recréer à travers un coup d'ondes magiques la scène d'alors : grâce à moi elle se remet en mouvement avec une sorte de langueur épuisée.

Dominique Rolin, *L'Infini chez soi,* éd. Denoël.

De la Belgique, les textes précédents ont pu donner une image passéiste et régressive ; ils sont souvent dus à des écrivains expatriés. Mais la Belgique est aussi la terre des avant-gardes, condamnées à ne jamais rallier le gros de troupes et radicalisées par le renoncement à la conquête du grand public.

Les avant-gardes : le surréalisme

Le surréalisme belge a eu son autonomie, et ses divisions. Dès 1925, autour de la revue *Correspondances* se réunissent à Bruxelles, Nougé, Mesens, Goemans, Magritte, Souris, Marcel Lecomte, non sans querelles et polémiques. L'activité de ce **groupe bruxellois** sera considérable, prenant le pas sur la production des œuvres individuelles. Écrits collectifs, textes d'interventions, tracts, correspondances, ne seront collectés que beaucoup plus tard, en particulier par Marcel Mariën. Chez un Nougé, qui définit la position du groupe comme « une éthique appuyée sur une psychologie colorée de mysticisme », une recherche théorique très exigeante limitera l'œuvre poétique à un recueil fragmentaire, d'ailleurs admirable ; les écrits de Marcel Lecomte tiennent en un mince volume. D'autre part, en Hainaut, vers 1934, se crée le groupe Rupture autour de Chavée et de Dumont, avec pour un temps le renfort de Malva ; **ce groupe surréaliste du Hainaut** fera preuve de plus de prolixité, mais ne maintiendra pas son influence au-delà de 1945. On trouve dans le surréalisme bruxellois bien des parallélismes avec le surréalisme parisien, dans l'alternance des enthousiasmes et des déceptions. En 1945, il peut sembler marquer le pas, n'ayant guère joué de rôle dans les années noires. En fait, à la différence du surréalisme français qui s'ouvre alors à l'ésotérisme, le groupe bruxellois — qui organisera en 1947 une exposition surréaliste — adhère collectivement au parti communiste belge. Magritte, encouragé par Nougé, prône un « **surréalisme en plein soleil** », mais ne vient pas à bout des résistances d'André Breton, avec lequel se produit une rupture courtoise. Christian Dotremont, s'appuyant sur Achille Chavée, crée le Groupe « **surréaliste révolutionnaire** », à l'écart duquel se tiennent Magritte et Nougé, qui se veulent alors matérialistes et marxistes. Le même Christian Dotremont, des 1948, rompt avec le parti communiste, transforme le surréalisme révolutionnaire en « **surréalisme expérimental** », et va se mettre en congé de l'orthodoxie surréaliste pour fonder le mouvement *Cobra.* Au-delà de ces agitations salubres, l'invention surréaliste va s'exprimer dans diverses revues, souvent éphémères, comme *La Feuille chargée* (Magritte et Mariën), *Les Temps mêlés* (Blavier), *Phantomas* (Havrenne), et surtout *Les Lèvres nues* (1954-1955), dont la collection représente une splendide efflorescence du surréalisme belge autour de Nougé et de Magritte.

De PAUL NOUGÉ, Francis Ponge a assuré qu'il était « la tête la plus forte du surréalisme en Belgique ». Bien différent d'André Breton, il préfère à la pratique de l'écriture automatique la notion d'expérience, qu'il élabore peut-être à partir de sa profession de chimiste. Dans des textes dispersés que va rééditer la revue *Les Lèvres nues,* il pratique, après Lautréamont, tous les exercices de réécriture. Il affirme, en 1947, contre André Breton : « Le surréalisme — qui a fait long feu — en tant que doctrine autonome, en tant que méthode spécifique, n'existe pas. Mais, fait historique, ce feu illumine encore le paysage intellectuel jusqu'à l'horizon. » Cette pensée purement expérimentale sera recueillie dans *Histoire de ne pas rire,* sur le plan théorique, et dans *L'Expérience continue,* sur le plan poétique, érotique et parodique.

[Blanc partout crie vengeance]

Blanc partout crie vengeance
pour les yeux usés de la lingère
et pour les beaux yeux de la vendeuse
tout le jour sous les cris
la poussière
l'atroce lumière blanche
Blanc partout crie vengeance
pour les longues marches dans la neige
dans le sable
vers on ne sait où
on ne sait quoi
Blanc partout crie vengeance
pour la page vierge que sa blancheur
défend
Blanc partout crie vengeance
pour l'hermine ou le mouton
égorgés
pour les vergers au printemps
pour les songes étranglés
pour le pain trop blanc
sur la nappe trop blanche
Blanc partout crie vengeance

Paul Nougé, *L'Expérience continue,*
éd. Cistre/L'Age d'homme.

La relative obscurité qui reste le lot de Paul Nougé ne peut qu'étonner ; la gloire de son ami Magritte n'a pas rejailli sur lui. Or c'est bien la chance historique du groupe de Bruxelles d'avoir eu à sa tête, non pas une doublure belge d'André Breton, mais un explorateur rigoureux de la réalité essentielle.

Couteau pour couteau
je préfère
ton sourire

Il serait
beaucoup plus simple
de regarder
ton front
et le mouvement de tes paupières

Comme Paul Nougé, **Louis Scutenaire** a été le compagnon et l'ami de René Magritte, et son *Avec Magritte* rend bien la vie chaleureuse d'un groupe, prodigieusement inventif. De son enfance, Scutenaire a tiré un récit romanesque, *Les Vacances d'un enfant* (1947), où il se livre à un travail raffiné sur le langage, fait de collisions, de collages et de dissonances. C'est l'une des rares intrusions du souvenir d'enfance dans la prose surréaliste, mais la liberté est grande dans cette prose qui évoque tantôt un Huysmans picard, tantôt un Céline belge. Avec ses *Inscriptions* (1945-1963 ; 1964-1973), Scutenaire trouve son mode d'expression : il s'agit d'aphorismes, comme aiment à en proposer Chavée, Nougé et Mariën, mais aussi d'apologues, de brefs poèmes, de pochades, ce qu'un Georges Perros a appelé ailleurs « papiers collés ». Citons quelques-uns de ses traits : « A eux tous, ils ne penseront jamais autant de mal de moi que je n'en pense tout seul d'eux tous. » — « Plagiez puisqu'on lit peu : ou on ne lira pas

Louis Scutenaire,
croquis de R. Magritte, 1966.

Les Vacances de Hegel, *huile sur toile, R. Magritte, 1958.*

vos plagiés ou on ne vous lira pas. » A côté de cet art poétique parodié, les blasphèmes et anathèmes familiers au surréalisme poussent dru : « La Belgique est grande comme le mouchoir de poche dont elle a les humidités, les disgrâces. » — « Le chant national de la Belgique est le champ de pommes de terre. » — « Ces Français qui se croient Français. » Scutenaire mérite amplement de rejoindre les génies francophones de la formulation laconique : Cioran, Char, Perros, Jabès ; il pratique de surcroît un constant humour du déboîtement : « Un avantage des inscriptions comme les miennes est qu'elles font supposer chez leur auteur plus d'esprit et de connaissance qu'il n'y en a. Mais là n'est-il point le propre de toute écriture ? Avec son premier et dernier but ? » Enfin Scutenaire scrute nos cœurs et nos nerfs : « Un penchant de l'esprit humain fait à chacun songer qu'eût-il accointé Marilyn Monroë, celle-ci serait encore ».

Nougé et Scutenaire : deux des écrivains d'un groupe dont l'activité fut intense et reste insuffisamment connue, en particulier en France. Peut-être le surréalisme littéraire a-t-il pu sembler graviter autour d'un surréalisme pictural plus rayonnant ? **René Magritte,** qui aimait ironiser sur la Belgique, remarquait un jour : « Il n'y a pas de surréalistes belges, à part Delvaux (et encore !) et moi. » Mais les écrits de Magritte, comme le jeu qui relie chez lui le tableau à sa légende, pourraient relever d'une production littéraire. Si un verre d'eau sur un parapluie s'intitule *Les Vacances de Hegel,* Magritte raconte la genèse de ce tableau, comme Edgar Poe la genèse d'un poème, mais avec plus d'humour.

Avant-gardes : l'aventure de Christian Dotremont

C'est une aventure bien singulière que celle de Christian Dotremont (1922-1979). Quiconque lira ses textes ou regardera ses dessins — il s'agira souvent d'un seul et même objet — ne pourra échapper à la fascination pour une beauté langagière et plastique, qui semble survenir par surcroît au terme d'une recherche rigoureuse. Pourtant lire Dotremont n'est pas facile, tant ses textes sont introuvables, rares ou dispersés. On en est réduit, quelques années après sa mort prématurée, à saluer l'exposition « Dotremont peintre de l'écriture », organisée en 1982 à Paris par le centre Wallonie-Bruxelles, ou la réunion des textes du Grand Nord, sous le titre *Commencements Lapons,* chez Fata Morgana, en 1985. Il n'empêche : le rayonnement secret de Dotremont n'a pas connu d'éclipse. Cet aventurier de l'écriture et de la peinture ne peut être évoqué ici qu'au rang des plus grands, tel Henri Michaux.

Dès ses débuts, Christian Dotremont se révèle comme le plus inventif des nouveaux venus de la constellation surréaliste dans les années 1940. Il joue un rôle important dans l'orientation du groupe vers le parti communiste belge, puis dans la rupture avec le réalisme socialiste prôné par les divers partis communistes. S'éloignant quelque peu de la famille surréaliste belge, il fonde en France, mais sans les Français, avec des artistes belges, hollandais, danois, le mouvement *Cobra,* qui exercera une influence considérable sur l'art moderne, bien au-delà de sa vie institutionnelle (1948-1951). C'est Dotremont qui inventa « Cobra », ce calembour polysémique, qui dessinait un espace nordique, autour de Copenhague, Bruxelles et Amsterdam, et suggérait aussi une thématique serpentine. C'est lui aussi qui stimula le travail collectif du groupe, recommanda les collaborations des peintres et des écrivains (« l'interspécialisme »), mais aussi l'interversion de leurs rôles (« l'antispécialisme »), conçut l'idée de « Cobra Babel, qui a été une expérimentation de conversation entre des Suédois, des Danois et des Hollandais ne sachant pas le français et des francophones ne sachant pas le danois, le suédois, le hollandais ». A l'effervescence de ce mouvement, qui recourut préférentiellement au français, mais en dehors de la France, participèrent, entre autres, Alechinsky, Appell, Corneille, Hugo Claus, Jorn. L'un de ses traits marquant est l'accent mis sur la **matérialité des signes de la langue,** de toutes les langues, y compris la chinoise, puisqu'il est arrivé à Dotremont d'assimiler le processus de la signification à celui de la « sinification ».

Après la dissolution du mouvement *Cobra* (la revue n'eut que huit numéros), Christian Dotremont resta fidèle à l'esprit de collaboration entre les arts, composant des mots-peintures avec Alechinsky et Jorn. En même temps que ce dernier, Dotremont fut atteint par la tuberculose, et connut une existence précaire, alternant sa vie de reclus à Tervueren avec de longs séjours en Laponie, qui devint pour lui une sorte de Nord magnétique, de terre promise de la poésie et de l'imaginaire. A sa mort, en 1979, Christian Dotremont laissait une œuvre étonnamment diverse, qui nous apparaît comme une encyclopédie de la modernité ; nous n'en esquisserons que trois aspects : le roman, les textes de poèmes ou de prose, les logogrammes.

Un seul roman, *La Pierre et l'Oreiller* (1955), qui passa inaperçu, mais qui domine un roman belge alors anémié, et qui constitue bien une œuvre majeure. Ce récit conjugue l'amour fou pour Ulla, l'image sublimée du Danemark, l'obsession de la catastrophe, l'expérience de la misère et du sanatorium, et une errance initiatique dans le labyrinthe. Seul écrit belge à être marqué par l'existentialisme français, il fait penser, par l'intelligence

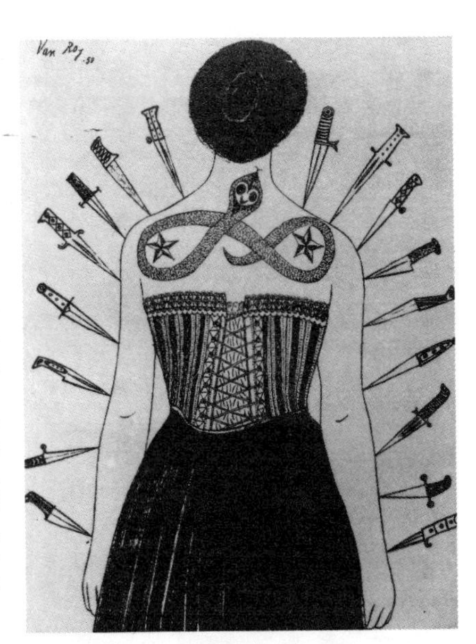

Dessin de Léo Van Roy pour la couverture de la revue Cobra, *1950.*

de l'écriture, par le sens du sarcasme, et par les paysages nordiques, à *La Chute* d'Albert Camus (1956). Si la magie du Nord éclaire ce roman sans doute autobiographique, la solitude de l'artiste en terre belge et sa désocialisation y transparaissent avec une discrétion cruelle.

Une série de textes, volontiers fragmentaires, souvent présentés comme des poèmes, se succèdent à partir de *Vues, Laponie* (1957) jusqu'à *De loin aussi d'ici* (1973). Notes autobiographiques, fables, lettres d'amour, aphorismes, récits d'errance, dessins se mêlent dans *Commencements lapons* (1985) pour un effet surprenant d'unité et de cohérence. La rigueur de l'écriture et la pénétration de l'enquête font bien de Dotremont l'égal du Michaux des meilleurs textes.

Sur le sol gelé de la Laponie, Dotremont inventa de tracer des « logoglaces » ou des « logoneiges », qui devinrent sur le papier des « logogrammes » : essais de matérialisation et de visualisation de l'écriture, qui, devenue traçage, relève simultanément du texte et du tableau. L'idée lui en était

« Revient donc de loin (ici à Helsingør où n'a jamais été le prince du problème) mais, pour mieux dire et je le disais, vient de neuf, de soute et non moins dessus, va-et-vole l'aéronef nu dans les hautes profondeurs de nos hautes herbes hurlées (ici à Helsingør où nous régnons sans mythologie aujourd'hui depuis hier, où j'écris donc remué de fuin). »

Logogramme de Ch. Dotremont, extrait de J'écris donc je crée, *(éd. Ziggurat, 1977).*

venue en lisant un de ses manuscrits au verso et non au recto, verticalement et non horizontalement. L'écriture dans le logogramme est déformée selon la spontanéité du scripteur ; le texte obtenu est, en général, reproduit, calligraphié ou imprimé, au bas du logogramme, tandis que celui-ci rend aux mots devenus illisibles leur matérialité perdue. Rien de plus fascinant que ce dialogue du calligramme et du logogramme. Le narrateur « Logogus » raconte souvent les aventures d'une écriture dont nous voyons la forme et les métamorphoses. Ces logogrammes, présentés dans plusieurs expositions, reproduits partiellement dans le *Log-Book* et dans le *Grand Hôtel des Valises* (édité par Jean-Clarence Lambert), constituent l'avancée la plus intéressante de la poésie plastique aujourd'hui, s'il est vrai qu'on doit *voir* la poésie, et pas seulement la lire.

Apparemment l'œuvre de Christian Dotremont doit peu à la Belgique. Marc

Quaghebeur, excellent historien des lettres belges, la trouve cependant, d'un certain point de vue, exemplaire : « Y avait-il mieux à trouver au pays des aveugles que ce précipité de prolifération et d'ascétisme ? » Peut-être la Belgique fut-elle pour lui le lieu choisi de l'exil intérieur, comme le raconte Pierre Alechinsky : « Christian Dotremont vécut les dix dernières années de sa vie Avenue Albert, Tervuren. Je ne pense pas que son inspiration venait davantage d'*Alberlaan* que d'une Laponie intérieure à grandes pages de neiges, plus réelle que Tervuren où il achetait ses timbres et jetait une lettre à la boîte. »

[Vues, Laponie]

Dans les bois de Tapiola déjà
où nulle route ne trouve son nœud
Dans le musée de Helsinki déjà où crie la masse
de pierre
dans la langue éthiopienne du nœud du Nord

Dans mon lit déjà à la veille de devenir
je rêvais de toi Ivalo
une jeune fille en bleu et jaune fait sous la lampe
du café

De quoi quitter pourtant notre silence
Pour joindre l'adverbe enfin spacieux
cette chambre de bois de ramures Pour quitter
le papier à ramages qui dit un autre rien

Pour disputer de notre rien et du tien
Laponie coiffée du bonnet que j'avais tissé
sur mon terrain rosé

Tu t'en vas et me laisses aller
dans ton non-pays où une jeune fille en noir et blanc
allume une lampe bleue et jaune

toi virgule modeste cachette où
tombe la phrase toi trappe trou
qui dessines le silence indessiné où le mot tendre
et dur allume un appel

A ta fenêtre il m'arrive de ne pas frapper
à ta voix de ne pas répondre
à ton geste de ne pas bouger
pour que nous n'ayons à faire
qu'à la mer qui s'est bloquée

Christian Dotremont, *Commencements lapons,*
éd. Fata Morgana.

Avant-gardes : de Vaneigem à Verheggen

La Belgique est propice aux avant-gardes, c'est-à-dire à une certaine radicalisation de l'innovation et du refus. Mais la métaphore de l'avant-garde, un peu désuète après l'âge d'or des années 1970, reste ambiguë : une avant-garde politique, comparable à une minorité agissante, a pu s'exprimer sans avoir recours aux innovations de l'avant-garde littéraire, comme il apparaît chez Conrad Detrez ou Pierre Mertens. Aux origines du mouvement de mai 1968 en France, on trouve le livre didactique, théorique et austère de Raoul Vaneigem, *Traité de savoir-vivre à l'usage des jeunes générations* (1967). Une nouvelle culture tentait de se fonder sur la récusation de l'ordre ancien : « La créativité n'a pas de limite, le détournement n'a pas de fin. » Après 1968, apparaissent **des avant-gardes plus littéraires et plus textuelles.** On voit naître des groupes, revues, collections tels que *Lunapark* (Transédition) à Bruxelles, ou *TXT* à Paris qui fait une large part aux jeunes écrivains belges de pointe. Citons, faute de pouvoir les étudier comme ils le mériteraient, Sophie Podolski (1953-1974, *Le pays où tout est possible, Snow Queen),* Françoise Collin, Jacques Sojcher, Eugène Savitskaïa, mais aussi Chantal Akermann, dont le film *Jeanne Dielman, 23, quai du Commerce, 1080 Bruxelles* s'inscrivait dans l'explosion du féminisme après 1968.

L'avant-garde des années 70 formulait des ambitions peu modestes, qu'elle n'a pas souvent égalées. Voici le programme que se donnait la collection TXT : « La collection TXT veut donner chance, d'abord, à la violence risquée de la *fiction :* une pratique de la langue telle qu'en elle-même enfin corps et inconscients la changent, bouleversée par les crises sexuelles, politiques, idéologiques qu'ils traversent. *Toute langue est étrangère.* Quel *chant* alors, quel orphéon brutal lancer contre la langue-morte (la vaste déconfiture de l'Occident bourgeois, l'horizon des goulags, des nouveaux angélismes et la vulgate « marxiste ») ? Quelle *langue vivante* inventer, qui précipite l'effondrement des « modèles » idéologiques et des stéréotypes formels ? » Il faut bien reconnaître que ce programme a été à la fois réalisé, retourné et parodié dans les textes de JEAN-PIERRE VERHEGGEN. Le seul énoncé des titres de ses livres indique son inventivité verbale et son génie de la réécriture : *La Grande Mitraque* (1968), *Le Grand Cacaphone* (1974), *Le Degré zorro de l'écriture* (1978), *Divan le terrible* (1979), *Vie et mort pornographique de Madame Mao* (1981), *Pubères, Putains* (1985). Peu de maîtres à penser des années 60 échappent au calembour dévastateur, et à la seule forme acceptable du **terrorisme**, celle du **rire.** Verheggen enracine ses jeux de langage dans ses origines populaires : « Ce qui me plait par dessus tout n'a pas de nom, est comme anonyme. C'est ma langue, ma langue de fond : le wallon. Le bas-wallon populaire, le parler wallon fortement teinté de cet accent de basse classe. » Ces collisions d'un langage académique parodié et d'un parler populaire volontiers obscène évoquent naturellement Céline ; mais Verheggen en est moins un héritier qu'un rival wallon. Au début du *Degré zorro de l'écriture* (éd. Christian Bourgeois), il propose un saisissant raccourci de l'histoire des lettres belges :

Verhaeren yes ! Verheggen no !

Du reste,
cette histoire qui raconte que j'ai poursuivi mes études à Bruxelles, Gand et Louvain,
qui raconte que j'ai d'abord fait des poèmes kruéghéliens,
que j'ai évoqué ensuite la vie des cloîtres, avec un mélange de réalisme puissant et d'ambiance mystique,
qui raconte que, très tôt, j'ai renoncé aux mètres classiques pour une versification plus souple, de souffle oratoire,
que j'ai toujours associé la poésie de la foule et de la ville à la poésie de la joie née de l'effort et de l'action,
qui raconte que, parallèlement à ce cycle majeur, j'ai développé celui de l'intimisme inspiré par un fervent amour conjugal,
qui raconte enfin que mon dernier recueil, tout d'élan patriotique, n'ajoute cependant rien à ma gloire littéraire,
cette histoire est vraie d'un bout à l'autre !

Doté d'un prodigieux pouvoir comique, parodiant ce qu'il a adopté sans le renier, jouant du registre de l'analité avec une verve rabelaisienne, soulevé par une revendication populiste inépuisable, Verheggen apparaît comme l'un des écrivains les plus authentiquement wallons, et comme l'un des soixante-huitards les plus fidèles, malgré la dérision de rigueur, aux objectifs initiaux. Il serait regrettable que la violence de cette œuvre, explosive mais délectable, tienne le grand public à une distance respectueuse.

[Moi, donc, le professeur]

Le narrateur, qui subit les reproches de ses camarades gauchistes, semble avoir été amené à enseigner le français, dans une localité indéterminée de la Wallonie.

... que les bouquins, boucs, puants sont là pour faire classe, parler toujours d'la même classe au pouvoir, tenir prisonnier dans les calculs, l'histoire, les sciences, etc. l'langue d'leur classe, nous enfermer dans ses classes, boxs, boucs, qui boxent not'matière grise, flics qui nous surveillent, bougonnent, bouffent, s'gonflent d'orgueil, morgue, — tu sais pourtant qu't'es à l'article de l'mort..., boucs, qui bouchent tout, qu'tout c'qu'on dit doit passer par leurs oreilles, tout c'qu'ils disent y retourner, nous isoler, empêcher qu'on s'parle d'bouche à oreille, s'taire, là boucler, — La Ferme ! — j'dois boucler m'programme, qui n'veut pas d'autre boucan que l'sien d'ramdam, ne pas bouger, bien rester tranquille sans bouger, n'pas rouspéter, mettre à pied, s'plier, mettre à bout, bourreau, qui fait un bouc, djî m'ti va fè on boc, on guêdin, de l'baube, del baube di gate, bouc au menton, fout l'savon, fait devenir sage comme un mouton, « pont d'caurs, pont d'bocs, rintrez Maurtin, point d'argent, point d'bouc, rentrez Marthin » ; qui n'en fera qu'une bouchée, foin de lui, l'aura dans s'botte, boc colaû, bouc gâté, choyé, chéri, hypocrite pourri, qui saura prendre l'masque qu'il faut, pour mieux t'maquer, frapper, t'l'faire entrer dans t'maquette, cabêche, t'appeler m'petit bouchon, estaminet, boucon, poison, t'seriner, suriner m'petit bouchon, caresser un enfant, chouchou, bouquer, forcer à baiser, c'qui déplaît, poupée, singe, vieux bouc, qui portera l'bouc des professeurs rira dans s'barbe, sous cape, caprin, gate, t'fera l'barbe, chassera les barbarismes de t'langue, la barbe ! qu'est-ce que vous m'rendrez-là, vot'feuille à des barbes, ta gueule ! la barbe ! barbon, qui prendra l'meilleur, aura l'aplomb d'te l'dire à t'barbe, l'toupet, qui r'bisse, en wallon, s'brandit, biké, être en rut, plomb d'fusil, plomber, fermer, cacher, empêcher qu'on ouvre, plomber, renverser l'mouton, qu'tout ça c'est l'même mouture, vieille barbe, barbacole, l'même moisissure de s'confiture, pourriture d'ansegny, moi, donc — Le Professeur — mis a enseigny, enseigner, fier comme un coq su'l'ansegny, wallon, fumier, coq wallon, fier comme un coq sur s'fumier capitaliste, enseignant s'n histoire, (l'liste de ses crimes envoyant les ouvriers et l'peuple tout entier à s'boucherie capitaliste), enseignant s'belle langue française, universelle, éternelle, pour tous — capitalistes ! —, mis à enseigner l'beau français classique, littéraire, réactionnaire contre l'bas français populaire, contre l'wallon r'foulant soi-même s'bas-wallon populaire, d'prolétaire, payé pour ça, mis dans un bled, en poste dans l'arrière province où ça s'manifeste le plus, où c'est manifeste qu'il faut, plus qu'ailleurs, corriger, réprimer l'scansion populaire, l'diction populaire, s'n élocution, l'accent local bassement wallon, chasser les fautes de grammaire qu'on fait en écrivant.

Jean-Pierre Verheggen, *Le Degré zorro de l'écriture,* éd. Christian Bourgois.

La notion d'avant-garde, avec toutes ses insuffisances, est peut-être plus pertinente pour la Belgique que pour la France, dans la mesure où un fossé plus large y sépare la littérature institutionnelle consacrée d'une littérature de recherches qui a toutes les audaces et toutes les libertés. Pierre Mertens signalait avec humour, en 1977, ce grand écart : « Depuis quelques années, il n'est peut-être plus un pays d'Europe occidentale où l'opposition du non-conformisme intellectuel à l'académisme soit pareillement radicalisée. Si l'académie n'avait pas existé, les Belges l'auraient inventée. » Pourtant l'institution universitaire belge se place en pointe de la recherche dans des domaines tels que la linguistique (Nicolas Ruwet), l'analyse et la théorie littéraire (le groupe de Liège,

J. Dubois, J.-M. Klinkenberg, M. Quaghebeur, Danielle Racelle-Latin, Charles Grivel). Et l'un des rares romans parus en France en 1985 qu'on puisse rattacher aux expérimentations d'un nouveau « Nouveau Roman », *La Salle de bains* (1985) est dû à un jeune Belge, résidant en Corse, **Jean-Philippe Toussaint.** Dans ce texte tout à fait désopilant, le narrateur, reclus volontaire, organise des parties de fléchettes simulées entre les nations : « La finale opposa la Belgique à la France. Dès la première série de lancers, mon peuple, très concentré, prit facilement l'avantage sur ces maladroits de Français. »

Vitalité des traditions : la poésie

Comme dans toute littérature vivace, les genres littéraires présentent leurs traits spécifiques et leur vitalité propre. On envisagera les genres dits nobles — poésie, théâtre, roman — puis les genres réputés non nobles, dans lesquels la Belgique triomphe, en particulier la littérature fantastique. Mais cette hiérarchie est aujourd'hui souvent renversée, et la « paralittérature » retient autant ou plus que la littérature consacrée. Le général de Gaulle ne se reconnaissait qu'un rival sur le plan international, Tintin, rendant ainsi hommage à la création belge !

On répète souvent qu'en aucun autre pays du monde, il n'y a autant de poètes au kilomètre carré. Les très nombreuses anthologies belges — et en particulier la meilleure, celle de Liliane Wouters (*Panorama de la poésie française de Belgique,* 1976) — en témoignent. L'institutionalisation de la poésie, avec les célèbres biennales de poésie de Knokke-le-Zoute, les Midis de poésie, la Maison internationale de la poésie, est ici plus poussée que dans tout autre pays francophone, mais elle n'empêche pas que, là comme ailleurs, les véritables poètes connaissent l'exil, intérieur et extérieur. Depuis 1945, aucun poète n'a obtenu la reconnaissance de toute une communauté, comme l'avaient fait naguère Maeterlinck et Verhaeren. Il y aura ici quelque arbitraire à isoler des noms et des œuvres dans une production massive et homogène, dont rendraient mieux compte les anthologies successives publiées par *Poésie.* (Henri Michaux, selon son vœu souvent exprimé, sera ici laissé de côté).

La Belgique de 1945 n'a pas connu la vague de poésie résistante qui a parcouru la France. Une œuvre majeure et discrète ferait exception : celle de Marcel Thiry qui s'étend de 1924 à 1975 et qui sera réunie plus tard sous le titre magique *Toi qui pâlis au nom de Vancouver.* Franz Hellens, grande figure des lettres belges, offre une poésie limpide et transparente. Achille Chavée, dans *De vie et de mort naturelles* (1965), donne de la poésie surréaliste une version généreuse et prolixe. Pourtant l'âge d'or de la poésie belge semble s'éloigner, si l'on pense à la perfection des chansons et « remembrances » de Max Elskamp, disparu en 1931, et dont les *Œuvres complètes* constituent le livre des merveilles de la Flandre.

Il semblera saugrenu d'évoquer ici la présence et les textes de Maurice Maeterlinck (1862-1949), dont l'heure de gloire *(Serres chaudes, Pelléas et Mélisande)* date de l'avant-siècle. Mais celui qui a dominé l'âge du symbolisme, même s'il paraît démodé, reste un prosateur exceptionnel, un explorateur de l'inconscient, un poète émouvant. Aujourd'hui même une pièce comme *Intérieur* (1894), dans la mise en scène qu'en a donnée Claude Régy (1985), apparaît étonnamment moderne et bien proche des pièces de Samuel Beckett ou de Marguerite Duras. Dans ses *Treize chansons de l'âge mûr,* comme dans ses *Bulles bleues,* publiées en 1947, Maeterlinck, au plus près de la mort, parle mieux que jamais de l'attente, de l'absence, du néant :

Encore un an qui tombe/Encore un an tombé !/
Ils tombent dans ma tombe/Depuis que je suis né !/
Ils tombent dans ma tombe/Où je gis consterné ;/
Et l'on est seul au monde/Quand on est enterré...

Dans ces derniers textes du grand âge, l'auteur de *Pelléas,* qui avait introduit au théâtre les chansons de scène, marque une prédilection pour les chansons et les rondes de source flamande. Une inquiète et étrange « inquiétante étrangeté » rôde dans ces brèves « chansons de fou ». Et l'on comprend mieux pourquoi se dessine, aussi bien en Belgique qu'en France, un retour à Maurice Maeterlinck, en ces années 80.

[Chansons de fou]

Joseph Hanse a intitulé *Treize chansons de l'âge mûr* les textes les plus tardifs de Maeterlinck. Ces trois poésies, classées de II à IV, dans son édition, sont toutes les trois sous-titrées « chansons de fou ».

Passe-fous

Encore un fou qui passe,
Encore un fou passé ;
Nonchalamment il passe,
Tout en étant pressé...

Encore un fou qui passe,
Encore un passant fou ;
Et d'autres fous remplacent
Les passants qui sont fous...

Encore des fous qui passent...
Ils vont on ne sait où...
Et nous suivrons leurs traces
S'ils sont plus fous que nous...

Le dernier port

Encore un printemps mort,
Encore un an qui fuit...
Nous entrerons au port
Quand tombera la nuit.

Nous entrerons au port
Quand nous n'y verrons plus.
Nous y serons encore
Quand nous ne serons plus...

Ceux qui l'avaient cherché
Ne l'ont pas encore vu...
Ils n'avaient rien trouvé,
Ils avaient tout perdu...

Ils trouveront ici
Ce qu'ils cherchaient encore,
Et dans l'eau de la mort
Ils sombreront aussi...

On ne sait pas que l'on s'endort

On ne sait pas que l'on s'endort,
Comme on ignore que l'on dort,
Et lorsqu'on entre dans la mort,
Pourquoi saurait-on qu'on est mort ?

Maurice Maeterlinck, *Poésies complètes,*
éd. La Renaissance du livre.

Autres chansons, celles de JACQUES BREL, qu'il n'est pas absurde de rapprocher du grand poète flamand. Assurément, Jacques Brel ne prétend pas au statut de poète, et se veut simple « marchand de chansons » ; mais qui mieux que lui a créé et communiqué ce royaume imaginaire de la Belgique, avec des textes tels que *Le Plat Pays, Il neige sur Liège, Les Flamandes, Bruxelles :*

C'était au temps où Bruxelles rêvait/C'était au temps du cinéma muet/C'était au temps où Bruxelles chantait/C'était au temps où Bruxelles bruxellait.

A lire ces chansons devenues des poèmes par leur réunion dans l'*Œuvre intégrale* (1982), on ne peut que reconnaître à Brel toutes les vertus du poète : il a épuisé toutes les ressources langagières de la chanson sans jamais en déborder le cadre ; il joue en virtuose des anaphores, des permutations et des jeux de mots ; et surtout, chez lui, la vraie poésie se moque de la poésie. Ce Flamand, né à Bruxelles, de langue française est resté attaché, à travers ses triomphes internationaux, à une identité belge, faite de doute, de regrets et de colères. Sa diatribe furieuse contre *Messieurs les Flamingants,* comme sa complainte *Jaurès,* témoignent d'un sens de l'engagement, bien rare chez les poètes belges. Enfin il introduit dans ses textes mêmes une dimension biculturelle et parfois même bilingue ; il utilise également le dialecte bruxellois dans quelques chansons. Il serait absurde d'exclure de la poésie belge le plus illustre de ses porte-parole. « Je chante persiste et signe je m'appelle Jacques Brel. »

Marieke

Ay Marieke, Marieke
Je t'aimais tant
Entre les tours
De Bruges et Gand
Ay Marieke, Marieke
Il y a longtemps
Entre les tours
De Bruges et Gand

Zonder liefde, waarmde liefde
Wait de wind, de stomme wind
Zonder liefde waarmde liefde
Weent de zee, de grijze zee
Zonder liefde, waarmde liefde
Lijdt het licht, het donker licht
En schuurt de zand over mijn land
Mijn platte land, mijn Vlaanderenland

Ay Marieke, Marieke
Le ciel flamand
Couleur des tours
De Bruges et Gand

Ay Marieke, Marieke
Le ciel flamand
Pleure avec moi
De Bruges à Gand

Zonder liefde, waarmde liefde
Waait de wind, c'est fini
Zonder liefde, waarmde liefde
Weent de zee, déjà fini
Zonder liefde, waarmde liefde
Lijdt her licht, tout est fini
En schuurt het zand over mijn land
Mijn platte land, mijn Vlaanderenland

Ay Marieke, Marieke
Le ciel flamand
Pesait-il trop
De Bruges à Gand
Ay Marieke, Marieke
Sur tes vingt ans
Que j'aimais tant
De Bruges à Gand

Zonder liefde, waarmde liefde
Lacht de duivel, de zwarte duivel
Zonder liefde, waarmde liefde
Brandt mijn hart, mijn oude hart
Zonder liefde, waarmde liefde
Sterft de zomer, de droeve zomer
En schuurt het zand over mijn land
Mijn platte land, mijn Vlaanderenland

Ay Marieke, Marieke
Revienne le temps
Revienne le temps
De Bruges et Gand
Ay Marieke, Marieke
Revienne le temps
Où tu m'aimais
De Bruges à Gand

Ay Marieke, Marieke
Le soir souvent
Entre les tours
De Bruges et Gand
Ay Marieke, Marieke
Tous les étangs
M'ouvrent leurs bras
De Bruges à Gand, de Bruges à Gand,
de Bruges à Gand...

Jacques Brel, *Œuvre intégrale,* éd. Robert Laffont.

La poésie de MAURICE CARÊME, issu d'un milieu populaire, longtemps instituteur, a connu un succès immense dans les écoles primaires francophones. N'est-ce pas, avec Prévert, le plus populaire des poètes auprès des enfants ? Pourquoi écarter du Panthéon de la poésie belge cet artisan du verbe qui, illuminé par une enfance heureuse, sut faire des images de la vie quotidienne un trésor des humbles, et déployait dans les textes les plus universellement lisibles une maîtrise que pourraient lui envier des poètes plus ambitieux.

A mi-voix

Dion-le-Val, Gastuche, Louvranges,
Vos pignons ont des ailes d'ange ;
Florival, Profonsart, Ohain,
Vos vals ont des candeurs de thym.

Sur vous, Limelette et Rosières,
L'été roule à tonneaux ouverts.

Vos fermes volent, Grez-Doiceau,
A la rencontre des oiseaux.

Wavre [1] s'ouvre comme une rose,
Et je n'en parle qu'à mi-voix
Tant léger est le poids des choses
Que ma mère me confia.

Amour des mots, amour des hommes,
Images en forme de main,
Matins d'avril devenus pommes,
Soirs de juillet changés en pain.

Maurice Carême, *Brabant,*

1. Maurice Carême est né à Wavre, dans le Brabant.

Depuis les années 1960, la poésie belge présente des traits comparables à ceux de la poésie française de l'hexagone : des entreprises rigoureuses et respectables n'ont pas dépassé l'audience limitée des spécialistes et des amateurs. On se condamne à l'injustice en ne faisant que citer les noms qui suivent : Werner Lambersy, après le si bien nommé *Silenciaire* (1971), montre son art du fragmentaire et du combinatoire dans *La Diagonale du fou* (1982), parfaite réussite qui prolonge l'expérimentation qui fut celle de Raymond Queneau dans *Cent mille milliards de poèmes.* Jacques Izoard, qui anime à Liège l'Atelier de l'agneau, propose des œuvres exigeantes et secrètes, dans le climat d'un Char ou d'un Jaccottet : « Le poème, éclaté comme un obus qui rêve. Broussaille des étés, des râles et des blasphèmes ; chimie de l'orgue et du vent ; mouvement perpétuel [...] J'ai pris les mots pour amulettes. Je prêche, et j'ai choisi de ne plus rien savoir. » (*Terre ultime,* 1970) Chez Jacques Crickillon rayonnent des splendeurs verbales qui font écho à Saint-John Perse (*L'Ombre du prince,* 1971). Dans un registre plus détendu, et plus proche de l'autobiographie poétique, Jean-Pierre Otte livre un *Testament de Haute-Ardenne,* qui dialogue avec le *Testament du Haut-Rhône* de Maurice Chappaz. Enfin WILLIAM CLIFF met en scène et en parodie la situation marginale du poète wallon, avec une violence salubre. (*Homo sum,* 1973, *Écrasez-le,* 1976, *Marcher au charbon,* 1978).

[De ce bic]

Celui dont on a dit qu'on ne comprenait pas
pourquoi cet éditeur [1] le plus grand de la France
publia les écrits dans sa collection blanche
voilà qu'il se remet à compter pas à pas
ce que sa vie lui rend de banale expérience

il a reçu déjà quelques lettres d'insultes
pour peu on le soupçonnerait d'avoir couché
avec Raymond Queneau [2] quant à la qualité
de ses travaux il va sans dire qu'elle est nulle

s'attarder comme il fait à ce vers où l'on voit
à chaque pied percer la grosse trame brune
n'est-ce pas trop pousser la manière commune
aux scripteurs imprimés aux frais des pensionnats ?

et pourtant aujourd'hui je vous le dis je le proclame
j'entreprends d'aligner à coups de rimes
                    et de tymbales
nombre important de mauvais vers et c'est
                    sans sourciller
que de ce bic je griffonnerai ce papier

je ne sais pas et ne veux le savoir
à quoi pourra servir ce gribouillage
c'est qu'aujourd'hui j'en ai un peu plus marre
je ne voudrais du matin jusqu'au soir
qu'être lié à la rame à la page

j'en ai assez d'interroger ce sol
ces gens ce temps le boucan des bagnoles
la furie des réclames qui nous presse et nous tue
le grain du macadam qui persiste et qui sue

alors je viens ici en bête esclave sans espoir
m'enchaîner à ce rythme et pour bien m'assourdir
frapper de ce marteau le tronc du souvenir
jusqu'à le rendre prisonnier d'un flonflon dérisoire
[...]

William Cliff, *Marcher au charbon,* éd. Gallimard.

1. Il s'agit de l'éditeur parisien Gallimard, dont la collection blanche a un prestige particulier pour de jeunes écrivains. — 2. Raymond Queneau est évoqué ici comme membre influent du comité de lecture des éditions Gallimard. Mais ses poèmes de *Chêne et Chien* ont pu influencer William Cliff.

S'il fallait choisir un poète qui domine l'après-guerre, ce serait à coup sûr NORGE. Certes il dédaignerait cette préférence, ce poète qui fait dire à son héros, le Capitaine : « Il passe et conchie/Avec énergie/Nos anthologies. » L'œuvre de Norge, commencée dès les années 20, trouve sa voie et son renouvellement avec *Les Râpes,* en 1949. On fut alors sensible à la dimension spirituelle de ce Claudel païen ; aujourd'hui on le sera davantage à la truculence et à la cocasserie de ce mangeur de mots que soulève une boulimie d'ogre joyeux. Pour le lecteur, cette poésie est délectation et jubilation. Chez ce Belge qui choisit de vivre en Provence, chez ce nordique solaire, l'amour pour la langue française a des accents physiques :

O français, mon amour, terreau de notre terre, il fait bon te respirer et voir monter tes jeunes pousses. Le sécateur du bon jardinier menace les branches folles et rien pourtant n'est mystérieux comme un jardin à la française.

Norge excelle dans les textes brefs, et en particulier dans la forme qu'il appelle « l'oignon », comme dans cette biographie express peut-être proche de l'autobiographie :

Une vie. Père voulait, Mère ne voulait pas. Naquit quand même, apprit à lire et à écrire, comprit le tout, comprit le rien tout de travers. Toucha les touches, moucha les mouches, zyeuta les cieux. Courut, obtus. Mourut bourru comme si de rien n'était.

Cette poésie si savoureuse, proche parfois de Queneau et de Prévert par son ludisme, ne cesse de gagner en verve et en verdeur depuis *La Langue verte* (1954) et *Les Oignons* (1953) jusqu'à *Les oignons sont en fleur* (1979) et *Les Coq-à-l'âne.* Norge, qui attache le plus grand soin à la prosodie, aux « valeurs de métier », à ce qu'il nomme « le grand solfège de la poésie », a choisi, euphorique sans illusion, les puissances du *oui* contre les puissances du *non.*

Les coq-à-l'âne

J'entends l'âne d'une oreille,
De l'autre, j'entends le coq.
J'écoute même une abeille
Se mêlant à leur colloque.

D'une oreille j'entends braire,
De l'autre j'entends chanter.
Dites-moi ce qu'il faut faire
Afin de tout écouter.

J'écoute jusqu'au platane,
Au charbon, au caïman
Me parler de sentiment
Comme font le coq et l'âne.

Alors, je ne dirais rien
A ces déchirants abois
De mes hommes, de mes chiens ?
Mon cœur allait rester froid ?

Non ! Il tourne aux quatre vents
Qui sculptent dans la poussière
Où chacun mord sa chimère,
Sa lune ou son ciel ardent.

Anes, coqs et leurs pareils,
Humains, déesses, corneilles
Dieux et temps, vifs et gisants,
Anonnants et coquetants,

Poussent des cris si perçants,
Me harcèlent tant et tant,
Qu'il faut y prêter l'oreille,
Qu'il faut y prêter le sang.

Et qu'ainsi soit pardonné
Au poète malmené
Dans les tragiques arcanes
De ces mille coq-à-l'âne.

Géo Norge, *Les Coq-à-l'âne,* éd. Gallimard.

Le théâtre

Il fut un temps où les dramaturges belges de langue française régnaient sur les scènes parisiennes : Maurice Maeterlinck au début du siècle, Fernand Crommelynck dans les années 30, Michel de Ghelderode dans les années 50 [1]. Mais ces pièces avaient été écrites bien avant 1945. Il serait difficile d'imputer à la Belgique le théâtre de Félicien Marceau, naturalisé français depuis longtemps ou de la créditer des trouvailles de Raymond Devos, cet homme de scène assez prodigieux. Le théâtre belge n'a pas connu d'auteurs célèbres au-delà de ses frontières, malgré une vie théâtrale très riche à Bruxelles, à Liège, à Louvain.

Le théâtre d'après-guerre, plein de vertus traditionnelles, aborde les grands sujets humanistes et ses thèmes inépuisables. L'avenir retiendra peut-être *Le Burlador* (1945), et *Tous les chemins mènent au ciel* (1947), où Suzanne Lilar manifeste un grand savoir-faire. *A chacun selon sa faim* (1950) de Jean Mogin connut un retentissement, qui étonnera une postérité oublieuse des vogues théâtrales. L'œuvre la plus cohérente, et la plus enracinée dans la Belgique, est due à Paul Willems avec *Warna* (1962), *La Ville à voile* (1967), *Les Miroirs d'Ostende* (1974). Par les jeux des reflets et de l'illusion, des personnages vaincus d'avance tentent d'exorciser le heurt d'une réalité destructrice ou d'une modernité mortelle. Autre Flamand francophone d'Anvers, Jean Sigrid dessine un univers crépusculaire dans *L'Espadon* (1976) ou *L'Autostoppeur* (1977). Jacques de Decker, avec *Petit matin* et *Jeu d'intérieur* (1979), ajuste des pièces en forme de pièges, et donne à la perversion toutes ces ruses scéniques.

Dans le grand désert de la création théâtrale depuis 1968 — au moins en ce qui concerne de nouveaux auteurs — la carrière brève et intense de **René Kalisky,** de 1968 à 1981, fait figure d'événement unique. Bruxellois, d'origine juive polonaise, Kalisky met au premier plan de son théâtre, comme de son seul récit *L'Impossible Royaume,* l'identité juive, l'holocauste ineffaçable, le problème israëlo-palestinien, la difficulté d'être un juif agnostique, la résistance aux choix politiques de l'État d'Israël. Les qualités de belge et de juif se complètent chez lui en tant que double statut minoritaire, à l'égard de l'Europe comme à l'égard de la majorité du peuple juif de la diaspora et d'Israël. Est-ce là l'origine d'une étonnante aptitude à prendre en charge les grandes tragédies de notre siècle, avec un sens aigu de l'universel ? Kalisky fait preuve d'une ambition démesurée et d'une témérité féconde : il aborde tour à tour la révolution bolchevik (*Trotsky, etc.,* 1969), la gloire sportive des « campionissimi » (*Skandalon,* 1970), la montée du nazisme (*Jim le téméraire,* 1972), le fascisme mussolinien (*Le Pique-nique de Claretta,* 1973), la crucifixion au deuxième degré (*La Passion selon Pier Paolo Pasolini,* 1978), le conflit du Proche-Orient (*Dave au bord de la mer,* 1979), les prodromes et les lendemains du génocide (*Aïda vaincue,* 1982 ; *Falsch,* 1983). Comme le héros de Sartre, Kalisky a pris son siècle sur les épaules, et en a répondu. Dans l'écriture dramatique, Kalisky fait preuve de la même ambition : il conçoit un *surjeu* qui accentue tous les décalages, mise en abyme et théâtre dans le théâtre, et un *surtexte,* qui implique reduplication et réécriture, comme dans *Dave au bord de la mer* où le combat biblique de Saül et de David se joue et se lit dans le conflit moderne entre Israëliens et Palestiniens. Kalisky, mort trop tôt, a eu la chance de trouver en Antoine Vitez un metteur en scène capable d'assurer des représentations exemplaires.

1. Cf. *La Littérature en France de 1945 à 1968,* p. 503-505.

Le roman

Il nous est arrivé de rencontrer des romanciers au gré des rubriques antérieures : Georges Simenon, Dominique Rolin, Conrad Detrez, Suzanne Lilar, Christian Dotremont, Hubert Juin. Il reste à évaluer la persistance d'un genre sans s'interdire les romanciers qui publient dans le circuit de l'édition française mais sans annexer non plus ceux qui ont effacé toute trace d'une origine belge.

Le roman belge de ces quarante dernières années ne laisse pas des souvenirs inoubliables. Les romans de Charles Plisnier (*Meurtres,* 1939-1941), qui eurent leur célébrité, ont mal résisté à un temps qui ne se plaît plus aux vastes romans cycliques, chargés d'humanité à ras bords. Certains romans de Franz Hellens, tels *Moreldieu* (1946) ou *Les Mémoires d'Elseneur* (1954), inspirent la plus grande estime, mais aussi le regret qu'une écriture romanesque digne de tels projets n'ait été trouvée. Le roman belge n'a pas connu les tentations françaises du roman existentiel, ni celle du Nouveau Roman, à l'exception, importante certes, de Jacques-Gérard Linze. La tentation autobiographique, elle, a inspiré à Alain Bosquet *Une mère russe,* ce roman si peu fictif qui se rattache plus à la Belgique que les autres écrits du même auteur, et qui marie le particularisme bruxellois à un cosmopolitisme de la francophonie. Une invention verbale colérique soulève *Quintes* (1962) ou *Bannière de bave* (1966) de Marcel Moreau ; plus proche de Gracq que de Céline, Bosquet de Thoran dessine des architectures et des intérieurs oniriques.

Trois romanciers (ou nouvellistes) nous paraissent dominer la production contemporaine, sans que ce choix subjectif prétende aucunement à une hiérarchisation autorisée : Pierre Mertens, Jacques Crickillon, Anne-Marie La Fère.

Pierre Mertens a montré une égale facilité dans le genre de la nouvelle (*Le Niveau de la mer,* 1970 ; *Nécrologies,* 1975 ; *Ombres au tableau,* 1982) et dans le genre du roman.

Quatre romans d'une égale importance donnent à la fois un tableau sans concession de la Belgique, et une image assez complète des expériences politiques, sur plusieurs points chauds de la planète, d'un intellectuel très engagé : les dimensions nationales et internationales, qu'ignore en général le roman belge, sont ici représentées et même saturées. *La Fête des anciens* (1971) télescope l'existence dominicale d'un grand-père, d'un père et d'un fils, dont les crises se superposent et se répondent. *Les Bons Offices* (1974) restera comme un témoignage captivant, quoique feuilletonesque, sur les grandes aventures politiques des années 60, du Congo au Proche-Orient, en passant par l'Europe. *Terre d'asile* (1978) entrecroise diverses figures de l'exil, reliées au difficile séjour d'un réfugié chilien à l'université de Bruxelles. *Perdre* (1983) constitue une ambitieuse « autofiction », dans laquelle le narrateur recrée ou réécrit *Salammbô,* la vie d'un couple et la guerre des sexes se jouant dans des combats de gladiateurs reconstitués. Ce peplum autobiographique accède souvent à la puissance du mythe, sans trouver cependant son écriture idéale. Les écrits de Mertens nous fournissent un miroir critique d'une culture révolutionnaire et traditionnelle, bruxelloise et internationale.

On s'étonnera de trouver ici le nom de Jacques Crickillon, plus connu comme poète. Mais les « récits » de *Supercoronada* (1980), tantôt nouvelles, tantôt poèmes en prose, tantôt contes oniriques, imposent un réseau de pertes, d'errances, de solitudes, dans des paysages sinistres, banlieues désertes, zones sans fin, champs de ruines ou d'ordure. Ce paysage, frontalier de Michaux et de Simenon, ne figure-t-il pas le double maléfique de la Belgique même ?

L'Immortel

Première partie de la nouvelle. Dans la suite du texte, Irving C. Smith va commettre toute une série de crimes impunis, puis écrire un « roman de l'étrangleur », qui passera inaperçu.

Irving C. Smith avait déjà publié plusieurs essais de critique littéraire, quelques plaquettes de poèmes, de nombreux articles d'actualité artistique fort imprégnés de complaisance et une monumentale étude des rites initiatiques dans la pré-Atlantide, quand il fut saisi d'une obsession commune aux véritables écrivains ; il voulut qu'on le voie, il désira être regardé. Parmi tous ses manuscrits en attente d'éditeur, poèmes, monographies, contes ésotériques, un roman même, pas un ouvrage qui fût susceptible d'éveiller les ovations adressées chaque jour aux chanteurs de charme et aux joueurs de football. Irving C. Smith résolut d'écrire un roman policier qui serait tiré à des centaines de milliers, peut-être un million, d'exemplaires et dont le cinéma ferait une fracassante adaptation. Une intrigue savante, aux rebondissements imprévisibles, un développement nerveux, une finale bouleversante ; de la vérité et du style ; bref, le chef-d'œuvre qui effacerait le genre. Il y songea intensément. Du moins pensait-il sans cesse aux qualités du livre accompli et aux éloges qui s'en suivraient.

Après avoir caressé son projet jusqu'au désespoir, en ayant plus d'une fois épuisé les satisfactions conséquentes, conscient de sa puérilité, il se mit à l'œuvre. Lui qui d'ordinaire griffonnait sur n'importe quoi s'acheta une rame de beau papier, un stylo à plume d'or, des crayons de couleur et une robe de bure. Il fallut se tracer un plan ; une intrigue, là résidait la plus grande difficulté, l'intrigue, qui devait être à la fois originale et simple, d'une évidence proportionnelle à sa complexité, que ce qui paraîtrait insoluble et extravagant se résolve de soi-même dans une clarté blessante. Originale et vraie ! Une intrigue originale et authentique ! Que chacun reconnaîtrait d'emblée comme sienne et que nul jusqu'à lui n'aurait remarquée ! Il s'attacha à ce problème préliminaire, avec acharnement, pendant des semaines, avec des flambées d'exaltation et de terribles crises de découragement, pour en arriver à dépouiller les faits divers de tous les quotidiens, à relire des classiques du genre, qu'il avait admirés et qui lui parurent soit inimitables, soit décevants. La nécessaire vraisemblance détruisait à mesure toutes ses tentatives. A peine s'enthousiasmait-il pour un début d'histoire qu'il se rendait compte de son ignorance : comment arrêtait-on un ascenseur, à quelle distance s'entendait un coup de feu, comment ouvrir une porte, comment écrire sans se faire reconnaître ? La masse des recherches qu'il aurait dû entreprendre le paralysa. Et la résolution de cette suite de problèmes ne donnerait jamais que des détails dénués d'intérêt s'ils n'étaient pas insérés dans une trame vigoureuse ; or, plus le souci de la réalité l'occupait, plus se sclérosait son imagination ; ce n'était qu'aventures brumeuses, sans queue ni tête, et qui tournaient très vite au monologue du héros-écrivain terrassé par l'aventure de son art.

Il renonça à l'esprit savant pour lui préférer l'effet de choc. La violence, telle était la clef du succès ! Il rédigea un chapitre dans lequel se trouvèrent en présence un personnage taciturne, dont on ne pouvait deviner s'il était le héros ou un simple passant, et plusieurs pulpeuses créatures, variables comme des baudruches. La violence ne vint pas. Irving C. Smith s'aperçut qu'il est difficile de tuer par écrit. Certes, on pouvait aisément trouver des raisons de détruire, mais elles semblaient toujours si puériles ! Le crime crapuleux, le crime passionnel ! Et puis après ? Le roman policier dans son ensemble lui parut vide. Qui désire être policier ? Et sinon pour voler la vérité, pour anéantir le héros !

Jacques Crickillon, *Supra-Coronada,* éd. La Renaissance du livre.

ANNE-MARIE LA FÈRE, quant à elle, a donné avec *Le Semainier* (1982) l'équivalent de ce que furent les *Faux-monnayeurs* pour la France des années 1920. Ce roman d'une habileté consommée pourrait bien être d'abord une mise en jeu du roman même, de la fiction et du réel. Une jeune femme, directrice d'un théâtre bruxellois, vient de se suicider, en léguant à des proches ses papiers personnels. Un avocat raté et clochardisé est chargé de remettre ces papiers à leurs destinataires. Ainsi va-t-il devenir enquêteur, romancier, amoureux, fasciné par l'existence inaccessible de cette Anaïs. Le va-et-vient entre les intrusions de l'avocat-narrateur et les textes fragmentaires d'Anaïs constitue un réseau captivant, à l'image de ce Théâtre Réseau et de ce réseau amical qu'a animés la protagoniste. Le narrateur, exclu de tous les réseaux, ne peut que les reconstituer par **l'exercice de la fiction** ou par le commentaire de textes scellés ou épars. Les navettes Bruxelles-Paris, qui scandent le roman, renvoient peut-être à l'itinéraire de l'auteur qui a raconté dans les *Confessions d'une Belge honteuse* son aller et retour par rapport au pays natal : « Ma honte, c'est de m'être fait passer pour Française en un temps où l'impérialisme culturel français était très fort. »

[Avant la mort d'Anaïs]

Le narrateur rêve sur l'affaire Russier, qui fut popularisée par un film à succès *(Mourir d'aimer)*. Anaïs aurait pu tomber amoureuse d'un ami de son fils. Un scénario de plus pour expliquer le suicide d'Anaïs.

Amoureuse et démasquée, celle-ci n'aurait eu qu'une solution : le suicide. A vrai dire, je n'ai remarqué aucun éphèbe, au Théâtre Réseau, susceptible de provoquer un tel drame. A part Brull, le concierge, la femme de ménage et deux machinistes d'âge mûr, il y a seulement une secrétaire à mi-temps et un comptable qui vient une fois par mois. Je ne vais rue du Poivre qu'à des heures calmes. L'existence du jeune homme n'est pas impossible. Je ne l'aurais jamais vu parce que Brull l'avait jeté à la porte huit jours avant la mort d'Anaïs. Il n'y a pas de paquet de lettres pour lui. S'il voyait Anaïs tous les jours, il n'avait pas besoin de lui écrire. Ils faisaient l'amour sur la moquette du bureau, dans la lumière lilas. Brull les avait surpris un jour où, trop pressés, ils avaient oublié de fermer la porte à clef. C'est ce qui avait déclenché le scandale. Non ! Je dois m'en tenir au concret. Aux amis d'Anaïs qui ont une voix, sinon, encore, un visage. Dans quelques jours, il ne me faudra plus supputer. J'aurai vérifié certaines hypothèses. Je vais m'offrir un filet américain sur le chemin de Forest. Dans mon attaché-case, trois chemises de lettres pour les destinateurs bruxellois d'Anaïs...

Il est trois heures du matin. Et tout à l'heure, je dois prendre le train pour Charleroi. Je ne parviens pas à dormir. Les événements de l'après-midi me poursuivent. Jadot m'a entraîné dans divers bistrots des Marolles, où nous n'en finissions pas de boire des bières avec des clochards. Il les connaît tous. Il n'a pourtant pas l'air d'un marginal. C'est un bel homme. Il devait plaire à Anaïs. Il ne m'a parlé que de littérature. Impossible de lui arracher des confidences sur sa vie privée. Il est très cultivé. J'ai appris par recoupement qu'il était critique littéraire. Que lui-même écrivait. Sauf quelques considérations dubitatives sur le projet de « roman porno » des cousines, pas un mot sur Anaïs. Son appartement de la rue de la Paille ressemble au mien. Moins humide, mais aussi froid. Il n'attache aucune importance aux biens matériels. Ses livres sont entassés partout. Les piles s'écroulent. Il a jeté son paquet de lettres sur un amas de vieux journaux. Il m'a offert du vin. Nous avons vidé une bouteille à deux. Jadot possède de précieuses éditions originales qu'il m'a montrées. Des numéros de revues rarissimes. Il n'en prend aucun soin. La collection du *Disque Vert* voisine dans la baignoire avec des romans de chez Arthème Fayard, ancêtres du livre de poche. Je me demande s'il s'offre parfois un bain. Il doit déposer les bouquins sur son lit, le temps de se baigner. Il ne fait pas négligé. Ne sent pas mauvais. Il ne vit peut-être pas toujours dans ce capharnaüm. L'autre soir, il avait mis son répondeur. Il couchait chez sa maîtresse, comme d'habitude. Mais hier matin, je l'ai réveillé. Il ne peut passer la nuit chez elle pour une question de bienséance. Ou il préfère revenir dormir au milieu de ses livres. Son travail exige la solitude. La tentation des interminables discussions nocturnes, arrosées de bière, le distrait de ses chères études. Ma présence ne semblait pas lui déplaire. Au contraire. Nous avons parlé de Gide, de Proust, de Paulhan. Il a très bien connu ce dernier. Pendant une période de sa vie, il habitait Paris. A un autre moment, Amsterdam. C'est à Bruxelles qu'il se sent le mieux. Il aime cette ville paisible et bourgeoise. On y jouit d'un calme favorable à l'écriture, à condition de se tenir à l'écart des mondanités. Il préfère la compagnie des Marolliens. Je l'ai abandonné rue Haute, car je tombais de sommeil, et j'ai pris un taxi. Il faudra que je demande une avance à Baruk, à ce train-là.

Anne-Marie La Fère, *Le Semainier,* éd. Jacques Antoine.

Dans les marges ou les lisières du texte littéraire, dans cette « **paralittérature** » qui ne constitue plus une périphérie, mais le domaine d'une nouvelle légitimité, on ne fera qu'évoquer la bande dessinée : la Belgique a joué ici, sur le plan européen, un rôle fondateur. Tintin (Hergé), Spirou et Gaston Lagaffe (André Franquin), Blondin et Cirage (Joseph Gillain, dit Jijé), Lucky Luke (Morris), Corentin (Paul Cuvelier), Blake et Mortimer (Edgar-Pierre Jacob) : tous Belges, de Charleroi ou de Bruxelles. On a pu parler d'une école franco-belge de la B.D. — plus belge que française — qui sut s'opposer à l'école américaine. Le roman policier est bien sûr représenté par l'inévitable Simenon, mais aussi par l'excellent Stanislas-André Steeman qui inspira si bien le Français Clouzot (*L'Assassin habite au 21, Quai des Orfèvres, Autopsie d'un viol).* Enfin **le cinéma** belge paraît étroitement lié à la littérature, dans des œuvres aussi originales que celles de André Delvaux (*Rendez-vous à Bray ; L'Homme au crâne rasé ; Un Soir, un train ; Benvenuta)* et de Chantal Akermann (*Jeanne Dielman, Les Rendez-vous d'Anna, Toute une nuit).* Cette émergence d'un cinéma national est récente, mais dès 1936, les Belges Jacques Feyder et Charles Spaak ne réalisaient-ils pas un classique avec *La Kermesse héroïque ?*

Mais, dans ces espaces frontaliers, c'est bien la **littérature** dite **fantastique** qui a partie liée avec la Belgique. Jean-Baptiste Baronian a pu composer une anthologie de *La Belgique fantastique,* qui couvre le XIXe et le XXe siècle avec un éclat constant. Par la quantité comme par l'invention, JEAN RAY, alias John Flanders (il s'agit de deux pseudonymes parmi d'autres), a dominé l'époque et fasciné beaucoup d'esprits distingués. Dans cette énorme production qui va des années 20 jusqu'aux années 50, dans la série impressionnante des *Aventures de Harry Dickson* on se gardera de tout révérer avec dévotion. L'écriture de Jean Ray n'est pas tout à fait automatique, mais elle est quasi instantanée. Reste que dans la nouvelle brève qu'est *La Ruelle ténébreuse* éclate un génie inventeur des espaces et des configurations, ici l'intersection d'univers parallèles. Le récit semble d'ailleurs déjouer toute tentative de délimiter le genre fantastique et la science-fiction. Rien d'ailleurs de plus nordique que ces contes de terreur : les monstres, doubles, maléfices, choses innommables, farfadets, marmousets y naissent dans l'atmosphère enfumée du genièvre et de l'Amsterdamer ; les stéréotypes de la peinture flamande y sont exploités avec la distance humoristique qui convient. Ce grand découvreur de

La Mise au tombeau, *huile sur bois de P. Delvaux, 1953.*

territoires maudits a connu sa meilleure réussite avec *Malpertuis ou l'Histoire d'une maison fantastique* (1944). Ce récit, d'une habileté que l'on hésite à dire diabolique, réactive, au gré des narrateurs échelonnés dans de savants dispositifs, des mythologies que l'on croyait inoffensives, et pour finir devient lui-même un monument de la mythologie fantastique. La surcharge emphatique propre à Jean Ray convient elle-même à cet effet de fantastique.

[Présentation de Malpertuis]

L'abbé Doucedame, descendant de Doucedame-le-Vieil, est l'un des narrateurs du récit. Mais ici, le narrateur est Jean-Jacques Grandsire, un jeune homme. Le chapitre 2, d'où est tiré cet extrait, s'intitule *Présentation de Malpertuis.*

Une fois, à minuit, j'entendis la grêle chanson du lulu, la mystérieuse alouette des ténèbres, et l'abbé Doucedame y vit un signe de malheur et de menace.

Pourtant, dans les sagittaires de la pièce d'eau centrale, habite un râle haut sur pattes qui, de temps à autre, fait marcher sa lime à froid et, par temps gris, les pluviers guignards pleurent au fond du ciel.

Cet étang, de considérable étendue, apparaît brusquement derrière une barrière de chênes rouvres qui se serrent les coudes et enchevêtrent leurs brèves et noueuses ramures.

Le noir d'encre des eaux trahit leur énorme profondeur ; elles sont glacées au point de donner à la main qui y plonge une impression de morsure. Malgré cela, elles sont poissonneuses et Griboin y pêche au bergot des carpes miroir, des perches nacrées et d'énormes anguilles bleutées. A vingt toises de la berge sud de l'étang, se dresse une seconde haie, celle-ci de hauts et lourds conifères, qu'on hésite à passer, tant elle est rébarbative.

Passé ce rideau noyé d'ombre et hérissé de pointes, on se trouve devant une bâtisse d'invraisemblable laideur, de pierres niellées, pourries de lèpre, aux fenêtres crevées, à la toiture béante : les ruines de l'ancien couvent des Barbusquins.

Vers l'unique porte, bardée de fer, mène un perron gigantesque de quinze hautes marches, serrées dans des rampes murées.

Il a fallu à mon excellent maître Doucedame un élan de courage pour les gravir et se livrer ensuite à l'exploration des tristes lieux, défendus par tant de laideur.

Il s'est proposé par la suite de leur consacrer une brochure. En réalité, il prit quelques notes éparses et fiévreuses, mais jamais il ne rédigea l'œuvrette dont il escomptait pourtant quelque renommée. *Je suis étonné,* écrivait-il, *de l'inconfort dans lequel les bons moines y vivaient, et j'ose prétendre qu'ils y recherchaient un mode de sainte pénitence. Les cellules sont étroites, basses, manquent d'air et de lumière. Au réfectoire, les tables et les bancs sont de grossière pierre grise. La chapelle est si haute et si noire qu'elle s'apparente à un puits. Nulle part, les vastes mais repoussantes cuisines exceptées, il n'y a trace d'âtres ou de foyers. Une partie des caves semble avoir été aménagée en laboratoire, car on y trouve encore de puissantes cheminées, un alambic maçonné dont les proportions sont considérables, des conduites d'eau et des creux de forges. Aux siècles passés, les savants conventuels s'adonnaient parfois à la spagyrie, encore que la pratique en fût condamnée.*

Je ne puis que m'étonner également de l'étendue inhabituelle des souterrains, aujourd'hui inexplorables par suite d'éboulements, d'inondations partielles et de végétations rudérales qui présenteraient un intérêt certain pour un botaniste averti. Il est évident que l'époque, tristement féconde en persécutions, a poussé les bons moines à s'aménager de ce côté des retraites et des moyens de communication ou de fuite.

J'aurais voulu confier à l'abbé l'exploration, certes, plus facile, de la maison même, mais il s'y est refusé avec une obstination qui frisait parfois la mauvaise humeur.

Après les rares visites qu'il y fit, il se tenait tassé sur sa chaise, la tête basse, la bouche pincée, les mains moites et frémissantes, et je le suspecte d'avoir, durant les longues minutes de silence, murmuré de compliqués exorcismes. Sans doute que Dieu, dont il était l'humble mais fidèle serviteur, lui avait permis d'entrevoir l'effroyable sort que lui réservait cette maison de la grande malice, et qu'il l'avait accepté comme les saints acceptent le martyre.

Seule, la lugubre cuisine trouvait grâce devant ses yeux terrifiés ; Élodie l'aidait à supporter, peut-être même à défier, d'autres présences, occultes, invisibles, mais combien redoutables.

Le pauvre cher homme souffrait de ne pouvoir retrancher, des péchés capitaux, la condamnable gourmandise. Il soupirait longuement devant les soufflés à la moelle, les gigots parfumés d'ail et les volailles ruisselantes de jus que notre bonne posait devant lui sur l'immense table en chêne lustré.

L'âme bourrelée de remords, il piquait sa fourchette dans les grasses dodines, tranchait les filets, écrasait les compotes ; en mangeant, ses lèvres ointes de sauce esquissaient un sourire qu'il aurait voulu amer et navré, mais qui finissait par être bien doux, bien heureux.

Jean Ray, *Malpertuis,* éd. Denoël.

Autour de cet homme-orchestre, de ce polygraphe, qui ne fut pas tout à fait l'aventurier qu'il a dit, d'autres écrivains belges s'imposent dans les anthologies internationales du fantastique : Marcel Thiry, dans ses *Nouvelles du Grand Possible* (1958) ou dans *Simple Alerte,* déploie un art subtil et une qualité de style qui pourrait évoquer Julien Gracq. Thomas Owen a proposé sept recueils de contes fantastiques, qui induisent la peur la plus angoissante : retenons le terrifiant *Père et Fille* qui obtient par un art discret autant d'effets que Jean Ray par des moyens musclés. Quand il s'adonne à l'« inquiétante étrangeté », Jacques Sternberg y apparaît comme un maître du genre, en particulier dans les *Contes glacés* (1971). A l'encontre de certains théoriciens français qui estiment le genre mort en même temps que le XIXe siècle, la Belgique ne cesse de procurer les voluptés de l'angoisse et de l'indécision. Et si l'on risquait une généralisation sur le génie belge, on y verrait l'aptitude à s'affranchir du principe du réel, liberté un peu démente que l'on trouve aussi bien chez Michaux que chez Magritte, chez Delvaux que chez Nougé, chez Jean Ray que chez Scutenaire. La tendance littéraire contredit le cliché national du réalisme terre à terre, mais se conforme assez bien à la tradition picturale de Jérôme Bosch, de Breughel, de James Ensor. Le réalisme ambiant de la quotidienneté belge induit peut-être l'irréalisation de la représentation, et ouvre la voie de l'imaginaire.

Choix bibliographique :

Alphabet des Lettres belges de langue française (précédé de « Balises pour l'Histoire de nos lettres »), de Marc Quaghebeur, A.P.L.B.L.F. 1982.

La Belgique malgré tout, U.L.B., numéro composé par Jacques Sojcher, 1980.

R. Frickx et J. M. Klinkenberg, *La Littérature française de Belgique,* Nathan/Labor, 1980.

Magazine littéraire, novembre 1976, n° 118 : « Spécial Belgique ».

Dictionnaire des Littératures de langue française « Belgique », par F. Lalande, Bordas, 1984.

Lire Simenon, Nathan/Labor, Paris-Bruxelles, 1980.

José Vovelle, *Le Surréalisme en Belgique,* De Roche, 1972.

Marcel Mariën, *L'Activité surréaliste en Belgique,* Lebeer-Hossmann, 1979.

René Magritte, *Écrits complets,* Flammarion, 1979.

Harry Torczymer, *René Magritte, le véritable art de peindre,* Draeger, 1978.

Max Loreau, *Dotremont. Logogrammes,* Georges Fall, 1975.

Georges A. Bertrand, *La Représentation des mots chez Christian Dotremont,* Paris IV, 1984.

R. Rovini et M. Alyn, *Norge,* Poètes d'aujourd'hui, Seghers, 1984.

Olivier Todd, *Jacques Brel, une vie,* Robert Laffont, 1984.

Marguerite Yourcenar, *Discours de réception* à l'Académie royale belge de langue et littérature françaises, Gallimard, 1971.

J. B. Baronian, *La Belgique fantastique,* Gérard, 1975.

Cahiers de l'Herne n° 3, 1980 : « Jean Ray ».

Chapitre 12

Suisse

La Suisse, c'est sans doute un ensemble d'idées reçues assez rassurantes, où l'on retrouve pêle-mêle la saveur du chocolat, la qualité de l'horlogerie et des montres, les perfections artisanales, la Croix-Rouge, les paysages alpestres, une hôtellerie au-dessus de tout éloge, la pratique du référendum, des banques sûres et discrètes, le terminus de transferts de fonds complexes, des paysans vertueux et profonds, des pasteurs sentencieux que la chair tourmente parfois, des organismes internationaux qui, comme les organismes fédéraux, ont un art particulier de résoudre tous les problèmes, une douceur de vivre que les Français ne connaissent plus depuis beau temps. La Suisse rassure, mais elle ne soulève pas l'enthousiasme : elle ne fait pas non plus beaucoup parler d'elle. Dans l'espace de la francophonie, les Suisses ne font guère connaître des revendications identiques à celles des Québécois et des Wallons, alors qu'ils connaissent une même situation minoritaire dans l'ensemble de la nation. Deux images venues de l'étranger rendent bien compte de cette indifférence de la Suisse aux ambitions culturelles. Dans le film *Le Troisième Homme,* Harry Lime (que joue Orson Welles) s'étonne que toutes les vertus morales suisses aient abouti au coucou, alors que les turpitudes des Borgia mènent aux splendeurs de la Renaissance italienne. Dans *Livret de famille* (1977), Modiano évoque un séjour à Lausanne : « Tout était neutre. Ni le temps ni la souffrance n'avaient posé leur lèpre ici. D'ailleurs, depuis plusieurs siècles, de ce côté du Léman, il s'était arrêté, le temps. » Le narrateur appelle « la Suisse du cœur » un certain état d'anesthésie qu'il n'a trouvé qu'en ce pays. Ainsi la Suisse, lieu de tous les conforts et de toutes les paix, aurait aussi un certain manque d'âme. Elle fait envie ; elle ne fait pas rêver.

Si l'on demande à un Français de quelque culture de citer un grand écrivain suisse, il citera sans doute Ramuz, non sans effort. Ramuz a monopolisé l'image même de cette littérature. Pourtant il est, il reste ici fort méconnu. Ses livres ne sont pratiquement pas accessibles en librairie ; les livres de poche et la bibliothèque de la Pléiade l'ignorent ; on aurait tendance à voir en lui une version suisse du Giono première manière, un solide fabricant de romans rustiques ou régionalistes, et on a oublié ce sur quoi Céline et Claudel tombaient d'accord, que Ramuz est avant tout un inventeur du langage et un expérimentateur de l'oralité. En dehors de ce stéréotype indigne d'une œuvre aussi riche et aussi exigeante, que reste-t-il dans la mémoire oublieuse des Français ? Ils se souviennent à peine d'avoir incorporé à l'histoire littéraire de la France, très sereinement, Jean-Jacques Rousseau, le citoyen de Genève, Mme de Staël et Benjamin Constant qui nous viennent de Coppet et de Lausanne. Ils considèrent comme Français de plein droit ces critiques fameux que sont Starobinski, Jean Rousset, Marcel Raymond, Albert Béguin, qui n'ont jamais sollicité cette annexion. Dans les milieux les plus lettrés, on tiendra pour Français un Philippe Jaccottet, qui certes réside en France, et ne fait pas de l'appartenance à la Confédération helvétique le thème majeur de sa poésie, mais qui a consacré à ses maîtres et inspirateurs suisses des études précieuses et des témoignages de fidélité. Enfin, qui perçoit comme Suisses, de ce côté du Jura, Ferdinand de Saussure, Jean Piaget, Le Corbusier, Arthur Honegger, Alberto Giacometti, Blaise Cendrars, Robert Pinget ? Il est vrai que la discrétion suisse y est pour quelque chose : on peut lire avec soin toute l'œuvre d'Albert Cohen, l'un des plus grands écrivains de langue française de ce siècle, sans deviner à aucun moment que l'auteur, dans son âge mûr, a toujours joui de la citoyenneté suisse et a passé l'essentiel de sa vie à Genève. Cette discrétion extrême tient aussi à une difficulté pour l'intellectuel à se faire reconnaître en Suisse : beaucoup d'écrivains présentent ce trait commun d'exprimer le malaise plutôt que le confort, la déviance plutôt que l'adhésion, la révolte même, chez un Jean Ziegler, contre « une Suisse au-dessus de tout soupçon ». Ramuz lui-même n'était-il pas le romancier de l'angoisse et du deuil, bien plus que de la célébration ? En somme le plus

Lavaux II, *encre de Chine de R. Aeschlimann, 1984.*

confortable des pays européens a produit une **littérature de l'inconfort, du doute et du scrupule,** loin du tapage et des gloires médiatiques internationales.

L'image de la Suisse romande en France n'est peut-être pas le sujet principal d'inquiétude de l'écrivain suisse. La relation de la Suisse à la France paraît beaucoup moins tendue ou problématique que celle qui relie la Belgique à sa voisine. Ramuz, pourtant, dès 1929, dans une lettre à son éditeur français, Bernard Grasset, — lettre qui a la valeur d'un véritable manifeste en faveur de l'entreprise littéraire vaudoise —, décrivait dans ces termes la difficulté pour un Suisse de langue française de se faire reconnaître par la critique et le public français : « C'est bien le sort en gros de mon pays d'être à la fois trop semblable et trop différent, trop proche et pas assez, — d'être trop français ou pas assez ; car ou bien on l'ignore, ou bien, quand on le connaît, on ne sait plus trop qu'en faire. On n'a aucun intérêt à aller le découvrir, parce qu'il n'est pas une île lointaine et qu'ainsi il n'a rien qui pique la curiosité ; et pourtant quand, pour une raison ou pour une autre, il devient présent et se manifeste, alors manifestement il inquiète : il inquiète par exemple les critiques littéraires " français " s'il se mêle d'écrire son français. » (*Salutation paysanne, précédée d'une lettre à Monsieur Bernard Grasset,* 1929). Des Français ne s'étonnent-ils pas d'entendre les Suisses romands parler si bien le français, alors que la Romandie parle le français depuis aussi longtemps, ou plus longtemps, que la France même, alors que le français y a très tôt supplanté les dialectes romans, exception faite du rhétoroman (ou romanche) dans les Grisons qui, parlé par 0,9 % des Suisses, n'en constitue pas moins la quatrième langue nationale de la Suisse, avec une littérature qui lui est propre. En somme, le Suisse romand, vivant depuis des siècles dans une société parfaitement monolingue, a une compétence linguistique tout à fait égale à celle du Français. Les vieilles traditions universitaires et culturelles de Genève, Lausanne, Neufchâtel, Fribourg, une presse écrite presque hypertrophiée, une édition d'une qualité exceptionnelle ne font rien envier, pour l'usage du français, au voisin dont le Jura sépare. Si le français de Suisse romande présente plus d'archaïsmes, d'ailleurs savoureux, c'est que la région a toujours été politiquement séparée de la France, et d'un certain point de vue protégée. Par ailleurs, les Suisses n'ont jamais prétendu à une norme linguistique autonome, qui instaurerait un polycentrisme francophone. Rappelons quelques chiffres et quelques faits, avant d'esquisser une description littéraire de la Suisse d'après 1945. Un pays de 41 295 km², peuplé de 6 431 000 personnes. Un petit pays, même à l'échelle européenne, si ancienne que soit son origine qu'on fait remonter au pacte de 1291 entre trois vallées alpines. Mais ce « petit pays » a vu sa neutralité respectée par les belligérants durant les deux guerres mondiales, alors qu'on sait le peu de cas qui fut fait de la neutralité belge. Ce pays vieux de sept siècles, qui avait été l'hôte de la Société des Nations, n'a pas voulu participer à l'ONU, ni à la Communauté européenne, ce qui ne l'a pas empêché, bien au contraire, de jouer le rôle de médiateur dans plusieurs conflits. Enfin ce pays aux dimensions modestes se trouve être le premier marché monétaire, le premier marché de l'or, le premier centre de réassurance du monde. Il occupe le troisième rang comme puissance financière, le dix-huitième comme puissance industrielle, mais le premier pour l'industrie alimentaire et le premier, parmi les pays industrialisés, pour le P.N.B.. La Suisse romande ne représente qu'une partie de la Suisse : environ 19 % des Suisses parlent français, contre 69,3 % allemand, 9,5 % italien, 0,9 % romanche ; elle participe pour un degré moindre, mais respectable cependant, à la prospérité générale. Si les Romands sont minoritaires dans la Confédération helvétique, celle-ci laisse une large autonomie à ses régions ou cantons ; quatre cantons sont donc de langue française : le pays de

Vaud, Genève, Neufchâtel, le Jura enfin, détaché en 1978 du canton de Berne pour constituer un vingt-troisième canton ; deux cantons sont traversés par la frontière linguistique, mais majoritairement français : le Valais et Fribourg. Le sentiment d'appartenance à la région est en général beaucoup plus fort que l'identité nationale : Rousseau se sentait Genevois, Benjamin Constant se voyait Lausannois ; Ramuz se veut Vaudois ; plus près de nous, Jacques Chessex trace un *Portrait des Vaudois,* auquel Maurice Chappaz répond par un *Portrait des Valaisans en légende et en vérité ;* Alexandre Voisard s'adresse au Jura encore dépendant du canton de Berne quand il compose une *Ode au pays qui ne veut pas mourir.* Le clivage religieux vient encore renforcer la spécificité des cantons : Vaud, Genève, Neufchâtel, le Jura sont de tradition protestante, tandis que le Valais et Fribourg sont fortement catholiques ; un Charles-Albert Cingria, un Chappaz, un Borgeaud rappelleront à quel point l'enseignement reçu au collège religieux de Saint-Maurice fut pour eux déterminant. Dans l'ensemble de la Suisse, le protestantisme (53 %) l'emporte sur le catholicisme (45 %), non sans que Genève ait été ouverte à des Juifs illustres. Mosaïque de cantons, de communautés et de paysages, la Suisse ne pourra être évoquée que dans sa diversité. Mais aucun autre pays au monde n'a mieux respecté les droits des minorités à l'égalité en matière linguistique : le multilinguisme helvétique n'a pas son pareil. Et, toujours à l'inverse de la Belgique, les poètes romands assimilent et traduisent la culture de leurs voisins : Gustave Roud traduit Hölderlin et Novalis ; Philippe Jaccottet recrée Rilke et Musil. Inversement, on doit à Manfred Gsteiger une étude fondamentale écrite en allemand, puis traduite en français, sur *La Nouvelle Littérature romande.* La plupart des auteurs que nous évoquons ont été traduits en Suisse alémanique : ce serait presque, pour reprendre un vieux titre, la concorde des deux langages.

La génération des *Cahiers vaudois*

En ce début du siècle, quelques écrivains ambitieux conçoivent une renaissance des lettres vaudoises. Parmi eux, Ramuz, les frères Cingria (Alexandre le peintre-verrier et Charles-Albert le dandy-écrivain), Gonzague de Reynold, Robert de Traz. La revue, comme l'indique son nom *La Voile latine,* n'est pas insensible à l'influence de Maurras, dont on sait le goût pour les félibres provençaux, pour le régionalisme, pour la décentralisation. Une partie d'entre eux, avec de nouveaux venus comme Edmond Gilliard et Gustave Roud, vont fonder *Les Cahiers vaudois,* qui vont jouer un rôle fondamental dans la **création d'une identité littéraire en Suisse romande.** Edmond Gilliard (1875-1960) assure l'organisation matérielle de la revue : il lance en 1926 une sorte de manifeste « Du pouvoir des Vaudois », où des lecteurs pressés pourront voir un manifeste régionaliste, mais où se déploie une dialectique du particulier et de l'universel à la recherche d'un pouvoir de création propre. D'Edmond Gilliard, on lira avec une grande estime le *Journal* de son grand âge, publié dans le volume de ses œuvres complètes. Fourre-tout, sans doute, recueil d'analyses et d'ébauches, de projets avortés, de repentirs, « tout-y-va », comme l'intitule l'auteur lui-même, mais aussi somme d'une vie et d'une écriture... Comment ne pas noter à cette occasion la quantité et la qualité de ces « journaux intimes » dans la littérature romande ? Les descendants de Benjamin Constant et d'Amiel ont une pente fatale et délicieuse, qui les mène à cette technique de la narration intercalée et de l'écriture fragmentaire, et bien souvent, le journal restitue l'image de l'œuvre et finit par en tenir lieu.

Faute de pouvoir décrire l'aventure collective des *Cahiers vaudois,* dont les collaborateurs étaient des individualités fortes et solitaires (qu'on lise la correspondance de Ramuz et Cingria !), on retiendra un événement de l'art moderne qui l'illustre : en 1918, le chef d'orchestre Ernest Ansermet crée à Lausanne *Histoire du soldat ;* le texte est de Charles-Ferdinand Ramuz, et la musique d'Igor Stravinsky, qui va alors connaître une période romande très féconde. L'art de Ramuz, loin du traditionalisme régionaliste qu'on lui prête, est un art essentiellement moderne.

Certes, le **Ramuz** de 1945 a achevé son œuvre : ses deux derniers grands romans, *Farinet ou la Fausse monnaie* (1931) et *Derborence* (1934) représentant bien pour lui l'accomplissement de son art et la réalisation de ce programme qu'il s'imposait dans sa lettre à Bernard Grasset : « J'ai écrit (j'ai essayé d'écrire) une langue parlée : la langue parlée par ceux dont je suis né. J'ai essayé de me servir d'une langue-geste qui continuât à être celle dont on se servait autour de moi, non de la langue-signe qui était dans les livres [...] Je pense que ma cause est une bonne « cause », car ce n'est pas la mienne, mais celle de mon pays. Si je réussis à faire qu'une fois et ne serait-ce que pour un moment, il parvienne à son expression par ses propres moyens et dans sa propre langue, je serais pour ma part largement récompensé. » Il y a en effet dans ces deux romans un pays, un paysage, un tragique et surtout un absolu propres à l'artiste nommé Ramuz. On les retrouve dans un recueil assez inquiétant de nouvelles, écrit dans les dernières années (*Un vieux de campagne, Le Retour du mort, La Folle en costume de folie...),* où triomphent le sens de l'élémentaire et le don du fantastique quotidien. Dans des textes littérairement moins élaborés, mais extrêmement clairvoyants (on a parlé de son regard d'épervier), Ramuz réfléchit sur ses origines et son identité : *Besoin de grandeur* (1937), *Taille de l'homme* (1933) ont été recueillis sous le beau titre ramuzien, *La pensée remonte les fleuves,* et constituent une véritable somme anthropologique. *Paris, notes d'un Vaudois* (1938) renverse la perspective du traditionnel voyage français en Suisse, d'Alexandre Dumas à Jean Paulhan. Enfin les dernières pages du *Journal,* de 1940 à 1947, montrent la noblesse et la justesse de celui qui sait qu'il va mourir, et n'a jamais pensé à autre chose qu'à la mort et à l'absolu. Que Ramuz soit un géant des lettres, c'est peu douteux ; qu'il ait été, selon la formule de Claudel, « le créateur et l'ouvrier d'une langue », c'est plus certain encore. La réussite de l'œuvre a surmonté les doutes et les insatisfactions, car selon une formule que Ramuz avait appliquée à sa collaboration avec Igor Stravinsky, « tout travail difficile, tout travail, toute espèce de travail se fait d'abord contre nous-mêmes et contre quelqu'un, jusqu'à ce qu'à de rares instants ainsi, par une espèce de renversement, la bénédiction intervienne, il y ait cette collaboration avec quelqu'un, il y ait cette possibilité de retour, ce retour, ce " retrouvement " ». Voici les dernières lignes écrites par Ramuz, à la veille de sa mort, dans son journal (éd. Rencontres) :

> Faire exprimer des choses par des gens qui ne savent pas les exprimer. Les suggérer alors par des images, le ton, la forme. Faire que le contenu déborde le contenant.
>
> Même dans mes pires moments, je n'ai jamais cessé d'aimer passionnément la vie. Je cherche à me prouver que j'existe.
>
> Espérer, attendre. Espérer quoi ? Attendre quoi ? Voilà où j'en suis ce matin. Je suis coupé de mon passé, je suis coupé de la vie. Et les choses viennent, ou ne viennent pas. Je ne puis plus aller les chercher, il faut qu'elles fassent le chemin. Et il y a en moi l'homme du passé qui subsiste, et l'homme du présent mais qui ne s'est pas encore habitué à ce pré-

sent, de sorte qu'il se conduit et pense non pas conformément à ce qu'il est, mais à ce qu'il a été, qu'il croit toujours être.

CHARLES-ALBERT CINGRIA fut l'ami et le pair de Ramuz ; il en fut aussi l'antithèse complète. Ce géant de la littérature n'a pas tout à fait convaincu la France, ni la Suisse, de son génie. Il a d'ailleurs vécu et écrit dans d'étranges contradictions : né d'un père turco-yougoslave et d'une mère picarde-polonaise, il se définit comme « Constantinopolitain, c'est-à-dire Italo-franc-levantin », mais il est très sensible, à ses débuts, aux doctrines de l'Action française ; catholique ardent, il vit dans le Haut Moyen Age lombard et lotharingien, mais dévore en ogre païen tous les biens de ce monde ; nabab richissime au volant d'une Panhard-Levassor, il devient un dandy clochardisé qui circule à bicyclette dans les diverses capitales. Ce partisan du classicisme est un génie authentiquement baroque ; et cet érudit encyclopédique, à la recherche de la reine Berthe, nous entraîne dans des fictions et des mystifications borgésiennes. Jacques Chessex voit en lui un neveu de Rameau sans la bassesse ; on pourrait aussi évoquer un Paul Morand à qui aurait été donné une curiosité universelle. Mais Cingria ne ressemble à personne. Il n'écrit ni poèmes, ni romans, ni mémoires, mais d'innombrables chroniques, dispersées à tout vent, et que réunira une édition fastueuse des *Œuvres complètes* aux éditions de l'Age d'Homme. Ce sera là, en 1968, la naissance posthume d'un grand écrivain. L'invention verbale, la liberté des associations, le mouvement irrégulier de l'écriture font de Cingria le prosateur le plus magique qui soit, et parfois le plus déconcertant. Jean Paulhan lui confia souvent, dans *La Nouvelle Revue Française* de la grande époque, la rubrique « l'air du mois », qui lui convenait à merveille. Ce sont moins les rêveries d'un promeneur solitaire que les jubilations d'un badaud euphorique, pour qui le monde entier est matière à possession et à célébration. Parmi les livres, assez rares, accessibles aujourd'hui au grand public *(Bois sec Bois vert, La Fourmi rouge et autres textes, Florides helvètes et autres textes)*, on proposera deux images hautement cingriesques de la Suisse : une équipée, avec un peintre, qui lui fait remonter le cours du haut Rhône, en train, bicyclette, puis traîneau à chevaux, jusque vers l'hospice du Simplon, haut lieu de la chrétienté ; une promenade musicologique et linguistique à Fribourg, où le narrateur connut son initiation au droit de vote, drogue dont il abuse moins que de la caféine et de « l'alcool à brûler et à s'incendier l'âme ». Ces deux textes — de 1944 et 1945 — donnent de la Suisse une image à des années-lumière de celle de Ramuz. Il est vrai que Cingria va toujours, avec générosité, vers l'Autre : « J'aime surtout les Suisses allemands, proclame-t-il, les autres sont plus suisses — il n'y a rien de plus suisse qu'un Suisse français — mais ils sont dépourvus d'*être.* »

[Fribourg bilingue]

Extrait de l'étude *Musiques de Fribourg,* publiée par la Société de Belles-Lettres de Fribourg en 1945, recueillie dans *Florides helvètes.*

Il y a dans un autre ordre d'idées quelque chose qui ne discontinue pas de m'étonner : le bilinguisme de cette ville.

Tout d'un coup au numéro deux ou trois de cette rue qui est la rue principale, celle où passe le tram, et, pour mieux dire, à cet endroit précis où il lui prit la fantaisie de sortir de ses rails pour foncer comme une bombe volante dans une boucherie, commence ce qui s'appelle une frontière de langues. C'est-à-dire qu'au lieu de parler français comme on parle depuis l'océan vers la Manche jusqu'aux pentes ascendantes et descendantes du Jura et jusqu'à ces plaines où Rue et Romont dominent des campagnes si paisibles, l'on se met sans crier gare à parler un patois ou jargon germanique — assez beau, paraît-il — lequel se transforme insensiblement en bernois puis en alsacien vers le nord et en d'autres dialectes encore alpestres vers Vienne et plus loin, jusqu'à ce qu'en Carinthie et Pannonie des idiomes slaves et l'islam finalement prennent le dessus et qu'il n'en soit plus question. Cela n'en fait pas moins une étendue immense et il est étonnant que ce soit ainsi au milieu d'une rue — pas d'un côté ou l'autre d'une rivière — que cela commence. A cet endroit précis existe un petit magasin général à trois étages cependant : *Zur Stadt Paris*. Je dois dire que, bien avant d'en connaître les propriétaires, je suis tombé en arrêt là-devant — n'est-ce pas Balzac, n'est-ce pas Cendrars ? — comme devant un facteur d'intense poésie. Ce titre sur la glace du magasin, est aussi transcrit en français, mais là je désapprouve. C'est plus saisissant *Zur Stadt Paris* que *A la Ville de Paris*. Nous pensons alors à Offenbach, à je ne sais quoi d'une sublime époque où dans la plus infecte bourgade du Pont le seul nom de Paris fascinait les jeunes et rendait les vieux tout guillerets. Les dames sortaient leurs oripeaux, les messieurs, leurs plastrons de dur linge constellé de boutons de diamant. L'idée même de collaborationnisme n'effleurait l'esprit de personne. Cela en tout cas n'en était pas, et, laisser *Zur Stadt Paris* voisiner avec *A la Ville de Paris*, n'en sera jamais, surtout dans un tel coin, à un bout de rue si saisissant.

Charles-Albert Cingria, *Florides helvètes et autres textes*, éd. L'Age d'Homme.

[Le retour]

Extrait situé à la fin du récit de voyage : « Le parcours du Haut-Rhône ou la julienne et l'ail sauvage. » Avec son compagnon, le peintre Paul Monnier, Cingria est parvenu à l'hospice du Simplon. Mais il faut songer au retour. Ce texte fut publié pour la première fois à Fribourg, en 1944, avec les croquis du peintre.

Le retour, je l'envisage naturellement avec épouvante. Ce sera comme l'aller dans les dernières étapes, donc sur les mêmes précipices glaçant le cœur et consternant l'âme, sauf qu'au lieu d'aller au pas, les chevaux iront au trot et parfois au galop. Devant un si grand danger, une précaution élémentaire s'impose. Filer à une allure avec deux chevaux, alors qu'il n'y a que quelques centimètres entre le gouffre et l'espace carrossable, serait courir à une mort certaine ; d'autant plus que si le traîneau glisse, les chevaux glissent aussi. Ce qu'on fait alors : on dételle un des chevaux qui suit derrière à la débridée. Il faut dire qu'il fait cela remarquablement, et c'est si intéressant de voir comme il opère, soucieux de sa propre conservation et soucieux aussi de ne pas rester seul, cas auquel il ne saurait que faire de sa liberté, que l'on se retourne pour ainsi dire continuellement. Dès lors, presque, on oublie le danger, et le froid vous paraît moins cruel. Le danger, d'ailleurs, les dernières étapes franchies, disparaît. L'intérêt seul subsiste. C'est absolument fou de voir ce cheval s'élancer et naviguer comme dans l'air pour nous rattraper dans une de ces galeries garnies de glaçons bleus et de stalactites qui luisent. L'on dirait un de ces chevaux d'effrits d'estampes musulmanes où ce qui est corps, ailes, crinière est en grisaille — en terrifiante matière de fumée — et le reste en glacis d'or ou d'argent sur d'autres teintes ramenées au firmament du fond de l'océan.

Aux relais, cet animal se bloque derrière nous, fumant. Ses veines sont dilatées, ses prunelles sont agrandies et comme qui dirait quêtent le ciel, comme si l'admiration dont témoignent nos propos lui intimait cette attitude. Mais il fait plus : il est si près du dossier arrière des sièges de notre traîneau qu'on le voit qui ouvre la bouche et se met à ronger les bois. Un coup de manche de fouet le ramène à la raison.

Et puis nous voici de nouveau à l'endroit où la neige cesse. Nous nous réinstallons dans la voiture qui a passé la nuit toute seule au milieu de ces mélèzes sifflants. Le velours des banquettes retrouve la chaleur de nos derrières.

Ensuite qu'est-ce qui se passe ? Quelque chose encore qui nécessite une attente et des palabres. Notre cheval, de nouveau attelé, a perdu son air élégiaque, mais survient ceci d'inattendu que l'on nous en adjoint quatre autres auxquels il incombera de courir en bel ordre derrière la voiture. Ils semblent n'y être pas aussi habitués qu'on le voudrait, car c'est le postillon maintenant qui est obligé de se pencher et de se retourner toutes les demi-minutes pour voir s'il n'en manque pas un parfois, et c'est en effet ce qui se produit ; alors il faut descendre, aller le chercher dans les rochers où il ne sait que faire, et le ramener à grands coups de fouet qui font des entrelacs dans le ciel.

Mais plus on approche, plus ils sentent l'étable, et, aux dernières étapes, c'est derrière notre voiture une galopade sans nom. C'est presque dangereux ? Ma foi non. Du moins pas pour nous, car ayant quitté la voiture pour prendre à pied un sentier beaucoup plus rapide qui mène à Brigue — quel bonheur enfin de se dégourdir les jambes — nous ne sommes plus que spectateurs et d'assez loin de cette extraordinaire cavalcade qui fait songer à quelque ruée de la préhistoire.

Charles-Albert Cingria, *Florides helvètes et autres textes,* éd. L'Age d'homme.

Faut-il envisager comme un tout la littérature suisse de 1945 à 1985 ? A la suite de Manfred Gsteiger, il nous a semblé impossible de ne pas tenir compte de la diversité des cantons qui constituent autant de champs culturels. Qu'on n'y voit pas un retour aux détestables clichés du roman rural ou de la littérature régionaliste, mais le statut d'une **littérature polycentrique.** Certaines entreprises, certaines recherches nous paraîtront cependant dépasser les frontières cantonales pour s'installer dans un humanisme ou dans un internationalisme propre à la Suisse, quand ce n'est pas, comme dans le parcours de Philippe Jaccottet, un accès à l'essentiel et à l'universel.

Les Vaudois

L'impulsion des *Cahiers vaudois* continue bien au-delà de la mort de Ramuz, même si Ramuz n'a pas de successeurs et si son ombre a été peut-être stérilisante pour ses imitateurs. Le pays de Vaud, dans ses traditions et sa diversité, verra un nouveau regroupement d'écrivains autour de la revue *Rencontre* en 1952, dans un esprit plus marqué par un engagement politique à gauche ; plus tard, ce sera la remarquable revue *Écriture,* toujours vivante. D'autre part, une littérature populaire entretient une certaine tradition libertaire et insurrectionnelle ; en 1968, *les Brigands du Jorat* de Richard Garzarolli, puis *Le Chêne brûlé,* autobiographie violente et éclatée de Gaston Cherpillod, témoignent d'une aptitude à l'esprit de contestation radicale. Jean Villard-Gille a tracé de ses compatriotes ce croquis malicieux :

Quoique prudent, le Vaudois force
sur les mots, comme sur le blanc.
Il en est qui bombent le torse,
comme épouvantable ou puissant.

Un puissant gaillard ! Une chance
épouvantable ! C'est affreux
ce qu'on a ri ! et puis, j'y pense,
le bouquet : C'est pharamineux !

C'était le mot d'Aimé Genton.
Ça veut dire d'après le ton :
C'est renversant ! C'est fantastique !
Pharamineux ! Tout s'éclaircit.
C'est le grand moment fatidique
de recommander trois décis !

Parmi les écrivains qui ont participé à l'aventure des *Cahiers vaudois,* il est deux poètes de première grandeur, Pierre-Louis Matthey et Gustave Roud, qui continuent leur œuvre au versant de l'âge. Le premier (1893-1970) avait créé, dès 1914, un effet de choc peu commun avec *Seize à vingt,* images cruelles de l'adolescence. Comme chez beaucoup d'écrivains suisses, un fils de pasteur tente de concilier les rigueurs du surmoi avec la violence des pulsions et y parvient dans l'ordre symbolique d'une langue exceptionnellement tendue. Aux Vaudois jugés bien tempérés, il adresse alors un avertissement « quelque peu volcanique ». Comme plusieurs poètes vaudois (Edmond-Henri Crisinel en particulier), Matthey connut une existence tragique, entre la névrose, la solitude et le silence. Jacques Chessex a proposé l'image de « damnés » acharnés à s'accuser de toutes les fautes imaginaires, sévères et rigoureux pour leurs écrits, marqués par un calvinisme abrupt. Il y a assurément un martyrologe des poètes vaudois : Matthey, poète du conflit et de la division, s'est vu parfois reprocher la préciosité de sa poésie. On sera plus sensible à la diversité de ses registres ; si la hauteur et la tension marquent ses vers, il lui arrive aussi, dans *Muse anniversaire* (éd. Mermod 1955) de céder à l'amitié et à la tendresse.

Un verre de vin blanc

à C.-F. Ramuz

À petits coups noués
Te viderons-nous, verre
Que le vin jaune éclaire,
Verre aux bords embués ?

Sur la table apparue
De sapin lavé frais,
Verre de verre épais
Qu'un Saint-Saph jeune embue ?

Non, reste, reste plein
De froide humeur dorée :
Mesure de durée,
Il est sable, ce vin.

Au plafond bas s'ébroue,
Par le soleil porté,
Un pan de lac d'été
Que le joran secoue [...]

GUSTAVE ROUD (1897-1976) jouera le rôle d'un poète fondateur, d'un père spirituel, auprès des poètes plus jeunes, comme Chessex, Chappaz et Jaccottet. Il se retira très tôt dans le Jorat, où il vécut une vie campagnarde que l'on découvrira dans un admirable *Journal,* publié après sa mort. L'expérience de la solitude et de la mort, la reconquête du paradis perdu, la contemplation d'une nature mise en péril par le monde moderne marquent une œuvre poétique très discrète mais très limpide, dont les derniers titres *Essai pour un paradis, Air de la solitude, Requiem et Campagne perdue* marquent à eux seuls le génie poétique. A la poésie de Gustave Roud, l'oscillation d'une angoisse fondamentale et d'une sérénité crispée donne ses meilleurs accents. Elle ne cesse d'ailleurs de s'accomplir et de s'élever, comme l'a remarqué un de ses disciples et interprètes, Philippe Jaccottet. Roud s'est débarrassé de toute mythologie et s'est « resserré sur son centre » : « Il a enfin laissé entrer dans sa poésie des éléments tout à fait particuliers de sa vie : la maison de Carouge et la maison natale, son jardin, ou cette vieille corne qui servait à rassembler les valets pour le repas ; plutôt que la charrue ou la faux plus ou moins typiques, sinon symboliques, et le paysan comme une statue de dieu païen. » Mais la poésie de Gustave Roud, comme celle de Matthey, comme celle de Crisinel, n'est-elle pas irréductiblement, essentiellement autobiographique ?

Labour au Bois-Devant, *photographie de Gustave Roud.*

Extrême-automne

Fragment de la première partie du texte ainsi intitulé. Le recueil d'ensemble a pour titre *Air de la solitude.*

Qu'il est donc rapide, le glissement d'une saison moribonde vers la saison future ! Hier encore (il semble que c'était hier), ce grand pays sous le soleil sec de septembre s'abandonnait aux charrues. Elles ouvraient dans l'herbe rase des prairies de longues blessures roses d'heure en heure élargies. A la pointe du dernier sillon, Fernand, l'épaule nue et dorée comme au plein de l'été, une main sur le soc éblouissant, portait de l'autre à ses lèvres une pomme si rouge que le ciel autour d'elle avivait son bleu trop doux. Les chevaux las s'endormaient au repos et leurs crinières, en se penchant vers le sommeil, démasquaient par à-coups le ruban d'horizon, ses pans de collines, ses villages minuscules délicatement dessinés, avec le compte exact des toitures et des arbres, leurs couleurs posées côte à côte sans une bavure, à peine amorties au fond de l'air mûri comme un vin d'or.

(Oui, cet imperceptible bouquet rose, là-bas au bord du ciel, c'était Villars-le-Comte — mais ose-t-on le dire encore, maintenant que les villages ont perdu leur nom et que les hampes décapitées des poteaux indicateurs annoncent tristement cette rupture de baptême ? Qu'importe, répétons-le à voix basse, ce beau nom qui peint si bien l'espacement, l'allongement d'une suite de maisons brûlantes bordant le chemin vers le nord, une à une — et puis les prés recommencent et l'on entre bientôt dans une haute forêt glacée... Une autre année nous y monterons ensemble, voulez-vous, et vous le verrez comme je l'ai vu, couché sur le bord d'une vallée de moissons mûres, penché sur cette profonde coupe jaune et bleue où le vent du matin mêle l'odeur du trèfle en fleurs et de la paille chaude, les ombres vivantes et l'éclat des faux, les cloches et les cris. Et vous connaîtrez d'autres villages, Neyruz, Denezy, Vuissens et son église mince comme un crayon d'or, les sourds tapis de fleurs que ses petites filles composent pour la Fête-Dieu. Et cette tache d'un pâle gris, à mi-colline, c'est Foulaverney, la maison de mon arrière-grand-père et de ses fils, un grand domaine penché que j'ai visité jadis, le cœur serré, essayant en vain de lier à ma présence les récits de l'autre siècle : les récoltes infinies, les marchés de la petite ville où l'on descendait chaque semaine, et ce jour d'août où l'on avait rentré plus de neuf cents gerbes.)

Gustave Roud, *Écrits, II,* éd. La Bibliothèque des arts.

Parmi **les nouveaux venus** de l'après-guerre (si ce terme n'est pas absurde pour la Suisse), JACQUES CHESSEX a construit l'œuvre la plus complète et la plus large, par l'étendue de registre et par la variété des genres. Son *Portrait des Vaudois* (Cahier de la Renaissance vaudoise, 1967), rabelaisien, truculent, plein d'expressions vaudoises et de trouvailles verbales, brosse un pays violent et mystique, rural et spirituel. Écrivain de la vie physique et des tourments de l'âme, Chessex donne au Mal, sinon au Malin, toute sa dimension. A la fin de ce *Portrait,* fourmillant de bonheurs d'écriture et de jubilations vécues ou verbales, le narrateur évoque la mort volontaire de son père, qui domine toute son œuvre :

... Je comprenais que dorénavant je deviendrais le père de mon père, son protecteur, que je ne quitterais pas ce pays, que je ne cesserais plus d'y écrire, à sa place, et sur nous [...]. Je suis hanté par le vieillissement, la détérioration, les ruses de la maladie. Tout meurt. Les visages de mes morts luisent dans la pénombre, ils m'appellent au fond de leurs niches. J'écoute, je cède encore, j'entre avec eux dans les cloisons. Cette nostalgie est une force ombrageuse à ne jamais perdre. Qui nous expliquera nos regrets et notre violente gourmandise ? Il faut être capable de voir sa mort.

Romancier, Jacques Chessex ne se cache pas d'être fidèle à Flaubert, Maupassant et Zola, et ne se prive pas de sarcasmes à l'égard du Nouveau Roman. *La Confession du pasteur Burg* (1967), si elle présente déjà le « roman familial » propre à Chessex (et à d'autres Vaudois, car le pasteur est une figure presque inévitable de ces romans romands), était composée selon le modèle du récit d'analyse cher à André Gide et à la Nouvelle Revue Française. Au contraire, *L'Ogre* (1973, prix Goncourt), *L'Ardent Royaume* (1975), *Les Yeux jaunes* (1979), dont les obsessions et les convergences sont très frappantes, portent à la perfection un style flauberto-maupassantien, qui ne paraît jamais anachronique, mais au contraire parfaitement nécessaire et même moderne. Le contexte vaudois appelle ici une écriture que le cadre parisien exclurait sans doute. La même référence à Maupassant, stylistique et thématique, nourrit deux recueils de nouvelles, *Le Séjour des morts* (1977) et

Où vont mourir les oiseaux (1980), d'une efficacité impressionnante. L'autobiographie de *Carabas* (1971) assène à ses concitoyens des aveux provocateurs et roboratifs, avec une verdeur humoristique qui rappellerait plutôt tel contemporain juif new yorkais comme Philip Roth ; enfin, depuis ses débuts littéraires, Chessex trace une œuvre de poète, kaléïdoscope de son univers, de sa culture, de son pays. *Le Calviniste* (1983) constitue à ce jour le recueil le plus architecturé, le plus complet, le plus vaudois aussi. Le créateur se double ici d'un critique : celui-ci a proposé une véritable défense et illustration des lettres romandes avec *Les Saintes Écritures* (1972, rééd. 1985), chroniques chaleureuses et inspirées, que l'on pourrait rapprocher, dans un tout autre registre, du recueil de Georges Anex, *L'Arrache-plume, chroniques de littérature romande,* mesurées et perspicaces. En somme, sur tous les fronts des genres littéraires, Jacques Chessex présente la réussite la plus constante. Même le genre, calamiteux de coutume, de l'entretien au magnétophone a donné lieu à un livre stimulant et convaincant de Chessex et de Jérôme Garcin.

[Mon fils adoptif]

C'est le tout début du roman. Alexandre Dumur, le narrateur, et Anne sa femme se sont décidés à adopter un enfant. Cet enfant se révèlera pourvu d'un étrange et maléfique pouvoir.

Anne fut-elle dupe de mes faux-fuyants ? Je n'en sais rien. Elle devait attribuer mes airs sombres et ma nervosité à l'impatience. Je n'écrivais guère, ou je déchirais ce que j'entreprenais. Moi qui avais toujours eu un horaire de travail très réglé, écrivant de l'aube à midi sans interruption, réservant l'après-midi à Anne, aux balades que nous aimions dans les campagnes, je m'étais mis à rôder toute la matinée, sautant à Meurton sous le moindre prétexte, roulant sans but, rêvassant dans les cafés du bourg devant des hectolitres de vin blanc. De cela aussi je souffrais. Tout désœuvrement me peine et m'affole. Ne pas travailler m'angoisse. Je venais de publier un récit, j'avais fait le plan d'un nouveau livre, un roman que je m'étais promis d'écrire dans l'année. Tout était par terre. Et de ces choses aussi je ressentais de l'agacement, peu fait décidément pour accueillir cet enfant d'un autre et qui allait porter mon nom : Louis Dumur, treize ans, né à Lützelflüh, canton de Berne. Fils de Klaus Walser, quarante ans, sans profession, et de Maria-Ursula Reichenbach, dix-neuf ans, célibataire, ouvrière d'usine.

Combien de fois, feuilletant ces papiers, ai-je laissé errer mon imagination sur ces noms. Klaus, quarante ans, Maria-Ursula, dix-neuf. Qu'est-ce qui les avait rapprochés ? Un bistrot ? Un bal de village ? Un engagement à l'usine ? Une saison où Klaus s'était loué chez un paysan de la région ? Je connaissais vaguement Lützelflüh pour y avoir fait du service militaire, en 1955. Du village, je ne me rappelais rien de précis sinon la tombe de Jérémias Gotthelf et d'immenses toits de fermes dans des vergers pleins de pommes qu'on faisait tomber du bout de nos fusils et qu'on croquait, appuyés au tronc, parmi un troupeau de grosses vaches rouges. Je n'avais là le souvenir d'aucune usine, mais il y en avait à quelques kilomètres, à Konolfingen, une ville industrielle assez laide dans cette campagne riche et verte. C'était là que travaillait Maria Reichenbach. Là que Louis avait été porté dans son ventre. C'est à Lützelflüh qu'il était né, et sûrement pas dans l'une de ces superbes fermes patriarcales... L'enfant avait été transféré dans une institution du Pays de Vaud à la suite de sombres démarches administratives. Et Klaus, l'homme sans profession ? Un trimardeur ? Un de ces vagabonds efflanqués, méfiants, avides, souvent repris de justice, qui rôdent dans les campagnes, se proposent quelques jours pour les foins ou pour les moissons, mangent au bas bout de la table en lorgnant les seins de la servante, se cuitent au bistrot du coin et disparaissent un beau matin comme ils sont venus. Oui, je rêvais sur ces errants, les parents de mon fils adoptif. Je leur inventais une figure, des amours, une vie. Je les comparais à Anne et à moi. Je recensais leur beauté, leurs folies, leur pauvreté — nos différences. Curieusement, la comparaison tournait, et je me mettais à jalouser le vagabond, le désir de la fille, l'absence de contrainte dont ils jouissaient l'un et l'autre. J'en venais à détester leur liberté. A haïr leur beauté et leur plaisir. A la fin, j'en étais à souhaiter de les rencontrer, moi qui avais refusé jusqu'alors de voir leur fils, pour ternir par la réalité l'image obsédante que je me faisais d'eux.

Mais Louis arriva, et son entrée dans notre vie suffit à tuer en moi tout ce qui n'était pas lui, et lui seul.

Jacques Chessex, *Les Yeux jaunes,* éd. Grasset.

La nuit de septembre

Après la terre grasse, les cailloux
Les morts voilés de larmes
Après l'herbe, les racines, le filtre des pierres
Après le cheminement de l'averse et les ravines
Les cages enfouies et leur ombre
Dans les espaces où luit le lierre
Où s'allument les feux des gardes
Pour la nuit de septembre et ses hôtes

Après l'allée de sable, le pont noir
Les morts dans leur résille nocturne
Les arbres des morts dans leur enclos de brume
Les peupliers, les trembles qui éclairent
Au long d'une route peu frayée
Et plus tard la trace aimée où brille la pluie
Nous mène à des étangs veinés de vent
Et d'ailes déployées sur les eaux basses

Qui parle la nuit dans ces déserts
Qui traverse, septembre, ta lumineuse ombre
En songeant, en regrettant
Qui tourne avec le vent sur tes vergers aux fruits lourds ?

Innombrable terreau des âmes
Fougères de la nuit hantée
Passages sous l'ogive des arbres
Lames de l'orage où vient la foudre

Ô nuit de septembre
Phosphorescence de l'herbe et des forêts sur les collines
Quand la lune sort de la frange des nuages
Et révèle aux campagnes profondes
La voix des morts et les images de leur sommeil
Où déchiffrer nos anciennes peurs
Ô septembre devant l'hiver
Légende déjà huée par les corneilles de l'aube
A la coupole nébuleuse des chênes

Jacques Chessex,
Le Calviniste, éd. Grasset.

On se condamne à l'injustice en évoquant seulement, et parfois en omettant faute de place, des écrivains qui mériteraient une reconnaissance internationale. Ainsi **Alice Rivaz,** dans un roman comme *La Paix des ruches* (1947) ou dans une esquisse autobiographique comme *Comptez vos jours...* (1966), a-t-elle tout dit, et avant tout le monde, et avec une mesure parfaite, sur la solitude, l'attente et la condition féminine. **Catherine Colomb** a laissé trois romans (*Châteaux en enfance,* 1945 ; *Les Esprits de la terre,* 1953 ; *Le Temps des anges,* 1962) d'une originalité déconcertante que l'on compare faute de mieux au « Nouveau

Roman » français, mais dont l'invraisemblable liberté évoquerait plutôt celle de Cingria. La réédition de son premier roman dans la collection « Poche Suisse » laisse espérer la gloire posthume pour un pareil génie littéraire. Les nouvelles et romans de **Jacques Mercanton,** nourris de culture européenne et de modèles germaniques, ne sont pas indignes de Thomas Mann, aussi bien pour la *Sibylle,* chroniques italiennes, que pour *L'Été des sept dormants,* roman initiatique situé dans les forêts de Haute-Autriche. Beaucoup plus moderne par ses recherches formelles et par ses réflexions théoriques, le *Je* (1959) de **Yves Vélan** fut salué en son temps par Roland Barthes ; *La Statue de Condillac retouchée* (1973), *Soft Goulag* (1977) poursuivent cette entreprise rigoureuse et difficile. Parmi les récits de **Anne Cuneo,** vivifiés par un féminisme tonique, on ne manquera pas d'être bouleversé par *Une cuillerée de bleu* (1979), qui répond au *Mars* de Fritz Zorn, ce livre posthume d'un jeune Suisse alémanique, qui eut un retentissement considérable. Enfin une œuvre importante et ambitieuse se déploie sous nos yeux, celle de ÉTIENNE BARILIER. On a pu trouver dans les jeux du voyeurisme et dans les combinaisons d'images de *Passion* (1974) ou de *La Créature* (1980) un certain air de famille avec Robbe-Grillet. Il le rejoint surtout par le goût des réécritures parodiques, des dispositifs ironiques et par une culture raffinée. Dans *Le Chien Tristan* (1977) et aussi dans *Le Duel* (1983), Wagner, Nietzsche, Mahler, Mann sont évoqués avec subtilité par l'auteur d'une monographie indispensable sur Alban Berg. *Le Duel* oppose, sous forme de journaux intimes alternés, un écrivain célèbre vieillissant, André Péras, à un jeune homme, Jacques Fischer, qui admire ses livres. L'action se déroule à Sils-Maria, en Engadine, jadis séjour de Nietzsche, aujourd'hui cadre d'un colloque international. Peut-être verra-t-on ici une reprise subtile de *La Montagne magique ?* L'écrivain suisse s'entend dire par un remarquable universitaire allemand : « Vous les Suisses, vous êtes toujours trop modestes et vous finissez par devenir conformes à l'image que vous vous faites de vous-mêmes. » En fait l'ambition d'Étienne Barilier, comme sa culture, sont ici immenses.

[Nietzsche, lieux sublimes]

Journal de l'écrivain André Péra, à Sils-Maria, où Nietzsche fit de nombreux séjours.

Cependant, à l'extrémité de la presqu'île, j'ai bien dû me taire, car le chemin devenait raide et très étroit. Nous avons enfin touché le but. Le vent froid nous atteignit de nouveau. Juste en face de nous, à l'autre extrémité du lac, un étrange bâtiment, plus énorme encore que le Waldhaus, et qui ressemblait, de très loin, au palais Pitti. Mon guide m'avait appris qu'il s'agissait d'un hôtel particulier, construit à la fin du siècle dernier par un baron belge, et qui reçoit aujourd'hui des colonies de vacances. De tels monstres se rencontrent assez fréquemment en montagne, appréciés des gourous milliardaires et des méditatifs transcendantaux. Selon ma conception rudimentaire de la jeunesse (écologiste, idéaliste, libertaire et révolutionnaire), j'aurais pensé que Jacques proposerait, la voix tranchante et les lèvres serrées, de faire sauter ce bâtiment, mais il se retourna pour étudier les vers gravés contre le rocher, et commémorant le souvenir de Nietzsche : « O Mensch, gib acht, was spricht die tiefe Mitternacht... » [1]

1. Ces vers de Nietzsche (« O homme, attention ! Que dit la nuit profonde ? ») ont été utilisés pour un solo de contralto par Gustav Mahler dans sa troisième symphonie, quatrième mouvement.

La connaissait-il, sa chance ? Dix-huit ou dix-neuf ans, force, intelligence, vacances, liberté, Nietzsche, lieux sublimes. Se rendait-il seulement compte ? J'eus la nette envie de le provoquer plus sèchement, de l'humilier. Me la dirait-il, sa fameuse « idée » ? Me la jetterait-il au visage, enfin, au lieu de m'accabler de son respect, de ses prévenances et de sa modestie ?

Nous étions parfaitement seuls, dans le vent sifflant, dans les pierres humides, les arbres aux couleurs dures, le clapotis stupide, irrégulier, de l'eau. Je me mis à jouer avec l'idée du meurtre. Romancier dérisoire, qui croit tout vivre, parce qu'il rêvasse de tout. Pas d'illusion sur ce point, j'étais fort loin de tuer ce brave garçon, qui semblait décidément mal à l'aise.

— Je suis en train de penser, me dit-il, au quatrième mouvement de la troisième symphonie de Mahler.

Je pris l'air niais :

— Pourquoi ?

— Oui, bien sûr, l'esprit n'est pas le même. Pourtant, devant un tel paysage, j'entends ce cor et ces violoncelles. Il me semblait que Mahler avait tout de même saisi l'essentiel, sans trahir.

Magnifique : il ne pouvait imaginer que j'ignore tout simplement l'existence du « O Mensch, gib acht », dans la troisième de Mahler, et transformait en une critique implicite ma question boétienne. Et le pire, c'est qu'il avait raison. Je persistai :

— Mais en quoi Mahler serait-il nietzschéen ?

Étienne Barilier, *Le Duel,* éd. L'Age d'Homme.

Les Valaisans

MAURICE CHAPPAZ est au Valais ce que Chessex est au pays de Vaud. Il reçut une forte éducation classique dans ce collège de Saint-Maurice, où exerçait un professeur de lettres, l'abbé Norbert Viatte, qui eut un rayonnement considérable et connut d'ailleurs un destin tragique. Maurice Chappaz et sa femme Corinna Bille composeront plus tard un très bel hommage à ce prêtre bernanosien *(Partage de Minuit).*

La plupart des grands textes de Chappaz, exploitant viticulteur et arpenteur infatigable de cette terre, se réfèrent au Valais dans l'intitulé même de leurs titres. Ainsi *Le Testament du Haut-Rhône* (1953) évoque-t-il avec des accents proches de ceux de Gustave Roud un paradis miné par la menace : « Ceux que leurs propres cités rejettent, ceux-là seuls auront le pouvoir d'écrire et de tester pour le monde défunt. J'en salue les héritiers : des ouvriers d'usines, des bergers, des semeurs de seigle, des petits marchands d'abricots et de raisins ; notre histoire sera faite par eux et non plus par les avocats. » Dans *Le Valais au gosier de grive* (1960), Chappaz pressent la fin de ce monde paysan, parcouru désormais par des « vergers de fils électriques et chemins de ciment ». Le *Chant de la Haute-Dixence* (1965) fait de la construction du plus haut barrage hydro-électrique du monde dans le Valais un reportage et un pamphlet, décrivant la captation et la canalisation des eaux souterraines. (Prouesse technique ou catastrophe écologique, cette construction avait inspiré au jeune Suisse Jean-Luc Godard un documentaire lyrique de style prométhéen, influencé par Malraux, *Opération béton.*) Les recherches de langage du côté du parler populaire et du folklore se précisent dans le *Portrait des*

Valaisans en légende et en vérité (1965), attaché à l'élémentaire et non au pittoresque. Le sommet de l'œuvre poétique et dramatique se trouve sans doute dans *Le Match Valais-Judée* (1968). Dans ce mystère médiéval qui relève de la finale de coupe, Dieu, pour fêter le deuxième millénaire de la religion catholique, oppose la Sion valaisane, avec ses chefs Supersaxo, Saint-Théodule et Troillet, à la Sion de Terre sainte, avec ses rois et ses prophètes. Le Valais sera-t-il sauvé ? Dieu, dégoûté par son évolution, est tenté de le sacrifier et lâche le diable sur cette terre corrompue. Ce « fabliau pour le jubilé de la religion catholique » devient un joyeux tohu-bohu et une farce presque flamande, satire furieuse d'une modernisation criminelle du Valais ; les grands rituels des cérémonies sportives du XXe siècle se mêlent aux mouvements propres des Passions du XVe siècle réactualisées. Par la suite, Chappaz a connu les tentations de la Laponie et de l'Inde. Mais il revient au Valais avec *La Haute Route* (1974) et *Les Maquereaux des cimes blanches* (1976) pour métamorphoser la littérature alpestre qui fut la gloire de la Suisse, puis pour dénoncer la mainmise des spéculateurs immobiliers sur la montagne. Violente, tendue, baroque, la prose de Chappaz est sans doute plus difficile que celle d'un Chessex, mais elle révèle un travail sur la langue aussi obstiné qu'inspiré, parallèle à celui de Ramuz.

[Et le Diable approuve]

Le Diable, qui a carte blanche, médite sur les catastrophes qu'il peut infliger au Valais.

Le Diable va faire oraison le long du Rhône. Il regarde le ciel à l'envers, dessous ses jambes ; il trotte, il rumine. Il juronne. Il pense à toutes sortes d'ordures qui le font entrer tout doucement dans la prospérité générale du pays. Il procède par osmose : « Mon type d'excrément correspond tout à fait à leurs richesses. » Il serre la vallée contre son ventre. Il se frotte le cœur. On coupe les vergers pour édifier les nouvelles usines, on met les sources en boîtes de conserves, on traîne les fleuves d'un mont à l'autre, on canalise, on scie. Les forêts tombent rasées, les sapins par rangées entières comme des soldats. Équarrissez, rabotez ! Les montagnes sont à l'abattoir. On déculotte les Alpes. L'ancien ciel bleu est barbouillé de flaques de mazout dans lesquelles les avions échancrent des ornières, puis ces flaques s'étiafent sur les collines. L'air est vrillé de détonations, de clameurs. Une poussière spéciale qui ressemble à celle des squelettes est fabriquée ici et exportée partout dans le monde. Les nuées empieuvrent les villes. Chaque toit a son auréole. Et le battage des hélices est si intense qu'aucune abeille ne peut survivre en volant à plus de dix mètres de la ruche. La pétarade des moteurs crevasse même la terre. On met des oreilles énormes. Les nez verdissent car les anciens parfums sont cadavérisés. Prairies, fraises, sapins, quel est ce souvenir ? Un jour les truites de la Tsissette ont tourné le ventre en l'air, toutes blanches. Le lendemain les chevreuils boitaient et pelaient. Le Diable pince ses pustules. Seuls les habitués résistent : pucerons, hylobes, termites, mouches indigènes qui s'engendrent par millions. Les tornades de moustiques arrachent les peupliers. Les camions à gaz parcourent le Valais. On lutte. Mais un Curé ôte son masque et déclare : « Ça sera la fin du monde par les insectes. »

On a la pruine du squelette autour de l'œil. Les vergers produisent des pommes au goût de pétrole. Les coiffeurs ont reconverti les vignes : elles donnent des raisins à usages multiples qui font pousser les cheveux. Toute la culture est basée sur la beauté des rombières. Elles ont d'ailleurs un droit de cuissage dans toutes les stations de ski. Concessions accordées par les communes selon actes notariés comme pour les forces électriques. Le « chien » est industrialisé.

Un petit vin de champignons flatte et engraisse les cœurs. Quelques caves anciennes abritent encore les odeurs de sainteté qui terrorisaient le Diable et qui se volatilisent aussitôt.

« Le Mal du monde, c'est notre Bien », répètent des affiches noires placées dans toutes les gares. « Travaillez ! » Et le Diable approuve.

Maurice Chappaz, *Le Match Sion-Judée,* éd. C.R.V.

S. CORINNA BILLE, quant à elle, ne décrit pas les transformations du Valais, mais met en scène un peuple de femmes dans des nouvelles de dimensions très variées, se réduisant parfois à une brève histoire proche du poème en prose, s'étendant parfois jusqu'au récit et au roman bref. Après Ramuz, et l'égalant peut-être, Corinna Bille règne en maître sur le genre de **la nouvelle.** Avec une grande économie de moyens, et un style toujours discret, elle cerne l'élémentaire et le fondamental. On ne s'étonnera pas de voir tant de jeunes femmes guettées par la folie, la solitude, l'exclusion, dans ces récits d'une douceur terrible. Pierre-Jean Jouve avait salué l'auteur de *La Fraise noire* (1968) comme une fleur sauvage. Dans un recueil comme *La Demoiselle sauvage* (1974), les antagonismes éternels de la jeunesse et de la mort, de l'épanouissement et de la mutilation, de la lumière et des ténèbres tissent la trame même de la nouvelle.

[Le hameau dans le lit d'un torrent]

Extrait central de la nouvelle qui porte ce titre. La narratrice découvre que la rue centrale du village est un lit de torrent asséché ; elle s'est réfugiée dans une chapelle.

Pendant un moment, je ne sus plus ce que j'étais venue faire là ni ce que je pensais faire ensuite. Je demeurais immobile, heureuse et calme, comme si j'avais enfin trouvé ma véritable maison.

Personne ne vint m'y déranger. Pourtant il fallut en sortir. Dehors, je croisai un jeune homme aux yeux bridés à qui je demandai le nom du hameau. J'eus du mal à le comprendre. L'allemand que l'on parle dans ce haut pays ressemble, par sa brutalité gutturale, au japonais. Quand enfin j'eus saisi en entier ce nom très rauque et long, je me rappelai ce qu'il signifiait pour plusieurs d'entre nous. Un certain trouble s'empara de moi. « Ah ! pensai-je, c'est donc ici qu'on perd la mémoire... » Ce hameau était celui d'une femme que j'avais connue, enfant, dans un petit institut de ma ville où elle était interne. Elle y étudiait le français pendant que j'y suivais mes classes primaires. Isabella, devenue jeune fille, partit en Allemagne où elle se maria. Ce fut la guerre et nous n'entendîmes plus parler d'elle jusqu'au jour où l'on me dit qu'elle était revenue dans sa commune d'origine. Cela ne nous aurait guère émus si nous n'avions appris en même temps qu'elle avait voulu, en 45, dans sa ville étrangère se suicider avec ses trois enfants. Les tenant par la main et leur faisant croire à un jeu, elle était entrée dans la rivière... Mais on l'avait sauvée, elle, tandis que les enfants s'étaient noyés. Comment avait-elle pu vivre après cela ? Cette question nous terrifiait. La nature humaine a des ruses subtiles pour subsister : Isabella perdit la mémoire. On racontait qu'elle avait pris les vêtements et la manière de vivre de sa vieille mère, qui, entre-temps, était morte, qu'elle avait vendu la maison carrée dont elle habitait toujours une chambre, vaquant à de petits travaux de paysanne. Elle parlait peu et semblait paisible.

Je m'enquis de l'auberge la plus proche. Ce n'était qu'un café. On ne voulut ni me faire un repas ni me loger. Il n'y avait pas non plus de chambre à louer dans le hameau. J'étais très embarrassée à l'idée d'entamer la conversation sur Isabella. Vivait-elle encore ? N'allait-on pas se méfier de moi, ou me la rendre encore plus inabordable ? Je ne désirais pourtant pas la questionner, ni pénétrer sa vie dont je respectais le tragique secret. Je ne souhaitais qu'une chose : l'apercevoir.

Mais soudain un enfant, derrière moi, que je reconnus pour le guetteur blond de la maison carrée, me tira par ma robe et me murmura : « La dame que vous connaissez... »

S. Corinna Bille, *Entre hiver et printemps,* éd. Castella.

Le Valais ne se réduit pas à ce couple d'écrivains autonomes et complémentaires. Du Valais, **Georges Borgeaud** a conservé surtout le souvenir oppressant de sa formation religieuse : *Le Préau* (1952) et *Le Voyage à l'étranger* (1974) sont des modèles du récit d'enfance et d'adolescence, et des romans superbement anachroniques dans leur subtilité psychologique. Mais l'écriture de Borgeaud surprend : son classicisme apparent laisse place à des dérapages et à des raccourcis qui nous rappellent le grand style de Cingria. Rien de moins académique que ces romans d'apprentissage valaisans. On pourrait les comparer et les opposer à l'œuvre romanesque, beaucoup plus traditionnelle, de Maurice Zermatten dans lequel certains croient voir un digne héritier de Ramuz.

Les Jurassiens

Une partie du Jura appartient au canton (romand) de Neufchâtel. De La Chaux-de-Fonds sont partis ces conquérants nommés Cendrars et Le Corbusier (c'était du moins leurs noms de guerre) pour n'y plus revenir. Une tradition littéraire vigoureuse s'est perpétuée dans cette ville vouée à l'horlogerie. Le livre de Anne-Lise Grobéty, *Mourir en février* (1970), écrit par une lycéenne de dix-huit ans, rencontra un grand succès, en dépit ou en raison de son huis-clos étouffant. En 1983, une remarquable revue [VWA] — faut-il comprendre « vois », « voie », « voix » ? —, se créait à **La Chaux-de-Fonds** et s'interrogeait sur le **lien entre l'écriture et le lieu.** Jurassiens, Wallons, Vaudois contribuaient à la recherche d'un point de contact désigné comme un **Lieu ǝıꞀ**. Dans son texte *Toile de fond,* Anne-Lise Grobéty écrivait :

Les hivers sont d'un bloc comme du mastic, scellant trottoirs, fenêtres et lèvres.

et elle concluait au terme d'une variation sur sa ville :

Et l'appui de ma parole, c'est ce lieu, c'est ici. Et dans ce lieu, je peux tout trouver. Même l'universel.

Mais la plus grande partie du Jura dépendait de Berne et de son canton depuis 1815. Ce Jura qui ne veut plus être bernois va connaître toutes les luttes de l'autonomie et toutes les formes de revendication culturelle. Pierre-Olivier Walzer compose une vaste *Anthologie jurassienne,* qui pourrait définir l'identité culturelle d'une communauté à la recherche de sa liberté. Sans être véritablement un militant de la région, Jean-Pierre Monnier, dans certains de ses romans comme *La Clarté de la nuit* (1956) et *L'Arbre un jour* (1971), inscrit ses fictions dans la montagne jurassienne : agonie d'un pasteur, conversations de chômeurs et bûcherons dans la forêt. Jean-Pierre Monnier reste fidèle à une conception classique du roman (qu'il a défendue dans *L'Âge ingrat du roman*), mais avec de tels récits, comme le dit Chessex, il « a surgi en Jurassien de partout ».

La situation propre au Jura — et qui devait se résoudre en 1978 par la création d'un nouveau canton — allait susciter, en même temps que le Rassemblement jurassien dès 1947, une **littérature de combat.** ALEXANDRE VOISARD retrouvait les formes, les accents et les succès de la grande poésie française de la Résistance, et aussi ses emprunts au surréalisme. Un sens aigu de la solitude, aussi bien géographique qu'individuelle, empêche cette poésie de s'absorber dans une simple voix collective. Avec *Louve* (1972), Voisard donnera au Jura son récit initiatique et son mythe romantique.

Si Alexandre Voisard est le poète de la gravité, de l'indignation et de l'imprécation, JEAN CUTTAT serait plutôt, en particulier dans *Bravoure du Mirliflore* (1970), le baladin itinérant et le bateleur d'une poésie orientée vers l'oralité. Il interprétait d'ailleurs lui-même ses chansons devant des publics populaires. Cette poésie acrobatique et séduisante renvoie assez bien à une certaine veine de la poésie chantée d'Aragon, comme Voisard fait songer à l'inspiration du *Crève-cœur* ou des *Yeux d'Elsa,* mais nos deux Jurassiens font preuve d'une sincérité et d'une simplicité qui ont souvent manqué au poète français.

Ode au pays qui ne veut pas mourir

Fin du poème portant ce titre. Il a été publié pour la première fois en volume en 1967.

Mon pays de cerise et de russule,
Mon pays d'eau-de-vie et de légende,
La marée monte encore
Et les années comme un chapelet d'injures
Mordent tes lèvres, cheminent en tes yeux ouverts.
La page est blanche où tu saignes aujourd'hui.
Mais les faiseurs de raison, les bergers pesants,
Les montreurs de fortune sous la botte,
Les bourgmestres railleurs, les cuisiniers hirsutes,
Déjà recrachent la lie de leur axiome
Tandis que d'une seule main
On a crevé l'œil implacable de la grande ourse.

Mon pays d'argile, pays de moissons,
Mon pays forgé d'aventure et de brisures,
Traversé du sang des éclairs,
Voici jaillir du roc ancestral
Le miel nouveau, la saison limpide,
Le tumulte irrévocable des juments indomptées.
Mon pays de cerise et de légende,
Rouge d'impatience, blanc de courroux,
L'heure est venue de passer entre les flammes
Et de grandir à tout jamais
Ensemble sur nos collines réveillées.
Mon pays d'argile, ma liberté renaissante,
Ma liberté refluante, mon pays infroissable,
Mon pays ineffacé, ineffaçable,
Ivre du bond sans retour et farouche
De ta liberté nue.

Alexandre Voisard, *Liberté à l'aube,*
éd. Bertil Galland.

Barbarie II

Fin de ce poème dont neuf strophes ont été omises en son début.

Quand tu seras loin des sermons,
loin des canons, des cornemuses,
loin des obus, des arquebuses,
loin des Faust et loin des Manon,

quand tu seras loin des prisons,
loin des cantines, des casernes,
loin des badines, des badernes,
des passepoils et des boutons,

quand tu seras croquant-croqué,
croque-miton — croque-mitaine,
truandé de calembredaines,
truffé, truqué, troqué, traqué...

Quant tu seras bien arrangé
dans la rangée des nécropoles
bien aligné sur Pierre et Paul,
au cordeau sans rien déranger,

à côté du juge encorné
qui jugeait les dames frivoles,
d'une jeunesse à pigeon-vole
que la police a pigeonné

et des vieux amis du circuit :
la putain cuite à ras-le-bol
et le curateur en faux-col
des grands bordels « Bénit-Cui-Cui »...

(Mirliton-ton, beau mirliton
sifflé comme un grand bol de bière,
les grands bordels, ils sont en pierre
et nous, en livrée de couillons...)

quand tu diras aux pissenlits
ce que tu voulais foutre en l'air...
... il ne sera plus temps de faire
ce que tu peux faire aujourd'hui.

Laissez donc pisser les moutons,
pisser les moutons-la-riflette,
laissez donc pisser la biquette,
les fusils c'est pas des bâtons.

Jean Cuttat, *Bravoure du mirliflore,* éd. C.R.V.

Les Genevois

« Rome du calvinisme », ouverte sur la France, peuplée d'organismes internationaux, Genève éprouve moins que d'autres cités helvétiques le besoin de se donner une identité par l'écriture littéraire. La statue de Rousseau veille sur une ville bénie par la prospérité. Certes les éditeurs, comme Albert Skira, y sont somptueux, l'université illustre, les revues écoutées. Cette ville-carrefour inspire les fuites ou les départs vers la France, comme elle appelle les réfugiés du monde entier. Le double du romancier Albert Cohen, débarquant à Genève, interpelle ainsi l'auteur des *Confessions :* « Accoudé à la rampe du pont, il regardait couler l'eau proche du lac de Genève. [...] Devant lui était la statue officielle et romaine du vagabond pisseux traqué par les officiels. " Jean-Jacques Rousseau, je suis perdu. J'ai vingt et un ans et je n'ai pas un sou. " »

Genève a vu partir un romancier comme Robert Pinget [1] chez qui il est bien difficile de repérer des traits suisses, mais dont les textes impliquent le refus de tout territoire, de toute appartenance à quelque communauté. Elle a conservé en revanche Jean Vuilleumier et Yvette Z'Graggen, dont les récits présentent le versant amer de la vie quotidienne à Genève. Autour du groupe « Jeune Poésie », se sont réunis des poètes comme Claude Aubert (1915-1972), Vahé Godel et surtout Georges Haldas.

GEORGES HALDAS a raconté dans deux récits d'enfance admirables sa vie « sans feu ni lieu » à Genève. Il y connut, après la faillite de son père, Grec de Céphalonie, toutes les angoisses et les exclusions. Irréductiblement étranger à une ville dont il décrit les lieux déserts et déshérités, les bas-fonds et les stades, il n'aurait peut-être pas pu vivre ailleurs qu'à Genève. La situation du « métèque » pauvre sous-tend les « chroniques » autobiographiques que sont *Boulevard des Philosophes* (1966) et *Chronique de la Rue Saint-Ours* (1973). Dans la ville d'Amiel, avec ce qu'il appelle l'autorité de l'échec, il compose un journal minutieux de ses malaises et de ses joies, intitulé *L'État de Poésie* (1977-1980). Cet excellent écrivain, qui introduit dans sa tonalité désespérée un humour constant, s'est parfois plaint de son peu de notoriété en France, signe d'un désir commun à beaucoup d'écrivains d'une ville cosmopolite et francophile : « Je n'ai ni le brio, ni l'esprit, ni le degré d'abstraction qu'il faut pour plaire aux Français. Ni ce conservatisme, en eux sous des airs perpétuellement frondeurs. Qui en fait des êtres prudents — et toujours adaptés au milieu — jusque dans la fronde. Eh bien tant pis. Je ne plairai pas aux Français. Et me passerai de leur approbation. »

[Un zéro de français]

La famille Haldas habite *Boulevard des Philosophes*. Le petit Georges est en première année de collège.

L'écrivain italien Pavese [2] dit quelque part dans son *Journal* que ce qu'un être redoute le plus au monde, au fond de lui, c'est cela même, immanquablement, qui lui arrive. Cela qui, par conséquent, m'arrivera. Dans les circonstances à peu près les suivantes : le père M. avait décidé que chacun de nous, au cours de l'année, ferait une petite conférence pour apprendre, disait-il, à nous « exprimer en français » (la hantise de certains Suisses romands). Que je le dise tout de suite : la seule idée de devoir faire une conférence, de prendre la parole devant une classe, se mua pour moi en un cauchemar qui ajouta encore à la crainte que m'inspirait notre savant maître. Il me semble même avoir rêvé, à cette époque, que je me trouvais précisément derrière le pupitre surélevé, face à l'auditoire, et que je ne parvenais pas à articuler un mot. Paralysé. Cette crainte d'affronter la classe étant liée, on le devine, à celle d'être démasqué. Avec la grande honte qui ne manquerait pas de rejaillir sur les Philosophes, et sur mon père, en particulier, si vulnérable déjà. Je voyais par avance la tête goguenarde des copains, celle du père M., caustique et irrité ; et moi avec mon chandail, je me rappelle — tricoté par la grand-mère, et qui me donnait des sueurs — cloué de honte au pupitre. La conférence m'apparaissait déjà comme ma propre condamnation. C'était donc ça Haldas. Mais j'allais oublier l'essentiel : une chose — la chose — à laquelle tenait, avant tout, le père M. Le principe en l'occurrence, avec lequel il ne badinait pas, c'est qu'il ne fallait à aucun prix

1. Cf. *Littérature en France depuis 1968,* p. 180-181. 2. Cesare Pavese (1908-1950), poète et romancier italien, évoqué ici pour son journal *Le Métier de vivre,* et pour son suicide dans une chambre d'hôtel.

apprendre notre conférence par cœur, pour venir ensuite la débiter au pupitre comme un serin, et essayer de briller. Il nous autorisait tout juste à parler avec des notes et préférait, de notre part, le discours libre et même l'improvisation. Malheur à qui devait contrevenir à cette règle. Il se voyait aussitôt interrompu par un petit bonhomme rouge de colère et capable de vous coller, pour la performance, un zéro de français. Or, c'est cette mise en garde précisément — défense de *réciter* une conférence — qui me remplissait de crainte. Elle perçait par avance mes intentions secrètes, qui étaient, justement, d'apprendre un texte par cœur, lequel me garantirait du bafouillage et me permettrait de vaincre ma timidité. Je ne sais si je fis part, à la maison, de la réserve expresse de notre professeur. Toujours est-il qu'avec l'assentiment de mon père — qui comme beaucoup de gens naturellement doués pour la parole, ne s'intéressait pas à la question éloquence — nous étions convenus, la chère mère et moi, du stratagème suivant : j'apprendrais bien mon texte par cœur, mais je le débiterais à la manière de celui qui parle librement. Pauvre imbécile, qui me croyais avoir, par-dessus le marché, des dons de comédien. Il n'empêche que l'idée parut à tout le monde excellente [1].

Georges Haldas, *Boulevard des philosophes,* éd. L'Age d'Homme.

Faut-il faire figurer comme citoyen de Genève, ALBERT COHEN, venu de Céphalonie (comme Georges Haldas), scolarisé et traumatisé à Marseille, lié au mouvement sioniste et à la naissance de l'État d'Israël, mêlé dès ses débuts à la vie littéraire française et à la N.R.F., haut fonctionnaire d'organismes internationaux, citoyen suisse qui ne le faisait guère savoir. Dans son dernier livre qu'il dicte dans un hôtel genevois, Albert Cohen clame son appartenance à son peuple, Israël : « O frères chrétiens, apercevez enfin le vrai visage de mon peuple et aimez mon peuple, aimez Israël qui vous a donné le Dieu de sainteté et le Livre d'antinature et votre prophète qui était amour. » Il serait difficile de ne pas voir en lui, avant tout, **un écrivain juif de langue française,** bien qu'il ait décliné l'offre que lui faisait l'État d'Israël de la nationalité israélienne et d'une fonction diplomatique de premier rang.

Mais, à regarder de plus près ses textes, depuis sa première nouvelle *Après minuit, à Genève* (1925) jusqu'à *Belle du Seigneur* (1968) et *Les Valeureux* (1969), a-t-il jamais traité un autre sujet que la confrontation du Juif avec les Gentils, et plus particulièrement avec les gentilles genevoises ? D'Adrienne à Ariane, Solal ne connaît de passion que pour la femme helvète. Et le romancier revient toujours à sa ville (qui est aussi le cadre de la Société des Nations) ; à la société suisse, comme à la femme aimée, il voue la relation la plus ambivalente, qui va du sarcasme vengeur à la volonté d'identification. L'auteur de *Mangeclous* (éd. Gallimard, 1938) met en scène les « Valeureux » venus de Corfou et cherchant à cacher leur trésor dans une banque genevoise.

Enfin le Crédit Suisse trouva grâce à leurs yeux. Les employés avaient des têtes bien grasses, bien honnêtes et les clients fourmillaient. La salle des coffres, tout en acier, leur plut énormément. Ils se découvrirent religieusement en entrant, se parlèrent à voix basse et avec plus de politesse que d'habitude. Les coffres étaient épais, vraiment très bien, très sérieux. Un gardien, très épais et très sérieux aussi, ouvrit la porte principale du coffre. Il leur montra le compartiment mis à leur disposition, leur remit les clefs — dont la complication les ravit — et, écouté avec recueillement, expliqua la manière de former la combinaison du secret. Ils remercièrent avec effusion, aimèrent les clients qui ouvraient leurs compartiments ou qui, assis dans les isoloirs, détachaient leurs coupons. Ils ne les envièrent pas. N'étaient-ils pas leurs frères en capital ?

1. La catastrophe redoutée aura bien lieu. Le père M. interrompra le petit orateur dès la seconde phrase et lui donnera le terrible « zéro de français ».

Belle du Seigneur, histoire d'un couple judéo-genevois, s'ouvre sur le journal intime de la belle Ariane d'Auble, que lit indiscrètement Solal, le monte-en-l'air. Albert Cohen a fini par s'identifier aux objets de sa passion, et toute son œuvre semble portée à l'incandescence par la coexistence tumultueuse, en lui, d'un Juif prophétique et d'un Genevois rousseauiste.

[Valérie d'Auble]

Cahier d'Ariane, née d'Auble, mariée à Adrien Deume. Elle évoque sa famille, et en particulier sa tante Valérie, dite Tantlérie, qui l'a élevée quand elle est devenue orpheline : « Je vais essayer de la décrire vraiment, comme si c'était le début d'un roman. »

« Tantlérie faisait partie d'un groupe, maintenant presque disparu, de protestants particulièrement orthodoxes, qu'on appelait les Tout Saints. Pour elle, le monde se partageait en élus et en réprouvés, la plupart des élus étant genevois. Il y avait bien quelques élus en Écosse, mais pas beaucoup. Elle était cependant loin de croire que le fait d'être genevois et protestant suffisait à sauver. Il fallait encore, pour trouver grâce aux yeux de l'Éternel, remplir cinq conditions. Primo, croire à l'inspiration littérale de la Bible et par conséquent qu'Ève avait été tirée de la côte d'Adam. Secundo, être inscrit au parti conservateur, appelé national-démocratique, je crois. Tertio, se sentir genevois et non suisse. (« La République de Genève est alliée à des cantons suisses, mais à part cela nous n'avons rien de commun avec ces gens. ») Pour elle, les Fribourgeois (« Quelle horreur, des papistes ! »), les Vaudois, les Neuchâtelois, les Bernois et tous les autres Confédérés étaient des étrangers au même titre que les Chinois. Quarto, faire partie des « familles convenables », c'est-à-dire celles, comme la nôtre, dont les ancêtres avaient fait partie du Petit Conseil avant 1790. Étaient exceptés de cette règle les pasteurs, mais uniquement les pasteurs *sérieux,* « et non de ces jeunets libéraux tout rasés qui ont le front de prétendre que Notre Seigneur n'était que le plus grand des prophètes ! » Quinto, ne pas être « mondain ». Ce mot avait pour ma tante un sens tout particulier. Par exemple, était mondain à ses yeux tout pasteur gai, ou portant faux col mou, ou revêtu d'un costume sportif, ou chaussé de souliers de teinte claire, ce qu'elle avait en horreur. (« Tss, je t'en pris, des bottines jaunes ! ») Était également mondain tout Genevois, même de bonne famille, qui allait au théâtre. (« Les pièces de théâtre sont des inventions. Je ne me soucie pas d'écouter des mensonges. »)

« Tantlérie était abonnée au Journal de Genève parce que c'était une tradition dans la famille et que, de plus, elle « croyait » en posséder des actions. Elle ne lisait cependant jamais cet organe respectable, le laissait intouché sous sa bande parce qu'elle en désapprouvait, non certes la ligne politique, mais ce qu'elle appelait les parties inconvenantes, entre autres : la page de la mode féminine, le feuilleton du roman au bas de la deuxème page, les annonces matrimoniales, les nouvelles du monde catholique, les réunions de l'Armée du Salut. (« Tss, je te demande un peu, de la religion avec des trombones ! ») Inconvenantes aussi les réclames de gaines et les annonces de « cabarets », ce mot étant le nom générique qu'elle donnait à tous établissements suspects, tels que music-halls, dancings, cinémas, et même cafés. En passant, pour que je n'oublie pas : sa réprobation lorsqu'elle apprit qu'oncle Agrippa, ayant grand soif, était entré un jour dans un café pour la première fois de sa vie et s'y était courageusement fait servir un thé. Quel scandale ! Un Auble au cabaret ! En passant aussi, indiquer quelque part dans mon roman que Tantlérie, de toute sa vie, n'a jamais dit le moindre mensonge. Vivre dans la vérité était sa devise.

Albert Cohen, *Belle du Seigneur,* éd. Gallimard.

On ne quittera pas Genève, sans mentionner, au moins, en marge de la littérature, mais non sans incidence sur elle, le développement d'un **cinéma suisse.** Le Franco-Suisse Jean-Luc Godard tourna en Suisse certains de ses films les plus corrosifs, comme *Le Petit Soldat* (1960), interdit durant trois ans par la censure française. Vivant entre les deux pays, il s'est implanté en Suisse dans la période la plus récente, qui a correspondu à un évident renouveau de son invention : *Sauve qui peut la vie* (1980), *Passion* (1982), *Prénom Carmen* (1984) et surtout *Je vous salue Marie* (1984). La publication d'un énorme volume d'écrits critiques et autobiographiques *(Godard par Godard,* 1986) atteste la qualité d'écrivain chez cet agitateur d'idées, qui collabora aux *Cahiers du Cinéma* des années 50.

Mais la renaissance du cinéma suisse, de Lausanne à Genève, est avant tout illustrée par les noms d'Alain Tanner *(Les Apprentis, Charles mort ou vif, La Salamandre, No man's land),* de Michel Soutter *(Les Arpenteurs. Dans la ville blanche),* de Claude Goretta *(Le Fou, La Dentellière, La Provinciale).* Cette énumération dérisoire ne tient pas lieu de l'étude que mériterait cet accomplissement du cinéma romand. En d'autres temps, cette renaissance se serait exprimée par les moyens de la littérature.

Suisses du monde entier

On voudrait évoquer ici des Suisses qui ont atteint une certaine universalité, et qui sont passés de leurs cantons au monde entier. Certains se sont expatriés, d'autres ont connu une vie itinérante, d'autres enfin, sans guère perdre de vue leur terre natale, ont conquis une position dominante dans la vie intellectuelle, à l'exemple de Ferdinand de Saussure, le père de la linguistique moderne, ou de son aïeul Horace-Bénédict, le naturaliste parti à l'assaut du Mont-Blanc.

On laissera de côté Blaise Cendrars, qui ne revint à la terre natale que pour un mariage tardif en octobre 1949. Force est de constater que l'origine suisse est occultée ou oubliée dans les récits pseudo-autobiographiques de l'après-guerre ; le Jura ou l'Oberland bernois sont les cases aveugles de cette prose du monde entier. Tout au plus, peut-on noter, dans *Emmène-moi au bout du monde* (1956), roman parodique d'un érotisme grinçant, la silhouette d'un critique théâtral de Paris, Suisse alémanique, à qui reste, dans la débandade d'une société, quelque rigueur morale.

La poésie — faut-il dire suisse ? faut-il dire française ? — a trouvé l'un de ses accomplissements les moins contestables, les plus dignes de ferveur, dans le parcours de PHILIPPE JACCOTTET. Jean Starobinski l'a dit, à sa manière souveraine : « ...Une parole loyale, qui habite le sens, comme la voix juste habite la mélodie. Nulle feinte, nul apprêt, nul masque. Nous pouvons accueillir sans ruse interposée, cette parole qui s'offre à nous sans détour. Un émerveillement, une gratitude nous saisit : la diction poétique, le discours poétique (mais sans artifice oratoire) sont donc possibles, toujours possibles ! » De cet itinéraire, de 1954 à 1979, *La Semaison,* journal d'un poète, carnet d'esquisses et de fragments, cahier de lectures, donne à voir les jalons et les sources. *Le Requiem* (1947), *L'Effraie et autres poésies* (1953), *L'Ignorant* (1956), *A la lumière d'hiver* (1977), *Pensées sous les nuages* (1983), et autres recueils, dessinent le cheminement du poète, qui n'ignore pas les désastres, les deuils et les retombées, qui sait que ce qui lui reste n'est presque rien, mais qui fait entendre ce frêle bruit, cette « parole-passage, ouverture laissée au souffle ». Le paysage imaginaire du poète laisse deviner la Provence, où il s'est installé depuis longtemps, mais se réfère aussi à une Suisse poétique de l'élémentaire, celle de Roud et de Ramuz. Traducteur exemplaire de Rilke et de Hölderlin, critique rigoureux, prosateur prolongeant les échos du romantisme allemand et de la promenade rousseauiste (*La Promenade sous les arbres,* 1957 ; *Éléments d'un songe,* 1961 ; *Paysages avec figures absentes,* 1970*)*, Jaccottet est le poète d'une lumière juste qui laisse la part de l'ombre.

Il se peut que la beauté naisse quand la limite et l'illimité deviennent visibles en même temps c'est-à-dire quand on voit des formes tout en devinant qu'elles ne disent pas tout, qu'elles ne sont pas réduites à elles-mêmes, qu'elles laissent à l'insaisissable sa part.

[Le mot joie]

Il s'agit de deux textes distincts, séparés par trois pages, dans une séquence intitulée *Le mot joie.* Ce mot est venu à l'esprit du poète lors d'une promenade ; « à partir de lui, je me suis mis, non pas à réfléchir, mais à écouter et recueillir des signes, à dériver au fil des images [...] » (Philippe Jaccottet).

Ainsi écoute-t-on la voix de ces moines
qui vivaient sur le toit du monde
au fond de temples pareils à des forts
dressés sur le passage des vents inconnus
dont leurs conques ramassent la violence.

Leur gong tonne
ou c'est un glacier qui se fend.

Eux-mêmes chantent de la voix la plus puissante
et la plus basse jamais entendue,
on croirait des bœufs ruminant leurs psaumes,
attelés à plusieurs pour labourer sans relâche
le champ coriace de l'éternité.

Erraient-ils, à tirer ainsi leur charrue à soc de glacier
de l'aube au soir ?

Leurs voix à la mesure des montagnes
les tenaient-elles en respect ?

On les écoute maintenant de loin,
nous les bègues à la voix brisée,
dispersée comme paille au moindre souffle.

[...]

Maintenant nous montons dans ces chemins
de montagne,
parmi les prés pareils à des litières
d'où le bétail des nuages viendrait de se relever
sous le bâton du vent.
On dirait que de grandes formes marchent dans
le ciel.

La lumière se fortifie, l'espace croît,
les montagnes ressemblent de moins en moins à
des murs,
elles rayonnent, elles croissent elles aussi,
les grands portiers circulent au-dessus de nous —
et le mot que la buse trace lentement, très haut,
si l'air l'efface, n'est-ce pas celui que nous pensions
ne plus pouvoir entendre ?

Qu'avons-nous franchi là ?
Une vision, pareille à un labour bleu ?

Garderons-nous l'empreinte à l'épaule, plus
d'un instant, de cette main ?

Philippe Jaccottet, *Pensées sous les nuages,*
éd. Gallimard.

Tour des Enfermés, *dessin à la plume de L. Soutter.*

Les héritiers de Rousseau, d'Amiel, de Germaine de Staël, de Saussure et de Piaget sont souvent sensibles aux leçons de Jacob Burckhardt, de C.-G. Jung et de Nietzsche, qui enseigna à Bâle. L'intellectuel suisse excelle dans **l'essai,** dans **la critique,** comme d'ailleurs dans le journal intime. Ainsi le Suisse de Paris Roland Jaccard propose-t-il, sous le titre quelque peu parodique, *L'Âme est un vaste pays* (1983), des éphémérides cruelles, que l'on pourrait ajouter au florilège suisse du **Journal,** après Gilliard, Ramuz, Roud, Haldas, Jaccottet, Raymond.

Denis de Rougemont a toujours milité pour une vocation européenne et internationale de la Suisse, Son *Journal d'une époque* (1960) résume les engagements, les crises, les réflexions d'un témoin et d'un intellectuel (parfois au chômage) exemplaire. Ce journal d'un journaliste, mais aussi « journal intimiste », restera comme un miroir critique du siècle. Mais il devait advenir à Denis de Rougemont de donner au genre de l'essai un chef-d'œuvre avec *L'Amour et l'Occident* (1939) suivi de *Comme toi-même* (1961). Les spécialistes ont pu critiquer les aspects historiques de cette étude du mythe de Tristan et de ses métamorphoses ; ils n'ont pu en contester les vertus profondes qui sont littéraires. Sur l'Europe, comme sur l'amour passion, ses deux sujets d'élection, Denis de Rougemont a accumulé les essais perspicaces. Comme il l'écrivait avant sa mort, les Suisses ne sont pas « condamnés à l'Europe », mais « bien plutôt libres pour elle... » Enfin, Denis de Rougemont, comme tant de Suisses romands, s'est montré attentif aux puissances du Mal et du Démon. Son témoignage sur le nazisme, qui a d'ailleurs inspiré à Ionesco son *Rhinocéros,* nourrit l'essai de 1946, *La Part du Diable.*

Les œuvres les plus réputées de la critique littéraire passent comme l'eau sous les ponts ; elles ne survivent pas aux générations qui les ont conçues et pratiquées. Une exception s'impose en faveur de la critique suisse, et particulièrement ce qu'on a appelé « **l'école de Genève** ». Des ouvrages déjà anciens comme *L'Âme romantique et le Rêve* (1937) d'Albert Béguin, *De Baudelaire au surréalisme* (1947) de Marcel Raymond, *La Littérature de l'âge baroque en France* (1953) de Jean Rousset, restent comme de grands classiques de la critique, toujours vivants, toujours vivifiants. La critique psychanalytique, avec l'étude de Pierre-Paul Clément sur Rousseau, la critique structurale génétique, avec les travaux de Charles Castella sur Maupassant, la critique structuraliste, avec l'essai de Geninasca sur Nerval, sont également bien représentées en Suisse romande. La critique d'art, autour de l'éditeur Albert Skira (qui sut éditer Malraux pendant les années noires), peut être illustrée par les travaux de Michel Thévoz sur l'Art brut et sur le peintre suisse Paul Soutter. Sur ce plan, la France a plus importé de concepts et d'analyses de la Suisse romande qu'elle n'en a exporté dans ce pays.

Depuis son ouvrage vraiment inaugural, *Jean-Jacques Rousseau : la transparence et l'obstacle* (1957), Jean Starobinski a déployé la démarche critique la plus subtile et la plus sûre de ce temps. Une démarche « plurifactorielle », qui s'appuie sur la compétence d'un historien de la littérature qui fut aussi médecin psychiatre, éclaire aussi bien Rousseau que Saussure, Pierre-Jean Jouve que Philippe Jaccottet. *La Relation critique* (1970) présentait le tour de force de commenter le « dîner de Turin » des *Confessions* selon des procédures marxistes, linguistiques, freudiennes. Le cercle de l'interprétation se dessinait et se théorisait à partir d'un texte qui lui servait d'objet et d'emblème. Les relations entre psychanalyse et littérature sont déchiffrées avec la sagacité d'un savant et d'un poète, car il est difficile de refuser à cette critique le don poétique et le grand style d'écrivain. Le *Montaigne en mouvement* (1982), dialectique et paradoxal, vient répondre au *Rousseau* de 1957, et ces deux massifs critiques éclairent la naissance d'un genre que nous avons partout rencontré : l'autobiographie. Cependant, c'est sur *Trois Fureurs* que l'on s'arrêtera. Le tableau de Füssli, *Le Cauchemar,* est étudié sous l'intitulé *La Vision de la dormeuse.* Ainsi se déploie la triple évocation de ce que rêve la dormeuse, de la vision du peintre qui l'imagine dormant et de la vision du spectateur-critique placé devant le tableau. Ce qui est en jeu, comme dans certains autres textes romands, c'est la fascination devant le vertige de la « fureur » ou de la démence ; fascination dominée et surmontée :

L'œuvre de Füssli est le témoignage d'une conscience fascinée, mais qui ne cille pas : la réflexion se fait spectatrice de l'aveuglement, elle voit et donne à voir, dans un dessin net, la femme aux yeux fermés, la victime des ténèbres.

Un nouveau savoir, une nouvelle parole, un nouveau regard : voilà ce qui est atteint, une fois traversées la fureur et l'absence. Encore faut-il que soient assez vigoureuses les énergies mises au service du retour à soi. Sinon il n'y a pas de traversée, et la fureur n'est qu'engloutissement et dissolution dans la nuit. On discernera ici une raison supplémentaire pour que ces lignes s'intitulent : avertissement.

Choix bibliographique :

Alfred Berchtold, *La Suisse romande au cap du vingtième siècle,* Payot, 1963.

Auguste Viatte, *Histoire comparée des littératures francophones* (chap. 7, 8 et 10), Nathan, 1981.

Manfred Gsteiger, *La Nouvelle Littérature romande,* Bertil Galland, 1978.

Jacques Chessex, *Les Saintes Écritures,* Poche suisse, n° 41, éd. L'Age d'Homme, 1985.

D. R. Haggis, *C.-F. Ramuz ouvrier du langage,* éd. Lettres modernes, 1966.

Jacques Chesssex, *Charles-Albert Cingria,* Seghers, 1967.

Cahiers Gustave Roud.

Philippe Jaccottet, *Gustave Roud,* Seghers, 1968.

Jérôme Garcin, *Entretiens avec Jacques Chessex,* éd. de la Différence, 1979.

Maurice Chappaz, *Pages choisies,* éd. Alfred Eibel, 1977.

François Nourissier, « Préface » au *Préau* de G. Borgaud, Poche suisse n° 19, éd. L'Age d'Homme, 1981.

Almanach du groupe d'Olphen (Coll.), éd. L'Age d'Homme, 1973.

[VWA] n° 2, 1983, La Chaux-de-Fonds.

Goiten-Galperine, *Visages de mon peuple. Essai sur Albert Cohen,* éd. Nizet, 1983.

Albert Cohen, *Carnets, 1978,* Gallimard.

Écritures n° 24, 1982 « La critique ».

Cahiers pour un temps, *Jean Starobinski,* Centre Georges-Pompidou, 1985.

Freddy Buache, *Le Cinéma suisse,* Poche suisse n° 3, éd. L'Age d'Homme, 1978.

Jean-Luc Godard, *Godard par Godard,* éd. de l'Étoile/Cahiers du cinéma, 1985.

Jean Starobinski, « Préface » à *Philippe Jaccottet, Poésie 1946-1967,* Poésie/Gallimard, 1971.

Philippe Jaccottet, *L'Entretien des Muses,* Gallimard, 1968.

Sud n° 32-33, 1980, *Philippe Jaccottet.*

Passages n° 1, septembre 1985. (Coll.), *Denis de Rougemont, écrivain européen,* éd. La Baconnière, 1976.

TAVERNE DU PEUPLE
J.P. LEMIEUX, PROP.
J.R. SENECAL

Chapitre 13

Québec et Canada français

En 1983, le poète Gaston Miron, l'auteur de *L'Homme rapaillé,* recevant le prix Athanase-David, déclarait : « Le fait majeur intervenu dans la littérature de ces trente dernières années, c'est celui du passage de la littérature canadienne-française en littérature québécoise [...]. Il revient donc à trois générations d'écrivains, par leurs œuvres, d'avoir forgé le concept de littérature nationale québécoise, hissant celle-ci au rang des littératures nationales de par le monde. »

En 1965, un autre poète, Jacques Brault, écrivait dans la revue *Parti pris :* « Le Québec n'existe pas. Le Québec ne se dit pas au présent, il n'est pas au monde parce qu'il n'est pas à lui-même ; et s'il existe malgré tout, ce ne peut être que d'une existence séparée. »

En 1945, la romancière Gabrielle Roy recevait pour son roman *Bonheur d'occasion* un prix littéraire français, le prix Fémina, et à cette occasion la presse de Montréal se félicitait de ce que, pour la première fois, un auteur canadien soit couronné par un jury parisien.

Ce sont là, parmi tant d'autres possibles, trois points de repère qui scandent la croissance et la transformation de la littérature écrite en français au Canada depuis 1945, et qui justifient, on l'espère, la perspective adoptée ici pour présenter cette littérature, perspective délibérément historique. Cette perspective amènera à privilégier sans doute un certain nombre d'œuvres phares, celles qui ont frappé l'opinion, qui ont paru marquer les étapes importantes. Ce faisant, on sera conduit à négliger des œuvres plus secrètes ou plus discrètes : à chacun de compléter donc ce tableau forcément incomplet qui n'entend pas constituer un palmarès de cette littérature, mais seulement en retracer les lignes de force.

1945 ne marque pas, bien évidemment, un point de départ absolu : il y a eu une littérature en français depuis les origines de l'établissement des Français en Amérique du Nord. Mais cette production présentait à peu près tous les caractères d'une littérature coloniale : imitation, provincialisme, exotisme, accentués par l'emprise morale et intellectuelle d'un clergé catholique tout-puissant, pour qui Voltaire était toujours demeuré l'incarnation du Malin. Le Canada français se trouve alors dans une situation paradoxale : d'une part il revendique son appartenance au monde français et l'emploi de la langue française contre la

◀ La Fête Dieu à Québec, *huile sur toile de Jean Paul Lemieux, 1944.*

menace de l'envahisseur (anglais d'abord, puis, plus tard, américain, les États-Unis exerçant une hégémonie économique et une fascination culturelle considérables) ; mais d'autre part, il se défend contre tout ce qui vient de France, surtout dans le domaine culturel, au nom de la fidélité aux valeurs ancestrales, lesquelles seraient abandonnées dans une métropole où l'on coupe la tête des rois.

Cette fidélité obstinée a probablement sauvé le Québec de l'assimilation pure et simple au monde anglo-saxon — et ce qui est vrai du Québec, vaste province à population majoritairement francophone, l'est encore plus des autres composantes du Canada français (communautés plus réduites en nombre et minoritaires par rapport aux anglophones dans leurs provinces respectives : Acadie des provinces de l'Est célébrées par Antonine Maillet, provinces de l'Ouest tel le Manitoba d'où Gabrielle Roy, par exemple, est originaire). Mais aussi elle l'a placé dans une situation de considérable isolement et retard culturel : en 1950 l'archevêché de Montréal interdit encore à la population de célébrer le centenaire de... Balzac, considéré comme un auteur pernicieux ! On comprend dès lors que, de toute la production littéraire antérieure à la Seconde Guerre mondiale, la critique ne retienne que de rares œuvres. D'abord, celles de trois poètes, Crémazie (1827-1879) obligé de se réfugier en France, Nelligan (1879-1941, mais il est, depuis 1899, enfermé dans sa folie et silencieux), et Saint-Denys Garneau (1912-1943) aussi méconnu de son vivant qu'il va devenir célèbre et influent dans la période qui nous intéresse. Si les *Poèmes* d'Alain Grandbois (né en 1900) sont presque inconnus en 1945, c'est qu'ils ont été publiés en Chine, lors d'un des nombreux voyages qui les ont inspirés ; les *Iles de la nuit* (1944) assurent à cet écrivain une place prépondérante comme chef de file d'une nouvelle poésie québécoise. Poète du voyage, mais surtout du rêve, d'une quête toute mystique de l'absolu, il est à situer quelque part entre Cendrars, Claudel et Saint-John Perse. Comme l'écrit un autre poète, Michel van Schendel : « On trouve chez Alain Grandbois ceci, qui est précieux pour l'avenir de la poésie canadienne : une expérience de l'espace, un plein air qui cogne, toute la rose des vents même quand il rentre au plus profond de lui. »

S'ils sont de très grands écrivains, ces poètes canadiens sont encore des poètes « sous influence » ; surprenantes par rapport au faible niveau du reste de la production et aux conditions générales de leur apparition, ces œuvres n'apportent cependant pas de contribution originale à la littérature française : Crémazie fait penser aux Romantiques, Nelligan peut rappeler Laforgue, Saint-Denys Garneau est peut-être le seul à faire entendre « de l'inouï ».

On ferait assez volontiers des remarques du même ordre à propos du roman où le retard paraît encore plus considérable. La situation se complique du fait que le livre qui sert à la fois de modèle et de repoussoir — le *Maria Chapdelaine* de Louis Hémon (1914, et 1916 au Canada) — est l'œuvre d'un Français, et que l'image qu'il donne d'un pays figé dans ses traditions est destinée bien davantage au lecteur étranger, c'est-à-dire Français de France, qu'au lecteur canadien. Rejetée comme « étrangère », l'œuvre fut pourtant peu à peu acceptée comme l'incarnation de l'état d'esprit pionnier, cristallisant la résistance d'un Canada français rural et traditionnaliste face au monde extérieur et aux inquiétantes tentations du changement. Cette problématique sera celle de nombreux épigones de *Maria Chapdelaine,* en particulier du *Menaud maître-draveur* de F.-A. Savard (1938). Cette mystique de la terre, assez comparable à celle des romans du Giono de la même époque, est dénoncée dans les *Trente arpents* de Louis Ringuet (également 1938) qui, dans une optique moins lyrique et plus naturaliste (par l'emploi, en particulier, d'une langue populaire dans les passages parlés), met fin au roman de la terre tel qu'il avait triomphé durant toutes ces années de l'entre-deux-guerres. Même si, esthétiquement, ce roman s'inscrit dans une perspective tout à fait convenue, il ouvre la voie à la peinture d'autres aspects de la réalité canadienne-française — prémisses d'un changement encore bien timides, que la seconde guerre va accélérer brutalement.

De nombreux textes — de *Bonheur d'occasion* à *La Sagouine* de A. Maillet en passant par *La Guerre, yes Sir !* de Roch Carrier — mettront en scène et souligneront l'importance de la guerre de 1939-1945 comme facteur d'évolution de la société canadienne-française, sur tous les plans, économique, politique, et surtout religieux et culturel. Isolement brisé, populations brassées, Europe (re)découverte, contacts multipliés avec le monde anglo-saxon, le Canada français, par la force des choses, est amené à se remettre en question dans ses étroites certitudes. Une évolution, qui eût été de toute façon inévitable, s'effectue à un rythme soudain accéléré, celui des grands bouleversements historiques. Dans le monde de la littérature, le modèle parisien a disparu corps et biens ; durant ce temps l'édition canadienne se porte bien et va en se développant. De nombreux artistes français de premier plan se sont réfugiés en Amérique du Nord ; au contact de ces exilés, les écrivains canadiens se familiarisent avec la littérature contemporaine et vont franchir, en très peu d'années, toutes les étapes de l'histoire littéraire des années antérieures, « rattraper leur retard », et surtout — c'est là l'essentiel — prendre conscience d'une nécessaire et possible autonomie de la littérature canadienne-française par rapport à la littérature de la France.

Le rattrapage : 1945-1950

La littérature canadienne-française se mettant « à niveau » dans toutes les directions et dans tous les domaines, on peut avoir l'impression de mouvements contradictoires, de simultanéités anachroniques ; mais l'important est bien le dynamisme qui pousse tous ces écrivains à explorer des voies qui leur étaient restées peu ou mal connues, ou, pire, interdites par les censures ou le poids des habitudes. En quelques années, le paysage littéraire va s'en trouver à peu près totalement renouvelé.

La preuve la plus visible de cette libération, c'est, par exemple, l'entreprise de contestation généralisée que constitue le **mouvement automatiste** : vingt-cinq ans après, c'est Dada qui, dans une autre après-guerre, a l'air de recommencer, autour de peintres comme Borduas et Riopelle, de poètes et de dramaturges comme P.-M. Lapointe et Claude Gauvreau. Leur manifeste *Refus global* (1948), placé sous l'invocation du rêve, de Sade et de Lautréamont, s'élevant contre la religion, le progrès, le profit et toutes les formes de l'institution artistique et sociale, revêt une importance considérable en ce qu'il marque un renversement de l'attitude de fidélité conservatrice, et qu'il signale, historiquement, l'intrusion du concept même d'avant-garde. Que celle-ci, dans son contenu comme dans ses formes, rappelle de très près Dada ou le surréalisme importe finalement moins que le fait d'oser revendiquer la nouveauté pour la nouveauté : « Fini l'assassinat massif du présent et du futur à coup redoublé du passé. » L'automatisme qui, chez un Gauvreau, ira jusqu'à l'invention — et à l'impasse ? — d'un langage différent (rejoignant alors les chemins du lettrisme et de la poésie concrète : « Azézédédam triarpoli ounouszthé/Tibarli iwounett ouzou knioâ yarall e'i »), aura surtout constitué pour d'autres (Paul-Marie Lapointe, *Le Vierge incendié,* 1948) le point de départ indispensable, le lieu de la rupture et de la libération. Le recours à la provocation, au scandale et à l'obscurité est un phénomène nouveau dans la littérature canadienne, et les spectacles montés par Gauvreau forment une transition entre les spectacles surréalistes de Breton et Soupault et les happenings des années 60.

Au **théâtre** d'ailleurs, les signes de l'évolution se multiplient. La venue de Ludmilla Pitoëff à Montréal en 1943 aboutit à la fondation d'une compagnie, L'Équipe, qui représentera par exemple le *Huis clos* de Sartre en 1946. Déjà avant la guerre, d'autres compagnies s'étaient établies, comme ces Compagnons du Saint-Laurent (avec Félix Leclerc, dont ils jouent en 1947 la première pièce, *Maluron*) qui s'inspiraient des principes de Jacques Copeau. En 1947, fondation du théâtre d'Essai qui se transformera en théâtre du Nouveau Monde, du théâtre du Rideau vert, du Théâtre populaire du Québec. C'est toute une activité intense, autour d'une pièce symbole, le *Tit-Coq* de GRATIEN GÉLINAS (1948). Celui-ci rendu célèbre par ses monologues, les « Fridolinades », qui appartiennent à une tradition ancienne de la radio et du music-hall, crée un personnage, celui du soldat rouspéteur, dans lequel se reconnut un très large public de l'époque. Les audaces de Tit-Coq peuvent, aujourd'hui, sembler bien timides, il n'en demeure pas moins qu'elles aussi témoignent de ce besoin de nouveauté et d'irrespect, d'une vie qui ne soit pas nécessairement semblable à celle des ancêtres ou des parents, et dont les règles soient inventées par chacun au gré des humeurs et des circonstances, et non plus édictées par les corps constitués que sont la Famille, l'Armée et surtout l'Église.

[Avec une brique et un fanal]

Tit-Coq, un jeune soldat, aime Marie-Ange. Celle-ci, sur ordre de ses parents, vient d'épouser un autre homme. L'aumônier du régiment intervient pour calmer Tit-Coq.

TIT-COQ — *(Bondit vers le* PADRE.) Ah ! vous, il y a longtemps que je vous vois venir du coin de l'œil. Vous allez me parler du bon Dieu et de ses commandements, avec des péchés gros comme le bras au bout : vous pouvez y aller, mais je vous préviens que je vous attends avec une brique et un fanal !

LE PADRE — *(Qui entend rester calme.)* Il ne sera pas question de religion.

TIT-COQ — Non. Parce que le péché, voyez-vous, on a été faits là-dedans, nous autres les bâtards ! C'est notre père, le péché, c'est lui qui nous a mis au monde ; alors on le connaît, et il nous en impose moins qu'au reste de la chrétienté. Le bon Dieu, je réglerai mes comptes avec lui, quand le temps sera venu. Et je suis tranquille : il a l'esprit large, lui, il comprend le bon sens. S'il nous a introduits sur la terre en cachette par la porte d'en arrière, il trouvera bien le moyen de nous laisser entrer au paradis de la même façon.

Et la preuve qu'on doit avoir notre petite loi à nous autres à côté de la grande, c'est que le commandement « Père et mère tu honoreras, afin de vivre longuement » n'a rien à voir avec les gars de ma sorte. Même que, vers l'âge de dix ans, j'ai eu une frousse noire de mourir d'une journée à l'autre, vu que je ne pouvais pas honorer mon père et ma mère. Eh ben ! s'il y a un commandement qui ne me regarde pas, il peut y en avoir deux.

(Sous le nez du PADRE.*)* Le bon Dieu est infiniment juste, d'après ce que vous chantez, hein ? Alors il

sera ben forcé d'admettre qu'il m'a bâti avec un cœur pour aimer, moi aussi, même s'il m'a lâché dans la vie tout seul comme un chien perdu. Il sera ben forcé d'admettre que tout ce qu'il m'a donné à aimer, c'est cette enfant-là, et que je n'ai rien fait pour la perdre... et que j'ai droit à mon petit bonheur, autant que n'importe qui... *(Fou de rage.)* et que je la garde, entendez-vous ? Je la garde !

LE PADRE — *(Impassible, après un temps.)* Prends-la.

TIT-COQ — *(Qui croit avoir mal compris.)* Quoi ?

LE PADRE — Prends-la, ta Marie-Ange, et pars avec elle. Oui, c'est vrai : Dieu est infiniment juste...

Gratien Gélinas, *Tit-Coq,* éd. Les Quinze.

Dans le **roman** aussi on rattrape le temps perdu : les auteurs vont, enfin, décrire un Canada multiple, et en particulier urbain. Roger Lemelin, dans *Au pied de la pente douce* (1944), puis dans *Les Plouffe* (1948), peint la ville de Québec, les mœurs de tout un petit peuple, les espoirs et les luttes de bandes d'adolescents dont la révolte n'atteint jamais la prise de conscience des réalités économiques ou sociales, encore moins politiques. L'ouvrier canadien-français est un colonisé de fait, l'industrie étant aux mains des intérêts anglo-saxons, et le clergé catholique, sans doute involontairement, contribue, par son discours de résignation, à maintenir cet état de fait.

Bonheur d'occasion, le roman qui rend GABRIELLE ROY célèbre, se passe, lui, à Montréal, la grande ville, et l'auteur y décrit les difficiles conditions d'existence des classes laborieuses (qui, finalement, ne se tirent d'affaire que grâce à la guerre : soldes des militaires, usines d'armement, trafics divers, etc.) en opposant celles-ci à la bourgeoisie, évoquée de façon peut-être plus schématique. La visite à la campagne, dans ces existences oppressées, n'est qu'une parenthèse qui ne saurait offrir de solution à des personnages déracinés ayant perdu tout lien avec la tradition, la famille, toutes les valeurs d'un Québec ancestral qui a volé en éclats.

[Saint-Denis]

Azarius et sa femme Rosa-Anna, habitants pauvres de Montréal, vont passer quelques jours dans le village natal de Rosa-Anna.

— Saint-Denis ! lança Azarius.

Et Rose-Anna se souleva, les yeux soudain mouillés. Aidée du souvenir, elle devançait le tournant de la route, là-bas, au bout du village, elle devançait un coteau. Enfin, le paysage lui livra la maison paternelle. Le toit à pignons se précisa entre les érables. Puis se dessina nettement la galerie à balustrade avec ce qui restait de concombres grimpants, ratatinés par l'hiver. Rose-Anna, projetée vers Azarius, murmura avec un tressaillement de douleur physique aussi bien que d'émoi :

— Eh ben, nous v'là !... Quand même ç'a pas gros changé !

Sa joie avait duré jusque-là et dura encore un peu, car, dans l'embrasure de la porte brusquement ouverte, apparurent ses frères, sa belle-sœur ; et des exclamations chaudes lui arrivèrent dans un grand bourdonnement : « Ben, regarde donc ça, qui est-ce qui nous arrive ! Parle-moi d'une affaire ! De la visite de Montréal ! »

Mais, alors qu'elle descendait du camion, vacillante, étourdie par une soudaine bouffée d'air frais, et cherchant à défriper son vieux manteau, une gouaillerie lourde de son frère Ernest porta une première atteinte à sa joie.

— Ben, nom d'une pipe, te v'là Rose-Anna !... dit le paysan en la détaillant d'un brusque coup d'œil. Vieille pipe à son père, t'as envie d'en élever une quinzaine comme sa mère, je crois ben.

Rose-Anna chancela sous cet étrange accueil. Elle s'était corsetée tant qu'elle avait pu et elle avait espéré que sa grossesse passerait inaperçue, non par fausse honte, mais parce qu'elle était toujours venue chez les siens dans cet état et puis, parce qu'au fond, cette fois, elle aurait voulu que cette journée en fût une de détente, de jeunesse retrouvée, d'illusion peut-être. Pourtant elle chercha à sourire et à tourner la chose en plaisanterie légère.

— Ben, c'est de famille, Ernest. Qu'est-ce que tu veux !

Mais elle avait compris soudain combien sa joie était une chose frêle et vite menacée.

Gabrielle Roy, *Bonheur d'occasion,* Stanké, « Québec 10/10 ».

Comme celle de Lemelin, l'œuvre de G. Roy, nourrie d'observations minutieuses, reste d'un grand classicisme formel. Faut-il parler, à leur propos, de roman de mœurs ? C'est plutôt dans la lignée d'un Martin du Gard qu'on pourrait situer ces livres, ceux de G. Roy surtout, dont la force réside dans une extrême sensibilité aux êtres et à leurs souffrances, aussi bien qu'aux lieux et aux climats. Dans ses livres suivants, G. Roy, tout en continuant à peindre la grande ville (*Alexandre Chênevert,* 1954, roman de « l'homme moyen » représentatif, mais dévoré de culpabilité collective), fera revivre l'Ouest canadien, pays de son enfance et de sa jeunesse (*La Petite Poule d'eau,* 1950 ; *Rue Deschambault,* 1955) avant de donner la parole au peuple esquimau, une autre des minorités canadiennes (*La Rivière sans repos,* 1970). Son itinéraire, tel qu'elle le retrace dans son autobiographie *La Détresse et l'Enchantement* (1982), est bien représentatif des problèmes qui se posent, à des degrés divers, aux écrivains canadiens-français. Elle analyse sans colère les racines de sa vocation d'écrivain canadien-français ; celle-ci viendrait, même si presque rien n'en transparaît dans l'œuvre elle-même, du désir de venger les injustices subies par sa mère et par sa famille. Celle-ci, ballottée du Québec en Acadie, d'Acadie au Connecticut, puis revenue au Québec avant de partir pour le Manitoba, représente parfaitement l'esprit pionnier qu'on associe immanquablement à la mentalité canadienne, mais témoigne également des tribulations séculaires des Canadiens français, et d'une histoire, collective et individuelle, marquée de toutes les spolations et toutes les humiliations, qu'une petite fille décide, sans en avoir clairement conscience, de racheter par son écriture : « Tout vient, disait maman, de ce vol de nos terres là-bas, dans notre premier pays, quand nous en avions un, que les Anglais nous ont pris lorsqu'ils l'ont découvert si avantageux. Au pays d'Évangéline [1]. Pour avoir ces terres riches, ils nous ont rassemblés, trompés, embarqués sur de mauvais navires et débarqués au loin sur des rivages étrangers. »

De cette situation d'oppression, la trace la plus visible est la différence linguistique ; Gabrielle Roy n'appartient pas à la génération qui fera de l'emploi du français une arme véritable, mais cette problématique de la différence est cependant aussi la sienne : « Cette humiliation

1. Évangéline est l'héroïne d'un célèbre poème de Longfellow sur les malheurs du peuple acadien.

de voir quelqu'un se retourner sur moi qui parlais français dans une rue de Winnipeg, je l'ai tant de fois éprouvée au cours de mon enfance que je ne savais plus que c'était de l'humiliation [...]. Nous étions en quelque sorte anglaises dans l'algèbre, la géométrie, la science, dans l'histoire du Canada, mais françaises en histoire du Québec, en littérature de France, et, encore plus, en histoire sainte. Cela nous faisait un curieux esprit, constamment occupé à rajuster notre vision. Nous étions un peu comme le jongleur, avec toutes ses assiettes sur les bras. » Écrire en français, pour une Gabrielle Roy, c'est — alors qu'à l'école les premiers grands modèles proposés ont été anglais (Shakespeare) — choisir contre la langue majoritaire, c'est choisir de se rattacher à une autre histoire, celle de la littérature française. Les hésitations de la jeune femme entre Paris et Londres durant ses années de formation (elle se croit alors destinée au théâtre) ne sont que la continuation de cette « schizophrénie » initiale qui est celle de bien des écrivains canadiens-français comme elle est celle du peuple auquel ils entendent donner la parole dont ils furent si longtemps privés.

L'explosion : 1950-1965

On a parlé de « révolution tranquille » pour caractériser les transformations qui, après la mort (1959) de Duplessis, premier ministre québécois conservateur et autoritaire, parfaite incarnation de l'immobilisme, vont affecter la société du Québec dans tous ses aspects et à tous les niveaux. En littérature, c'est une véritable lame de fond qui, prenant appui sur les quelques points déjà signalés, va balayer, dès 1950, et jusque vers 1970, tout le champ de la production. Période de bouillonnement intense où naissent revues et maisons d'édition, où se fondent cabarets et compagnies théâtrales, où les recueils de poésie se publient en aussi grand nombre que les romans et trouvent un public ardent et convaincu. Le Québec était une province, voici qu'il devient un pays, le pays, et cette mutation, longtemps demeurée au stade de l'aspiration, constitue le thème essentiel de cette littérature qui s'impose de plus en plus comme **littérature québécoise.** Non plus une ancienne colonie, ni une sous-province dans un Canada majoritairement anglophone, mais un territoire, un peuple, une culture avec une existence propre, qu'il importe de décrire, de nommer, d'affirmer, et d'abord par rapport au modèle français de France. En 1957, Gaston Miron peut écrire : « C'est entendu, nous parlons et nous écrivons en français et notre poésie sera toujours de la poésie française. D'accord. Mais voilà, il faut le répéter, nous ne sommes plus Français. Notre tellurisme, notre social, notre mental, ne sont plus les mêmes (...). Si nous voulons apporter quelque chose au monde français et hisser notre poésie au rang des grandes poésies nationales, nous devons nous trouver davantage, accuser notre différenciation et notre pouvoir d'identification. »

Dans une première période, cette **poésie du pays** va s'identifier avec les éditions de l'Hexagone. Il peut paraître curieux que les écrivains qui, en 1953, fondent la maison d'édition qui deviendra le foyer de ce mouvement (le mot est à prendre ici avec sa valeur dynamique, car l'Hexagone n'est pas un mouvement littéraire), aient choisi ce nom d'hexagone qui, pour des lecteurs de France, aurait tendance à rappeler la « mère-patrie » (mais en 1953 le mot n'est pas ainsi connoté). En fait, ce nom désigne tout simplement les *six* écrivains fondateurs d'une entreprise qui, autour de Gaston Miron, unit en une voix bien reconnaissable ce qui n'est encore qu'une série de cris ou de murmures individuels. L'Hexagone se veut lieu d'accueil, sans préjugé ni théorie ; il publiera aussi bien de jeunes poètes (collection « Les Matinaux », en hommage à René Char) que des poètes déjà confirmés (Grandbois, Rina Lasnier, Giguère) qui n'appartiennent pas forcément à ce courant de la poésie « du pays ». Plusieurs générations de poètes vont ainsi se retrouver dans L'Hexagone qui incarne cette nouvelle poésie québécoise — on ne dit déjà presque plus « canadienne-française » —, poésie d'une prise de parole, qui est à la fois affirmation et revendication de l'existence de l'entité québécoise, vue d'abord comme un paysage bien particulier avec ses signes primitifs (neige, arbres, espace, fleuves), comme un langage, comme une mémoire qui tente de retrouver l'origine, de reconstituer une histoire au travers des aliénations et des altérations de toutes sortes. Parmi tant d'œuvres (celles de Gatien Lapointe, de Van Schendel, d'Yves Préfontaine, etc.) qui apportent chacune leur pierre à l'édification de ce pays imaginaire, on en retiendra trois, peut-être plus essentielles [1] : celle de Paul-Marie Lapointe qui, venu de l'automatisme, donne avec *Arbres* le texte par excellence du rapport à la nature dans toutes ses dimensions ; celle de Jean-Guy Pilon qui, un peu plus tard, dans *Recours au pays,* formule de manière définitive l'angoisse et la nécessité d'une poésie de l'engagement ; celle, enfin, de Gaston Miron qui, dans *La Batèche,* puis dans *La Vie agonique,* fait entendre des accents complexes, plus déchirants, qui laissent pressentir la fureur des années à venir : faire advenir le pays ne sera pas tâche facile, bien des obstacles se dressent encore entre le désir et son accomplissement. Trois fragments, pour tenter de recréer l'élan de L'Hexagone, de ces textes célèbres et souvent cités.

Arbres

j'écris arbre
arbre pour l'arbre

bouleau merisier jaune et ondé bouleau flexible acajou sucré bouleau merisier odorant rouge bouleau rameau de couleuvre feuille engrenage vidé bouleau cambrioleur à feuilles de peuplier passe les bras dans les cages du temps captant l'oiseau captant le vent
bouleau à l'écorce fendant l'eau des fleuves
bouleau fontinal fontaine d'hiver jet figé bouleau des parquets cheminée du soir galbe des tours et des bals
albatros dormeur
aubier entre chien et loup
aubier de l'aube aux fanaux

j'écris arbre
arbre pour le thorax et ses feuilles
arbre pour la fougère d'un soldat mort sa mémoire de calcaire et l'oiseau qui s'en échappe avec un cri

Paul-Marie Lapointe, *Arbres,* éd. L'Hexagone.

Recours au pays

Parler comme si les très grandes voiles du matin ne devaient jamais disparaître. Ni les lumières qui abolissent les horizons, ni la pluie, ni les arbres, ni la nuit, ni rien.

Parler pour vivre, pour ouvrir les yeux et aimer. Pour retrouver le village de sa naissance, enfoui quelque part sous la neige sans mémoire.

Parler pour ne plus attendre demain, ni les mois à venir, mais parce qu'il faut conduire ce jour à la joie des mots simples, d'un regard, d'une heure pleine et définitive.

Auras-tu cette patience sans limite du pays pour répéter les paroles que je t'apprendrai, au

1. Cf. *La littérature en France de 1945 à 1968,* p. 657-660.

fur et à mesure des lacs et des montagnes, des hivers et de la pluie ?

Aurai-je ce don des langues sans lequel le mot patrie n'aurait plus de vérité ? Nous sommes à la naissance d'un pays à reconnaître. Nourris de l'attention calme des découvreurs, nous savons que nous sommes seuls.

Jean-Guy Pilon, *Recours au pays,* éd. L'Hexagone.

Monologues de l'aliénation délirante

Le plus souvent ne sachant où je suis ni pourquoi
je me parle à voix basse voyageuse
et d'autres fois en phrases détachées (ainsi
que se meuvent chacune de nos vies)
puis je déparle à voix haute dans les hauts-parleurs
crevant les cauchemars, et d'autres fois encore
déambulant dans un orbe calfeutré, les larmes
poussent comme de l'herbe dans mes yeux
j'entends de loin : de l'enfance, ou du futur
les eaux vives de la peine lente dans les lilas
je suis ici à rétrécir dans mes épaules
je suis là immobile et ridé de vent

le plus souvent ne sachant où je suis ni comment
je voudrais m'étendre avec tous et comme eux
corps farouche abattu avec des centaines d'autres
me morfondre pour un sort meilleur en marmonnant
en trompant l'attente héréditaire et misérable
je voudrais m'enfoncer dans le nord nuit de métal
enfin me perdre évanescent, me perdre
dans la fascination de l'hébétude multiple
pour oublier la lampe docile des insomnies
à l'horizon intermittent de l'existence d'ici

Gaston Miron, *La Vie agonique,* éd. Maspéro.

GILLES HÉNAULT, lui aussi, rêve sur la terre canadienne (*Totems* 1953, *Voyage au pays de mémoire,* 1959 ; *Sémaphore,* 1962) pour en déchiffrer les aspects qui sont autant de signes d'une réalité que le poète, le premier, aperçoit. Pierre Perrault, poète et cinéaste, part à la recherche de ce même pays. En 1958 est mise en place, à l'Office national du film du Canada, une équipe française (Groulx, Jutra) ; le film *Pour la suite du monde,* que Perrault réalise avec Michel Brault, est une des premières œuvres à affirmer l'existence d'un cinéma canadien-français, québécois lui aussi. Ce cinéma « documentaire » relève autant de la poésie que les poèmes de Perrault s'enracinent dans les exigences d'une géographie et d'une histoire bien réelles.

[Signes, silence, fumée]

Signes, silence, fumées
Songe désert, page blanche
Sphère soudain pleine d'une solitude grumeleuse
comme on voit aux boules de verre où tourbillonnent
des astérisques d'ivoire
Moment d'extrême nudité sous le halo des réverbères
seuls signes au loin d'une humaine sollicitude
Les hurlements ne sont que les voix de chiens crevés
depuis longtemps quand au claquement d'une rafale
se lève la meute des longues années perdues
au jour le jour des gestes éperdus
Toute mouvance se givre et la durée, la durée se fige
au lac de mémoire

Gilles Hénault, *Signaux pour les voyants,* éd. L'Hexagone.

Il faudrait, pour rendre compte de la richesse de cette création poétique, faire entendre bien d'autres voix, qu'elles appartiennent ou non à L'Hexagone. En 1953, Anne Hébert publie *Le Tombeau des rois* (repris dans *Poèmes,* 1960, avec *Mystère de la parole*) : poésie très intérieure, à l'écoute de l'enfance et de l'angoisse (les thèmes des romans à venir s'y esquissent), et l'horreur de l'enfermement l'emporte encore sur le déchaînement des passions : « Midi brûle aux carreaux d'argent / La place du monde flambe comme une forge / L'angoisse me fait de l'ombre / Je suis nue et toute noire sous un arbre amer ».

Fernand Ouellette et Roland Giguère, poètes plus « métaphysiques », ne sont pas très loin non plus de la poésie « du pays », et l'expression « l'âge de la parole », si souvent utilisée pour caractériser toute cette production, est le titre de ce poème de Giguère (éd. L'Hexagone, 1957) :

Un vent ancien arrache nos tréteaux
dans une plaine ajourée renaissent les aurochs
la vie sacrée reprend ses ornements de fer
ses armes blanches ses lames d'or
pour des combats loyaux

le silex dans le roc patiente
et nous n'avons plus de mots
pour nommer ces soleils sanglants

on mangera demain la tête du serpent
le dard et le venin avalés
quel chant nouveau viendra nous charmer ?

Avec la fondation, en 1963, de la revue *Parti pris,* c'est une nouvelle époque qui s'ouvre. Dans la mouvance de L'Hexagone, quelques écrivains (Pilon, Lapointe, Ouellette, Godbout alors poète) avaient, en 1959, fondé la revue *Liberté,* revue qui diffusait les idées et les textes de la Révolution tranquille. La parution de *Liberté* précéda de quelques mois la venue au pouvoir des libéraux au Québec.

En 1963, le paysage social et politique change. Dès 1961 a été fondé le Rassemblement pour l'Indépendance Nationale ; en 1963, c'est le Parti Socialiste du Québec, puis le Front de Libération du Québec ; les premières actions terroristes marquent la fin de la Révolution tranquille. La revue *Partis pris* (A. Major, Paul Chamberland) est le porte-parole de ce nouvel état d'esprit, celui d'une littérature, et surtout d'une poésie, totalement engagée dans le combat politique pour l'indépendance du Québec : il ne s'agit plus seulement de faire reconnaître l'existence d'une voix originale, française, dans la littérature canadienne et francophone, mais de revendiquer pour la province du Québec le droit à l'indépendance (ou à l'autonomie — inutile d'entrer ici dans des querelles de terminologie). Nommer le pays n'a pas suffi à le faire advenir ; le poète veut maintenant habiter réellement un pays concret qui n'existe pas vraiment puisque d'autres le dominent, le dirigent et décident de son sort. Le Québécois, ce colonisé, doit se libérer de son oppresseur. Avec *Terre Québec* et *L'Afficheur hurle,* tous deux de 1964, PAUL CHAMBERLAND se dresse comme la figure de proue de cette poésie qui part en guerre contre toutes les formes (linguistique, culturelle, économique) de la domination anglo-saxonne.

[Oh toi cède]

oh Toi cède Toi big brother connard anonyme deux cents millions d'anglo-saxons hydre yankee canadian marée polymorphe imberbe à serres nickelées Standard Oil General Motors je suis cubain yankee no je suis nègre je lave les planchers dans un bordel du Texas je suis québécois je me fais manger la

L'équipe de Parti pris. De gauche à droite : le joual, André Major, Gérald Godin, avertissement Claude Jasmin, Jacques Renaud, Laurent Girouard, Paul Chamberland.

laine sur le dos je suis l'agneau si doux je m'endimanche du red ensign [1] et je crève à la petite semaine
je suis une flaque une bavure dans les marges de ma Bank of Montreal de Toronto
je suis cubain je suis nègre nègre-blanc québécois fleur-de-lys et conseil-des-arts je suis colère dans toutes les tavernes dans toutes les vomissures depuis 200 ans je n'écoute plus les sermons des curés les pastorales-annales-valeurs-éternelles
je ne ton-front-est-ceint-de-flon-flons-glorieuse pas je n'ai jamais défendu nos-foyers-et-nos-droits je n'ai pas la résignation cossue de Nos Seigneurs les Évêques en conférence chez le ministre je speakwhite [2] et je sacre [3] à moi les petites ruelles dans l'est de la ville et les bordels sur la Main [4]

Paul Chamberland, *L'Afficheur hurle,* éd. Parti pris.

De la même époque date la célèbre chanson de Gilles Vigneault *Mon Pays* qui marque aussi, à sa façon, cette transformation des esprits. Dans la chanson, forme populaire de la poésie, la tradition d'un Canada français rural et entreprenant avait été représentée, dans les années 50, par Félix Leclerc, d'abord homme de théâtre et conteur (*Adagio,* 1943 ; *Pieds nus dans l'aube,* 1946), puis chanteur-compositeur qui avait connu la gloire en France (*Moi mes souliers,* 1950). Vigneault incarne, avec plus d'âpreté et de violence, la revendication d'un pays à la fois ancien et à venir, à retrouver et à inventer.

1. Le drapeau anglais (litt. : drapeau rouge). — 2. Parle anglais. — 3. Jure. — 4. Grande artère de Montréal.

[...] Mon pays ce n'est pas un pays c'est l'hiver
Mon jardin ce n'est pas un jardin
c'est la plaine
Mon chemin ce n'est pas un chemin
c'est la neige
Mon pays ce n'est pas un pays c'est l'hiver

Mon pays ce n'est pas un pays c'est l'envers
D'un pays qui n'était ni pays ni patrie
Ma chanson ce n'est pas ma chanson
c'est ma vie
C'est pour toi que je veux posséder
mes hivers [...]

Gilles Vigneault, Nouvelles Éditions de L'Arc.

Parce qu'ils lui donnent, sous la forme du cri, du chant ou du tract, une vie immédiate, poètes et chanteurs nous ont permis de suivre dans ses grandes lignes ce mouvement qui bouleverse la société québécoise. Dramaturges et romanciers travaillent à un autre niveau, sur un autre rythme, mais les images qu'ils nous proposent de cette société, dans et par leurs œuvres, confirment nos premières remarques. Gélinas poursuit sa satire avec *Bousille et les Justes* (1959) ; Marcel Dubé, avec *Zone* (1953) ou *Un simple soldat* (1957), met sur scène les habitants des quartiers populaires des grandes villes dans des situations dramatiques. A partir de *Bilan* (1960), il s'intéresse davantage à la psychologie plus convenue de la bourgeoisie. Languirand (*Les Grands Départs,* 1957) reste assez proche de ses modèles européens (l'existentialisme, l'absurde) ; en fait, la révolution théâtrale est encore à venir.

Dans le **roman,** par contre, transformations et innovations se multiplient, aussi bien à l'intérieur du roman de mœurs, qui constitue au Québec comme ailleurs la forme majoritaire, que dans d'autres types de récits romanesques qui voient alors le jour (souvent les auteurs en sont des écrivains qui ont fait leurs débuts comme poètes) ou dans le conte qui prolonge et renouvelle une tradition orale toujours bien vivante dans cette société qui se souvient qu'elle était, naguère encore, une société rurale.

Le **roman de mœurs** poursuit l'exploration de l'univers urbain et industriel, chaque écrivain y inscrivant sa thématique et sa tonalité particulières : à l'*Alexandre Chênevert* de G. Roy, déjà évoqué, répondent *La Bagarre* (1958) de Gérard Bessette, très sarcastique aussi bien envers les pouvoirs sociaux qu'envers les intellectuels velléitaires, ou *Poussière sur la ville* (1953) d'André Langevin ou *Le Feu dans l'amiante* (1956) et *Journal d'un hobo* (1965), de J.-J. Richard, le premier plus métaphysique, le second plus politique. Nombre de ces romans de mœurs mettent en cause, par le biais d'aventures individuelles ou collectives, la toute-puissance de la religion et du clergé catholique. Yves Thériault, après avoir prolongé de manière très personnelle le roman rural (*Le Dompteur d'ours,* 1951), se fait une spécialité de l'évocation des diverses minorités qui colorent la mosaïque de la population canadienne, utilisant la langue française comme véhicule unique de cette variété (minorité juive avec *Aaron,* 1954, esquimaude avec *Agaguk,* 1951, indienne avec *Ashini,* 1960, etc.), porteuse de valeurs que le progrès anglo-saxon tendrait à écraser.

A côté de ce roman narratif, descriptif, en prise directe sur une société en pleine évolution, les années 1958-1960 voient apparaître d'**autres types de récits** qui, eux, mettent en cause aussi les fonctions traditionnelles du roman. Anne Hébert avec *Les Chambres de bois* (1958 ; elle avait déjà publié en 1950 les nouvelles du *Torrent,* dont certaines avaient été écrites dès 1938), Marie-Claire Blais avec *La Belle Bête* (1959), proposent des récits poétiques, sans référence à un espace ou à un temps précis, qui peuvent faire penser aux récits symbolistes de la fin du siècle précédent (tels ceux de Gide ou de Maeterlinck), à la fois anachroniques et nouveaux en ce qu'ils témoignent de la volonté d'élargir le domaine de l'écriture romanesque. Deux livres qui marquent le début de carrières romanesques extrêmement fécondes qui vont retrouver assez vite les voies du concret et de l'enracinement social. Deux livres surtout où se mettent en place des thématiques extrêmement fortes, celle de l'enfermement et de la libération chez Anne Hébert, celle des liens entre l'enfance, la famille et le mal chez M.-C. Blais, dont on voit aisément les rapports qu'elles peuvent entretenir avec les problèmes qui agitent le corps social québécois.

Ces deux romans semblaient des œuvres spontanées, presque instinctives ; il n'en va guère de même pour une autre série de textes que l'on peut rapprocher, sans être taxé d'annexionnisme, du Nouveau Roman français. Les premiers romans de Jacques Godbout, *L'Aquarium* (1962) et *Le Couteau sur la table* (1965), d'ailleurs publiés tous deux d'abord à Paris, sont avant tout des recherches sur les structures temporelles, sur les rapports du narrateur et des personnages, mais aussi, et c'est plus québécois, sur des jeux de langues (français/anglais). Hubert Aquin, dans *Prochain épisode* (1965), construit lui aussi une machine savamment agencée pour évoquer les problèmes de l'écrivain face à la Révolution. On a l'impression que ces jeunes romanciers ont trop rapidement assimilé les discours de leurs maîtres parisiens sur la nécessité de faire coïncider révolution formelle et révolution tout court. Leurs romans suivants, libérés de ces mots d'ordre esthétiques, seront, à notre goût, beaucoup plus convaincants.

Une autre voie est explorée dans le même temps, qui consiste à s'attaquer non plus aux structures du récit, mais à la langue elle-même. Là encore, les écrivains québécois doivent « rattraper » un retard d'une trentaine d'années et se poser les questions que s'étaient posées, dans les années 30, un Céline et un Queneau. L'écart qui existe partout entre langue écrite et langue réellement parlée est encore plus considérable au Canada français (revenons par commodité à ce terme générique), dans la mesure où le français parlé est en fait une autre langue, à la fois archaïque, paysanne, métissée d'anglicismes et d'américanismes, une sorte de « créole » nord-américain. Rythme, débit, intonations, tout est différent du français officiel dans ce **joual,** pour utiliser le terme proposé par André Laurendeau et popularisé par les *Insolences du frère Untel* (1960) dans lequel J.-P. Desbiens attaquait le système d'éducation qui aboutissait à une langue aussi informe selon lui : « Le mot est odieux et la chose est odieuse. Le mot joual est une espèce de description ramassée de ce que c'est le parler joual : parler joual, c'est précisément dire joual au lieu de cheval [...] Le joual est une langue désossée : les consonnes sont toutes escamotées [...] On dit : « Chu pas apable », au lieu de " je ne suis pas capable ", on dit " l'coach m'enveille cri les mit du gôleur " au lieu de : " le moniteur m'envoie chercher les gants du gardien ", etc. Remarquez que je n'arrive pas à signifier phonétiquement le parler joual. Le joual ne se prête pas à une fixation écrite. Le joual est une décomposition : on ne fixe pas une décomposition. »

Quelques écrivains, autour notamment de *Parti pris,* vont retourner cette condamnation du joual et tenter d'élever cette non-langue à la dignité de langage littéraire. Les justifications sont multiples, qui vont du souci de réalisme à la volonté de se démarquer au maximum du français de France, en passant par des implications plus nettement politiques, celle du joual comme langue de l'opprimé et du révolté, comme langue de la haine et de la vengeance. En 1964, les éditions Parti-pris publient à quelques mois d'intervalle *Le Cabochon* de André Major, et *Le Cassé* de JACQUES RENAUD. C'est surtout autour du *Cassé* que va s'engager la querelle du joual. A y regarder de près, vingt ans plus tard, la tentative de Renaud semble bien s'arrêter en chemin et le joual ne « contamine » qu'une partie du texte, celle qui correspond au monologue intérieur du personnage central, Ti-Jean (marginal devenu assassin), et aux passages de dialogue. Texte d'une prise de conscience, texte charnière, *Le Cassé* en levant l'hypothèque du beau langage, permettra d'autres expériences, d'autres réussites.

[Minuit chrétien]

Le Cassé déambule, le soir de Noël, devant les vitrines de la rue Sainte-Catherine, une des grandes artères de Montréal.

Minuit chrétien. Décompte. Le chiffre d'affaires d'Eaton's, de Morgan's, de Dupuis, De Patente et compagnie, de Bébelle [1] incorporé. La messe de minuit — envouèyre, marche. Perds pas ton ticket. Les malengueuleries familiales. Les ruelles du bas de la ville où aucun sapin [2] ne viendra traîner après le premier janvier. Y a des bonnes âmes qui se font appeler les amis des pauvres. Une fois par année, y rapaillent [3] une gagne de cassés pis y leû payent un festin-de-jouâ. O sâ-înte nuit. Y les aiment-tu donc. Y les aiment comme y sont. Y les aiment cassés. Faibles. Pitoyables. Y les aiment ignorants. Carencés. Aliénés. Y les aiment étouffés. Viciés. Vicieux. Y les aiment comme ça. La pauvreté est une nécessité sociale. Une fois par année, ça nous permet de nous retaper la conscience.

Les cassés. Culpabilisés. Conditionnés à la petitesse morale. Aimez-les comme y sont, y resteront comme y sont. La tactique, c'est d'leû calfeutrer l'estomac à intervalles réguliers. Le bourrage de crâne fait le reste. Crânes bourrés, dindes farcies, joyeux Noël.

Ils ont besoin d'amour ? Non. Ils ont besoin d'aimer. Et ils haïssent. Ils se haïssent. Ils se haïssent eux-mêmes. S'aimer eux-mêmes comme ils sont, c'est du masochisme. Quand ils s'aimeront eux-mêmes pour de vrai, ils auront honte. Ils feront la révolution. Ils se voudront autres.

Les cassés. Même pas l'instinct sûr des bêtes.

Incarcérés pour vols et viols. Remis dans le droit chemin de Saint-Vincent-de-Paul. Mets-toé à genoux. Baise-moé a main. Baise-moé le cul. Plaide coupable, ça coûte pas une cenne [4]. T'as péché par ivrognerie. T'as péché par impureté. T'as péché par icitte pis t'a péché par là. Mon frère en Crisse. Le bonyeu vâ t'pardonner tes zaveuglements. Nouzôt on vâ t'les conserver. Mange pis fârme ta yeule.

Jacques Renaud, *Le Cassé,* éd. Parti pris.

Dans ses meilleurs moments, *Le Cassé* retrouve le rythme de la parole, et se rattache par-là à une **tradition orale** très vivace au Canada français. De nombreux écrivains puisent leur inspiration et leur esthétique à ce fonds populaire. C'est ainsi que dans ces mêmes années Antonine Maillet, venue d'Acadie (Nouveau-Brunswick), publie son premier livre, *Pointe-aux-coques* (1959), tout en poursuivant ses recherches sur les rapports des traditions orales en Acadie avec l'œuvre de Rabelais. Yves Thériault republie en 1965 ses *Contes pour un homme seul* qui datent de 1944. Roch Carrier publie son premier livre, *Jolis deuils* (1964), et c'est un recueil de contes. Et surtout, JACQUES FERRON commence une œuvre considérable (de contes, de romans, de pièces de théâtre) que l'on peut placer tout entière sous l'invocation du conte oral. Même ses romans les plus longs (*Le Ciel de Québec,* 1969 ; *Le Salut de l'Irlande,* 1970 ; *Les Confitures de coings,* 1977) où il reconstruit, de manière fantaisiste, elliptique, syncopée des pans mal connus de l'histoire récente, se rattachent aux lois implicites de la littérature orale, en une succession d'épisodes paroxystiques dont l'enchaînement est souvent problématique. Ces livres savoureux sont parfois difficiles d'accès pour le lecteur étranger peu au fait de l'histoire du Canada français, et la remarque vaut encore davantage pour les brillantes pièces que sont

1. Jouet d'enfant. — 2. Taxi. — 3. Rassemblent. — 4. Cent (centième partie du dollar).

Les Grands Soleils, 1958, ou *La Tête du roi,* 1963, où l'auteur mêle personnages historiques et créatures imaginaires. En 1962, en même temps qu'il donne *Cotnoir* qui utilise son expérience de médecin, il inaugure une série de contes, *Contes du pays incertain,* puis *Contes anglais et autres contes* (1964 ; édition intégrale des *Contes,* 1968). Richesse de l'imagination, vivacité du récit, technique consommée de la présentation, Ferron manie toutes les ressources d'une tradition qu'il actualise avec la plus parfaite ironie ; ces textes, qui font penser à La Fontaine autant qu'à Maupassant, sont pourtant totalement enracinés dans la réalité canadienne la plus concrète et la plus quotidienne.

[Or il arriva]

Mélie Caron « n'a eu que treize enfants » qui ont quitté la maison. Jean-Baptiste son mari passe son temps dans les cafés du village.

Or il arriva que la vieille, privée d'enfants et de mari, nonobstant sa corpulence, se sentit à l'étroit, ne pouvant convenir d'être restreinte à soi. Les humeurs lui montaient à la tête. Elle en eut d'abord la cervelle flottante, puis pensa chavirer. On était à la fin d'août. Seule dans sa cuisine, le tue-mouches à la main, elle prêtait l'oreille : pas une mouche dans la maison ! Ce silence l'avait stupéfiée. Faute de mouches elle s'attendait au pire : à des apparitions de serpents, de grenouilles à sornette, de diables bardés de scapulaires, contre lesquels son tue-mouches eût été inefficace ; à l'irruption de la folie stridente. Elle était sur le point de crier, elle entendit un meuglement qui la sauva. Fuyant ses monstres, elle sortit à la hâte.

Dehors, qui ombrage le seuil, un cerisier se dresse, entre les feuilles duquel bougent des éclairs de soleil et la rougeur des cerises ; plus bas s'étendent un jardin puis un pré jusqu'à la rivière. Mélie a traversé le jardin. Le veau du pré l'aperçoit ; la queue en l'air, par petits bonds maladroits il monte à sa rencontre. La clôture qui sépare le pré du jardin les arrête l'un l'autre. La vieille se penche ; le veau lève un museau rond et humide : ils se regardent. Et Mélie Caron d'éprouver soudain un sentiment à la mesure de son cœur. Ce museau, cette confiance l'ont bouleversée, des larmes lui viennent ; si elle pouvait pleurer du lait, elle fondrait sur place pour satisfaire à l'appétit du pauvre animal.

Le soir, lorsque Jean-Baptiste Caron rentra, elle lui annonça :

— A l'avenir, je m'occupe du veau.

La soupe fumait sur la table.

— Bon, fit le bonhomme en s'attablant.

Une discussion n'a jamais gardé la soupe chaude. Mieux vaut se l'envoyer dans le gosier et discuter ensuite. Quand il eut mangé à sa faim :

— Pourquoi, Mélie, t'occuperais-tu du veau ? demanda-t-il.

Elle répondit :

— Parce que je veux.

— Est-ce que par hasard je l'aurais mal entretenu ?

— Mal ou pas, tu ne l'entretiendras plus.

— Bon, fit le bonhomme, qui se souciait d'ailleurs assez peu du veau.

Jacques Ferron, *Contes,* éd. H.M.H.

Crises de croissance : 1965-1980

La Révolution tranquille est bien finie. De Gaulle en visite prononce son « Vive le Québec libre » ; René Lévesque lance l'idée de la souveraineté-association. En 1968, est fondé le Parti Québécois. Émeutes, manifestations, bombes. En 1970, le F.L.Q. enlève des ministres et les exécute ; la loi martiale est proclamée. Le problème politique de la prise du pouvoir se double du problème linguistique : en 1973 le français est reconnu comme autre langue officielle ; en 1977 il sera décrété comme seule langue officielle au Québec.

« La Violence alors... »

Période foisonnante, encore plus que la précédente, où la littérature canadienne-française du Québec s'affirme définitivement comme littérature québécoise (il y aura donc d'autres littératures en français au Canada, et notamment, on le verra, une littérature acadienne). Assurée de son identité, cette littérature peut à nouveau s'ouvrir aux courants qui traversent la littérature mondiale, et par exemple la révolte féministe va venir se greffer sur la révolution québécoise. Entre les extrémistes du joual et les tenants de la révolution textuelle (à l'instar de Tel Quel), où situer dorénavant la modernité ? Les modes viennent compliquer une situation déjà bien embrouillée. Les œuvres déjà amorcées s'enrichissent et s'approfondissent, sensibles ou indifférentes à toutes ces vagues. Dans le même temps, on redécouvre les œuvres fondatrices (Saint-Denys Garneau, Grandbois, Gauvreau).

Trois revues, entre beaucoup d'autres, incarnent ce **désir de nouveauté.** A côté de *Liberté* qui poursuit sa route, de *Parti pris* qui cesse de paraître en 1967, c'est d'abord *La Barre du jour,* fondée dès 1965 par Nicole Brossard et Michel Beaulieu, qui devient, en 1977, *La Nouvelle Barre du jour,* où se rassemblent tous les tenants d'une Nouvelle Écriture, principalement féminine. En 1968, ce sont *Les Herbes rouges* et en 1972 *Hobo-Québec* (Vanier, Francœur), qui accueillent les jeunes poètes, influencés par la contre-culture américaine autant que par le formalisme à la française. Partout, au théâtre, dans la chanson, dans l'édition, se manifeste la vitalité de la recherche, avec ses trouvailles et ses excès.

Avant que les choses ne se brouillent et ne se compliquent pas trop, il convient d'isoler **les années 1965-1968** qui marquent comme un état de grâce, d'équilibre et de couronnement. Les recherches antérieures aboutissent à de grandes réussites (Brault, Aquin, Godbout), parfois après un long silence (M.-C. Blais n'avait rien publié depuis 1959). De fulgurantes révélations se produisent : Godin en poésie, Basile, Ducharme, Carrier dans le roman, Tremblay au théâtre, Charlebois dans la chanson, Gilles Carle au cinéma — toute une floraison qui pourrait paraître miraculeuse si l'on n'avait pas vu qu'elle avait été préparée par un travail fécond de transformations et de maturation progressive.

C'est en 1965 que JACQUES BRAULT publie *Mémoire* qui peut apparaître, avant que Miron ne rassemble enfin, en 1970, ses textes épars dans *L'Homme rapaillé,* comme l'aboutissement de la poésie « du pays » : lyrisme incantatoire, entre douleur et espoir, évidence de la parole qui transcende la politique et l'histoire aussi bien que l'amour :

Je rentre là d'où je suis venu mon pays du bout du monde ma patrie mal aimée je rentre à la maison les mains vides le ventre creux et je me souviens entre ma femme et ma fille que demain nous connaîtrons la poésie patiente que font les vers

Jacques Brault, *Louange,* éd. Grasset.

Mémoire

En exergue à ce long poème, où un fils s'adresse à son père, Brault a placé des vers d'Alain Grandbois : « Les lents martyrisés / De cette dure époque / Me comprendront peut-être », et d'autres, d'Aragon : « Et s'il était à refaire / Je referais ce chemin. »

Ainsi donc encore une fois j'écoute la rumeur
du fleuve et je me souviens que cette eau
saigne d'une très ancienne blessure

Nous n'étions pas   et les griffes du glacier
ouvraient le sillon où nous allions lever

Jeunes et vieux dans notre servage   humbles
et clairs murmurants et plus guenilleux
que le bouleau

Et tendres et poudreux comme la flamme morte
des pierres ponces

O mes frères les soirs de décembre et vous tous
bien gorgés contre le froid   et transis d'une
peur qu'épelle l'air métallique des cloches

La violence alors venait à nous avec le babil
du cousin riche et les sourires des tantes
à moustache

Et toi mon père toi égaré dans les siècles et l'espace
nouvel de notre chétive colère

Tu moisissais d'humilité tu te couvrais la face
de baisers à la joue de l'enfant au poing
du maître

Chaque fois tu te cassais dans mon regard
et mon jeune silence n'était qu'un puits
de détresse

Je ne l'ai pas oublié père et souvent dans
un amour fou je t'ai rapiécé pour de plus
amères journées

C'est donc cela notre racine et notre héritage
un frisson d'aise sous l'œil de Dieu le soleil
sur l'épaule comme une main de femme

Et l'espoir doux et violent au mois de mai
que la mère soit une jeune fille sage et
rieuse sous la lampe de mémoire

Jacques Brault, *Mémoire,* éd. Grasset.

A côté de l'ample voix de Brault, celle de GÉRALD GODIN peut sembler bien frêle. Mais les *Cantouques* (1967) témoignent du renouvellement que l'emploi du joual (Godin a fait partie de l'équipe de *Parti pris*) peut apporter à la poésie : question de dosage, qui fait vibrer, de manière tout à fait singulière, cet ensemble de « poèmes en langue verte, populaire et quelquefois française ».

Les cantouques

Extrait du *Cantouque de l'écœuré ;* « Cantouque : dans les chantiers, outil qui sert à trimballer des billots. Ici, poème qui trimballe des sentiments » (G. Godin).

ma ménoire [1] mon niquamour [2]
mon marle [3] ma noune [4] en fleurs
le temps se crotte le temps se morpionne
il tombera comme pluie comme à verse
des spannes [5] de jouaux [6] des effelcus [7]
tandis que vous me verrez comme ivre
errant à travers tout
les flancs nerveux l'âme alourdie
de tant de fois les mêmes questions
auxquelles nul n'aura su répondre
sinon le temps collé à soi
vieilli tout seul cherchant encore
mol architecte de trop de ruines
errant sans fin la gueule en sang
dans les secrets dans les ajoncs sous le tapis de ces salons
errant encore cherchant toujours
ramenant autour de mes tripes avec mes mains
le peu de vie qui m'aurait pu rester
entre l'éclipse du premier jour
et celle du dernier
petite masse molle et paquet gris

Gérald Godin, *Les Cantouques,* éd. Parti pris.

Dans **le roman,** si HUBERT AQUIN reste fidèle, avec *Trou de mémoire* (1968), à un grand sérieux, à une extrême conscience des moyens et des fins de l'acte d'écrire et à ses rapports avec le projet révolutionnaire qui le sous-tend, JACQUES GODBOUT, dans *Salut Galarneau* (1967), abandonne, semble-t-il, toute préoccupation structurelle pour laisser libre cours à une joyeuse anarchie, qui va constituer le signe de reconnaissance, l'air de famille, de la plupart des romans de cette sorte de « printemps de Montréal » (même si plusieurs de ces livres, ceux de Ducharme, de Godbout et de Basile ont été publiés d'abord à Paris). « Tout s'est passé, écrit Godbout, comme si, au niveau des romans, j'avais fait involontairement deux cheminements : l'un (géographique) qui m'amena de l'étranger au pays (l'action de ses premiers romans se situait dans des pays exotiques et tropicaux), l'autre qui me ramena du moi emprunté, étranger aussi, cultivé, classique, galvanisé au moi simple de l'enfance. »

1. Épouse (litt. : femme attelée au même joug, moitié). — 2. Nid d'amour (?). — 3. Merle. — 4. Chérie. — 5. Paires. — 6. Pluriel de joual. — 7. F.L.Q. (Front de libération du Québec).

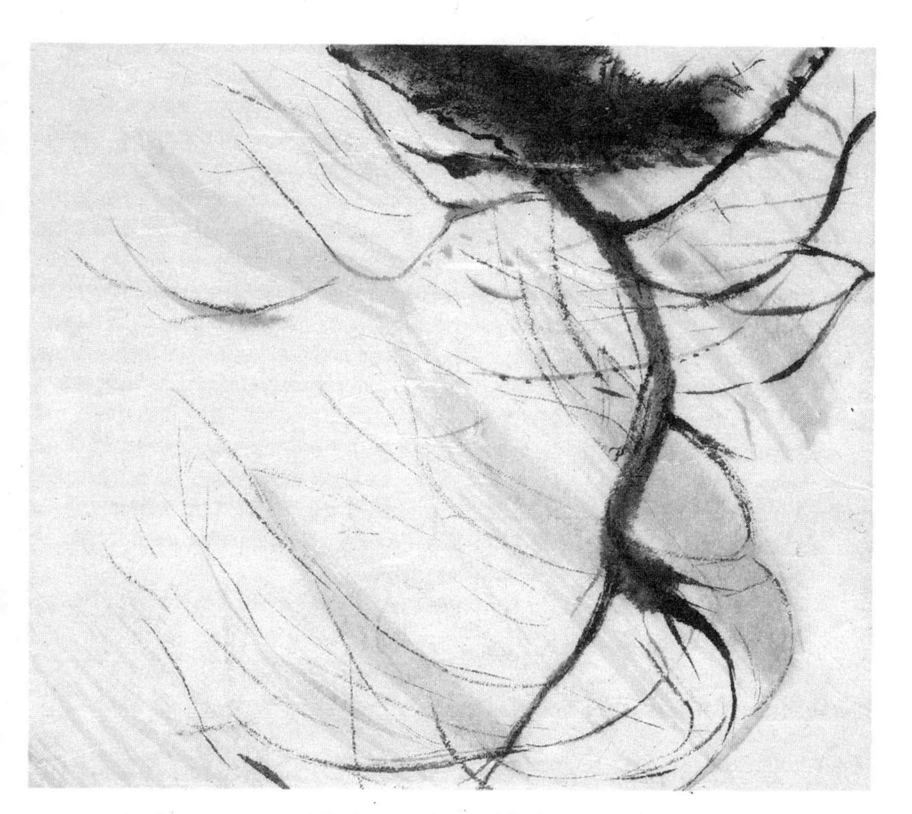

Moments fragiles, *lavis original de Jacques Brault, éd. du Noroît, 1984.*

Suite III

Le narrateur, P.X. Magnant, pharmacien au laboratoire de l'université McGill à Montréal, y a tué, dans un grand mouvement d'amour, sa maîtresse Joan.

... Je me vois écrire ce que j'écris, conscient à l'extrême de recouvrir le corps de Joan d'une grande pièce de toile damassée d'hyperboles et de syncopes : j'improvise un véritable tissu d'art [1], mot à mot, afin d'en vêtir celle qui est nue, mais morte, oui morte de sa belle mort parfaite. Écrire ce roman me sauve de l'incohérence stérile du monologue parlé. Je constate, non sans une grande jubilation intérieure, que cette activité transitoire — écrire ! — devient

1. *L'auteur invoque la notion de « tissu d'art » pour qualifier ce récit qu'il confectionne avec passion : le « tissu d'art » signifie justement l'œuvre superficielle, mince et opaque. Le récit de P.X. Magnant se trouve d'emblée investi de propriétés masquantes. Dans cette optique, la littérature se trouve dépourvue de toute fin autonome, de toute fonction expressive. Elle est un masque absolu, un voile opaque, chargé d'hyperboles, un voile aveugle qui cache la réalité et doit la cacher ! En quelque sorte, P.X. Magnant défonctionnalise la littérature : il en fait un tissu dont on recouvre une morte dont la nudité est, ni plus ni moins, effrayante. (Note de l'éditeur.)* — Cette note appartient au texte de Daquin —.

l'activité principale de ma vie. Écrire m'empêche de tout dire : c'est une lente et dure propédeutique de l'existence, un apprentissage détaillé de la révolution, l'acte privatif par excellence — donc : celui qui engendre la plus grande insatisfaction et qui, par conséquent, incline à l'exposition déflagrée de l'action. Il faut tout nommer, tout écrire avant de tout faire sauter ; il faut tout épeler pour tout connaître, appeler la révolution avant de la faire. L'écrire minutieusement, c'est préfacer sa genèse violente et incroyable...

Mais justement, ce pays n'a rien dit, ni rien écrit : il n'a pas produit de conte de fée, ni d'épopée pour figurer, par tous les artifices de l'invention, son fameux destin de conquis : mon pays reste et demeurera longtemps dans l'infra-littérature et dans la sous-histoire. C'est tout juste s'il enfante quelques malades comme moi, de ci de là, en pur gaspillage et sans les nommer... Les fabricants d'histoire ne savent plus où donner de la tête : ils s'en vont, dans la vie, avec quelques bonnes répliques, mais il n'y a pas de contexte, ni même de sous-textes dans lesquels ils pourraient insérer leurs périodes. Alors, ils restent là, debout, avec leurs apocopes à la main, hébétés, plantés comme des cocus dans une intrigue muette qui, fertile en sous-entendus, n'est finalement entendue par personne ! On a beau ramper sur les tréteaux ; croyez-moi, ce n'est pas une sinécure que de donner la réplique à des aphones et de trouver le ton juste quand tout est silence, même le reste... Le Québec, c'est cette poignée de comédiens bègues et amnésiques qui se regardent et s'interrogent du regard et qui semblent hantés par la platitude comme Hamlet par le spectre. Ils ne reconnaissent même pas le lieu dramatique et sont incapables de se rappeler le premier mot de la première ligne du drame visqueux qui, faute de commencer, ne finira jamais.

Hubert Aquin, *Trou de mémoire,* Cercle du Livre Français.

[Stie de plaignard]

Galarneau, poète et marchand ambulant de patates frites et de saucisses, monologue.

Quand je serai bien mort, ils s'amuseront encore. Adam est à un million de générations. Grand-papa lointain, on ne sait même pas où tu fus enterré. Stie [1]. Stie de plaignard. Vaurien. Lapin triste. T'embêtes les gens. Tu devrais faire un livre gai : la vie est trop courte, s'il faut en plus la pleurer ! Tu deviens le bedeau niais d'une mélancolie d'adolescent. Sonne les cloches, sacrement ! Fais le bilan : tu es libre, tu ne dois rien à personne, tu ne fais qu'à ta tête. Si tu voulais, tu pourrais remettre les roues au vieil autobus qui te sert de stand et partir parcourir le monde. Quatre roues, quatre dromadaires ; tu vendrais tes frites et tes saucisses sur les places publiques puis, en avant la musique ! défileraient les pays sages.

Tu as raison, il ne faut surtout pas faire comme Martyr [2] et attendre la mort en chassant les taons qui sillent [3]. Je vais fermer la porte derrière moi et monter dans la fusée qui m'attend au bout du champ. J'irai dans la lune pour voir qui des Russes ou des Américains aluniront les premiers ; pour entendre le premier juron d'homme dans la mer des Sargasses. Je serai le premier ethnographe lunaire ; j'ouvrirai un stand aussi, le Moon Snack Bar, pour les cosmonautes de passage et les lunautes amoureux qui viendront faire du parking derrière les rochers blancs. Je pourrais même inviter Martyr à monter à bord de la fusée. Noé croyait au couple, moi, je crois que nous sommes seuls ; Martyr et moi sur la lune, la plus noble conquête de l'homme et vice-versa, quatre sabots dans la poussière lunaire. Et si un jour la lune devenait trop

1. De hostie, juron très courant. — 2. Nom d'un vieux cheval solitaire. — 3. Bourdonnent.

craoudée [1], si les gens s'y pressaient comme à la place Saint-Pierre, on pourrait toujours revenir sur terre, les deux pieds sur terre. Je serais heureux. Transporté de joie comme une corneille dans un champ de maïs où le blé d'Inde jaunit en rangs serrés.

Stie. J'ai la fièvre. Je vais aller me coucher. Je me sens tout en guenilles, comme du linge sur la corde à sécher. Ce doit être d'écrire, c'est comme de trop lire, c'est mauvais pour les yeux quand on n'a pas fini de digérer.

Jacques Godbout, *Salut Galarneau,* éd. du Seuil.

C'est aussi ce « moi de l'enfance » qui donne au roman de MARIE-CLAIRE BLAIS, *Une Saison dans la vie d'Emmanuel* (couronné en France par le prix Médicis 1966), son ton provocateur, plein d'un humour sombre qui dynamite l'image de la famille nombreuse québécoise, dans un tourbillon cocasse qui mêle le couvent au bordel, la vie à la mort, et d'où surnage la figure tutélaire de la Grand'Mère, seul refuge contre une existence où tout est douleur et agression. M.-C. Blais écrira d'autres romans, beaucoup d'autres romans, mais jamais peut-être elle ne retrouvera cet équilibre miraculeux de l'insolite et du déchirant.

[Quel refuge]

Emmanuel est l'un des plus jeunes enfants d'une très nombreuse famille qui comprend entre autres Héloïse, Pomme et le Septième.

Quel refuge, dans la chambre de Grand-Mère Antoinette, pour les jeunes garçons qui dormaient pêle-mêle avec le chat et le chien (et, quelquefois, un mouton que Grand-Mère sauvait de la nuit froide) les uns laissant dépasser une jambe rouge entre les barreaux du lit, les autres, leurs pattes calmement allongées sur le plancher tiède, semblaient dormir d'un sommeil indifférent, incorruptible, mais trahissant jusque dans le sommeil, par un frémissement léger de la queue, le remuement ténu d'une oreille, l'inquiète curiosité de leur nature. Emmanuel et Grand-Mère Antoinette continuaient leur conversation de la veille. Grand-Mère Antoinette parlait beaucoup à l'aube. Emmanuel se blottissait contre elle pour avoir plus chaud.

— Voyons, disait-elle, où en étais-je donc ? Ah ! toi, bien sûr, tu ne m'écoutes pas, tu ne penses qu'à toi...

Emmanuel n'avait plus froid, mais il commençait à avoir faim. C'était toujours ainsi lorsque sa grand-mère lui racontait une histoire. Il se souvenait soudain qu'il avait faim, terriblement faim. Dans une caresse coutumière, Grand-Mère Antoinette ramassait en boule les deux pieds d'Emmanuel pour les tenir dans une seule main, comme des œufs dans un seul nid, en lui disant d'être sage « et de cesser de bouger comme une petite peste ».

Alors, Grand-Mère Antoinette parlait de ses malheurs :

— Des mauvaises nouvelles, Emmanuel, de bien mauvaises nouvelles pour nous, je ne sais pas ce que nous allons devenir.

1. De *crowded* (encombré).

Mais lui aimait bien les mauvaises nouvelles. Comme ses frères, il aimerait les tempêtes, les ouragans, les naufrages et les enterrements. Lui parlerait-elle d'Héloïse aujourd'hui, ou de Pomme qui venait de se couper trois doigts de la main gauche à la Manufacture, ou bien du Septième maltraité par l'Oncle Armandin Laframboise, à sa pension, à la ville ?

— Ça va mal, pour nous, Emmanuel, bien mal...

(Mais elle disait aussi que tout allait bien puisque le Septième envoyait son salaire chaque semaine, à la maison, que Pomme était en sécurité à l'hôpital, qu'Héloïse gagnait miraculeusement [1] beaucoup d'argent à l'AUBERGE DE LA ROSE PUBLIQUE et que son cher bon voisin Horace se portait mieux malgré le pus qui gonflait ses joues, et le voile ténébreux qui tombait lentement sur ses paupières...)

— Oui, tout pourrait aller plus mal...

Marie-Claire Blais, *Une saison dans la vie d'Emmanuel,* Stanké, « Québec 10/10 ».

Les personnages de *La Jument des Mongols* de Jean Basile (1966) ne sont plus des enfants par l'âge, mais leur refus des responsabilités adultes, leur goût de la parole qui déguise, de la vie rêvée plutôt que vécue, tout indique que ce sont là de grands enfants terribles que rien, pas même la mort, ne pourra faire sortir de leur monde. A travers ces voix en duos, en trios, en quatuors, voix et vies enchevêtrées, Basile nous fait tout à coup entendre un Canada d'aujourd'hui où les tabous sont non pas seulement transgressés, mais tout simplement ignorés.

Le premier roman de Réjean Ducharme, *L'Avalée des avalés,* paraît à peu près en même temps que celui de Basile. Puis, coup sur coup, Ducharme publie deux autres romans, *Le nez qui voque* (1967) et *L'Océantume* (1968) — écrit en fait avant les premiers cités —, puis un étrange roman en vers, *La Fille de Christophe Colomb* (1969). Comme ceux de Basile, les héros de Ducharme sont restés des enfants, assoiffés de tendresse et d'amour, perdus dans un monde réel trop hostile, qu'ils transforment par leur fantaisie afin de pouvoir y survivre. Mais plus que Basile, Ducharme est un romancier de mots, qui joue avec le langage, le désarticule, le recompose, de la même façon que ses personnages questionnent et mettent en pièces les belles constructions et les rigides conventions d'une société dont ils ne peuvent habiter que les marges. Ducharme, à travers ses héros, cite souvent Nelligan, le poète « fou » : « Nous ne serons pas vieux mais déjà las de vivre ! Ma mie, cultivons nos rancœurs. » Comme ses contemporains, Ducharme profite des combats menés dans les années antérieures et c'est tout naturellement qu'il mêle, comme le font un grand nombre de Québécois, français, anglais et joual en une langue composite, pleine de saveur. Cette verve va séduire, entre autres, le chanteur Robert Charlebois qui, après Leclerc et Vigneault, représente le mieux le nouvel état d'esprit, celui qui consiste à accepter l'influence américaine comme une composante de l'âme québécoise, au lieu de se défendre inutilement contre elle. Pour le chanteur, Ducharme écrit en particulier une nouvelle version de la célèbre chanson de Vigneault « Mon pays ce n'est pas un pays » qui devient : « Mon pays ce n'est pas un pays c'est un job ».

**Mon pays ce n'est pas un pays
c'est un job**

Ç'arrive à manufacture les deux yeux fermés ben
[durs !
Les culottes pas zippées !
En r'tard !
Ça dit qu'ç'a fait un plat !

1. L'auberge en question est une maison de passe.

Ou que l'char partait pas !
Ça prend toutte pour entrer sa carte de punch dans [slot d'la clock !

Enwoueil !
Grouille toé !
Donnzi !
Dépêch !
Les deux pieds dans même bottine !
Les mains pleins d'pouces !
Les mains dans é poches !
Ça joue avec son p'tit change !
Toujours accoté queq'part !
Ça fume !
Ça mâche d'la gomme !
Ça parle !
Ça lâche pas !
Yak et ti yak !
Yak et ti yak !
Qui c'est qui a gagné hiéra souair !
Rousseau pass jama l'puck !

Ducharme, in *Robert Charlebois* par Lucien Roux, éd. Seghers

Avec *La Guerre, yes Sir !* (1968), on retrouve la tradition orale du conte : dans ce premier roman, ROCH CARRIER peint une communauté paysanne pendant la Seconde Guerre mondiale au moment critique où l'on rapporte le cercueil d'un villageois tué au front. De ce sujet grave, Carrier tire une succulente farce plein de bouffonnerie. En s'attaquant à la fois à la vision traditionnelle de « l'habitant » (le Canadien) et aux rapports des deux communautés linguistiques, ce roman (et ceux qui vont suivre très vite, *Floralie où es-tu,* 1969, *Il est par là le soleil,* 1970, où l'auteur fait découvrir la ville à ses personnages) rejoint ceux de Godbout, de Blais, de Basile et de Ducharme pour procurer une vision complètement différente du pays québécois. Ses valeurs, la tradition, la famille, la religion, sont contestées, renversées et remplacées par la lucidité, la drôlerie, l'irrespect de marginaux et de déclassés aussi chaleureux qu'imprévisibles et qui deviennent les porte-parole d'aspirations trop longtemps contenues, trop fortement contrariées, de toute la population.

[Entrez toutes les femmes]

Le cercueil de Corriveau, jeune soldat tué pendant la guerre de 1940, a été rapporté dans son village natal par des soldats anglophones, qui ont laissé le cercueil dans le salon. Parmi les assistants, Amélie et ses deux hommes, son mari déserteur, Henri, et son amant Arthur.

Finalement, l'on s'empiffrait aussi dans le salon. Le drapeau qui recouvrait le cercueil de Corriveau était devenu une nappe sur laquelle on avait laissé des assiettes vides, des verres, et renversé du cidre.

Assis sur la table de cuisine, ou appuyé contre un mur à cause de l'équilibre difficile, l'assiette dans une main, le verre de cidre dans l'autre, la graisse de tourtière dégoulinant sur le menton et sur les joues, ou bien la tête échouée sur un tas de vaisselle graisseuse, ou bien soutenu par le montant de la porte ouverte sur la neige et le froid, essayant de vomir le vertige, ou bien les deux mains sur les fesses généreuses d'Antoinette, ou bien essayant de transpercer du regard la laine ajustée sur les seins de Philomène, l'on mangeait de la tourtière juteuse au salon, dans l'odeur des bougies qui allaient s'éteindre et l'on priait dans l'odeur lourde de la cuisine, l'odeur de la graisse à laquelle se mêlait celle de la sueur de ces hommes et de ces femmes.

L'on priait :

— Sainte-Marie pleine et grasse, le seigneur, avez-vous ? Entrez toutes les femmes...

Ces gens ne doutaient pas que leur prière serait comprise. Ils priaient avec toute leur force d'hommes, toute leur force de femmes accoucheuses d'enfants. Ils ne demandaient pas à Dieu que Corriveau revînt sur terre ; ils imploraient tout simplement Dieu de ne pas l'abandonner trop longtemps aux flammes du purgatoire. Corriveau ne devait pas être en enfer. Il était un enfant du village, et il aurait semblé injuste, à ces villageois, qu'un de leurs enfants fût condamné aux flammes éternelles. Plusieurs méritaient peut-être un très long purgatoire, mais personne ne méritait vraiment l'enfer.

Amélie était venue avec Arthur, pendant qu'Henri, son déserteur de mari, était resté tapi dans son grenier, bien protégé par des malles lourdes glissées sur la trappe :

— Au purgatoire, le feu fait moins mal qu'en enfer. On sait que l'on peut sortir du purgatoire ; on pense à cela pendant que l'on brûle. Alors le feu mord moins fort. Prions donc pour que le feu du purgatoire purifie Corriveau... Je vous salue Marie...

Amélie mettait bout à bout ses prières, des formules apprises à l'école, des réponses de son petit catéchisme, et elle sentait qu'elle avait raison.

— Prions encore une fois, dit-elle.

Comment une femme qui menait une vie malhonnête avec deux hommes dans la maison pouvait-elle être si pieuse ? Comment pouvait-elle expliquer les choses surnaturelles de la religion et de l'enfer avec tant de sagesse ? Malgré sa vie impure, Amélie était bonne.

Roch Carrier, *La Guerre, yes Sir !*, Stanké, « Québec 10/10 ».

Adaptée au **théâtre**, la trilogie romanesque de Roch Carrier connaîtra un grand succès et contribuera à ce grand bouleversement qui va aussi affecter la vie théâtrale québécoise, tout à fait comparable dorénavant à la vie théâtrale new-yorkaise ou parisienne. Les trois grandes compagnies, le théâtre du Nouveau Monde (celui-ci choisi par le ministère de la Culture pour occuper le tout neuf théâtre de la Place des Arts à Montréal et devenir ainsi une sorte de Théâtre national), le théâtre du Rideau-Vert et la Comédie canadienne, créent un grand nombre de pièces canadiennes-françaises (Languirand, F. Loranger, Dubé, F. Leclerc, F.-A. Savard). Les Saltimbanques font connaître les nouveaux dramaturges européens. En 1965 est créé le Centre d'essai des auteurs dramatiques qui, en 1968, va révéler la pièce choc de MICHEL TREMBLAY, *Les Belles-Sœurs* (écrite en 1965, la pièce est lue au Centre d'essai au début de 1968, et représentée au mois d'août de la même année par le Rideau-Vert). Pour la scène, *Les Belles-Sœurs* correspond à ce que *Le Cassé* avait été pour le roman. Le succès fut total, durable. C'est que la réussite n'était pas due uniquement à l'emploi du joual, utilisation naturelle, naturaliste pourrait-on dire, puisque ce langage est celui que doivent parler les personnages : un groupe de femmes du peuple, parentes et voisines, qui se réunissent pour aider l'une d'elles à coller un million de timbres-prime gagnés dans un concours publicitaire. A travers cette cérémonie dérisoire et burlesque, qu'il reconstruit avec monologues et chœurs (et là il s'éloigne de la simple reproduction de la réalité), Tremblay démonte et analyse les rapports sociaux et familiaux : il fait voir toutes les aliénations de ces Québécoises qui ne sont finalement pas différentes des habitantes de n'importe quelle autre grande ville européenne ou américaine ; leurs rêves (de voyage, d'amour) sont les mêmes, comme leurs mesquineries, leurs jalousies, leurs envies. La provocation finale — qui consiste à faire entonner « O Canada », l'hymne national, parmi les décombres de la fête alors qu'« une pluie de timbres tombe lentement du plafond » — importe moins que la radiographie, opérée grâce au malaxage syntaxique et phonétique, d'une mentalité collective contemporaine. La pièce est à la fois drôle et tragique, elle est vraie.

Les Belles-sœurs, de Michel Tremblay, théâtre du Rideau-Vert, 1971.

[Ode au bingo]

Lisette de Courval vient d'inviter ses voisins à une « soirée récréative organisée par les enfants de la paroisse ».

LISETTE DE COURVAL — Bien oui, hein, vous pensez bien ! Et puis la soirée va se terminer par un grand bingo [1] !

LES AUTRES FEMMES, *moins les quatre jeunes* — Un bingo !

OLIVINE DUBUC — Bingo !

(Noir. Quand les lumières reviennent, les neuf femmes sont debout au bord de la scène.)

LISETTE DE COURVAL — Ode au bingo !

OLIVINE DUBUC — Bingo !

(Pendant que Rose, Germaine, Gabrielle, Thérèse et Marie-Ange récitent « l'ode au bingo », les quatre autres femmes crient des numéros de bingo en contrepoint, d'une façon très rythmée.)

GERMAINE, ROSE, GABRIELLE, THÉRÈSE ET MARIE-ANGE — Moé, l'aime ça le bingo ! Moé, j'adore le bingo ! Moé, y'a rien au monde que j'aime plus que le bingo ! Presque toutes les mois, on en prépare un dans' paroisse ! J'me prépare deux jours d'avance, chus t'énarvée, chus pas tenable, j'pense rien qu'à ça. Pis quand le grand jour arrive, j't'assez excité que chus pas capable de rien faire dans' maison ! Pis là, là, quand le soir arrive, j'me mets sur mon trente-six, pis y'a pas un ouragan qui m'empêcherait d'aller chez celle qu'on va jouer ! Moé, j'aime ça, le bingo ! Moé, c'est ben simple, j'adore ça, le bingo ! Moé, y'a rien au monde que j'aime plus que le bingo ! Quand on arrive, on se déshabille pis on rentre tu-suite dans l'appartement ousqu'on va jouer. Des fois, c'est le salon que la femme a vidé, des fois, aussi, c'est la cuisine, pis même, des fois, c'est une chambre à coucher. Là, on s'installe aux tables, on distribue les cartes, on met nos pitounes [2] gratis, pis la partie commence ! *(Les femmes qui crient des numéros continuent seules quelques secondes.)* Là, c'est ben simple, j'viens folle ! Mon Dieu, que c'est donc excitant,

1. Loto. — 2. Jetons.

c't'affaire-là ! Chus toute à l'envers, j'ai chaud, j'comprends les numéros de travers, j'mets mes pitounes à mauvaise place, j'fais répéter celle qui crie les numéros, chus dans toutes mes états ! Moé, j'aime ça, le bingo ! Moé, c'est ben simple, j'adore ça, le bingo ! Moé, y'a rien au monde que j'aime plus que le bingo ! La partie achève ! J'ai trois chances ! Deux par en haut, pis une de travers ! C'est le B 14 qui me manque ! C'est le B 14 qui me faut ! C'est le B 14 que je veux ! Le B 14 ! Le B 14 ! Je r'garde les autres... Verrat [1], y'ont autant de chances que moé ! Que c'est que j'vas faire ! Y faut que je gagne ! Y faut que j'gagne ! Y faut que j'gagne !

LISETTE DE COURVAL — B 14 !

LES CINQ FEMMES — Bingo ! bingo ! J'ai gagné ! J'le savais ! J'avais ben que trop de chances ! J'ai gagné ! Que c'est que j'gagne, donc ?

LISETTE DE COURVAL — Le mois passé, c'était le mois des chiens de plâtre pour t'nir les portes, c'mois icitte, c'est le mois des lampes torchères !

LES NEUF FEMMES — Moé, j'aime ça, le bingo ! Moé, c'est ben simple, j'adore ça, le bingo ! Moé, y'a rien au monde que j'aime plus que le bingo ! C'est donc de valeur [2] qu'y'en aye pas plus souvent ! J's'rais tellement plus heureuse ! Vive les chiens de plâtre ! Vive les lampes torchères ! Vive le bingo !

(Éclairage général.)

Michel Tremblay, *Les Belles-sœurs,* éd. Leméac.

1968-1980. Les trois années de grâce, 1965-1968, ont donné un élan définitif à la littérature québécoise. Il ne peut plus être question de suivre, dans ce chapitre, toutes les péripéties d'une histoire qui va se compliquer extrêmement. En effet, aux problèmes spécifiquement canadiens et québécois (politique, linguistique) vont se superposer des problématiques internationales (exemple : l'écriture au féminin) qui prennent ou non une coloration particulière au Québec. Il faudrait aussi pouvoir suivre dans tous leurs développements les œuvres que nous avons vu naître. Plutôt que de démêler ces stratifications, on donnera quelques repères sous forme de textes dont on espère qu'ils sauront représenter la « multiple splendeur » d'une littérature devenue adulte, mais qui, en gestation perpétuelle, ne cesse d'offrir de nouveaux visages.

Dans le **domaine poétique** qu'on pourrait déjà qualifier de classique, cette période s'ouvre avec la publication des poèmes enfin rassemblés de GASTON MIRON — sinon le plus grand poète, du moins la figure la plus importante de la poésie du Québec d'après 1945 — sous le titre *L'Homme rapaillé* (1970). Livre capital, autant par son histoire elle-même (les silences successifs de Miron, ses difficiles rapports avec la poésie) que par le dialogue qui s'y instaure entre création et réflexion : aux poèmes proprement dits succèdent un certain nombre d'essais qui marquent les étapes du parcours de ce poète, de ce militant, de cet éditeur, de cet amant. Les voix de Miron sont multiples ; essayiste : « Je dis que la langue est le fondement même de l'existence d'un peuple, parce qu'elle réfléchit la totalité de sa culture en signe, en signifié, en signifiance » ; pamphlétaire : « Longtemps je n'ai su mon nom, et qui j'étais, que de l'extérieur. Mon nom est " Pea Soup ". Mon nom est " Pepsi ". Mon nom est " Marmelade ". Mon nom est " Frog ". Mon nom est " dam Canuck ". Mon nom est " Speak white ". Mon nom est " bastard ". Mon nom est " Cheap ". Mon nom est " Sheep ". Mon nom... Mon nom... » ; poète enfin, au lyrisme tendu, qui modèle à l'infini les différents noms de la liberté.

1. Porc (juron). — 2. C'est dommage !

Le damned Canuck

nous sommes nombreux silencieux raboteux rabotés
dans les brouillards de chagrins crus
à la peine à piquer du nez dans la souche
des misères
un feu de mangeoire aux tripes
et la tête bon dieu, nous la tête
un peu perdue pour reprendre nos deux mains
ô nous pris de gel et d'extrême lassitude

la vie se consume dans la fatigue sans issue
la vie en sourdine et qui aime sa complainte
aux yeux d'angoisse travestie de confiance naïve
à la rétine d'eau pure dans la montagne natale
la vie toujours à l'orée de l'air
toujours à la ligne de flottaison de la conscience
au monde la poignée de porte arrachée

ah sonnez crevez sonnailles de vos entrailles
riez et sabrez à la coupe de vos privilèges
grands hommes, classé écran, qui avez fait de moi
le sous-homme, la grimace souffrante
du cro-magnon
l'homme du cheap way, l'homme du cheap work [1]
le damned Canuck [2]

seulement les genoux seulement le ressaut pour dire

Gaston Miron, *L'Homme rapaillé,* éd. Maspero.

A considérer la plupart de la poésie qui s'écrit dans les années 70, on voit bien comment *L'Homme rapaillé* se situe au centre vivant de la création québécoise. Il annonce aussi bien la **poésie militante** d'une MICHÈLE LALONDE qu'il implique, même a contrario, la poésie joual de certains auteurs de *La Barre du jour ;* l'évolution qui affecte alors l'œuvre d'un Pierre Perrault, vers plus d'âpreté, ne lui est pas non plus étrangère, et FÉLIX LECLERC, lorsqu'il transforme la célèbre chanson folklorique *Alouette* en *L'Alouette en colère,* apporte lui aussi une contribution percutante à cette veine de violence et de revendication qui anime la polyphonie de *L'Homme rapaillé.*

[Speak white]

ah !
speak white
big deal [3]
mais pour vous dire
l'éternité d'un jour de grève
pour raconter
une vie de peuple-concierge
mais pour rentrer chez nous le soir
à l'heure où le soleil s'en vient crever au-dessus
des ruelles
mais pour vous dire oui que le soleil se couche oui
chaque jour de nos vies à l'est de vos empires [4]
rien ne vaut une langue à jurons
notre parlure pas très propre
tachée de cambouis et d'huile

Michèle Lalonde, *Speak white,*
« Change », éd. Seghers/Laffont.

1. Mal payé, de mauvaise qualité (way = vie, work = boulot). — 2. Maudit canadien français. — 3. Bien sûr (ironique). — 4. Les anglophones habitent les quartiers ouest de Montréal.

L'effet Barthes, montage de Real Campeau paru dans La Nouvelle Barre du jour, *1984.*

L'alouette en colère

J'ai un fils enragé
Qui ne croit ni à Dieu ni à Diable ni à moi
J'ai un fils écrasé
Par les temples à finance où il ne peut entrer
Et par ceux des paroles d'où il ne peut sortir
J'ai un fils dépouillé
Comme le fut son père
Porteur d'eau scieur de bois locataire et chômeur
dans son propre pays
Il ne lui reste plus la belle vue sur le fleuve
et sa langue maternelle qu'on ne reconnaît pas
J'ai un fils révolté un fils humilié
Un fils qui demain sera un assassin
Alors moi j'ai eu peur et j'ai crié à l'aide
au secours quelqu'un
Le gros voisin d'en face est accouru armé grossier
étranger
Pour abattre mon fils une bonne foi pour toutes
Et lui casser les reins
Et le dos et la tête et le bec et les ailes
Alouette alouette ah
Mon fils est en prison
Et moi je sens en moi dans le tréfond de moi
pour la première fois
Malgré moi malgré moi entre la chair et l'os
S'installer la colère

Félix Leclerc, *L'Alouette en colère,*
éd. Canthus.

Seul peut-être lui échappe, parce que s'y modifie le rapport à la parole, tout un courant qui fait du texte un objet problématique, qui s'interroge sur la possibilité même du discours, qui abandonne le langage du chant, de la révolte et du témoignage pour s'intéresser aux **questions de langage.** On sent souffler là, de nouveau, un vent venu de France où ces problèmes agitent alors les esprits, et qui ne va pas toucher que les jeunes écrivains des revues d'avant-garde. Lorsque Jacques Brault, par exemple, le poète de *Mémoire,* compose ses *Poèmes des quatre côtés* (1975) à partir des textes de quatre poètes anglo-saxons (Haines, Mac Ewen, Atwood, Cummings), et franchit ainsi une étape importante, celle de la réconciliation, dans une intertextualité poétique, des deux langues antagonistes : « Où vont ces quatre textes, sinon au recueillement ? Le mystère commun à ces quatre clartés a fini par me reconduire ici. Maintenant, je peux me recueillir en mon pays. » Brault affirme ne pas vouloir se refermer sur « une identité peureuse et nostalgique ». De la situation particulière du québécois, cet inévitable bilinguisme, il entend désormais tirer parti pour le bien de la poésie et du Québec également.

La réflexion sur le langage n'est pas, au Québec, pur jeu de rhéteur à court d'inspiration. Lorsqu'un Paul-Marie Lapointe, l'auteur du célèbre *Arbres,* publie *écRiturEs* (1977-1980), en donnant cette définition de la poésie politique : « Ainsi, la langue de la poésie est-elle en soi politique : révolte contre les lieux communs, qui sont la traduction imposée/subie de l'ordre immuable des choses et du monde (sans doute existe-t-il un autre discours plus explicitement politique à découvrir, mais il est hors de poésie et ne constitue pas l'objet de celle-ci) », il est bien clair là encore qu'une grande mutation a eu lieu, qui opère la disjonction de la littérature et de l'action, ou plutôt qui considère en des termes très nouveaux leurs rapports. Le livre de Lapointe se présente comme un livre expérimental, éclaté, un ensemble de textes, de calligrammes, de jeux variés avec les mots, les lettres, la typographie, bien différent de l'affirmation que constituaient les poèmes du recueil *Le Réel absolu* (1971 : poèmes 1948-1965). Les mots sont devenus, pour le poète, la seule réalité qui compte. Lapointe ne parle plus de « réel absolu », mais de « liberté absolue », celle du poète aux prises avec le langage. Lorsque Roland Giguère dans *Forêt vierge folle* (1978) fait des mots et des lettres le sujet même du poème, il exerce lui aussi cette liberté absolue : non plus « l'âge de la parole », mais l'âge des mots et des lettres.

Ce sont là renouvellements en profondeur d'œuvres de grands aînés. Toute une nouvelle génération (N. Brossard, A. Roy, M. Beaulieu) entoure et entraîne ce mouvement, qu'on a appelé la Nouvelle Écriture, et qui n'apparaît pas essentiellement différent de ce que fut en France, dans les années 1965-1970, le courant — faut-il dire « la mode » ? — de l'écriture « textuelle ». Là comme ici, une masse de textes sans surprise, répétitifs, tournant à vide, et puis, parfois, une réussite qui justifie les excès qui l'entourent.

[Un futur pour vivre encore]

En exergue à cette suite de fragments sur la peinture : « Il nous arrive parfois de regarder au-delà du paysage offert et de découvrir ainsi les racines de l'obscur » (R. Giguère) ; celui-ci, qui ne fait explicitement référence à personne, se situe entre un fragment sur Hartung et un autre sur Soulages.

un futur pour vivre encore nous enchaîne nous rince il traverse une crevasse un procès dont on ne peut se défaire et les nervures les ossements effilés dilatent et exaltent le fond du passé   un passeur terrible gratte l'écorce qui n'est pas quelqu'un sauf un nid de la beauté du monde une esquisse prochaine une déclinaison une égratignure tandis que vous restez muet puis debout plus tard enchevêtrement de boucles grillages imaginaires un râle de faucon à la rencontre des barques et son singulier plumage fouillant la réalité l'arrachant vous êtes demeuré une rumeur une braise à l'instant où ces panaches heurtés moutonnent   debout un dehors un dedans plus tard ce qu'il aime une fête fondue perce ses tiges un courant tendre couvé découvert n'est plus à vous sinueux menacé saisi dans la splendeur   intactes pupilles de l'arbre qui chante ses racines l'expansion allègre où ces preuves seulement là n'empêchent la digression un impalpable lainage

François Charron, « D'où viennent les tableaux », *Les Herbes rouges,* N° 110-112, 1983.

Autre influence, autre manière — peut-être celle-ci plus proche du génie québécois — de malaxer le langage, la contre-culture à l'américaine (poésie « beat ») des Vanier, Francœur, Tanguay, Péloquin (lui aussi a écrit des textes pour Charlebois, en particulier la chanson « Lindbergh » qui l'a rendu célèbre) : on est là très proche du joual, le passage d'une langue à l'autre apparaît comme naturel, et les aspects rythmiques prennent la première place dans cette poésie qui donne envie de chanter sur une musique rock comme dans cet extrait du poème de Péloquin, *Éternellement vôtre* (éd. du Jour, 1972) :

J'lance les « raquettes » tantôt
Pis j'me déshabille même pas. Il est 7 heures A.M.
4/4/72
J'tais un dur pis vous l'saviez pas
J'prends la peine de vous le dire deux fois - 4/4/72
J'me plains pas mais les envieux ce sont eux les violents
Des fois mon écriture va vous sembler louche mais j'pas farouche — So come on ! bunch of kids follow the schizo guide in the forest of eternity !
Il dit : Y'est 3.05 quand tu veux arrêter de continuer.

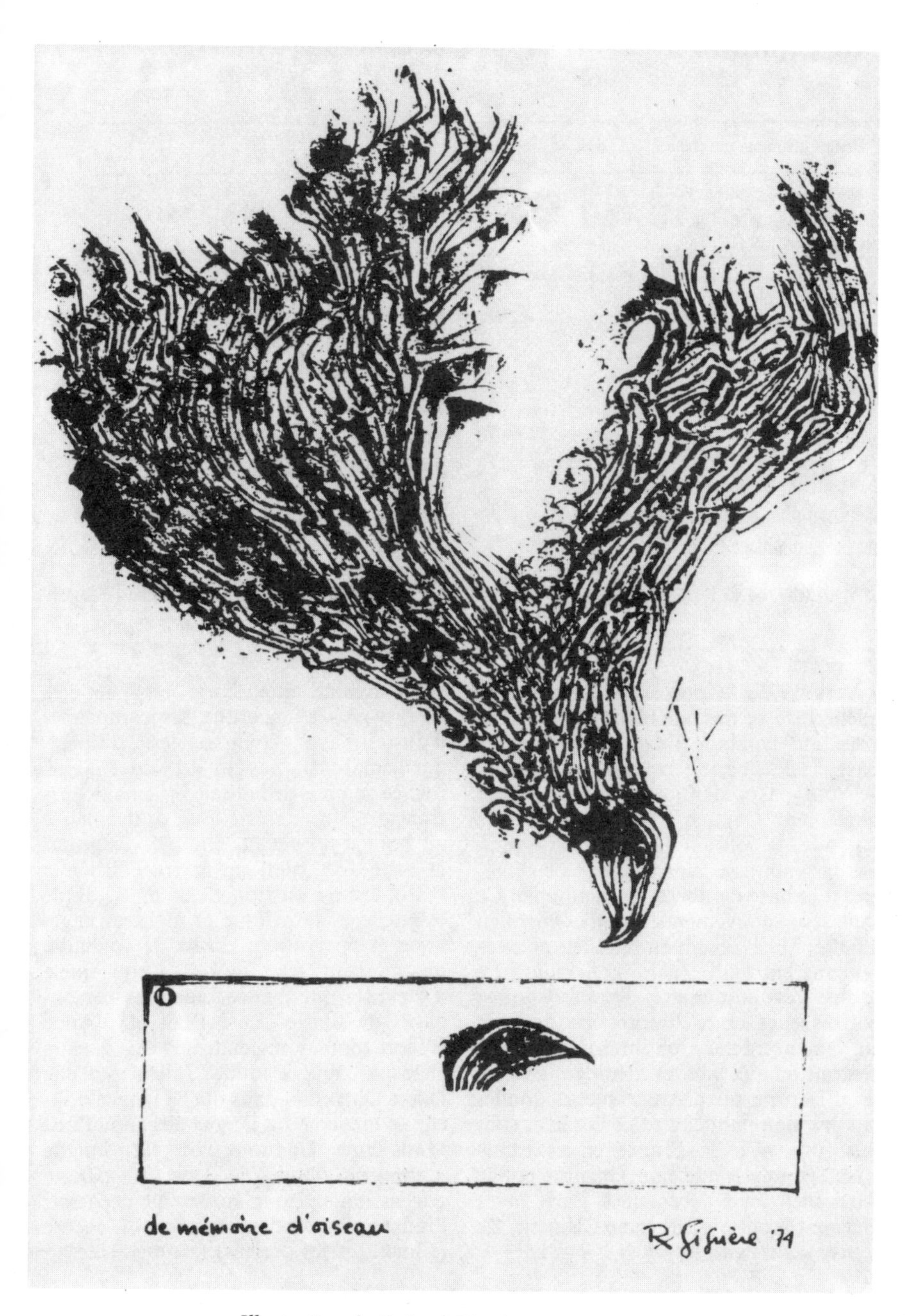

Illustration de Roland Giguère pour son ouvrage Forêt vierge folle.

Ah l'amour !

Poème trilingue qui mêle argot, images familières, allusions érotiques.

in your belly, babe, I'm a sweet dish.
ich women's liebe dich !

come on, Fräulein !
cruise-moi [1],
colle-moi,
mets-moi su'l'dos,
fais couler l'eau,
flatte-moi l'bedon pis sors le chat !
passe-moi l'gant d'crin sur tout le corps,
mets-moi d'un beau rouge pop-sicle [2],
pis liche, ma biche !

in your belly, babe, I'm a sweet dish.
ich women's liebe dish...
laisse-moi premier d'cordée su'ton body...
que j'vainque ton mont de Vénus
au-dessus du précipice.
j'vas planter mon drapeau ;
j'vas ôter mon chapeau ;
pis check l'avalanche [3] : i va neiger !
l'père Noël va descendre dans ta belle cheminée.
accroche ton bas : ça peut servir...

in your belly, babe, I'm sweet dish,
ich women's liebe dish...
moutarde, relish [4].

Bernard Tanguay,
« Cinq poèmes entre 71 et 76 », *La Barre du jour,* sept.-oct. 1976.

Vers 1975, la poésie — **l'écriture** — québécoise se met **au féminin.** Nouvelle visée qui combine l'axe du langage et l'axe de la liberté ; or, les deux causes ne vont pas s'identidier l'une à l'autre totalement. Comme le remarque Michèle Lalonde, le courant féministe ne « semble pas spontanément désireux de s'intégrer à la lutte de libération nationale. Ce sont deux mouvements singulièrement en affinité, qui évoluent en parallèle et ne se rencontrent qu'occasionnellement. Le projet révolutionnaire féminin donne parfois chez nous l'impression de tenir en l'air, accroché à un internationalisme abstrait ou aux ballons idéologiques partis d'Europe ou d'Amérique et gonflés par pression publicitaire. » Les liens sont très forts avec la France et les États-Unis, et une Madeleine Gagnon publie aussi bien au Québec qu'à Paris (avec Hélène Cixous et Catherine Clément, *La Venue à l'écriture*).

La femme québécoise est peut-être encore plus aliénée que ses compagnes d'autres pays ; comme l'écrit pittoresquement Marie Savard « ayant été garrochée femme catholique et canadienne-française sur le bord d'un grand fleuve au bout d'un océan, étant devenue par la suite fort pudique et tragédienne à l'aise, femme en tics et obèse, aseptique et anglaise, famélique et à thèse, angélique et épaisse, en caisse, je souhaitai un moment être moi ». Cette quête d'identité, que mènent aussi les personnages de Marie-Claire Blais et d'Anne Hébert (nous y reviendrons) ou, dans la chanson, une Pauline Julien ou une Diane Dufresne, dans quelle langue doit-elle se mener ? La langue élégante d'une Madeleine Gagnon, ou la langue « impure » d'une YOLANDE VILLEMAIRE qui assimile, pour mieux le dépasser, l'idiome des « belles-sœurs ». Là encore le joual (et ses dérivés) fait merveille.

1. Drague-moi. — 2. Glace (esquimau). — 3. Attention à. — 4. Condiment.

Mythologie de carrefour. Fragment de Mon cœur battait comme un bolo *de Yolande Villemaire, paru dans* La Barre du jour, *1977.*

Les mémoires d'un âne

Fragment d'un ensemble publié dans un numéro consacré à « Les corps, les mots, l'imaginaire », sous le titre *Mon cœur battait comme un bolo.*

Areu areu areu. Le chat ! le chat ! le chat ! la souris, la petite souris, la tite tite souris. Monsieur Pipe fume la pipe. Gombie déboule dans le livre d'images. Mautadine pousse-toi donc. Pis va donc jouer avec ton nounours à part de ça... Moooooman y m'achale [1] ! Mythologie de cartoon. Plein les cours d'école de petites filles blondes comme l'ange qui fait oui quand on lui donne une cenne. Ou bien une scène. De la graine de Maria Goretti quand même. Engraissées aux vitamines et au map-o-spread [2] comme les garçons les cornichons. Fringales de mayonnaise, de lait, de Monopoly, de mélange à gâteau, de linge étendu dans le passage et de chronique nécrologique. Poutine [3] et queue de cheval. Ote-toi de là grosse torche, va péter din fleurs paquet d'oss... Chair à vendre et chair de poule alimentaire qui en a soupé. On suce ses boules-au-noir [4] comme Alexis et on se prend pour Lady Marianne. On dit qu'on porte des pantalons de nansouk tango, un foulard opera, du rouge « Corail noir » et des souliers puce. On dit vraiment n'importe quoi. Plus tard on lira *L'Opoponax* [5]. Là, on en est encore aux *Malheurs de Sophie.* Petites catins tirées à quatre épingles. Stratagème d'un vaudou domestique. Velléités de minibrixes pour petites filles Cadichon/caticheuses [6]. Moman a travaille pas a trop d'ouvrage. Piégées par les batteries de cuisine. A rendre sourd n'importe qui. Plutôt cuisiner comme un inspecteur de roman le coupable. Mieux vaut lier la sauce avec son sang et faire tourner la mayonnaise que de tourner de l'œil en tournant autour du pot.

Yolande Villemaire, in *La Barre du jour,* « Les Corps, les Mots, l'Imaginaire », mai-août 1977.

Le **théâtre** est lui aussi le lieu de transformations et d'expérimentations spectaculaires qui relèvent autant du dynamisme libérateur propre à l'entité québécoise que des échanges d'idées internationales. Après le coup de tonnerre des *Belles-Sœurs,* Tremblay enrichit une œuvre qui est essentiellement travail sur le langage sans pourtant jamais négliger une mise en forme très précise. Il peut aussi bien mettre en scène les naïvetés des belles-sœurs que les ruses et les détours du travesti de *La Duchesse de Langeais* (1970), ou les rodomontades des paumés de *Sainte-Carmen de la Main* (1976). Chaque fois, il s'agit de faire éclater l'aliénation, d'ôter les masques et les déguisements d'un peuple qui a « été travesti pendant trois cents ans ». Indirectement politique, le théâtre de Tremblay demeure un théâtre de texte, comme l'est aussi celui de nombreux romanciers venus au théâtre, en particulier Ducharme qui après une parodie en joual du *Cid* (*Le Cid Maghané,* 1968) transporte sur la scène le monde de ses vieux enfants et de leurs désespoirs poignants et dérisoires (*Inès Pérée et Inat Tendu,* 1968 ; *Ha ha,* 1978). D'autres écrivains font un théâtre plus directement politique : Jean Barbeau, par exemple, ou Robert Gurik (*Les Tas de sièges,* 1971).

Mais surtout, on assiste à une entreprise (dans la lignée du Living Theatre, ou des mises en scène de Armand Gatti) de destruction ou de déconstruction du texte. Deux compagnies voient le jour en 1969 qui mènent ce nouveau combat contre la prééminence de l'auteur : le Théâtre du Même Nom (T.M.N., pour bien indiquer la distance prise avec l'esprit et le répertoire de l'officiel T.N.M. : Théâtre du Nouveau Monde) de Jean-Claude Germain dont le premier spec-

1. M'importune. — 2. Pâte à tartiner (beurre d'érable). — 3. Personne grosse (poudingue). — 4. Bonbons. — 5. Roman de Monique Wittig. — 6. Mal habillées.

T'es pas tannée Jeanne d'Arc, théâtre de Quatr'sous, 1970.

tacle, *Les Enfants de Chénier dans un grand spectacle d'adieu,* dénonce tout le répertoire classique, de Musset à Giraudoux ; et le Grand Cirque ordinaire de Robert Cloutier qui donne avec *T'es pas tannée Jeanne d'Arc* un spectacle où la Justice et l'Église passent de très mauvais quarts d'heure. Les metteurs en scène, qui sont aussi les animateurs de ces tentatives de vie collective ou communautaire, recherchent le spectacle total (*Wouf wouf* de Sauvageau, 1970), la participation du spectateur. C'est l'époque où le théâtre de Gauvreau triomphe enfin avec *Les Oranges vertes* (1972), mais Gauvreau s'est déjà suicidé. De toutes ces expériences, où l'on égorge des colombes sur scène, où les acteurs se mettent nus, où l'on agresse le spectateur de toutes les façons, peu de chose demeure : de ces happenings à chaque fois différents, les mots ne peuvent fournir qu'une trace fragile, approximative.

Il faut ici faire une place à part aux **monologuistes,** tels Sol ou Yvon Deschamps, qui poursuivent la tradition que Gélinas avait, entre bien d'autres, déjà illustrée — rappelons qu'un des poèmes de *L'Homme rapaillé* s'intitule « Monologues de l'aliénation délirante ». Satiriques, leurs textes composent une chronique en miettes de l'actualité ; et le talent d'acteur est pour beaucoup dans l'effet produit par ces petites pièces auxquelles une lecture différée ne saurait tout à fait rendre justice. C'est pourtant de cette tradition que relève *La Sagouine* (1971) qui, avant ses romans, apporte la célébrité à l'Acadienne ANTONINE MAILLET. Le long monologue de la vieille femme est une suite de pièces brèves qui, à la publication en volume, retrouvent chacune un titre : *Le Métier, La Jeunesse, Nouël...* L'héroïne parle une langue qui n'est « ni joual, ni chiac [1], ni français international », mais « la langue

1. Un des noms de la langue parlée en Acadie.

populaire de ses pères descendus à cru du XVIe siècle ». Très peu de termes empruntés à l'anglais dans le vocabulaire, c'est surtout par le travail sur le rythme et la syntaxe que A. Maillet ancre son texte dans une tradition qui dépasse les modes et les engagements politiques immédiats. A la différence du Cassé de Renaud, autre personnage populaire, la Sagouine, cette vieille femme de ménage, représente un ensemble de valeurs qui lui permettent de porter un regard critique plein de bons sens sur la société qui l'écrase, sur la religion, sur les puissants de ce monde comme sur ses égaux.

C'est toute de la propagation, qu'il a dit, Gapi. Les gouvarnements pensont rien qu'à ça, leu propagation. Et pis ils asseyont de nous faire des accrouères. Ben ils pogneront point Gapi à crouère à leux histouères.

D'abord la lune, qu'il a dit, appartchent à tout le monde. Que tout un chacun se mettit ouère dans la tête, asteur, de se couper son petit morceau de lune. S'ils avont été capables de tout déboiser le haut du comté pour se faire des parcs et se bâtir des moulins à scie, ils pouvont aussi ben vous écorcher la lune qu'i' vous en resterait pas assez la nuit pour attirer les épelans. Et pourquoi c'est que la lune appartchendrait à un houme putôt qu'à un autre ? Ça c'est coume l'air que je respirons, ils avont pas le droit de nous prendre ça. Ben quoi c'est que je savons asteur s'ils allont pas se mettre à nous vendre nos clairs de lune ? Ils nous vendont ben l'eau de mer pour pêcher.

...Ah ! Pour ça, Gapi a raison. Ils nous vendont nos parmis de pêche, pis ils nous laissont pas pêcher à l'ânnée. La mer leur appartchent, coume la terre, pis coume les bois. J'avons rien à nous autres. Rien que le vent pis la neige : ça, c'est à nous autres, gratis. Le vent, la neige, les frettes, pis l'eau dans la cave. La mer t'appartchent pas, à part de c't'elle-là qui vient te qu'ri' chus vous aux marées hautes. C't'elle-là t'appartchent, et i' te faudra t'en débarrasser tout seul, comme tu pourras. Seurement la mer dans ta cave charrie jamais le houmard pis le soumon ; rien que de l'étchume pis de la vase. Ce qu'est point payant, ça t'appartchent.

A. Maillet, *La Sagouine*, éd. Leméac.

En faisant de **l'Acadie**, territoire aux dimensions modestes, de son histoire, de son terroir, de ses habitants, la matière de toute son œuvre, A. Maillet atteint à l'universel dans le particulier, et c'est bien là une des fonctions de l'artiste. La vie de ces paysans-pêcheurs des côtes atlantiques est à la fois l'arrière-plan et le sujet des pièces et des romans qui, de *Pointe-aux-Coques* à *Pélagie-la-Charrette* (1979, prix Goncourt en France) en passant par *Mariaagélas* (1973), *Les Cordes-de-bois* (1977) ou *Les Crasseux* (théâtre, 1974), constituent l'une des œuvres les plus originales et les plus attachantes issues du Canada français où l'on voit alors surgir, aux côtés de la littérature proprement québécoise, les productions des autres provinces et minorités francophones. Sans adopter de point de vue strictement militant (mais ses romans parurent dans une collection de « Littérature acadienne »), Antonine Maillet entend donner une voix à cette population perdue à « un boutt » du pays et dont l'existence, après tant de tribulations, tient du miracle. Son art est avant tout un art de conteuse : que ce soit directement au théâtre, ou indirectement dans ses romans, le texte est d'abord récit ou succession de récits : la romancière est l'héritière d'une lignée de conteurs dont les récits assurent son existence au peuple acadien, dont ils ont, à certaines époques, constitué le seul territoire identifiable : « J'accoste ici un terrain où les chroniqueurs ne s'accordent plus. La forge ne veut pas démordre. Et je suis réduite aux conjectures. A une tapisserie plutôt, une tapisserie de haute lice tissée avec les fils de cinquante-six conteurs, radoteux et défricheteurs d'histoires. Si tout ça finit par ressembler à un pays, vous rendrez hommage à la nature qui a des lois que la loi ne connaît pas » *(Les Cordes-de-bois).* Avec Antonine Maillet et ses personnages (surtout des femmes) pleins de ténacité et de mauvaise foi, de ruse et d'humour, nous en revenons bien à une nouvelle version de la fidélité, mais selon une conception infiniment plus complexe et plus ambiguë que celle des romans paysans des années 1930. L'univers de A. Maillet n'est pas refermé sur lui-même : les pêcheurs d'éperlans sont aussi partie prenante dans les trafics d'alcool de la prohibition, et la Sagouine philosophe sur le débarquement des hommes sur la Lune. Esthétiquement il en va de même : la romancière renouvelle juste assez les techniques du conte pour échapper au faux vernis de la reconstitution folklorique ; son texte est contemporain en ce qu'il met une tradition en perspective, et lui redonne ainsi une troublante actualité.

[La grange à Ferdinand]

Ferdinand, le « plus honorable » des citoyens de cette paroisse « turbulente, frémissante et superbe », vient d'être nommé douanier, ce qui, dans ce pays de pêcheurs-contrebandiers (on est au temps de la Prohibition et les forges renferment des alambics) pose bien des problèmes.

La grange à Fardinand n'était pas tout à fait située au nord, et pas tout à fait au sud non plus. C'était difficile à savoir au juste de quel bord se tenait le douanier. Dans ces pays-là, vous comprenez, on ne délimite pas si facilement les terres. N'allez pas croire qu'il passe tous les ans des arpenteurs pour démêler ce que la mer, les barachois [1], les rivières et les anses continuent d'embrouiller depuis des siècles. Non, ce n'est pas si facile que ça. On a vu comment le Lac à Mélasse s'était fait balloter d'une paroisse à l'autre au gré des rivières et des ruisseaux qui l'alimentaient. Le long des côtes, toutes les buttes, et tous les bois, et toutes les terres sont ainsi livrés aux courants d'eau qui les défigurent à ne plus savoir en dessiner la topographie.

... C'est comme ça que la grange à Ferdinand en était venue à ne plus appartenir au sû, ni au nord.

Et puis, il ne faut pas oublier la rivalité de la Petite-Rivière et de la Rivière-à-Hache. Ah ! celles-là, elles étaient sorties au moins du Déluge. Et chaque année, elles déplaçaient légèrement leur lit, qu'on aurait dit qu'elles le faisaient exprès. Figurez-vous alors l'état des clôtures qu'on devait déménager à chaque période de grandes marées. Et figurez-vous les voisins de chaque côté d'un même clayon qui assistaient, eux, à ce ballet des bras de mer et des cours d'eau. Par exemple, tandis que la Petite-Rivière grugeait un petit brin sur la terre des David à Louis, les Louis à Pierre arrondissaient leurs champs de foin salé à même la Rivière-à-Hache. Ah ! ce n'était pas facile de démêler tout ça.

... Et la grange à Ferdinand ne savait plus si elle était du nord ou du sû.

Avant son appartenance aux douanes, le Ferdinand se faisait tirailler d'une forge à l'autre, chacune le réclamant pour sien.

— Fardinand est du nôrd, disaient les Allain.

— Sa grange est au sû, répondaient les Gélas.

Et Ferdinand, sans s'en préoccuper, chiquait dans la forge des Gélas et crachait dans celle des Allain.

Mais depuis que le gouvernement l'avait fait douanier, on ne le réclamait plus, mais on se le garrochait.

— Il est du nôrd, le Fardinand.

— Gardez-les dans le sû, votre douanier.

— Gardez-les toutes, vos inspecteux, pis vos officiers de pêche, pis vos fouilleux de cabanes ; gardez-les toutes en dehors du pays.

C'était la seule idée qui ralliait tout le monde, le nord comme le sû.

Antonine Maillet, *Mariaagélas*, éd. Grasset.

1. Bande de sable qui isole de la mer une étendue d'eau salée (le mot est déjà chez Chateaubriand).

L'œuvre de A. Maillet éclipse, en même temps qu'elle l'aspire dans son sillage, le reste de la littérature acadienne. Moncton, au Nouveau-Brunswick, devient un centre de culture francophone, des maisons d'édition y naissent et s'y développent. Si la situation démographique n'est pas exactement la même qu'au Québec, la problématique générale est à peu près comparable. Un Guy Arsenault, dans son *Acadie rock* (éd. d'Acadie, 1973), retrouve les accents militants des poètes québécois :

Shédiac by the sea
Cocagne in the bay
Bouctouche sur mer
pi le bas d'la trac
comme tiriac

pi la senteur,
pi la chaleur
du bon bois d'érable brûlé
cé pas pareil comme
la senteur
pi la chaleur
d'un poêle à l'huile

Ta maison
cé ton ché vous
Shédiac by the sea
Bouctouche sur mer
J'ai faim de l'Acadie
et j'ai soif de parole.

Laurent Goupil hésite entre l'emploi du français académique (*Tête d'eau,* 1974) et celui d'une langue populaire (*Le Djibou,* éd. d'Acadie, 1977) proche du joual, mais qui pourtant s'en distingue :

Débiter des bûches, les découper comme des sièges, arranger des roulouères dessous pis prendre des heûres pis de heûres à décorer le dossier aux ciseaux avec des branches pis des ouâseaux, c'est là que j'sus dans mon besse. Ça, c'est pur au moins ! Ça sent pas la chârogne mais le bon bouâs franc de par icitte ! C'est net pareil comme une clarière à borbis tchèque part dans une grande forêt nouère... Well, c'est pas que j'sus à la presse là mais j'cas ben que j'vas arrêter d'badgeuler pareil comme in innocent pis j'vas essayer de m'avancer dans mon ouvrage avant que les enfants venont me qu'ri pour le souper. Veux-tu ben m'dire, goddache de hell, qu'ossé qui friggont à l'heûre qu'i est ?

Il serait sans doute excessif, pour rendre compte de la **production romanesque** des années 70, de conserver ce fil conducteur du monologue. Sous des formes variées, pourtant, c'est bien lui qu'on retrouve dans une foule de récits à la première personne, monologues de héros-narrateurs en quête d'identité, à travers la fragmentation des souvenirs comme dans les romans d'Anne Hébert (*Kamouraska,* 1970, *Les Enfants du sabbat,* 1975) ; monologue double de *L'Hiver de force* de Réjean Ducharme (1973), avant le monologue « siamois » des deux têtes antagonistes des *Têtes à Papineau* de J. Godbout (1981) : le symbole est transparent de ces deux têtes ennemies issues d'un même corps, et obligées de se supporter jusqu'à la séparation finale qui les conduira à l'anéantissement ; monologues frénétiques, angoissés, des héroïnes de M.-C. Blais (*Les Apparences,* 1970) qui, parfois, semble plier sa voix si singulière aux inflexions des modes (*Un joualonnais sa joualonie,* publié en France sous le merveilleux titre *A cœur joual,* 1973), avant d'en venir à des romans polyphoniques, moins introvertis, plus ouverts aux aspects multiples de la vie des adultes (*Le Sourd dans la ville,* 1979).

Ces ressemblances formelles ne suffisent évidemment pas à rendre compte d'œuvres qui s'affirment et s'enrichissent. Certaines semblent rester dans le même registre, telles celle de Godbout qui manie la fantaisie ironique pour traiter de réalités linguistiques (*D'amour, P.Q.,* 1972) ou politiques (*Les Têtes à Papineau*) ; ou bien celle de Ferron qui, après avoir dans *L'Amélanchier* (1970) recréé, au féminin, l'âge d'or d'une enfance mythique, et proposé la déconcertante fable politique du *Salut de l'Irlande,* donne, avec *Les Confitures de coings,* une nouvelle version de *La Nuit* (1965), autre fable allégorico-policière à la limite du fantastique, et surtout celle de RÉJEAN DUCHARME dont on retrouve, dans *L'Hiver de force,* les personnages un peu plus vieux, dans le milieu mouvant des intellectuels montréalais, toujours en porte-à-faux entre leur refus des conventions sociales ou des engouements artistiques, et leur insatiable besoin d'amour ; leurs jeux de mots sont d'autant plus pathétiques qu'ils masquent un indéniable mal d'être au monde : « Puis demain, 21 juin 1971, l'hiver va commencer, une dernière fois, une fois pour toutes, l'hiver de force (comme la camisole), la saison où on reste enfermé dans sa chambre parce qu'on est vieux et qu'on a peur d'attraper du mal dehors, où on sait qu'on ne peut rien attraper du tout dehors, mais ça revient au même. » (Fin du livre.)

[On va tout vendre]

Le narrateur et sa compagne gagnent leur vie comme correcteurs. Ils viennent de refuser à M. Bolduc de corriger les épreuves du magazine *Health-Santé :* « On était trop déprimés. On le regrette. Dire non au bonhomme Bolduc c'est comme enlever le lait dans le thé de 'sa grand-mère. »

On hésite si (c'est une tournure gidienne) on va vendre nos affaires d'un seul coup ou une par une. Mais on est des instables. Peut-être que tout à l'heure on va craquer et qu'on va les lancer toutes dans le parc Jeanne-Mance à travers la fenêtre. On a appelé la S.P.C.A. [1] pour le chat. « Allez-vous en prendre bien soin si on vous le donne ? — Nous on est pas un hôtel. Après une semaine, si personne vient l'acheter, nous on va le gazer votre chat. Nous c'est comme ça que ça marche. Est-il vacciné ? » As-tu jamais perdu tes illusions sur quelque chose d'aussi apparemment correct que la S.P.C.A. ?

On va tout vendre, même notre argent. On va garder juste notre TV. Après on va dormir sur le plancher (si personne ne veut l'acheter). Après on va manger nos dents, c'est fantastique comment que c'est nourrissant : calcium, fer, fluor.

Quand le bonhomme Bolduc a appelé, on venait tout juste d'arriver de se faire fourrer [2]. On était si écœurés que nos bouches moussaient, comme le chat quand il a mangé de l'herbe dans le parc Jeanne-Mance, du gazon que tous les bommes [3] du bout pissent dessus. J'hallucinais, comme dirait la Toune [4]. Je cherchais les ciseaux pour me couper les cheveux ; dans ces cas-là c'est ma seule thérapie ; je les rase, les hosties. On n'a pas engueulé le bonhomme Bolduc, on lui a juste dit non. Ça aurait été écœurant d'abîmer une perle pareille. Délicat comme une femme, droit comme l'épée du roi, curieux, attentif. Il ne fait jamais de fautes de français, même quand il demande un hamburger all-dressed [5] pas de relish à la waitress [6] de la luncheonette du Dominion Supermarket des Galeries d'Anjou. Il dit qu'on est les seuls correcteurs de Montréal à qui il fasse confiance les yeux fermés. On se sent *valorisés* quand on travaille pour lui, *importants.* Quand on décide qu'il manque une virgule quelque part, il est prêt à envenimer ses rapports avec le prote pour la faire mettre. A sa place à part de ça ! Pas de rafistouillonnage à coups d'X-Acto, pas de coinçage entre deux mots qui ont déjà de la misère à souffler ! Aéré ! S'il n'y a pas assez de place dans la ligne, il fait recomposer le paragraphe. L'amour c'est ça ! Éros c'est le bonhomme Bolduc.

Là, on n'est pas près de retourner dans la monde (oui oui, la monde). On va les étirer nos $15, tu peux têtre sûr. On va rester blottis au fond de notre trou et on va lécher nos plaies, longtemps, tu peux têtre sûr.

Rejean Ducharme, *L'Hiver de force,* éd. Gallimard.

1. Société protectrice des animaux du Canada. — 2. Tromper, se faire avoir. — 3. Vagabond (*bum,* en anglais). — 4. Une amie. — 5. Garni. — 6. Serveuse.

D'autres œuvres se développent en empruntant des voies plus surprenantes. Ainsi de Gérard Bessette dont l'itinéraire en zig-zag va, après *L'Incubation* (1965, dans la mouvance du Nouveau Roman), des monologues faulknériens du *Cycle* (1971) à la science-fiction des *Anthropoïdes* (1977) ; dans *Le Semestre* (1979), il cède aux subtilités vertigineuses de l'explication psychanalytique : le personnage principal, Omer Marin, professeur de littérature, commente, dans un fascinant va-et-vient intertextuel, l'un des romans d'un jeune auteur québécois disparu trop tôt, Gilbert La Rocque, *Serge d'entre les morts*. Autre œuvre, interrompue brutalement, celle de Hubert Aquin qui se suicide après *L'Antiphonaire* (1969), dont l'écriture se proclame subversive et révolutionnaire, et *Neige noire* (1974) ; Basile, lui aussi, s'est tu après son troisième roman, *Les Nuits d'Irkourtsk* (1970).

Renouvellement chez ANNE HÉBERT : un long intervalle sépare *Kamouraska* des *Chambres de bois*. Au mince récit symbolisant et désincarné succède un véritable roman : une femme scandaleuse, peut-être criminelle, revit, par le souvenir, une tragique histoire d'amour. Dans le même temps, Anne Hébert ressuscite tout un monde, celui de la bourgeoisie du début du XIXe siècle, dans un espace-temps angoissant, celui de l'immensité québécoise au cœur de l'hiver, avec des voyages interminables, des paroxysmes de violence, de grands moments d'immobilité. Son écriture, devenue nerveuse, vigoureuse, court à l'essentiel, épouse le rythme fiévreux d'une histoire pleine de « bruit et de fureur ». Ces qualités s'affirment dans *Les Enfants du sabbat* où l'auteur réussit le tour de force de nous faire croire à une histoire de sorcellerie et d'inceste en plein XXe siècle. Le couvent est cette fois, après les chambres de bois, après le mariage raté de *Kamouraska,* le lieu clos duquel il faut s'échapper. Intégrant à son univers obsédé la figure de la femme-sorcière — l'une des figures les plus marquantes de la vague féministe —, Anne Hébert dresse le tableau coloré d'une enfance fantasmée (l'initiation des enfants, le combat du Mal et du Bien, les désirs œdipiens réalisés sans frein) à laquelle succède l'évocation terrifiante d'un couvent glacé à l'époque de la Seconde Guerre mondiale : Mythe, Histoire et Psychanalyse se rejoignent, sans jamais alourdir d'un poids inutilement théorique cette histoire à moitié fantastique à quoi l'humour ajoute la dernière touche, dans un livre qui a la force de Michelet et sa naïveté (*La Sorcière,* l'une des sources citées).

[Les guimpes ont des radars]

Dans son couvent de Québec, sœur Julie semble exercer un pouvoir surnaturel. L'abbé Flageole lui-même croit l'avoir vu s'envoler dans l'église du couvent.

Malgré le silence de Léo-Z. Flageole, de mère Marie-Clotilde[1] et du docteur, les nouvelles les plus extraordinaires circulent dans tout le couvent. La sœur infirmière y est sans doute pour quelque chose. Le mot « prodige » se glisse sous les portes, suinte sur les murs, s'insinue entre les grains de rosaire. Les cornettes ont des antennes, les guimpes ont des radars. On chuchote à la récréation. On flaire, on hume le surnaturel qui flotte dans l'air.

Les sœurs font des vœux en passant près de la porte de sœur Julie.

Elles viennent la nuit de préférence sans rompre le silence conventuel, ni même s'arrêter. A peine un léger

1. La supérieure.

ralentissement de leurs pas dans le corridor. Le temps de se concentrer. Elles supplient tout bas Dieu ou le diable. Aucune importance. Pourvu qu'on les entende et qu'on les exauce ! L'avidité insatiable de celles qui ont renoncé à tout, dans l'espoir du miracle éternel.

— Que je respire seulement le même air qu'elle s'échappant à travers le trou de la serrure de sa chambre et je serai vengée de sœur Marie-Rose qui me vole toujours ma place, devant toute la communauté, pour aller à confesse. Que la voleuse soit confondue et punie sévèrement !

— Que j'effleure seulement, avec ma jupe, le panneau de la porte, là où elle est enfermée, et je ne serai plus servie la dernière au réfectoire, quand il ne reste que du petit-lait, tout bleu, au fond du pot, et quand la soupière ne contient que de l'eau de vaisselle, mêlée à la terre des légumes mal lavés.

— Laissez-moi mourir avec sœur Angèle de Merici, je vous en prie, ses pommettes rouges, ses mains brûlantes, sa beauté crucifiée, toute cette lumière mortelle qui rayonne d'elle et la consume. Me consumer avec elle, brûler d'amour avec elle et mourir. Laissez-nous mourir ensemble, toutes les deux, sœur Angèle qui est condamnée et moi qui suis bien portante et joyeuse. Je veux mourir d'amour ! Je suis entrée au couvent pour cela. Étendez-nous, toutes les deux, ensemble, sur la même croix. Un seul et dernier soupir, pour nous deux, dans les flammes de la consomption et de la fièvre. Dites seulement un mot et nous mourrons ensemble...

Le silence de ce couvent bruit comme le silence nocturne de la forêt. Sœur Julie écoute et exauce.

Sœur Marie-Rose sera prise de fortes diarrhées, au moment d'entrer au confessionnal, et sœur Antoinette retrouvera sa place attitrée, aux pieds de son confesseur. Mère Marie-Clotilde décidera de changer l'ordre habituel au réfectoire, et sœur Blanche boira désormais le dessus crémeux du lait, tous les jours, jusqu'à l'écœurement. Pour sœur Marie du Bon-Secours, elle n'aura qu'à avaler les crachats pleins de sang de sœur Angèle de Merici. La tuberculose sera galopante. Et les deux petites sœurs expireront le même jour et à la même heure, comme une seule et unique chandelle, soufflée d'un coup.

Parfois une voix sourde [1] chuchote à l'oreille de sœur Julie, endormie sur un lit étroit et très haut, ressemblant à une planche à repasser, bordé de couvertures grises, dans une minuscule chambre fermée à double tour.

— Tu es ma fille et tu me continues. Toutes ces hosties pâmées de bonnes sœurs, il faut que tu les possèdes et que tu les maléficies.

Anne Hébert, *Les Enfants du sabbat,* éd. du Seuil.

Parmi **les voix nouvelles,** mais déjà célèbres par ailleurs, celle de **Michel Tremblay** qui vient au roman en 1969 avec un ouvrage d'anticipation très impressionnant, *La Cité dans l'œuf,* et surtout avec *C't'a ton tour Laura Cadieux* (1973), autre roman à la première personne, dont le ton et la technique sont encore très proches de ceux des *Belles-Sœurs ; La grosse femme d'à côté est enceinte* (1978) est moins « théâtral » et Tremblay y commence ses *Chroniques du Plateau Mont-Royal* qui font revivre un Montréal populaire des années de l'immédiate après-guerre : on y retrouve certains des personnages de ses pièces (comme la duchesse de Langeais) qui y acquièrent une histoire et une épaisseur romanesque nourries des expériences de jeunesse de l'écrivain. **Louis Caron,** lui, remonte jusqu'à la première guerre mondiale dans *L'Emmitouflé*

1. La voix de Philomène sa mère, sorcière « classique », dont sœur Julie a raconté la vie et celle de son père, depuis le début du roman.

(1977), et au-delà, jusqu'à un épisode mal connu du XIXe siècle : la révolte de 1837-1838 au Bas-Canada, dans *Les Canards de bois* (1981). Le roman historique prend de plus en d'importance, jouant un rôle essentiel dans ce rassemblement généralisé de l'identité québécoise, celui de dresser la généalogie d'un peuple en lutte, de rétablir une perspective trop souvent faussée ou tronquée dans l'enseignement officiel.

VICTOR-LÉVY BEAULIEU avait déjà publié, en 1968, *Race de monde !* et les *Mémoires d'outre-tonneau ;* mais c'est vraiment *Les Grands-Pères* qui, en 1971, révèle cet écrivain prolifique (une bonne quinzaine de romans et d'essais en dix ans) qui va, en même temps, mener une brillante et tumultueuse carrière d'éditeur. Influencé au départ par *Parti pris,* par Kérouac — qu'il considère comme « le meilleur romancier canadien-français de l'impuissance » (faut-il rappeler que Kerouac, d'origine canadienne, écrit en américain aux États-Unis ?) —, par Hugo et par Melville, auxquels il consacrera autant de biographies vagabondes, V.-L. Beaulieu est l'écrivain de la démesure, qui ne peut qu'irriter ou fasciner, ou les deux à la fois. Enivré de mots, il tourne autour de deux thèmes fondamentaux, celui de l'échec, du combat perdu d'avance (Don Quichotte), et celui de l'errance, de la dérive (la démanche), qui se fondent dans ce livre dont le titre, en forme de jeu de mots, *Don Quichotte de la démanche* (1974), raconte l'épopée dérisoire de l'écrivain face à la création et à la mort. Avec *Les Grands-Pères,* autre méditation sur la mort, Beaulieu atteint, dans un registre plus uniment angoissé, une force tendue rare chez lui. C'est un monde qui meurt, monde paysan, patriarcal, dans les rigueurs d'un hiver aussi fou que le sont les personnages ; la famille se défait ; la phrase, elle, s'en va, comme à l'aveuglette, se casse, tentant de rejoindre les différents plans, l'onirique, l'imaginaire, le réel. Est-ce la vie, est-ce un cauchemar, ce tourbillon à la temporalité bien incertaine ?

[Tout allait finir]

Mourant, le vieux revient (ou imagine qu'il revient) vers sa maison où il a laissé sa femme, morte ou mourante elle aussi.

Le médecin poussa la barrière, la maison était énorme au fond de la cour. Le médecin jeta sa cigarette sur le trottoir, l'éteignit sous son pied. Tout se déroulait au ralenti, les gestes s'amplifiaient, se faisaient dans une hésitation trouble, comme s'il avait fallu retarder l'événement, ne pas brusquer ce qui allait survenir et qui serait sans appel. Il s'écoula un temps infini entre le moment où le médecin enleva son pied du mégot de cigarette et celui où il fit les trois pas rituels qui l'amèneraient à l'escalier. D'interminables paroles furent dites à mi-voix, le Vieux n'arrêtait plus de parler, les mots se bousculaient dans sa bouche, sans ordre et insensés, dans une dernière tentative de juguler ce qui était encore sans nom. « Vite don », dit le médecin. « Pas tout de suite », gémit le Vieux. « Pas tout de suite, hein ? » (Les chats affamés devaient se promener dans la maison déserte et sale ; une épaisse couche de poussière recouvrait tout d'une absence qui ne pourrait s'assumer ; l'évier était rouillé ; dans les portes des armoires les araignées avaient tissé de grandes toiles. C'était contre du passé inutilisable que les deux hommes allaient buter, c'était dans les détritus de soixante-quinze années d'existence qu'ils allaient se noyer dans un lourd désespoir. Derrière la porte, on entendait les chats qui griffaient les meubles et miaulaient avec détresse. Ils avaient dû beaucoup maigrir — des peaux mal posées sur les os saillants.) Le Vieux avait dit « ah ! » et il était tombé sur le perron, dans de la crotte de chien. Il râlait, la bouche ouverte, sa seule dent comme une luette d'ivoire devant le palais. (Son corps tournoyait quelque part dans un remous de la Boisbouscache, gonflé comme une outre, bleu, vieux bébé bleu qui allait crever, polluant les eaux de la rivière, ouvrant le pays à la peste, aux tumeurs, aux lèpres. Les corps deviendraient des cheminées d'usine, des formules d'alchimie brisant les mondes anciens et fertiles. Tout allait finir dans la dépigmentation et la réduction. L'eau de la Boisbouscache se salissait de sang et de défécations, et lui, il n'arrêtait pas de tourner, de virer dans le remous recouvert d'un chapeau d'écume. Les sangsues se collaient à son ventre, suçaient ce qui lui restait de fausse vie dans le nombril. Il voulait crier pour stopper le maléfice mais il n'avait plus de bouche et plus d'yeux : seul son nez restait à être mangé par les anguilles électriques louvoyant contre les vagues.) « Voyons, voyons », dit le médecin. Il avait ouvert sa trousse, avait écouté le cœur après avoir déboutonné la chemise, avait pincé les joues brûlantes et regardé l'œil blanc abrillé [1] derrière la paupière. (Il n'allait plus revenir, il était trop plein d'eau, il avait trop perdu de sang, il s'éloignait avec trop de rapidité de sa mémoire. Les caisses dérivaient dans l'eau, flottaient, se cognaient aux épaves. Tout finirait dans le fleuve, dans le dérisoire et l'inhumain.)

Victor-Lévy Beaulieu, *Les Grands-pères,* éd. Robert Laffont.

1. Abrité.

Mon oncle Antoine, *film de Claude Jutra, 1971.*

Parallèlement à cet essor romanesque, on assiste à un élan tout aussi remarquable du **cinéma** québécois. Si la période précédente avait été plutôt celle d'un cinéma d'inspiration documentaire (Perrault, Brault) — qui se poursuit d'ailleurs avec de grandes réussites : *L'Acadie, l'Acadie* de Perrault est de 1971 —, la période 1968-1980 voit s'affirmer deux autres tendances, celle de la contestation (Brault, *Les Ordres,* 1970), et celle de la fiction, elle aussi très souvent critique (D. Arcand, *Réjeanne Padovani,* 1973) ; la fiction, comme on l'a vu pour le roman, s'intéresse aussi à la reconstruction d'un passé plus ou moins éloigné (*J.-A. Martin photographe* de J. Beaudin, 1976). *Mon oncle Antoine* de Claude Jutra (1971, qui adapte en 1973 le *Kamouraska* de A. Hébert) a été souvent considéré comme le « meilleur film québécois ». C'est sans doute dans les films de Gilles Carle du début des années 70 (*Viol d'une jeune fille douce,* 1968, *La Vraie Nature de Bernadette,* 1972, *La Mort d'un bûcheron,* 1973) qu'on retrouve l'équivalent de la fantaisie douloureuse d'un Ducharme, mais les personnages de Carle sont plus forts, plus dynamiques. Une autre génération de cinéastes va apparaître (A. Forcier : *L'Eau chaude, L'Eau frette,* 1976) avant qu'une sorte de léthargie ne semble retomber sur un cinéma qui avait connu une dizaine d'années d'une étonnante vigueur créatrice.

Et maintenant ?

1980 : échec du oui au référendum sur la souveraineté-association : le Québec demeure une province de la fédération canadienne. Date tout à fait symbolique puisqu'elle marque les limites — pour l'instant — du désir d'autonomie de la grande majorité du peuple québécois. Le divorce avec les intellectuels est patent. Le pays se contente d'avoir retrouvé son identité, affirmé son existence ; il n'est pas prêt pour une liberté dont il a du mal à imaginer le prix exact. La lourde défaite du Parti Québécois aux élections de 1985, après le retrait de René Lévesque, son chef historique, vient encore confirmer cette tendance.

Il semble que la littérature suive un itinéraire comparable et traverse une **période de reflux,** ou, du moins, d'accalmie. Bien sûr, des livres s'écrivent, des revues se fondent, des pièces se jouent, les études se multiplient (rarement production littéraire aura été aussi immédiatement et sérieusement analysée, disséquée, institutionnalisée que la littérature québécoise contemporaine), mais on a l'impression — et rien n'est plus normal après un aussi gigantesque accouchement, après une révolution aussi profonde — que le temps de la nouveauté et de l'invention permanentes est révolu. Passées l'effervescence du mouvement incessant et la griserie de tous les avenirs possibles, il importe de reprendre haleine, de se situer de nouveau, et de mesurer le chemin parcouru. Voici venu le temps de l'assimilation, et aussi celui des bilans : autobiographies, intellectuelles ou non, recueils d'articles et d'essais éparpillés dans les revues au fil des années militantes. L'essai, en effet, avait tout naturellement accompagné depuis 1945, et parfois il l'avait précédé, le développement de la littérature québécoise : les réflexions, détachées ou engagées, sur la politique, le culturel, les problèmes d'éducation et de langues, ont pullulé tout au long de ces années. On pourrait par exemple, en suivant l'œuvre d'un Pierre Vadeboncœur, depuis *La*

Ligne du risque (1963) jusqu'à *Trois essais sur l'insignifiance* (1983), suivre l'histoire des débats qui ont successivement secoué la société québécoise. Dans son dernier livre, il écrit aussi une *Lettre à la France* où, une fois encore, un Québécois essaie de se situer par rapport au vieux pays qu'il est tenté d'opposer aux États-Unis : « Je voyageais par le France comme secrètement accompagné par elle, comme si elle était une personne. Cette présence est une chose unique, qu'un Québécois comme moi n'éprouve pas dans les autres pays, non plus que chez lui peut-être. » A la culture américaine, culture de « l'insignifiance », Vadeboncœur oppose la France, pays de l'histoire, de la vaillance. Cette vision manichéenne n'est pas celle d'un Godbout qui, dressant en 1981, le bilan des années écoulées, est cependant amené, lui aussi, à organiser celui-ci autour du couple France-États-Unis.

Et aujourd'hui qu'y a-t-il de changé ? Il n'y a plus de Canadiens français. Il existe maintenant des Québécois francophones. Le territoire a rapetissé, mais à seize ans un enfant est désormais conscient de ses origines. Pourtant ses images sont toujours produites à Hollywood, puisque la télévision a pris la relève des cinémas de quartier. Les idées viennent-elles toujours de France ?

On en peut juger par les revues peut-être. En 1960 *Liberté* puis *Parti-pris* puisaient leur inspiration à Paris. Les « révolutionnaires » citaient Jacques Berque, Albert Memmi, Frantz Fanon. En 1980 *le Temps fou* s'inspire autant sinon plus de la Californie et des auteurs américains que des idées européennes [...]. Nos systèmes symboliques sont aujourd'hui plus américains qu'ils ne l'étaient quand j'avais seize ans. Nos règles matrimoniales, économiques, notre art et notre religion ont des couleurs U.S. Il nous reste un seul système qui nous relie encore exclusivement à la France : la langue.

Il semble donc, à l'évidence, que je n'ai rien à dire *sur* la France. Je suis un écrivain québécois de langue française. En traduction mes phrases font du mauvais « américain ». A Paris elles sont d'un étrange français. Mais enfin, préparer la société, par l'écriture ou le cinéma, aux changements nécessaires consiste justement à trouver le mot juste (la métaphore parfois) pour dire en français ce qu'est un Américain. Les livres américains seront toujours traduits de l'américain. Nous pouvons, nous, *écrire l'américain directement en français !*

Cela exige une connaissance étendue de toute la gamme française, des odeurs de Paris et de la Provence, cela demande une perception aiguë de tous les sons américains, ceux des fusées de la Nasa ou des publicités de Madison Avenue, cela requiert d'en savoir toujours autant (et parfois plus) sur les Autres que sur soi. Cause profonde de la grande fatigue culturelle canadienne-française ?

Est-ce que notre rapport au Monde a changé ? Il y a toujours, en haut de la Côte-des-Neiges, une librairie française, et un peu plus bas le cinéma *Van Horne* qui présente des films américains. D'un côté les idées, de l'autre l'action. Je sens profondément que nous en sommes toujours au même point, c'est-à-dire écartelés entre la littérature et le cinéma. A preuve ? Un *écrivain* socialiste est aujourd'hui Président de la France, cependant qu'un *acteur* dirige le gouvernement des États-Unis. J'aurais pu le prédire quand j'avais seize ans. Les clichés ont du bon.

Place Cliché in « Liberté », nov.-déc. 1981.

Comment dessiner la géographie actuelle du champ littéraire ? Il serait fastidieux d'ajouter, en de longues listes, quelques titres à chacune des œuvres dont nous avons situé débuts et développements ; il serait hasardeux de vouloir distinguer, parmi les œuvres naissantes, les grands écrivains à venir. Mieux vaut proposer quelques textes récents, d'auteurs confirmés ou inconnus, dont la juxtaposition permet de dégager les lignes de force d'une production que n'inspirent plus les urgences bien définies des décennies précédentes.

D'abord, deux poèmes. Après les ardeurs de l'engagement, les subtilités des recherches et des expérimentations (Michel Beaulieu, CLAUDE BEAUSOLEIL dans les années 70), voici revenu comme un nouvel « âge de la parole » : ces écrits témoignent d'un mouvement assez généralisé de **retour au poème** que l'on retrouverait aussi affirmé chez un Chamberland. Entre l'inquiétude et la confiance, celle-ci l'emporte, même si la langue reste toujours sous la menace — qui peut être une source d'enrichissement — de sa voisine et rivale américaine.

Montréal l'été

« mal au corps, comme une déconstruction. »
Jean-Marc Desgent

le corps ouvert aux
veines des rues qui
parlent je donne un
jour de plus au désir
et dans l'allée d'une
autoroute mentale je
dresse le texte livré
à lui-même comme au désordre
de ma ville : je cingle et
dicte des assauts sur les
remparts de la désinvolture
les bars ne ferment que pour
laisser l'écriture flirter
avec d'autres réels et on
change ainsi de style et de

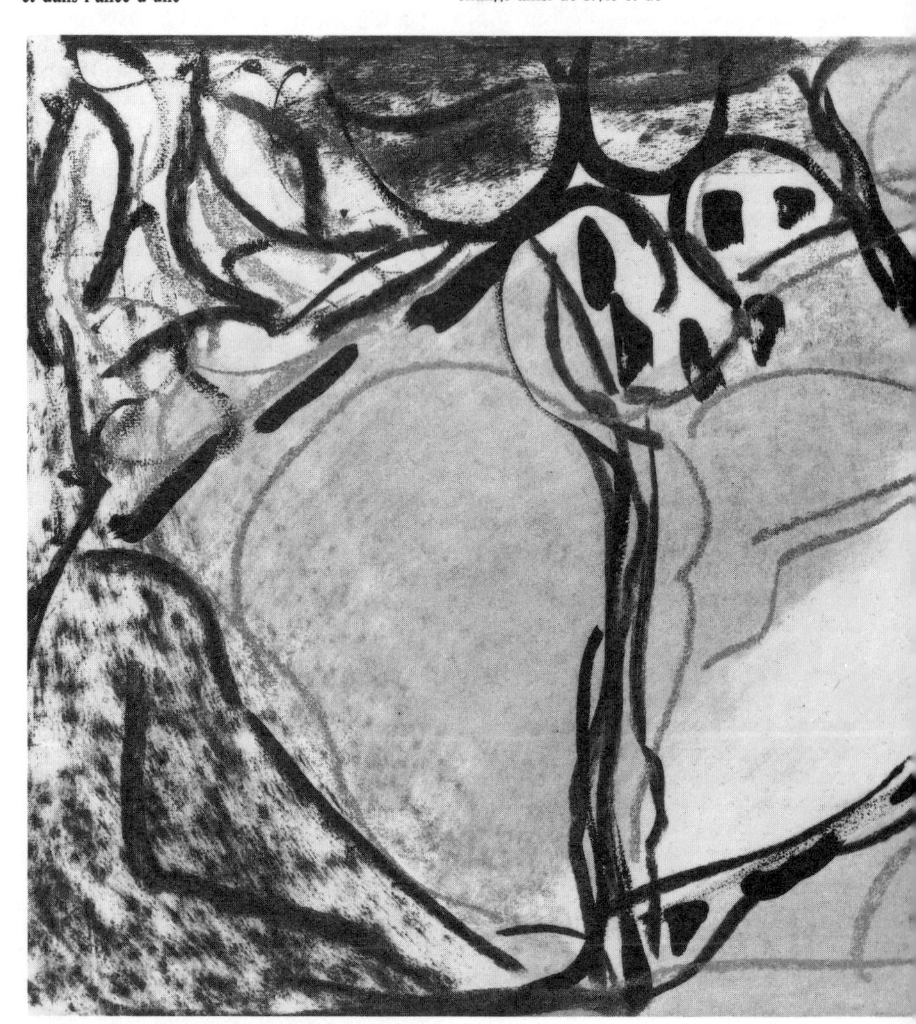

Vallée de la Roche Blanche, *pastel de Jean-Paul Riopelle, 1975.*

trottoir car le jeu d'écriture
est multiple comme le réseau
des pulsions qui scandent un
appel délirant dans ce parking
désert où j'avance pris au pire
pourtant il n'y a pas de désastre

Claude Beausoleil,
Au milieu du corps l'attraction s'insinue,
éd. Le Noroît.

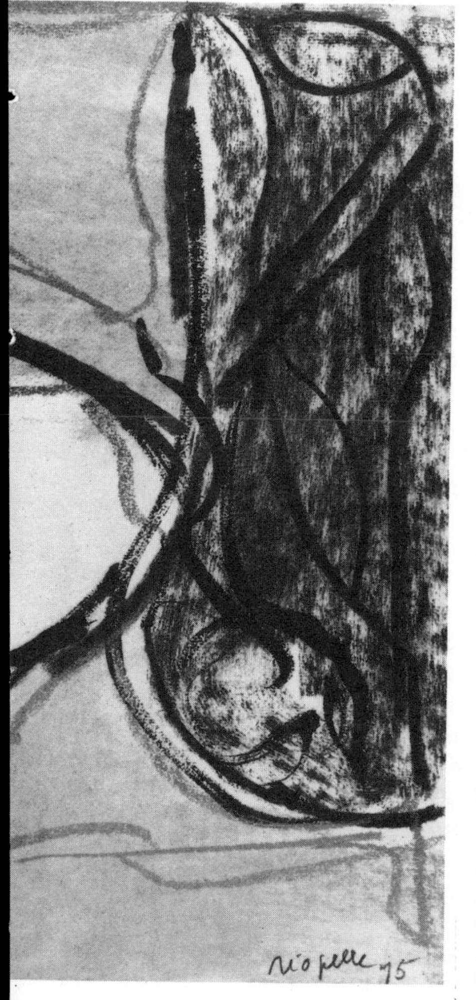

[Say it in french]

Say it in french
la phrase prend des détours
elle évite l'affrontement
remet à plus tard se perd
dans les inextricables parenthèses
les renvois

good god
la langue ne sent pas
le passage des mots
tu ralentis tu parles
d'un ton presque neutre
tu en prends ton parti

say it in french
chour
n'importe quand viens-y voir
dis-tu les yeux dans les siens
chacun cherchant le mot que tu désires
au lieu des points de suspension

Michel Beaulieu, *Kaléidoscope,* éd. Le Noroît.

Ensuite, trois proses. Toutes trois traitent du **problème de l'écriture,** et ce n'est pas un hasard. La littérature québécoise semble se trouver, à son tour, dans cet état de réflexion sur elle-même qui, selon Godbout (*Le Réformiste,* 1974) caractérisait le roman français des années 70 : « Le roman français n'existe plus pour nous : la problématique du roman français est devenue l'art romanesque. L'écrivain français ne nous dit plus sa situation au monde, mais sa situation à la littérature. » L'écrivain devient le personnage principal de bien des romanciers (La Rocque, V.-L. Beaulieu, GILLES ARCHAMBAULT) et c'est, le plus souvent, un écrivain en proie à la difficulté d'écrire. L'écriture, pour reprendre le titre du numéro spécial récent (1984) de *La Nouvelle Barre du jour,* d'où est extrait le second texte (de MARCEL

LABINE), serait-elle devenue une « écriture célibataire » ? La troisième page est toute différente de ton ; elle est de M.-C. Blais. Celle-ci, toujours étonnamment sensible aux variations de l'esprit du temps, fait une nouvelle fois dans *Pierre : la Guerre du printemps 81* (1984), le récit d'une éducation, de la séparation d'un adolescent d'avec sa famille, de sa fascination pour ce mal absolu qu'est la violence gratuite. Elle aussi, par un cheminement tout différent, qui recourt à l'utilisation des personnages et de situations de la para-littérature américaine (B.D., espionnage, science-fiction), aboutit à poser la question de la place de l'écriture et de sa disparition possible. Dans l'imaginaire québécois, le déchirement entre le français et l'anglais, entre la France et les États-Unis, semble bien fonctionner comme le mythe de l'opposition de la littérature (la culture, les livres, l'histoire : c'est ce que disait autrement Vadeboncœur) et de l'action (la violence, la drogue, l'oubli, la mort). Toujours le balancier oscille entre la réconciliation indispensable de par la position même du Québec (ces « Français d'Amérique ») et le refus d'une culture étrangère et familière, qui n'est peut-être après tout que la crainte d'un avenir inévitable.

[On vit très bien sans écrire]

Nous sommes presque au début du roman.

Au petit déjeuner, j'ai dit à Mélanie [1] que je me remettrais à écrire. Depuis quelques jours m'est venu le goût de relater un voyage que j'ai fait il y a quelques mois. J'ai été moi-même surpris de ce désir. Au moment où tout autour de moi on commence à tenir mes livres pour des œuvres du passé, quelle idée d'entreprendre un nouveau livre ! Puisque le plaisir d'écrire est bien mince et que toute idée de salut par la littérature m'a quitté. Mélanie a déposé la petite cuiller sur le rebord de la soucoupe, m'a caressé la main. La finesse de ses longs doigts. Rien ne m'émeut autant que ce contact-là. Il m'est arrivé de pleurer parce qu'elle m'avait touché. Nul doute, elle aurait pu tout aussi bien s'esclaffer puisque j'ai tant de fois affirmé qu'on ne m'y reprendrait plus, que l'humanité pouvait très bien vivre sans mes livres futurs.

Je lui ai dit cent fois que seules la mort et notre tendresse auraient dorénavant de l'importance pour moi. Elle sait que j'ai banni tout espoir et que je tiens l'écriture, dont j'ai tant parlé, pour un leurre de plus. Ces petits airs de flûte dont je suis capable m'ont occupé pendant des années, m'ont empêché de trop prendre la vie au tragique. Aussi la lente confession que je veux faire aujourd'hui sous forme d'un récit de voyage n'a-t-elle au fond que le mérite de me permettre de m'adresser à voix basse à un lecteur qui reconnaîtra peut-être au passage l'expression d'un sentiment qui ne le laissera pas indifférent. Les mots que j'utiliserai seront simples parce que murmurés. Ma vie me paraît souvent un opéra joué dans des décors décrépits, un opéra auquel j'assistai un soir de grande fatigue, il y a très longtemps.

On vit très bien sans écrire. Quand après des années de rêveries on se prend à ce jeu, il faut tout réapprendre, oublier la lente suite des jours, ne plus avoir que le désir de conduire un récit jusqu'à sa fin. Cette fois, je sais que c'est pour de bon. Je parlerai de Mélanie, d'une autre femme avec qui j'ai vécu, de mon amour du jazz et de lieux visités dans les pas de Jack Kerouac.

Gilles Archambault, *Le Voyageur distrait*, éd. Stanké.

1. La femme du narrateur.

[Kafka, ce vieux garçon]

... il avait cru, un certain temps, à force de lire et de relire Kafka que le seul état, que la seule condition propice à la venue d'une écriture véritablement inquiétante et chercheuse était la sienne ! Kafka, ce vieux garçon, s'était fabriqué de toutes pièces un parfait alibi, un mythe extraordinairement moderne : il n'y a d'écriture que dans le célibat. Cela l'avait rassuré, cela l'avait contenté. De l'écrivain solitaire à l'écrivain célibataire, il n'y avait qu'un pas. Du poids de l'écriture à celui de l'existence, il y en avait un autre. A toutes jambes, il avait marché. A toutes jambes, il les avait franchis tous les deux. Jusqu'au jour où il remarqua, tout à fait par hasard, qu'il connaissait des célibataires qui n'écrivaient pas, des mariés, divorcés, séparés, veufs, orphelins, immigrés qui, eux, écrivaient. Il se mit donc à en faire le décompte le plus savamment du monde : sondages, enquêtes, téléphones, porte à porte. Rien ne fut laissé de côté. Il compila le tout le plus scrupuleusement possible et arriva à une conclusion à laquelle il ne s'attendait absolument pas : certains écrivent, d'autres pas. Cela le bouleversa. Il refit ses calculs. Cela demeura tel : certains écrivent, d'autres pas. Il venait par le fait même d'acquérir deux autres certitudes : il faisait partie du premier groupe et son célibat n'y était pour rien. Cette nuit-là, en rentrant chez lui, il sombra dans un sommeil profond profond...

Marcel Labine, « Sunday driver du célibat », in *La Nouvelle Barre du jour,* nov. 84.

[Ce héros d'aujourd'hui]

Pierre, à 16 ans, a quitté sa famille pour rejoindre une bande de motards qui vivent de violences et d'agressions. Il aime Stone, une adolescente qui fait partie de la bande.

Mes yeux fixaient Stone. Ses cheveux recommençaient à pousser, l'une des mèches, sur le côté, qu'elle avait teinte d'une coloration violacée déteignait sur ses joues après le bain. Je ne la distinguais désormais parmi ces sauvages que par cette courte chaîne d'argent que nous avions l'un et l'autre suspendue au lobe de notre oreille droite. Je pensais soudain aux héros de ma mère. En cet été 81, le pieux Werther n'était-il pas devenu un fasciste et terroriste ? Il posait des bombes dans les trains des villes d'Europe. Rimbaud niait, lui, les larmoiements de l'écriture pour le trafic d'armes et de drogues. Son aventure de spéculateur le poussait à New York, au Pérou, puis en Bolivie où il complétait avec quelque réseau clandestin ces transactions qu'il avait depuis longtemps prévues avec subtilité. C'était un élégant charmeur qui voyageait beaucoup ; sa vie n'était qu'une bulle d'éther qui crèverait très vite. Aussi quittait-il rapidement la Bolivie à destination de Rio de Janeiro, puis allait du Vénézuela à Trinidad, transportant avec dédain sous le flair des policiers, ses 1 200 grammes de cocaïne pure dans des valises à double fond. Il dépensait de frauduleuses sommes d'argent auprès de ses amis et maîtresses et souvent il mourait seul, tué d'une balle dans la tête, lors d'un règlement de comptes. Lorsqu'on saisissait ses stocks d'héroïne achetés avec tant de bravoure, son corps que nul ne venait reconnaître gisait à proximité de sa camionnette au bord d'un fossé. Ce héros d'aujourd'hui s'appelait Cheddy Bear, le Rat ou Grave Digger [1]. Il vivait parmi les siens dans sa jungle et n'avait gardé de ses aïeux que quelques inscriptions

1. Trois des membres de la bande.

historiques qui animaient encore sa violence, ainsi ce tatouage d'une croix gammée, sur les bras de Grave Digger, Deadman, le Rat, que je voyais briller au soleil. Le passé du monde n'était que poussières, me disais-je. En l'an 2000 on ne se souviendrait plus d'avoir peint, écrit des livres.

Chacun serait un guerrier.

Marie-Claire Blais, *Pierre,* éd. Acropole.

L'accalmie, la désillusion, qui semblent régner dans la vie sociale et culturelle actuelle, sont peut-être uniquement le fait des générations qui avaient nourri d'autres espérances. Ces mêmes interrogations traversent certaines œuvres récentes, et en particulier un film comme celui de Claude Jutra, *La Dame en couleurs* (1985). Si la fable en est compliquée, les images et la morale en sont claires, qui reprennent les lieux, les personnages et les situations qui ont nourri la culture québécoise des quarante dernières années. Dans un asile d'aliénés tenu par des religieuses et des gardiens qui ont tout de policiers ou de militaires, le service est assuré par des enfants qui sont des orphelins. Un peintre fou prépare une exposition toujours reculée. Demeurer dans cet univers, c'est risquer de tomber soi-même dans la folie. Mais, paradoxalement, il est facile de s'en échapper, si l'on accepte d'affronter les ténèbres des caves et les risques de la liberté, tels que seuls les enfants sont capables de les découvrir. Les dernières images sont bouleversantes qui montrent en opposition une religieuse ôtant l'une après l'autre les pièces de son costume avant de franchir, tête haute, les grilles de l'asile devant les gardiens impuissants, et l'une des orphelines, incapable de parcourir les derniers mètres qui la séparent du monde extérieur, et retournant vers le nid de vipères de l'asile où elle devient folle à son tour. Image terrible qui laisse pressentir qu'il se prépare, au Québec, sous la surface en apparence apaisée, bien d'autres mutations.

Choix bibliographique :

M. Bélair, *Le Nouveau Théâtre québécois,* Leméac, 1973.

Change, mars 1977 : « Souverain Québec ».

R. Dionne, *Le Québécois et sa littérature,* Naaman, A.C.T.T., 1984.

L. Gauvin, L. Mailhot, *Guide culturel du Québec,* Boréal Express, 1982.

J.-C. Godin, L. Mailhot, *Le Théâtre québécois,* vol. 1, 1973, vol. 2, 1980 ; HMH.

Liberté, nov.-déc. 1978 : « Pour l'Hexagone ».

Liberté, février 1983 : « Nos écrivains par nous-mêmes ».

L. Mailhot, *La Littérature québécoise,* « Que sais-je ? », P.U.F., 1974.

L. Mailhot, D.-M. Montpetit, *Monologues québécois,* Leméac, 1980.

M. Maillet, G. Leblanc, B. Emont, *Anthologie de textes littéraires acadiens,* édition d'Acadie, Moncton, 1979.

G. Marcotte, *Le Roman à l'imparfait,* essai sur le roman québécois d'aujourd'hui, La Presse, 1976.

G. Marcotte, *Romanciers du Québec,* édition Québec français, 1980.

L. Mailhot, P. Nepveu, *La Poésie québécoise,* P.U.Q. et l'Hexagone, 1981.

Dictionnaire des œuvres littéraires du Québec, vol. 3 (1940-1959), vol. 4 (1960-1969), Fides, Montréal.

Le choix de la francophonie

Au terme de ce panorama des littératures francophones, la cause paraît entendue : ce mot « francophone », qui a servi d'enseigne et de fil directeur, est à la fois le plus commode (il évite bien des péri phrases) et le plus incertain (parce qu'il suscite maintes réserves et qu'il recouvre des situations d'écriture contradictoires). Il serait donc malvenu de terminer glorieusement sur la définition d'un modèle d'« écrivain francophone », sauf à fabriquer un dérisoire portrait-robot juxtaposant le tropicalisme antillais, l'humour langagier africain, la passion maghrébine pour le jeu des signes, l'ivresse de l'identité québécoise, la mise en pièces de l'identité belge, etc.

Et pourtant... Les mots, comme les faits, sont têtus : à force d'usage, « francophone » et « francophonie » font apparaître convergences et parallélismes de situations. C'est ce que suggère la lecture d'un dossier rassemblé en mars 1985 par *La Quinzaine littéraire*. Certes, les valorisations excessives ou maladroites de la francophonie sont poliment récusées : Maryse Condé rappelle que la pratique d'une même langue ne suffit pas à fonder une communauté francophone ; Edmond El Maleh juge « déplaisant dans sa sonorité, presque barbare à la limite » ce mot « francophonie » qui tient à distance ceux qui désirent s'approprier la langue française. Compte tenu de ces réticences, quand il s'agit de définir le rapport de l'écrivain au français choisi comme langue d'écriture, un consensus se dessine. D'abord dans le refus du francocentrisme. Et surtout par la reprise, comme en écho, des mêmes thèmes, voire des mêmes termes : c'est la langue française qui choisit l'écrivain plutôt que l'inverse ; elle est le lieu où s'affirme une identité, tout en invitant à l'expérience de l'exil et de l'étrangeté ; c'est par son impureté fondatrice que le français des francophones, négateur des frontières, atteint l'universel...

Qui choisit qui ? « Non il ne s'agit pas de choix. Imposée ou pas, la langue française était là toute séduction dehors, m'environnant », reconnaît le Congolais Tchicaya U Tam'si. Et l'Haïtien Jean-Claude Charles : « Je n'ai pas choisi la langue française, elle m'a choisi. Et j'en suis très content. Je veux pouvoir la garder. Je veux pouvoir la tromper itou. »

La langue détentrice ou révélatrice de l'identité ? « C'est ma langue, je n'en ai pas d'autres », constate la Québécoise Suzanne Jacob, tandis que le Zaïrois Mukala Kadima-Nzujï retourne le français contre l'ancien maître pour en faire « le lieu d'assomption de sa propre identité ». Pour l'Algérienne Assia Djebar, le français est la langue de « sortie du harem » : langue de la solitude et de la transgression féminines. « Écrire en la langue étrangère devient presque faire l'amour hors la foi ancestrale ».

La nécessaire étrangeté de la langue ? Le Suisse Yves Laplace, l'Algérien Tahar Djaout, la Tunisienne Hélé Béji la définissent en termes proches : « Toute langue est étrangère à celui qui écrit » ; « l'écrivain n'use-t-il pas inévitablement [...] d'une langue de l'étrangeté ? » « Une langue n'est jamais nôtre, fût-elle de naissance, elle n'est qu'une traduction étrange de l'intensité de la réalité. » Ce que l'on retrouve dans les propos d'Edmond Jabès cités par Jean-Michel Maulpoix : « Le véritable écrivain a sans doute un pays natal, mais il n'a guère de patrie : par l'exil et le questionnement, il fait de la langue sa terre adoptive. »

Le français, langue impure ? Tchicaya U Tam'si se revendique « bâtard de la langue ». Leïla Sebbar, de mère française, de père algérien, souligne qu'elle écrit pour faire entendre dans sa langue maternelle la langue de son père qu'elle n'a pas su, pu ou voulu apprendre. C'est ainsi que, pour Nabile Farès, la francophonie devient « un espace de l'étrangeté dans la langue et de la langue, [...] où entrent en communication les différents domaines de la pluralité humaine ». Même jubilation des écrivains belges à manipuler un français « hétéroclite » : « Le français, c'est la gueuse » (Hubert Juin, qui rêve d'en faire « le patois universel ») ; « mon français, c'est du yiddishowallon, du bruxellofrançais » (Jacques Sojcher) ; Jean-Pierre Verheggen, lui, explore toutes les possibilités de « déconstruire, détourner et désapprendre » le français...

Ce qui frappe dans ces prises de position, c'est **le détachement tranquille à l'égard du modèle français.** L'écrivain francophone, tel que le dessine l'enquête de *La Quinzaine littéraire*, annonce l'éclatement du français monolithique. Il faut donc en finir avec les mythes acceptés depuis Rivarol, avec la sacralisation du français comme langue de la perfection linguistique. E.M. Cioran, dans ses *Exercices d'admiration* (1986), rend, à sa manière (ironique et joyeusement désespérée), un dernier hommage aux idées reçues sur l'excellence intrinsèque et l'universalité de la langue française, quand il évoque le choix de celle-ci plutôt que sa langue maternelle, le roumain, pour écrire son *Précis de décomposition* : « Ce que j'ambitionnais c'était ni plus ni moins que de rivaliser avec les indigènes » (comprenons : avec les Français !). « J'aurais dû choisir n'importe quel autre idiome, sauf le français, car je m'accorde mal avec son air distingué, il est aux antipodes de ma nature, de mes débordements, de mon moi véritable et de mon genre de misères. Par sa rigidité, par la somme de contraintes élégantes qu'il représente, il m'apparaît comme un exercice d'ascèse ou plutôt comme un mélange de camisole de force et de salon. [...] Aujourd'hui que cette langue est en plein déclin, ce qui m'attriste le plus c'est de constater que les Français n'ont pas l'air d'en souffrir. Et c'est moi, rebut des Balkans, qui me désole de la voir sombrer. Eh, bien, je coulerai, inconsolable, avec elle ! ».

Pour le Marocain Abdelkebir Khatibi, qui en cela rend bien compte d'une constante francophone, ce qui justifie qu'il ait choisi le français comme langue d'écriture, ce n'est ni son universalité, ni sa perfection : c'est qu'il est **la langue de l'autre, la langue autre,** donc la langue où s'échangent l'identité et la différence, la langue de l'impossible (et nécessaire) traduction, la « bi-langue », le lieu d'« une liberté prodigieuse »... Dans *Amour bilingue*, il esquisse un mythe à l'antithèse de celui de Rivarol : l'amour et la langue obéissent aux mêmes exigences du désir : « Faire muter une langue dans une autre est impossible ; et je désire cet impossible » ; écrire en français : un dialogue amoureux. « Folie de la langue, mais si douce, si tendre en ce moment. Bonheur indicible ! Ne dire que cela : Apprends-moi à parler dans tes langues. »

INDEX

N.B. — On trouvera des extraits d'œuvre pour les écrivains dont le nom est précédé par *. Les chiffres en caractères gras renvoient à ces textes et aux études qui les accompagnent.

C

D

E

S

T

U

V

W

Y

Z

TABLE DES MATIÈRES

N.B. — Les initiales entre parenthèses renvoient au nom des auteurs. J.-L.-J. : Jean-Louis Joubert ; J.L. : Jacques Lecarme ; E.T. : Éliane Tabone ; B.V. : Bruno Vercier.

Crédits photographiques

p. 17 : Ph. © Marc Riboud - Magnum.
p. 19 : Ph. © M. Huet - Hoa-Qui.
p. 25 : Collection de l'artiste. Ph. Jeanbor © Photeb. - D.R.
p. 34 : Musée national des Arts africains et océaniens. Ph. Jean-Michel Labat © Photeb.
p. 37 : Collection de l'Artiste. Ph. Jeanbor © Archives Photeb. - D.R.
p. 40 : Ph. © C.I.M. - Photeb.
p. 42-43 : (détail), Ph. © M. Renaudeau - Hoa-Qui.
p. 51 : Ph. © Christine Couëron - APA.
p. 54 : Ph. © D. Nidzgorski.
p. 57 : Ph. © D. Nidzgorski.
p. 58 : Ph. © Moktar Gueye - APA.
p. 65 : Musée national des Arts africains et océaniens. Ph. Jean-Michel Labat © Photeb.
p. 66 : Ph. © C.I.M. - Photeb.
p. 69 : Ph. © Hoa-Qui - Archives Photeb.
p. 71 : Ph. © M. Renaudeau - Hoa-Qui.
p. 76 : Ph. © M. Renaudeau - Hoa-Qui © by S.P.A.D.E.M. 1986.
p. 80 : Ph. © M. Huet - Hoa-Qui.
p. 86 : Ph. © Christian Vaisse - Hoa-Qui.
p. 89 : Ph. © Picou - A.A.A. Photo.
p. 91 : Bibliothèque nationale, Paris. Ph. © Bibl. nat. - Archives Photeb © by S.P.A.D.E.M. 1986.
p. 95 : Ph. © Alain-Patrick Neyrat.
p. 99 : Ph. © Roger Pic - Archives Photeb.
p. 102 : Ph. Jeanbor © Photeb © by Editions G.L.M., 1948 - D.R.
p. 107 : Ph. Michel Didier © Photeb © by Editions Caribéennes, 1983 - D.R.
p. 122-123 : Ph. © Coll. de l'artiste - Photeb © by A.D.A.G.P. 1986
p. 126 : Ph. © N. Aufan - A.A.A. Photo - D.R.
Ph. © Vautier - De Nanxe.
p. 129 : Ph. © CIRIC.
p. 130 : Ph. M. Didier © Photeb © by Les Éditeurs Français Réunis, 1973 - D.R.
p. 132 : Ph. © O. Pasquiers - CIRIC.
p. 135 : Collection particulière. Ph. © Mellon - Black Star - Rapho. - D.R.
p. 144 : Ph. © Vautier - De Nanxe.
p. 146 : Ph. © Roger-Viollet.
p. 153 : Ph. Michel Didier © Photeb © by Ed. Jean Albany, 1978 - D.R.
p. 155 : Ph. Michel Didier © Photeb © by Editions de l'Harmattan, 1975 - D.R.
p. 159 : Ph. © Sygma.
p. 161 : Ph. Michel Didier © Photeb © by Editions Jean-Jacques Pauvert, 1974.
p. 169 : Ph. © Salgado - Magnum.
p. 174 : Ph. © H.W. Silvester - Rapho.
p. 177 : Ph. © E.C.P. Armées - Archives Photeb.
p. 183 : Ph. © Abbas - Magnum.
p. 191 : Ph. © M.P.B. - Enguerand.
p. 193 : Ph. © Collection Cahiers du Cinéma.
p. 202-203 : Ph. © Pierre Michaud.
p. 206 : Collection Particulière. Ph. Jeanbor © Photeb © by la Revue Souffles - D.R.
p. 214 : Bibliothèque Nationale, Paris. Ph. Jeanbor © Archives Photeb © by Editions Denoël, 1974.
p. 216-217 : Ph. © P. de Mazières.
p. 221 : Ph. © Kamel Dridi.
p. 223 : Musée du Louvre, Paris. Ph. © Archives Photographiques © by S.P.A.D.E.M. 1986.
p. 230 : Ph. © Inge Morath - Magnum.
p. 235 : Ph. © Kamel Dridi.
p. 239 : Ph. © J. Mayans - CIRIC.
p. 245 : Coll. de l'Artiste. Ph. M. Didier © Photeb. - D.R.
p. 253 : Ph. © George Rodger - Magnum.
p. 255 : Collection Particulière. Ph. Jeanbor © Photeb. D.R.
p. 256 : Musées royaux des Beaux-Arts de Belgique, Bruxelles. Ph. © A.C.L. Bruxelles - Photeb. - D.R.
p. 260 : Collection Particulière. Ph. Michel Didier © Archives Photeb © by A.D.A.G.P. 1986.
p. 267 : Ph. © Nicole Hellyn Archives et Musée de la Littérature - Bibliothèque Royale Albert Ier, Bruxelles - D.R.
p. 272 : Archives et Musée de la Littérature, Bibliothèque royale Albert Ier, Bruxelles. Ph. © Nicole Hellyn - Arch. Photeb © by A.D.A.G.P., 1986.
p. 273 : Ph. © Galerie Isy Brachot, Bruxelles-Paris © by A.D.A.G.P., 1986.
p. 275 : Collection Particulière. Ph. Michel Didier © Archives Photeb - D.R.
p. 276 : Bibliothèque Royale Albert Ier (Réserve précieuse), Bruxelles. Ph. © de la Bibliothèque - Archives Photeb - D.R.
p. 291 : Musée de l'Art Wallon, Liège. Ph. © du Musée © by S.P.A.D.E.M., 1986.
p. 295 : Collection Particulière. Ph. Jeanbor © Photeb - D.R.
p. 303 : Ph. © Gustave Roud et Editions Payot, 1978.
p. 304 : Collection Particulière. Ph. Jeanbor © Photeb © by « Les Cahiers de la Renaissance Vaudoise », 1969 - D.R.
p. 319 : Ph. © Institut Suisse pour l'étude de l'art, Zürich-Photeb - D.R.
p. 322 : Musée du Québec. Ph. © P. Altman - Musée du Québec - Photeb - D.R.
p. 333 : Ph. © Beaudin © by Editions de l'Hexagone.
p. 338 : Ph. © Antoine Désilets - Des Images Plus.
p. 341 : Collection Particulière. Ph. Michel Didier © Archives Photeb - © by Editions du Noroît et J. Brault - D.R.
p. 347 : Ph. © Daniel Kieffer.
p. 350 : Bibliothèque de la Délégation du Québec, Paris. Ph. Jeanbor © Photeb © by Real Campeau - D.R.
p. 353 : Bibliothèque de la Délégation du Québec, Paris. Ph. Jeanbor © Photeb © by Editions de l'Hexagone, 1974 et R. Giguere - D.R.
p. 355 : Bibliothèque de la Délégation du Québec, Paris. Ph. Jeanbor © Photeb © by Charles Moulton - D.R.
p. 357 : Ph. © Daniel Kieffer.
p. 365 : Ph. © Office National du Film du Canada.
p. 368 : Ph. © Galerie Maeght Lelong © by A.D.A.G.P., 1986.

Imprimerie Jean-Lamour, Nancy. 720049-5-1990.
Dépôt légal : juin 1990.
Dépôt légal de la 1re édition : octobre 1986